FACTO school

6-1

초등 수학 **팩토**

단원별 계산력 수학

7 단원

분수의 나눗셈

매스티안

6. 분수와 소수

· 분수와 소수
· 분수와 소수의 크기 비교

4. 분수

· 진분수, 가분수, 대분수
· 분모가 같은 분수의 크기 비교

1. 분수의 덧셈과 뺄셈

· 분모가 같은 진분수, 대분수의 덧셈과 뺄셈

4. 약분과 통분

· 약분하기, 통분하기
· 분모가 다른 분수의 크기 비교

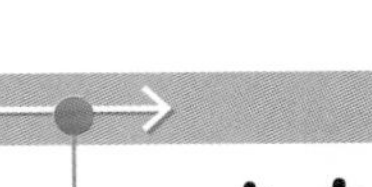

3. 소수의 덧셈과 뺄셈

· 소수 두 자리 수, 소수 세 자리 수
· 소수의 덧셈과 뺄셈

4. 소수의 곱셈

· (소수)×(자연수)
· (소수)×(소수)

1 분수의 나눗셈

Teaching Guide

아이가 분수의 나눗셈에서 아래와 같은 실수를 하지 않도록 개념을 차근차근 학습시켜 주시기 바랍니다.

실수 유형 1 나눗셈을 곱셈으로 바꾸지 않고 약분 $\frac{3}{\cancel{4}_2} \div \cancel{2}^1 = \frac{3}{2} \times 1 = \frac{3}{2} = 1\frac{1}{2}$

실수 유형 2 대분수를 가분수로 고치지 않고 계산 $2\frac{2}{3} \div 5 = 2\frac{2}{3} \times \frac{1}{5} = 2\frac{2}{15}$

1. 분수의 나눗셈

· (자연수)÷(자연수)
· (분수)÷(자연수)

6-1

5-1 2. 약수와 배수
· 약수와 배수
· 공약수와 최대공약수
· 공배수와 최소공배수

중학 1-1 소인수분해

중학 1-1 최대공약수와 최소공배수

5-1 5. 분수의 덧셈과 뺄셈
· 분모가 다른 진분수, 대분수의 덧셈과 뺄셈

5-2 2. 분수의 곱셈
· (분수)×(자연수)
· (분수)×(분수)

6-2 1. 분수의 나눗셈
· (자연수)÷(분수)
· (분수)÷(분수)

6-1 3. 소수의 나눗셈
· (소수)÷(자연수)
· (자연수)÷(자연수)

6-2 2. 소수의 나눗셈
· (소수)÷(소수)
· (자연수)÷(소수)

중학 1-1 유리수의 계산

중학 2-1

중학 3-1

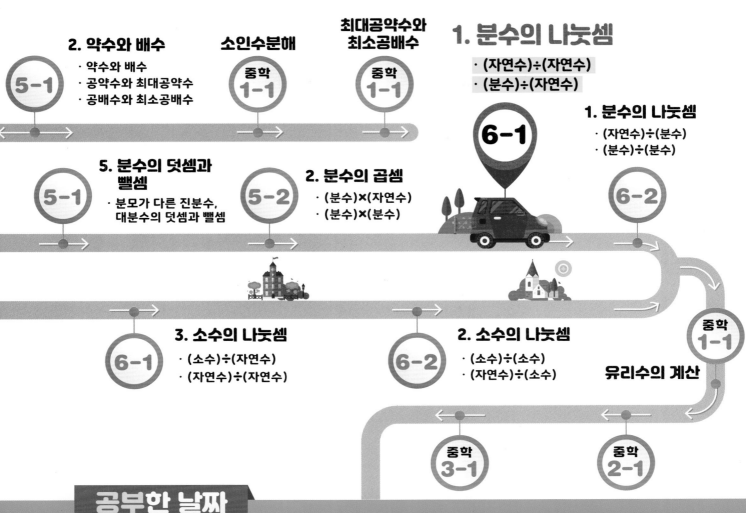

01 (자연수)÷(자연수)의 몫을 분수로 나타내기

정답 02쪽

- 2개를 3명에게 똑같이 나누어 줄 때 한 명은 $\frac{2}{3}$개씩 가집니다.

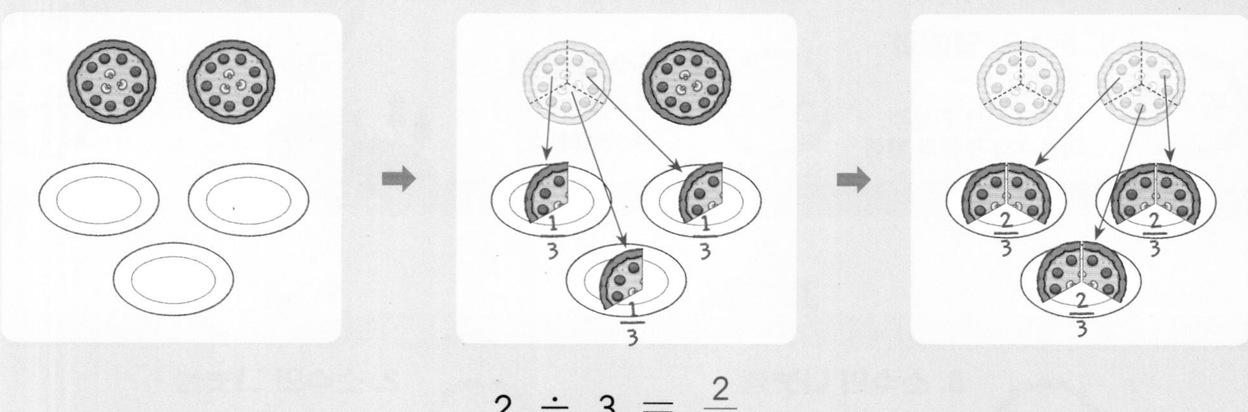

$$2 \div 3 = \frac{2}{3}$$

전체 피자 수 / 나눌 사람 수 / 한 명의 몫

1 그림을 보고 ☐ 안에 알맞은 수를 써넣으시오.

1 ÷ 4

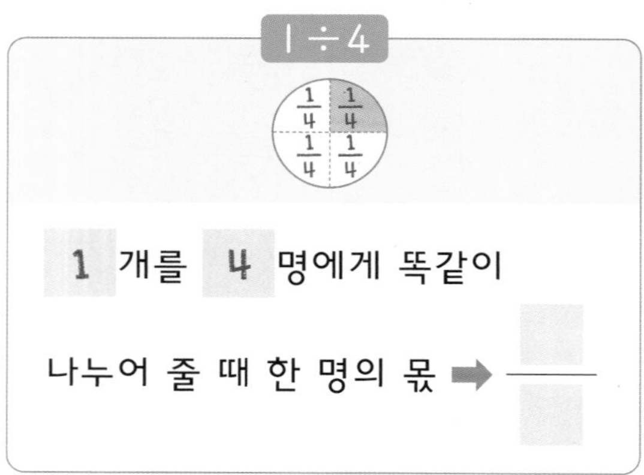

1 개를 4 명에게 똑같이

나누어 줄 때 한 명의 몫 ➡ $\frac{☐}{☐}$

2 ÷ 5

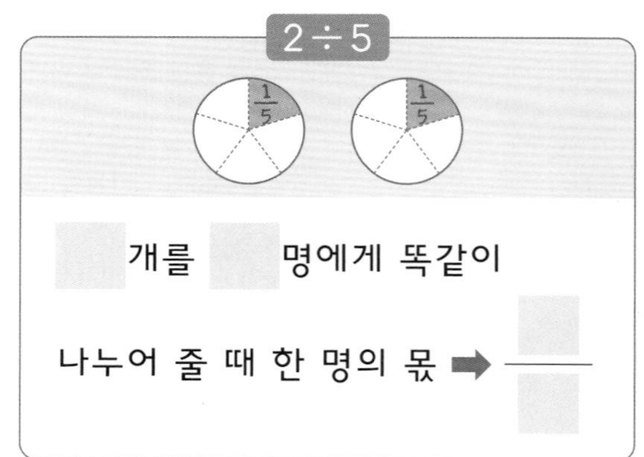

☐ 개를 ☐ 명에게 똑같이

나누어 줄 때 한 명의 몫 ➡ $\frac{☐}{☐}$

3 ÷ 5

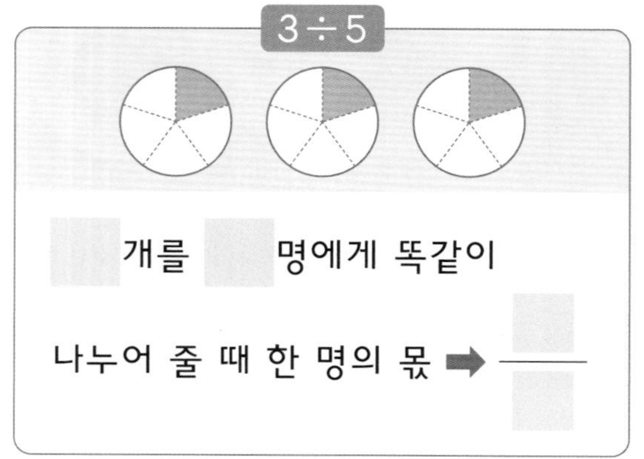

☐ 개를 ☐ 명에게 똑같이

나누어 줄 때 한 명의 몫 ➡ $\frac{☐}{☐}$

5 ÷ 6

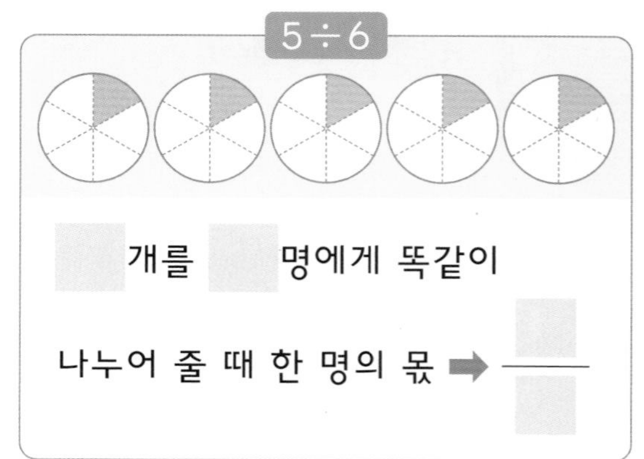

☐ 개를 ☐ 명에게 똑같이

나누어 줄 때 한 명의 몫 ➡ $\frac{☐}{☐}$

2 나눗셈의 몫을 분수로 나타내시오.

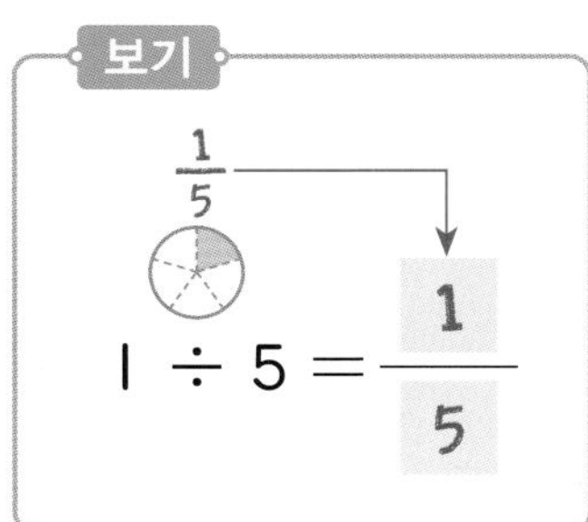

보기 $1 \div 5 = \frac{1}{5}$

$\frac{1}{3} + \frac{1}{3}$ $2 \div 3 = \frac{\square}{\square}$

$\frac{1}{4} + \frac{1}{4} + \frac{1}{4}$ $3 \div 4 = \frac{\square}{\square}$

$1 \div 6 = \frac{\square}{\square}$

$4 \div 5 = \frac{\square}{\square}$

$2 \div 7 = \frac{\square}{\square}$

$5 \div 7 = \frac{\square}{\square}$

$7 \div 10 = \frac{\square}{\square}$

$5 \div 8 = \frac{\square}{\square}$

$3 \div 8 = \frac{\square}{\square}$

$5 \div 9 = \frac{\square}{\square}$

$1 \div 7 = \frac{\square}{\square}$

$6 \div 7 = \frac{\square}{\square}$

$2 \div 9 = \frac{\square}{\square}$

$5 \div 12 = \frac{\square}{\square}$

$9 \div 11 = \frac{\square}{\square}$

$15 \div 17 = \frac{\square}{\square}$

$11 \div 13 = \frac{\square}{\square}$

$13 \div 15 = \frac{\square}{\square}$

$12 \div 19 = \frac{\square}{\square}$

$15 \div 23 = \frac{\square}{\square}$

● 3개를 2명에게 똑같이 나누어 줄 때 한 명은 $1\frac{1}{2}$개씩 가집니다.

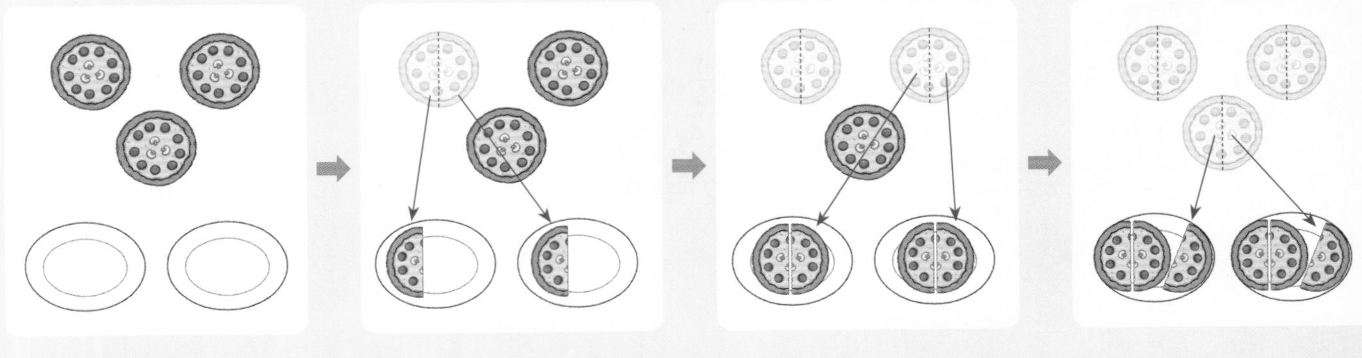

$$3 \div 2 = \frac{3}{2} = 1\frac{1}{2}$$

↑ 전체 피자 수 (3)
↑ 나눌 사람 수 (2)
↑ 한 명의 몫 ($1\frac{1}{2}$)

3 나눗셈의 몫을 분수로 나타내시오.

보기

$\frac{1}{3} + \frac{1}{3} + \frac{1}{3} + \frac{1}{3}$

$4 \div 3 = \frac{4}{3} = 1\frac{1}{3}$

$\frac{1}{3} + \frac{1}{3} + \frac{1}{3} + \frac{1}{3} + \frac{1}{3}$

$5 \div 3 = \frac{\square}{\square} = \square$

$5 \div 4 = \frac{\square}{\square} = \square$

$6 \div 5 = \frac{\square}{\square} = \square$

$7 \div 2 = \frac{\square}{\square} = \square$

$9 \div 4 = \frac{\square}{\square} = \square$

$8 \div 7 = \frac{\square}{\square} = \square$

$20 \div 11 = \frac{\square}{\square} = \square$

4 나눗셈의 몫을 분수로 나타내시오.

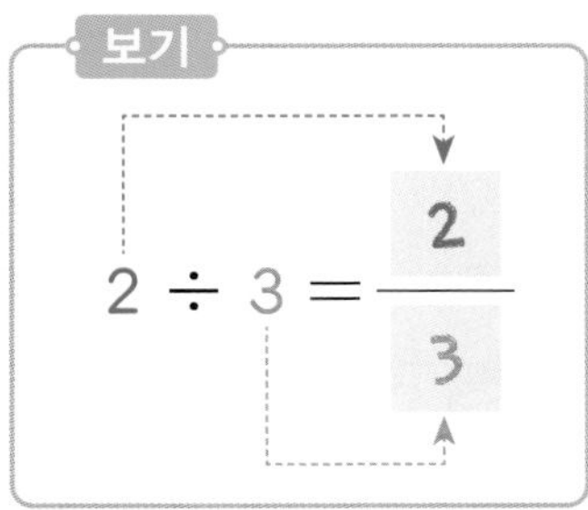

$1 \div 2 = \frac{\square}{\square}$

$3 \div 7 = \frac{\square}{\square}$

$1 \div 3 = \frac{\square}{\square}$

$7 \div 8 = \frac{\square}{\square}$

$4 \div 9 = \frac{\square}{\square}$

$5 \div 7 = \frac{\square}{\square}$

$3 \div 10 = \frac{\square}{\square}$

$9 \div 14 = \frac{\square}{\square}$

$7 \div 5 = \frac{\square}{\square} = \square$

$7 \div 6 = \frac{\square}{\square} = \square$

$10 \div 7 = \frac{\square}{\square} = \square$

$8 \div 3 = \frac{\square}{\square} = \square$

$9 \div 5 = \frac{\square}{\square} = \square$

$11 \div 5 = \frac{\square}{\square} = \square$

$12 \div 7 = \frac{\square}{\square} = \square$

$14 \div 9 = \frac{\square}{\square} = \square$

$13 \div 10 = \frac{\square}{\square} = \square$

$16 \div 5 = \frac{\square}{\square} = \square$

$23 \div 8 = \frac{\square}{\square} = \square$

$25 \div 6 = \frac{\square}{\square} = \square$

02 (분수)÷(자연수) 알아보기

정답 03쪽

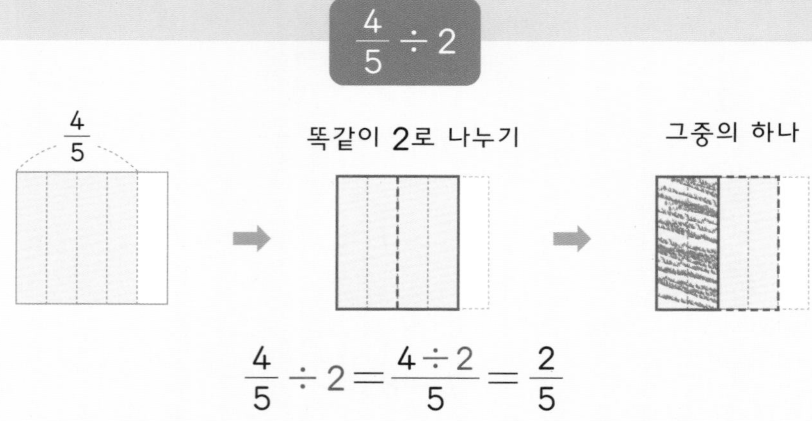

$\frac{4}{5} \div 2 = \frac{4 \div 2}{5} = \frac{2}{5}$

1 그림을 보고 ☐ 안에 알맞은 수를 써넣으시오.

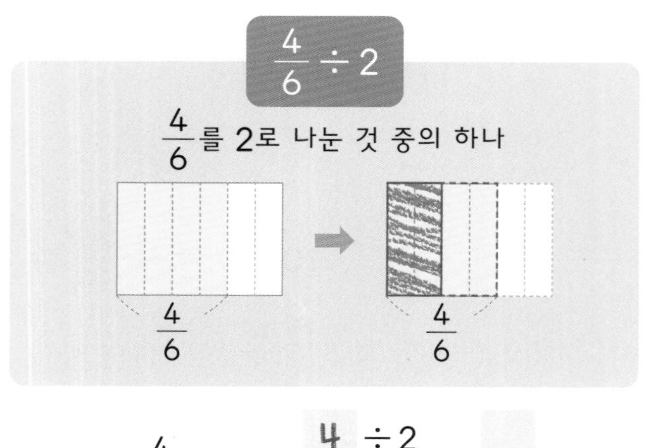

➡ $\frac{4}{6} \div 2 = \frac{4 \div 2}{6} = \frac{☐}{6}$

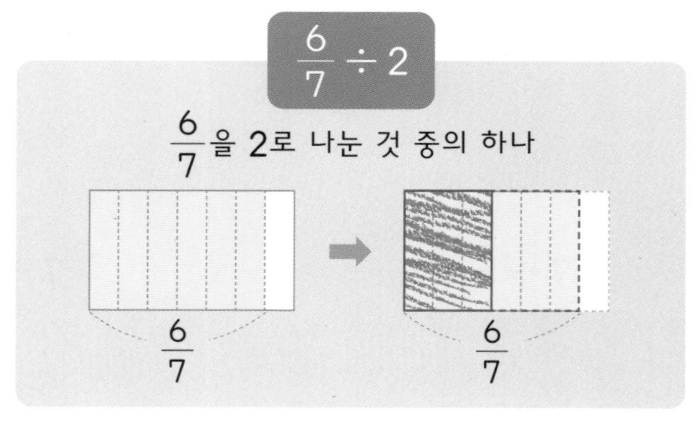

➡ $\frac{6}{7} \div 2 = \frac{☐ \div 2}{7} = \frac{☐}{7}$

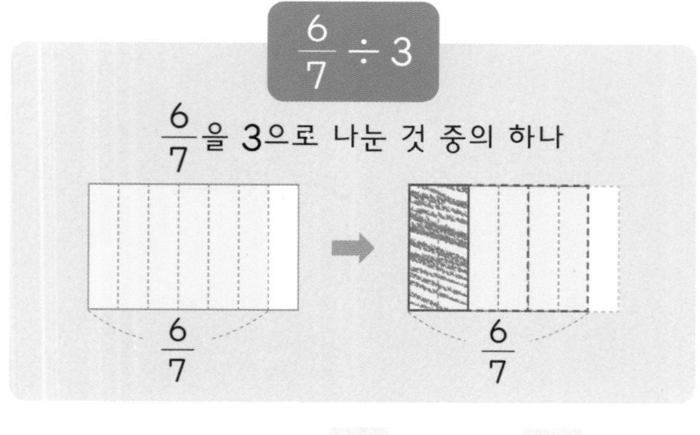

➡ $\frac{6}{7} \div 3 = \frac{☐ \div 3}{7} = \frac{☐}{7}$

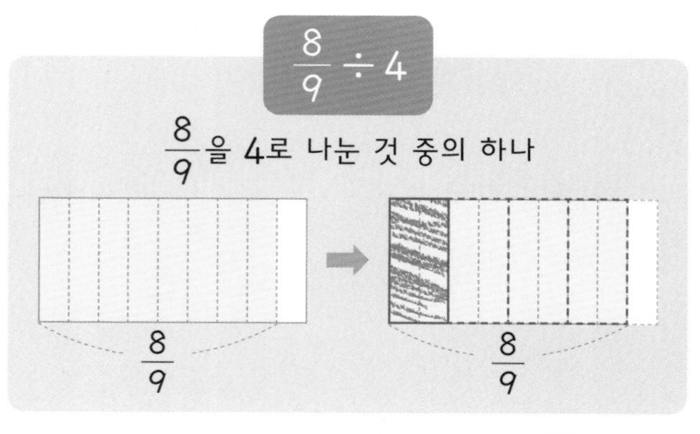

➡ $\frac{8}{9} \div 4 = \frac{☐ \div 4}{9} = \frac{☐}{9}$

2 분수의 나눗셈을 하시오.

보기

$\frac{4}{7} \div 2 = \frac{2}{7}$

$\frac{4}{7} \div 2 = \frac{4 \div 2}{7} = \frac{2}{7}$

$\frac{3}{5} \div 3 = \frac{\square}{\square}$

$\frac{3}{5} \div 3 = \frac{3 \div 3}{5}$

$\frac{10}{11} \div 5 = \frac{\square}{\square}$

$\frac{10}{11} \div 5 = \frac{10 \div 5}{11}$

$\frac{8}{9} \div 2 = \frac{\square}{\square}$

$\frac{4}{9} \div 4 = \frac{\square}{\square}$

$\frac{9}{13} \div 3 = \frac{\square}{\square}$

$\frac{9}{10} \div 3 = \frac{\square}{\square}$

$\frac{8}{13} \div 4 = \frac{\square}{\square}$

$\frac{15}{17} \div 5 = \frac{\square}{\square}$

$\frac{8}{15} \div 4 = \frac{\square}{\square}$

$\frac{18}{19} \div 9 = \frac{\square}{\square}$

$\frac{12}{23} \div 6 = \frac{\square}{\square}$

$\frac{6}{11} \div 2 = \frac{\square}{\square}$

$\frac{5}{9} \div 5 = \frac{\square}{\square}$

$\frac{14}{15} \div 7 = \frac{\square}{\square}$

$\frac{18}{29} \div 6 = \frac{\square}{\square}$

$\frac{10}{13} \div 2 = \frac{\square}{\square}$

$\frac{16}{17} \div 8 = \frac{\square}{\square}$

$\frac{6}{13} \div 3 = \frac{\square}{\square}$

$\frac{10}{19} \div 5 = \frac{\square}{\square}$

$\frac{27}{31} \div 9 = \frac{\square}{\square}$

$\frac{3}{5} \div 2$

÷2이므로 $\frac{3}{5}$의 분자를 2의 배수로 바꾸기

$\frac{3}{5} \div 2 = \frac{6}{10} \div 2 = \frac{6 \div 2}{10} = \frac{3}{10}$ (분자 ×2, 분모 ×2)

3 □ 안에 알맞은 수를 써넣으시오.

÷3이므로 $\frac{2}{3}$의 분자를 □의 배수로 바꾸기

$\frac{2}{3} \div 3 = \frac{6}{9} \div 3 = \frac{6 \div 3}{9} = \frac{\square}{9}$ (×3, ×3)

÷2이므로 $\frac{1}{2}$의 분자를 □의 배수로 바꾸기

$\frac{1}{2} \div 2 = \frac{2}{4} \div 2 = \frac{\square \div 2}{4} = \frac{\square}{4}$ (×2, ×2)

÷3이므로 $\frac{4}{5}$의 분자를 □의 배수로 바꾸기

$\frac{4}{5} \div 3 = \frac{\square}{15} \div 3 = \frac{\square \div 3}{15} = \frac{\square}{15}$

÷4이므로 $\frac{3}{4}$의 분자를 □의 배수로 바꾸기

$\frac{3}{4} \div 4 = \frac{\square}{16} \div 4 = \frac{\square \div 4}{16} = \frac{\square}{16}$

÷2이므로 $\frac{1}{6}$의 분자를 □의 배수로 바꾸기

$\frac{1}{6} \div 2 = \frac{\square}{12} \div 2 = \frac{\square \div 2}{12} = \frac{\square}{12}$

÷5이므로 $\frac{3}{8}$의 분자를 □의 배수로 바꾸기

$\frac{3}{8} \div 5 = \frac{\square}{40} \div 5 = \frac{\square \div 5}{40} = \frac{\square}{40}$

4 분수의 나눗셈을 하시오.

보기

$\frac{5}{7} \div 3 = \frac{5}{21}$

$\frac{5}{7} \div 3 = \frac{15}{21} \div 3 = \frac{5}{21}$ (×3, ×3)

$\frac{5}{6} \div 6 = \frac{\square}{\square}$

$\frac{5}{6} \div 6 = \frac{30}{36} \div 6$

$\frac{3}{7} \div 5 = \frac{\square}{\square}$

$\frac{3}{7} \div 5 = \frac{15}{35} \div 5$

$\frac{3}{5} \div 4 = \frac{\square}{\square}$

$\frac{2}{7} \div 3 = \frac{\square}{\square}$

$\frac{1}{3} \div 8 = \frac{\square}{\square}$

$\frac{4}{9} \div 7 = \frac{\square}{\square}$

$\frac{7}{9} \div 2 = \frac{\square}{\square}$

$\frac{5}{8} \div 4 = \frac{\square}{\square}$

$\frac{9}{13} \div 2 = \frac{\square}{\square}$

$\frac{2}{3} \div 5 = \frac{\square}{\square}$

$\frac{5}{9} \div 6 = \frac{\square}{\square}$

$\frac{7}{12} \div 4 = \frac{\square}{\square}$

$\frac{9}{10} \div 2 = \frac{\square}{\square}$

$\frac{10}{11} \div 9 = \frac{\square}{\square}$

$\frac{3}{8} \div 8 = \frac{\square}{\square}$

$\frac{1}{7} \div 4 = \frac{\square}{\square}$

$\frac{5}{12} \div 2 = \frac{\square}{\square}$

$\frac{8}{9} \div 3 = \frac{\square}{\square}$

$\frac{5}{11} \div 6 = \frac{\square}{\square}$

$\frac{7}{10} \div 5 = \frac{\square}{\square}$

03 (분수)÷(자연수)를 분수의 곱셈으로 나타내어 계산하기

정답 04쪽

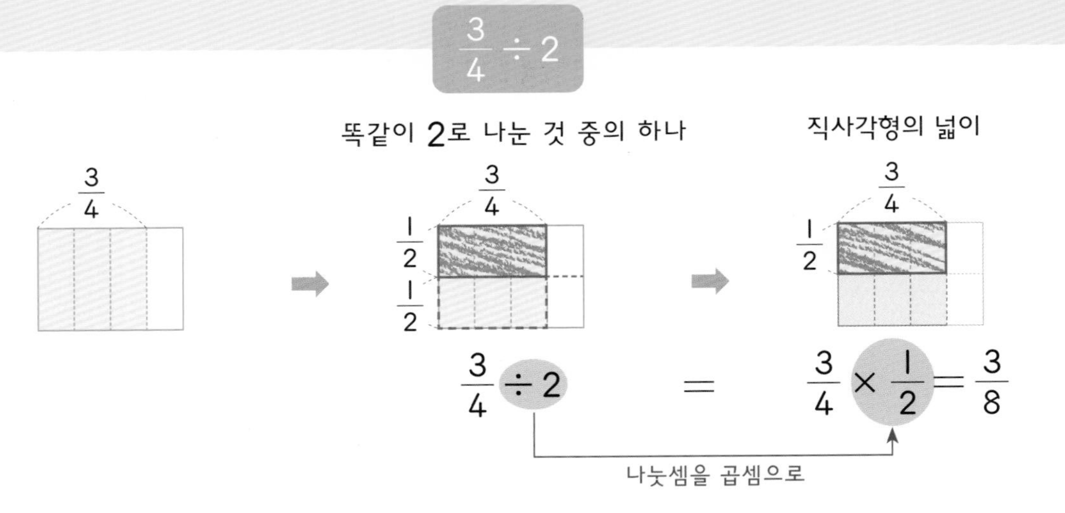

1 그림을 보고 전체와 빗금 친 부분의 수를 세어 ☐ 안에 알맞은 수를 써넣으시오.

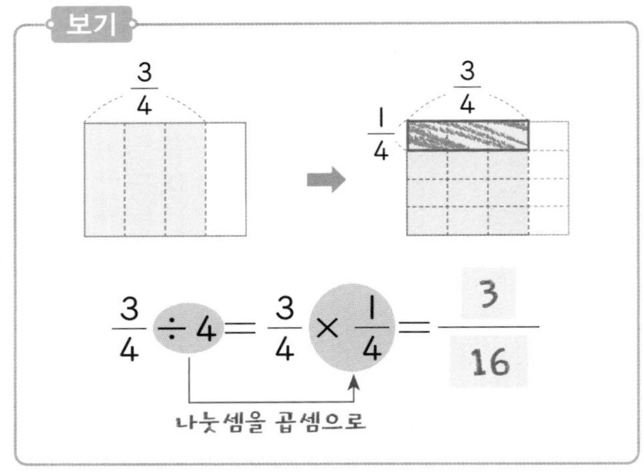

보기
$\frac{3}{4}$
$\frac{1}{4}$
$\frac{3}{4}\div 4=\frac{3}{4}\times\frac{1}{4}=\frac{3}{16}$
나눗셈을 곱셈으로

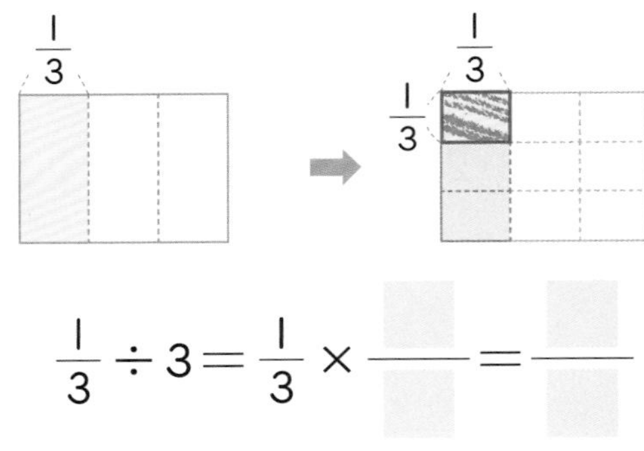

$\frac{1}{3}\div 3=\frac{1}{3}\times\frac{☐}{☐}=\frac{☐}{☐}$

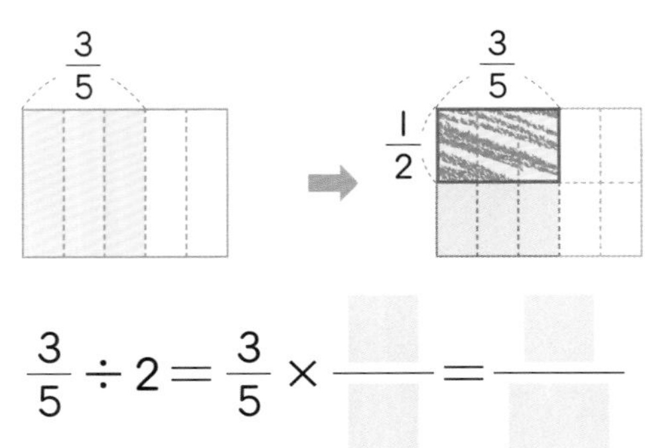

$\frac{3}{5}\div 2=\frac{3}{5}\times\frac{☐}{☐}=\frac{☐}{☐}$

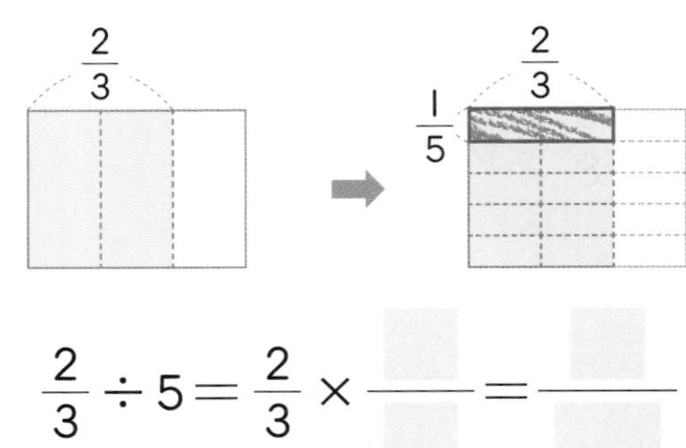

$\frac{2}{3}\div 5=\frac{2}{3}\times\frac{☐}{☐}=\frac{☐}{☐}$

2 □ 안에 알맞은 수를 써넣으시오.

$\frac{2}{3} \div 3 = \frac{2}{3} \times \frac{1}{3} = \frac{\square}{\square}$

나눗셈을 곱셈으로

$\frac{3}{4} \div 5 = \frac{3}{4} \times \frac{\square}{\square} = \frac{\square}{\square}$

$\frac{4}{5} \div 3 = \frac{4}{5} \times \frac{\square}{\square} = \frac{\square}{\square}$

$\frac{3}{5} \div 4 = \frac{3}{5} \times \frac{\square}{\square} = \frac{\square}{\square}$

$\frac{5}{6} \div 2 = \frac{5}{6} \times \frac{\square}{\square} = \frac{\square}{\square}$

$\frac{7}{8} \div 9 = \frac{7}{8} \times \frac{\square}{\square} = \frac{\square}{\square}$

$\frac{5}{7} \div 4 = \frac{5}{7} \times \frac{\square}{\square} = \frac{\square}{\square}$

$\frac{5}{8} \div 6 = \frac{5}{8} \times \frac{\square}{\square} = \frac{\square}{\square}$

$\frac{3}{7} \div 5 = \frac{3}{7} \times \frac{\square}{\square} = \frac{\square}{\square}$

$\frac{1}{5} \div 4 = \frac{1}{5} \times \frac{\square}{\square} = \frac{\square}{\square}$

$\frac{3}{8} \div 7 = \frac{3}{8} \times \frac{\square}{\square} = \frac{\square}{\square}$

$\frac{7}{9} \div 2 = \frac{7}{9} \times \frac{\square}{\square} = \frac{\square}{\square}$

$\frac{7}{11} \div 6 = \frac{7}{11} \times \frac{\square}{\square} = \frac{\square}{\square}$

$\frac{9}{10} \div 8 = \frac{9}{10} \times \frac{\square}{\square} = \frac{\square}{\square}$

3 나눗셈을 곱셈으로 바꾸어 계산해 보시오.

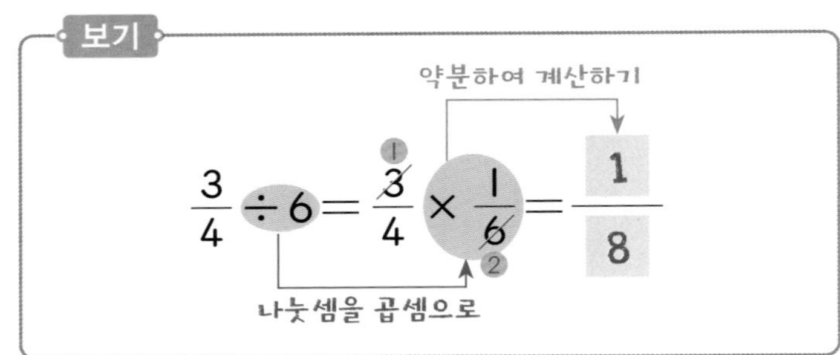

$\frac{2}{5} \div 4 = \frac{\square}{\square}$

$\frac{\cancel{2}^{1}}{5} \times \frac{1}{\cancel{4}_{2}}$

$\frac{3}{4} \div 3 = \frac{\square}{\square}$

$\frac{\cancel{3}^{1}}{4} \times \frac{1}{\cancel{3}_{1}}$

$\frac{4}{5} \div 6 = \frac{\square}{\square}$

$\frac{\cancel{4}^{2}}{5} \times \frac{1}{\cancel{6}_{3}}$

$\frac{6}{13} \div 2 = \frac{\square}{\square}$

$\frac{4}{7} \div 2 = \frac{\square}{\square}$

$\frac{10}{17} \div 5 = \frac{\square}{\square}$

$\frac{3}{8} \div 6 = \frac{\square}{\square}$

$\frac{8}{15} \div 4 = \frac{\square}{\square}$

$\frac{6}{17} \div 3 = \frac{\square}{\square}$

$\frac{6}{11} \div 4 = \frac{\square}{\square}$

$\frac{8}{15} \div 8 = \frac{\square}{\square}$

$\frac{3}{13} \div 9 = \frac{\square}{\square}$

$\frac{14}{19} \div 7 = \frac{\square}{\square}$

$\frac{12}{13} \div 6 = \frac{\square}{\square}$

$\frac{15}{23} \div 5 = \frac{\square}{\square}$

$\frac{9}{10} \div 3 = \frac{\square}{\square}$

$\frac{21}{26} \div 7 = \frac{\square}{\square}$

$\frac{16}{19} \div 8 = \frac{\square}{\square}$

$\frac{27}{29} \div 9 = \frac{\square}{\square}$

4 분수의 나눗셈 실력을 점검해 보시오.

실력평가

맞힌 개수 ____ 개 | 제한 시간 10 분

1. $\frac{2}{5} \div 3$

2. $\frac{5}{6} \div 5$

3. $\frac{7}{9} \div 4$

4. $\frac{4}{5} \div 2$

5. $\frac{5}{8} \div 3$

6. $\frac{6}{19} \div 6$

7. $\frac{4}{7} \div 5$

8. $\frac{3}{10} \div 2$

9. $\frac{4}{15} \div 8$

10. $\frac{8}{11} \div 4$

11. $\frac{10}{17} \div 5$

12. $\frac{13}{14} \div 2$

13. $\frac{6}{13} \div 3$

14. $\frac{16}{21} \div 8$

15. $\frac{8}{13} \div 3$

16. $\frac{7}{17} \div 7$

17. $\frac{7}{20} \div 2$

18. $\frac{14}{29} \div 7$

19. $\frac{12}{23} \div 6$

20. $\frac{15}{16} \div 9$

수고하셨습니다!

04 (가분수)÷(자연수), (대분수)÷(자연수)

정답 05쪽

$\frac{5}{3} \div 2$

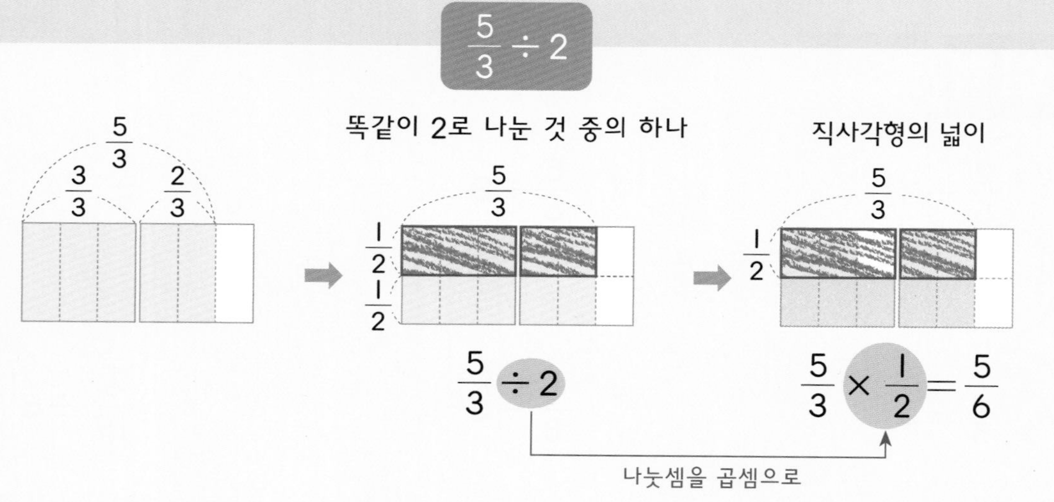

$\frac{5}{3} \div 2$ → $\frac{5}{3} \times \frac{1}{2} = \frac{5}{6}$

1 (가분수)÷(자연수)를 계산한 것입니다. □ 안에 알맞은 수를 써넣으시오.

보기

$\frac{3}{2} \div 2 = \frac{3}{2} \times \frac{1}{2} = \frac{3}{4}$

나눗셈을 곱셈으로

$\frac{4}{3} \div 3 = \frac{4}{3} \times \frac{1}{\square} = \frac{\square}{\square}$

$\frac{5}{2} \div 3 = \frac{5}{2} \times \frac{1}{\square} = \frac{\square}{\square}$

$\frac{5}{4} \div 2 = \frac{5}{4} \times \frac{1}{\square} = \frac{\square}{\square}$

$\frac{5}{3} \div 4 = \frac{5}{3} \times \frac{1}{\square} = \frac{\square}{\square}$

$\frac{7}{4} \div 6 = \frac{7}{4} \times \frac{\square}{\square} = \frac{\square}{\square}$

$\frac{8}{3} \div 5 = \frac{8}{3} \times \frac{\square}{\square} = \frac{\square}{\square}$

$\frac{9}{5} \div 7 = \frac{9}{5} \times \frac{\square}{\square} = \frac{\square}{\square}$

2 (가분수)÷(자연수)를 계산해 보시오.

보기

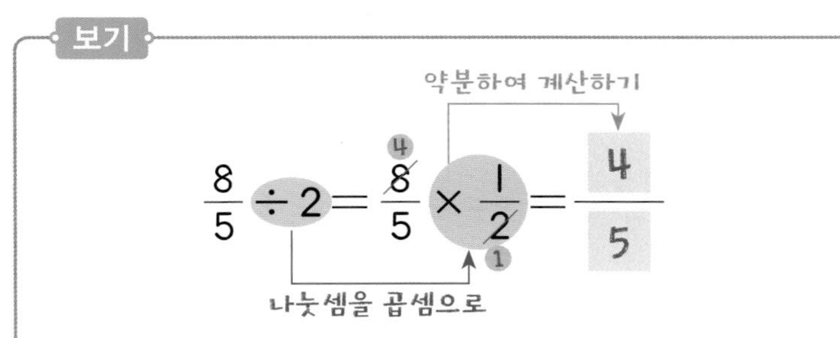

$\frac{8}{3} \div 6 = \frac{\square}{\square}$

$\frac{\overset{4}{\cancel{8}}}{3} \times \frac{1}{\underset{3}{\cancel{6}}}$

$\frac{9}{7} \div 3 = \frac{\square}{\square}$

$\frac{\overset{3}{\cancel{9}}}{7} \times \frac{1}{\underset{1}{\cancel{3}}}$

$\frac{15}{4} \div 5 = \frac{\square}{\square}$

$\frac{5}{2} \div 8 = \frac{\square}{\square}$

$\frac{11}{8} \div 4 = \frac{\square}{\square}$

$\frac{15}{8} \div 6 = \frac{\square}{\square}$

$\frac{7}{4} \div 2 = \frac{\square}{\square}$

$\frac{7}{5} \div 5 = \frac{\square}{\square}$

$\frac{8}{3} \div 7 = \frac{\square}{\square}$

$\frac{10}{9} \div 4 = \frac{\square}{\square}$

$\frac{9}{5} \div 9 = \frac{\square}{\square}$

$\frac{6}{5} \div 4 = \frac{\square}{\square}$

$\frac{7}{6} \div 5 = \frac{\square}{\square}$

$\frac{4}{3} \div 8 = \frac{\square}{\square}$

$\frac{5}{2} \div 6 = \frac{\square}{\square}$

$\frac{12}{7} \div 3 = \frac{\square}{\square}$

$\frac{12}{5} \div 8 = \frac{\square}{\square}$

$\frac{14}{5} \div 7 = \frac{\square}{\square}$

$\frac{5}{4} \div 9 = \frac{\square}{\square}$

3 (대분수)÷(자연수)를 계산한 것입니다. □ 안에 알맞은 수를 써넣으시오.

보기

대분수를 가분수로 / 약분하여 계산하기 / 나눗셈을 곱셈으로

$$2\frac{1}{7}\div 5=\frac{15}{7}\div 5=\frac{\cancel{15}^{\,3}}{7}\times\frac{1}{\cancel{5}_{\,1}}=\frac{3}{7}$$

대분수를 가분수로 / 약분하여 계산하기 / 나눗셈을 곱셈으로

$2\frac{1}{4}\div 3=\frac{9}{4}\div 3=\frac{\square}{4}\times\frac{1}{3}=\frac{\square}{\square}$

대분수를 가분수로 / 나눗셈을 곱셈으로

$1\frac{2}{5}\div 4=\frac{7}{5}\div 4=\frac{\square}{5}\times\frac{1}{\square}=\frac{\square}{\square}$

$1\frac{2}{3}\div 2=\frac{\square}{3}\div 2=\frac{\square}{3}\times\frac{1}{\square}=\frac{\square}{\square}$

$2\frac{2}{5}\div 3=\frac{\square}{5}\div 3=\frac{\square}{5}\times\frac{1}{\square}=\frac{\square}{\square}$

$1\frac{5}{6}\div 4=\frac{\square}{6}\div 4=\frac{\square}{6}\times\frac{1}{\square}=\frac{\square}{\square}$

$1\frac{1}{3}\div 2=\frac{\square}{3}\div 2=\frac{\square}{3}\times\frac{1}{\square}=\frac{\square}{\square}$

$3\frac{1}{3}\div 5=\frac{\square}{3}\div 5=\frac{\square}{3}\times\frac{1}{\square}=\frac{\square}{\square}$

$2\frac{1}{4}\div 6=\frac{\square}{4}\div 6=\frac{\square}{4}\times\frac{1}{\square}=\frac{\square}{\square}$

$1\frac{5}{9}\div 7=\frac{\square}{9}\div 7=\frac{\square}{9}\times\frac{1}{\square}=\frac{\square}{\square}$

$2\frac{1}{7}\div 5=\frac{\square}{7}\div 5=\frac{\square}{7}\times\frac{1}{\square}=\frac{\square}{\square}$

$2\frac{4}{7}\div 9=\frac{\square}{7}\div 9=\frac{\square}{7}\times\frac{1}{\square}=\frac{\square}{\square}$

$1\frac{3}{5}\div 8=\frac{\square}{5}\div 8=\frac{\square}{5}\times\frac{1}{\square}=\frac{\square}{\square}$

4 (대분수)÷(자연수)를 계산해 보시오.

보기

$2\frac{2}{3} \div 4 = \frac{2}{3}$

$\frac{\overset{2}{\cancel{8}}}{3} \times \frac{1}{\underset{1}{\cancel{4}}}$

$1\frac{4}{5} \div 3 = \frac{\square}{\square}$

$\frac{\overset{3}{\cancel{9}}}{5} \times \frac{1}{\underset{1}{\cancel{3}}}$

$3\frac{1}{3} \div 2 = \frac{\square}{\square} = \square$

$\frac{\overset{5}{\cancel{10}}}{3} \times \frac{1}{\underset{1}{\cancel{2}}}$

$2\frac{1}{6} \div 6 = \frac{\square}{\square}$

$1\frac{7}{9} \div 4 = \frac{\square}{\square}$

$4\frac{1}{2} \div 3 = \frac{\square}{\square} = \square$

$2\frac{4}{7} \div 9 = \frac{\square}{\square}$

$3\frac{1}{5} \div 8 = \frac{\square}{\square}$

$2\frac{2}{5} \div 2 = \frac{\square}{\square} = \square$

$1\frac{2}{7} \div 3 = \frac{\square}{\square}$

$1\frac{5}{6} \div 2 = \frac{\square}{\square}$

$6\frac{2}{3} \div 5 = \frac{\square}{\square} = \square$

$3\frac{1}{3} \div 4 = \frac{\square}{\square}$

$1\frac{1}{8} \div 6 = \frac{\square}{\square}$

$4\frac{2}{5} \div 4 = \frac{\square}{\square} = \square$

$3\frac{3}{7} \div 8 = \frac{\square}{\square}$

$2\frac{1}{6} \div 5 = \frac{\square}{\square}$

$5\frac{1}{4} \div 3 = \frac{\square}{\square} = \square$

$5\frac{2}{5} \div 9 = \frac{\square}{\square}$

$1\frac{7}{8} \div 3 = \frac{\square}{\square}$

$4\frac{4}{7} \div 4 = \frac{\square}{\square} = \square$

정답 06쪽

모양과 크기가 같은 도넛 3개를 5명이 똑같이 나누어 먹으려고 합니다. 한 명이 먹게 되는 도넛의 양을 분수로 나타내시오.

주어진 수에 ○표 하고, 구하는 것에 밑줄 치기

도넛 수: ☐ 개, 사람 수: ☐ 명

문제 해결하기

도넛 3개를 5명이 똑같이 나누어 먹어야 하므로 3을 5로 (곱합니다 , 나눕니다).

문제 풀기

(한 명이 먹게 되는 도넛의 양) = (전체 도넛 수) ÷ (사람 수)

$$= \square \div \square = \frac{\square}{\square} (개)$$

답 쓰기

한 명이 먹게 되는 도넛의 양은 ☐ 개입니다.

우유 $\frac{4}{5}$ L를 2일 동안 똑같이 나누어 마셨습니다. 하루에 마신 우유의 양은 몇 L입니까?

주어진 수에 ○표 하고, 구하는 것에 밑줄 치기

우유의 양: ☐ L, 마신 날수: ☐ 일

문제 해결하기

우유 $\frac{4}{5}$ L를 2일 동안 똑같이 나누어 마셨으므로 $\frac{4}{5}$ 를 2로 (곱합니다 , 나눕니다).

문제 풀기

(하루에 마신 우유의 양) = (전체 우유의 양) ÷ (마신 날수)

$$= \square \div \square = \frac{\square \div \square}{5} = \frac{\square}{\square} (\mathrm{L})$$

답 쓰기

하루에 마신 우유의 양은 ☐ L입니다.

끈 $\frac{5}{8}$ m를 6도막으로 똑같이 나누어 잘랐습니다. 끈 한 도막의 길이는 몇 m입니까?

주어진 수에 ○표 하고, 구하는 것에 밑줄 치기

끈의 길이: ☐ m, 도막 수: ☐ 도막

문제 해결하기

끈 $\frac{5}{8}$ m를 6도막으로 똑같이 나누어 잘라야 하므로 $\frac{5}{8}$를 6으로 (곱합니다 , 나눕니다).

문제 풀기

(끈 한 도막의 길이)=(전체 끈의 길이)÷(도막 수)

$$= \square \div \square = \square \times \frac{1}{\square} = \frac{\square}{\square} \text{ (m)}$$

답 쓰기

끈 한 도막의 길이는 ☐ m입니다.

길이가 $2\frac{1}{7}$ m인 철사를 모두 사용하여 정삼각형을 만들었습니다. 이 정삼각형의 한 변의 길이는 몇 m입니까?

주어진 수에 ○표 하고, 구하는 것에 밑줄 치기

철사의 길이: ☐ m, 정삼각형의 변의 수: ☐ 개

문제 해결하기

철사 $2\frac{1}{7}$ m로 정삼각형을 만들었으므로 $2\frac{1}{7}$을 정삼각형의 변의 수로 (곱합니다 , 나눕니다).

문제 풀기

(정삼각형의 한 변의 길이)=(전체 철사의 길이)÷(변의 수)

$$= \square \div \square = \frac{\square}{\square} \times \frac{1}{\square} = \frac{\square}{\square} \text{ (m)}$$

답 쓰기

정삼각형의 한 변의 길이는 ☐ m입니다.

● ▢ 안에 알맞은 수를 써넣고, 답을 구하시오.

1 Drill

길이가 5 m인 리본을 8명이 똑같이 나누어 가졌습니다. 한 명이 가진 리본은 몇 m입니까?

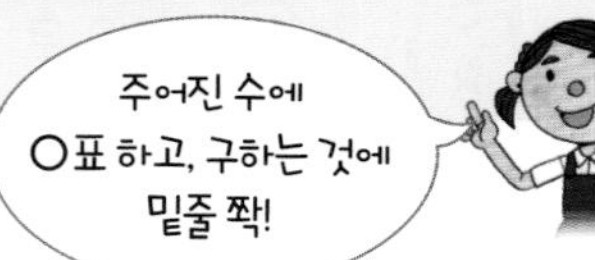

풀이 (한 명이 가진 리본의 길이)=(전체 리본의 길이)÷(사람 수)

$= \square \div \square = \square$ (m)

답 ______ m

2 Drill

주스 $\frac{9}{10}$ L를 3명이 똑같이 나누어 마셨습니다. 한 명이 마신 주스의 양은 몇 L입니까?

풀이 (한 명이 마신 주스의 양)=(전체 주스의 양)÷(사람 수)

$= \square \div \square = \square$ (L)

답 ______ L

3 Drill

밀가루 $\frac{3}{4}$ kg을 4봉지에 똑같이 나누어 담았습니다. 한 봉지에 담은 밀가루는 몇 kg입니까?

풀이 (한 봉지에 담은 밀가루의 양)=(전체 밀가루의 양)÷(봉지 수)

$= \square \div \square = \square$ (kg)

답 ______ kg

4 Drill

재하네 집에서는 쌀 $5\frac{5}{6}$ kg을 일주일 동안 똑같이 나누어 먹었습니다. 하루에 먹은 쌀은 몇 kg입니까?

풀이 (하루에 먹은 쌀의 양)=(전체 쌀의 양)÷(먹은 날수)

$= \square \div \square = \square$ (kg)

답 ______ kg

● 서술형 문제를 읽고 풀이 과정과 답을 쓰시오.

도전 1

방앗간에서 참기름 19L를 크기가 같은 병 6개에 남김없이 똑같이 나누어 담으려고 합니다. 한 개의 병에 몇 L씩 담으면 되는지 분수로 나타내시오.

풀이

답 ____________

도전 2

유정이는 자전거를 타고 $\frac{3}{4}$km를 달리는 데 4분이 걸렸습니다. 유정이는 1분에 몇 km를 달린 셈입니까?

풀이

답 ____________

도전 3

넓이가 $1\frac{3}{5}m^2$인 직사각형 모양의 벽이 있습니다. 이 벽의 세로가 4m일 때 가로는 몇 m입니까?

풀이

답 ____________

도전 4

둘레가 $6\frac{2}{7}$km인 원 모양의 호수 둘레에 같은 간격으로 나무 8그루를 심으려고 합니다. 나무와 나무 사이의 간격은 몇 km로 해야 합니까? (단, 나무의 두께는 생각하지 않습니다.)

풀이

**답** ____________

형성평가

정답 07쪽

01 그림을 보고 ☐ 안에 알맞은 수를 써넣으시오.

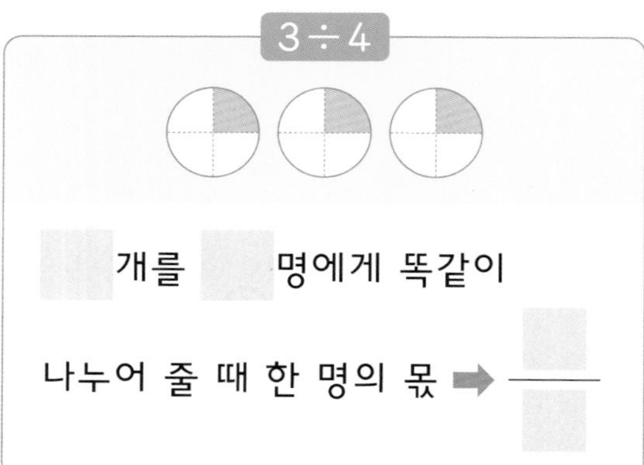

02 나눗셈의 몫을 분수로 나타내시오.

$\frac{1}{2}+\frac{1}{2}+\frac{1}{2}+\frac{1}{2}+\frac{1}{2}$

$5 \div 2 = \frac{\square}{\square} = \square$

03 나눗셈의 몫을 분수로 나타내시오.

(1) $4 \div 7 = \frac{\square}{\square}$

(2) $11 \div 3 = \frac{\square}{\square} = \square$

04 그림을 보고 ☐ 안에 알맞은 수를 써넣으시오.

(1)

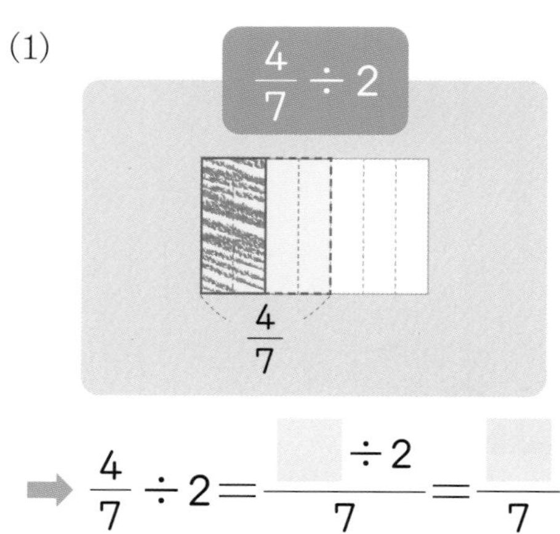

➡ $\frac{4}{7} \div 2 = \frac{\square \div 2}{7} = \frac{\square}{7}$

(2)

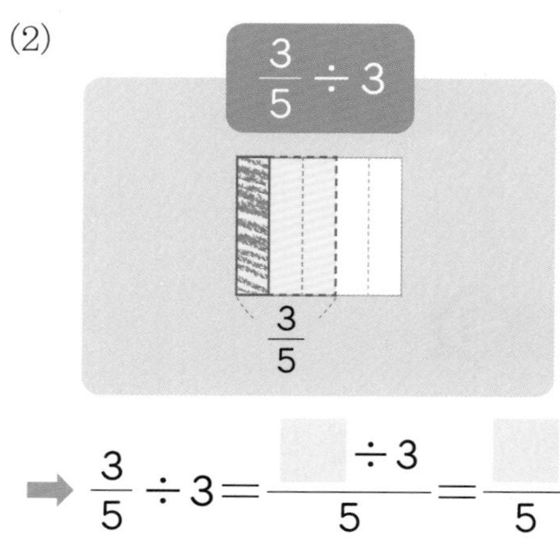

➡ $\frac{3}{5} \div 3 = \frac{\square \div 3}{5} = \frac{\square}{5}$

05 ☐ 안에 알맞은 수를 써넣으시오.

(1) $\frac{4}{9} \div 2 = \frac{\square \div 2}{9} = \frac{\square}{9}$

(2) $\frac{8}{11} \div 4 = \frac{\square \div 4}{11} = \frac{\square}{11}$

06 분수의 나눗셈을 하시오.

(1) $\frac{10}{13} \div 5 = \frac{\square}{\square}$

(2) $\frac{12}{17} \div 6 = \frac{\square}{\square}$

07 ☐ 안에 알맞은 수를 써넣으시오.

÷3이므로 $\frac{1}{5}$의 분자를 ☐의 배수로 바꾸기

$\frac{1}{5} \div 3 = \frac{\square}{15} \div 3 = \frac{\square \div 3}{15} = \frac{\square}{15}$

08 분수의 나눗셈을 하시오.

(1) $\frac{5}{7} \div 4 = \frac{\square}{\square}$

(2) $\frac{4}{9} \div 5 = \frac{\square}{\square}$

09 그림을 보고 ☐ 안에 알맞은 수를 써넣으시오.

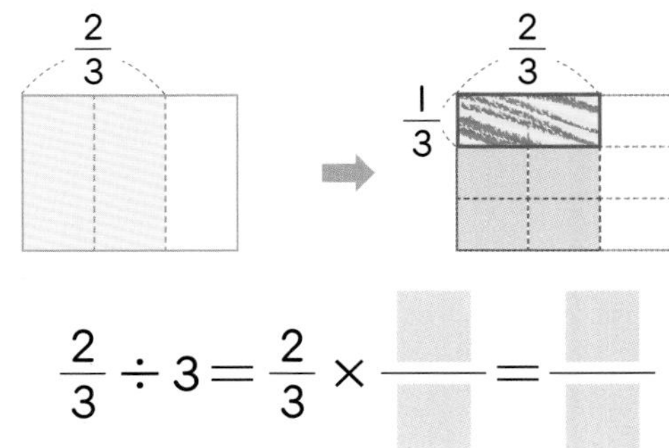

$\frac{2}{3} \div 3 = \frac{2}{3} \times \frac{\square}{\square} = \frac{\square}{\square}$

10 ☐ 안에 알맞은 수를 써넣으시오.

(1) $\frac{1}{4} \div 2 = \frac{1}{4} \times \frac{\square}{\square} = \frac{\square}{\square}$

(2) $\frac{5}{6} \div 4 = \frac{5}{6} \times \frac{\square}{\square} = \frac{\square}{\square}$

(3) $\frac{2}{5} \div 3 = \frac{2}{5} \times \frac{\square}{\square} = \frac{\square}{\square}$

(4) $\frac{1}{2} \div 5 = \frac{1}{2} \times \frac{\square}{\square} = \frac{\square}{\square}$

(5) $\frac{3}{4} \div 7 = \frac{3}{4} \times \frac{\square}{\square} = \frac{\square}{\square}$

11 □ 안에 알맞은 수를 써넣으시오.

(1) $\frac{8}{9}$ → $\div 2$ → □

(2) $\frac{5}{7}$ → $\div 5$ → □

12 □ 안에 알맞은 수를 써넣으시오.

(1) $\frac{7}{3} \div 3 = \frac{7}{3} \times \frac{\square}{\square} = \frac{\square}{\square}$

(2) $\frac{11}{5} \div 4 = \frac{11}{5} \times \frac{\square}{\square} = \frac{\square}{\square}$

13 (가분수)÷(자연수)를 계산하시오.

(1) $\frac{15}{8} \div 9 = \frac{\square}{\square}$

(2) $\frac{10}{7} \div 5 = \frac{\square}{\square}$

14 □ 안에 알맞은 수를 써넣으시오.

(1) $2\frac{2}{3} \div 4 = \frac{\square}{3} \div 4 = \frac{\square}{3} \times \frac{1}{\square}$
$= \frac{\square}{\square}$

(2) $3\frac{3}{4} \div 5 = \frac{\square}{4} \div 5 = \frac{\square}{4} \times \frac{1}{\square}$
$= \frac{\square}{\square}$

15 (대분수)÷(자연수)를 계산하시오.

(1) $1\frac{5}{7} \div 6 = \frac{\square}{\square}$

(2) $2\frac{4}{5} \div 7 = \frac{\square}{\square}$

(3) $2\frac{1}{4} \div 3 = \frac{\square}{\square}$

(4) $3\frac{1}{3} \div 5 = \frac{\square}{\square}$

(5) $3\frac{3}{8} \div 6 = \frac{\square}{\square}$

16 빈 곳에 알맞은 수를 써넣으시오.

(1) $7 \xrightarrow{\div 8} \square$

(2) $\frac{9}{10} \xrightarrow{\div 6} \square$

17 관계있는 것끼리 선으로 이어 보시오.

$3\frac{2}{3} \div 2$ •	• $1\frac{2}{5}$
$5 \div 7$ •	• $3\frac{1}{4}$
$\frac{9}{4} \div 6$ •	• $1\frac{5}{6}$
$13 \div 4$ •	• $\frac{3}{8}$
$4\frac{1}{5} \div 3$ •	• $\frac{5}{7}$

18 몫이 가장 큰 것을 찾아 기호를 쓰시오.

㉠ $2\frac{1}{4} \div 9$

㉡ $2\frac{1}{2} \div 5$

㉢ $2\frac{1}{3} \div 7$

(　　　　　　)

[19~20] 빈칸에 알맞은 수를 써넣으시오.

19

$\xrightarrow{\div}$

$\frac{8}{15}$	6	
$\frac{2}{9}$	4	

20

$\xrightarrow{\div}$

$\frac{9}{5}$	5	
$1\frac{4}{5}$	3	

정답 08쪽

1 나눗셈의 몫을 분수로 나타내시오.

(1) $2 \div 5$

(2) $12 \div 19$

2 나눗셈을 하시오.

(1) $\frac{9}{11} \div 3$

(2) $\frac{5}{6} \div 7$

3 길이가 $\frac{8}{15}$ m인 끈을 모두 사용하여 정사각형을 만들었습니다. 이 정사각형의 한 변의 길이는 몇 m인지 구하시오.

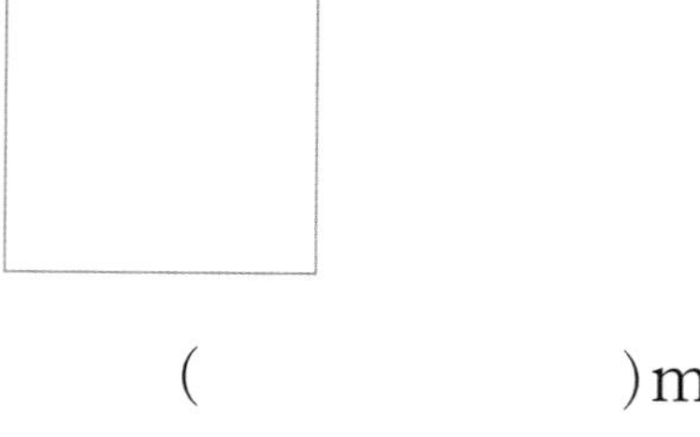

( ) m

4 보기 와 같이 계산하시오.

보기

$$\frac{6}{7} \div 3 = \frac{\overset{2}{\cancel{6}}}{7} \times \frac{1}{\underset{1}{\cancel{3}}} = \frac{2}{7}$$

(1) $\frac{2}{3} \div 6 =$ ________

(2) $\frac{8}{9} \div 4 =$ ________

5 몫을 기약분수로 나타내시오.

(1) $\frac{5}{7} \div 5$

(2) $\frac{3}{4} \div 6$

(3) $\frac{4}{5} \div 2$

(4) $\frac{8}{9} \div 10$

(5) $\frac{9}{10} \div 3$

6 빈 곳에 알맞은 수를 써넣으시오.

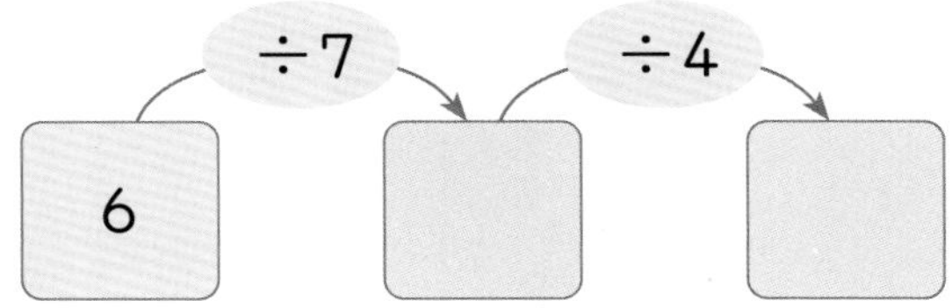

7 나눗셈을 하시오.

(1) $2\frac{6}{7} \div 5$

(2) $5\frac{1}{4} \div 7$

8 몫의 크기를 비교하여 ● 안에 >, =, <를 알맞게 써넣으시오.

$5\frac{1}{4} \div 6$ ● $3\frac{3}{4} \div 5$

9 평행사변형의 넓이가 $37\frac{1}{3}$ cm^{2}이고 높이가 7 cm일 때, 이 평행사변형의 밑변의 길이를 구하시오.

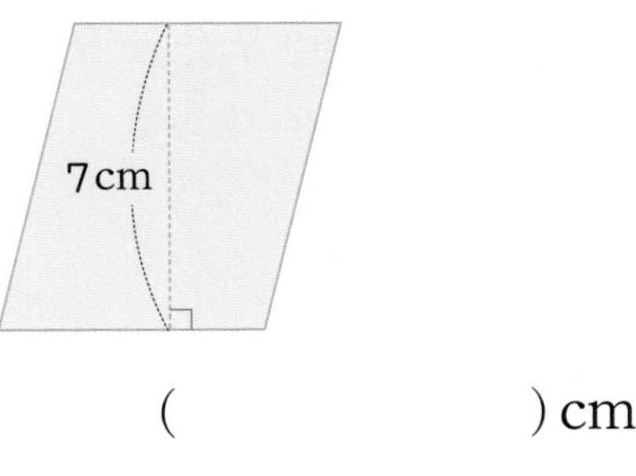

( ) cm

10 빈 곳에 (분수)÷(자연수)의 몫을 써넣으시오.

(1)

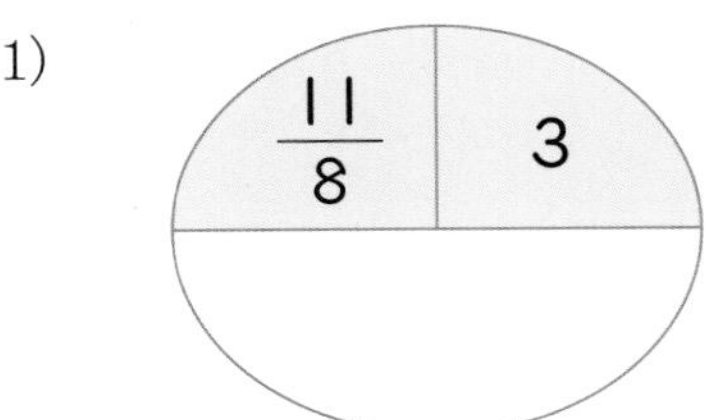

(2)

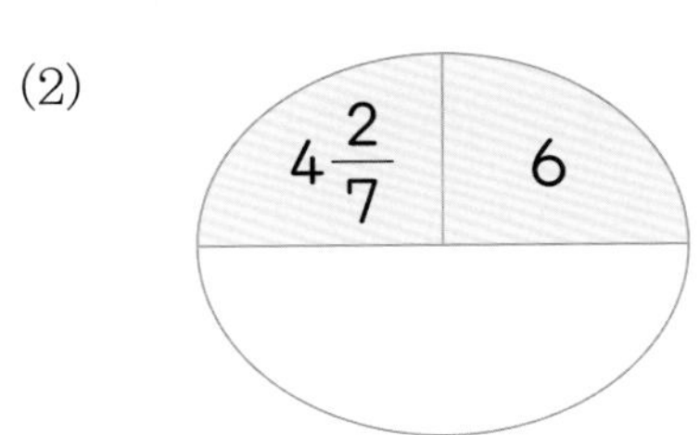

11 몫이 <u>다른</u> 하나를 찾아 기호를 쓰시오.

㉠ $3\frac{1}{3} \div 4$ ㉡ $6 \div 5$

㉢ $7\frac{1}{2} \div 9$ ㉣ $2\frac{1}{2} \div 3$

( )

12 ▢ 안에 들어갈 수 있는 자연수 중 가장 큰 수를 구하시오.

$5 \div ▢ > 1$

( )

13 꿀 $6\frac{3}{4}$ L를 똑같은 병 9개에 나누어 담아 그중의 한 병을 6일 동안 먹으려고 합니다. 매일 같은 양을 먹는다면 하루에 몇 L씩 먹을 수 있습니까?

( ) L

14 빈칸에 알맞은 수를 써넣으시오.

÷ →

$\frac{2}{7}$	4	
$\frac{8}{3}$	5	

15 몫이 큰 것부터 차례로 기호를 쓰시오.

㉠ $4\frac{2}{5} \div 11$ ㉡ $\frac{4}{7} \div 2$

㉢ $4\frac{2}{3} \div 7$ ㉣ $1\frac{7}{9} \div 8$

( )

16 □ 안에 알맞은 대분수를 써넣으시오.

$$\square \times 3 = 8\frac{1}{4}$$

17 □ 안에 들어갈 수 있는 자연수를 모두 쓰시오.

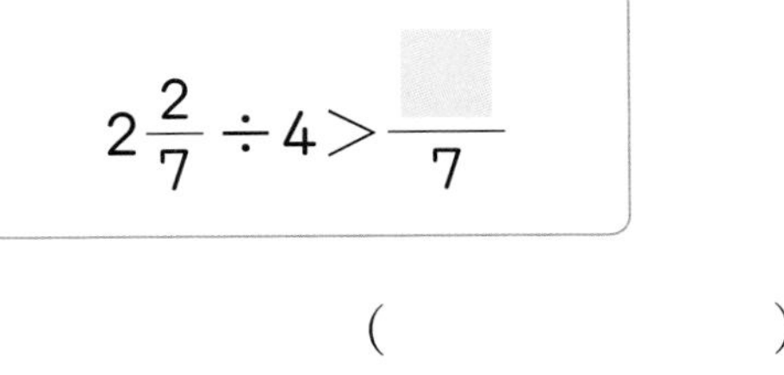

$$2\frac{2}{7} \div 4 > \frac{\square}{7}$$

(　　　　　　)

18 슬기는 우유 4L를 일주일 동안 똑같이 나누어 마셨습니다. 슬기가 하루에 마신 우유는 몇 L인지 풀이 과정을 쓰고 답을 구하시오.

풀이

답

19 넓이가 $9\frac{3}{8}$ m^2인 벽을 똑같이 나누어 5가지 색을 칠하려고 합니다. 한 가지 색을 칠하는 부분은 몇 m^2인지 풀이 과정을 쓰고 답을 구하시오.

풀이

답

20 둘레가 $3\frac{6}{7}$ km인 원 모양의 호수 둘레에 일정한 간격으로 가로수 6그루를 심으려고 합니다. 가로수 사이의 간격은 몇 km로 해야 합니까? (단, 가로수의 두께는 생각하지 않습니다.)

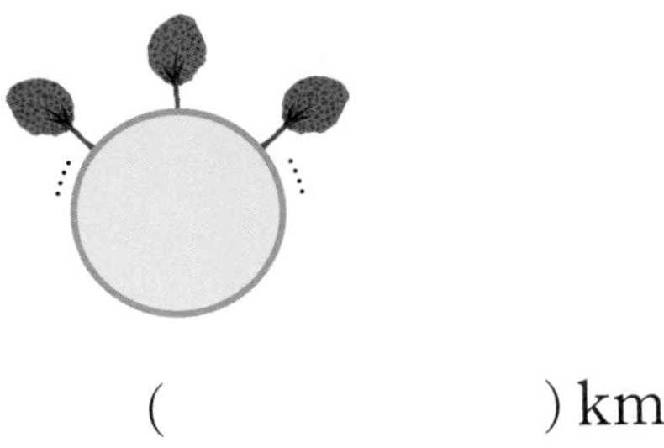

(　　　　　　) km

memo

논리적 사고력과 창의적 문제해결력을 키워 주는

매스티안 교재 활용법!

대상	창의사고력 교재 — 팩토	연산 교재 — 사고력을 키우는 팩토 연산	연산 교재 — 원리 연산 소마셈
5세 ~ 6세	 킨더팩토 A, B, C, D		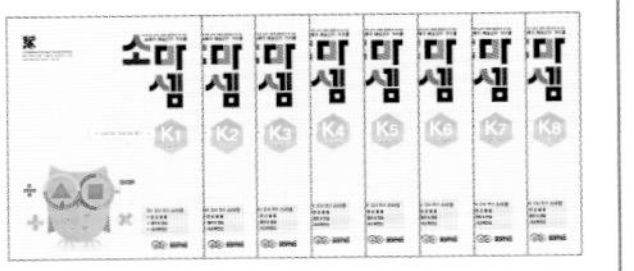 소마셈 K시리즈 K1~K8
7세 ~ 초1	 키즈 원리A/탐구A  키즈 원리B/탐구B  키즈 원리C/탐구C	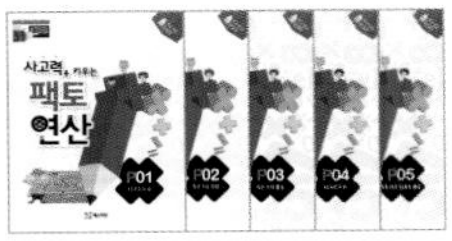 사고력을 키우는 팩토 연산 P01~P05	 소마셈 P시리즈 P1~P8
초1 ~ 초2	 Lv.1 원리A/탐구A  Lv.1 원리B/탐구B  Lv.1 원리C/탐구C	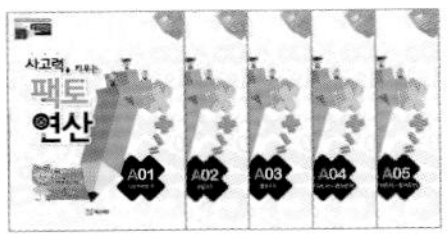 사고력을 키우는 팩토 연산 A01~A05	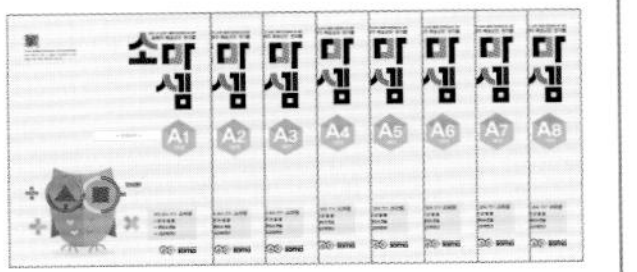 소마셈 A시리즈 A1~A8
초2 ~ 초3	 Lv.2 원리A/탐구A  Lv.2 원리B/탐구B  Lv.2 원리C/탐구C	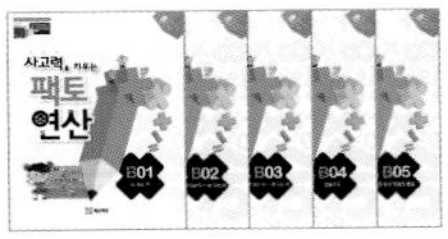 사고력을 키우는 팩토 연산 B01~B05	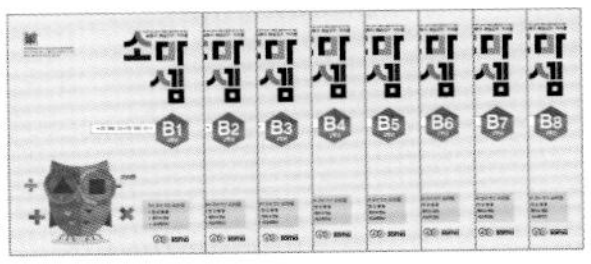 소마셈 B시리즈 B1~B8
초3 ~ 초4	 Lv.3 원리A/탐구A  Lv.3 원리B/탐구B  Lv.3 원리C/탐구C	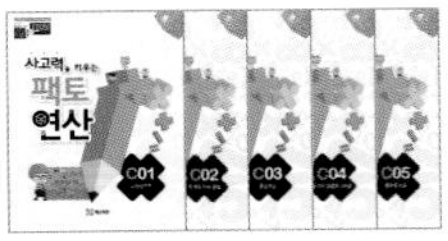 사고력을 키우는 팩토 연산 C01~C05	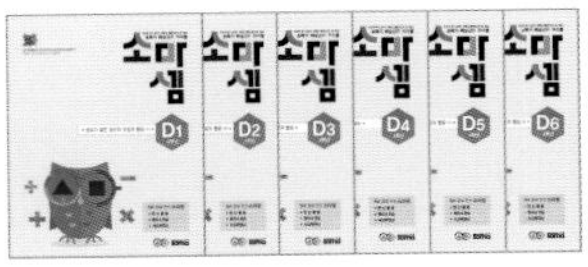 소마셈 D시리즈 D1~D6
초4 ~ 초5	 Lv.4 기본A, 실전A  Lv.4 기본B, 실전B		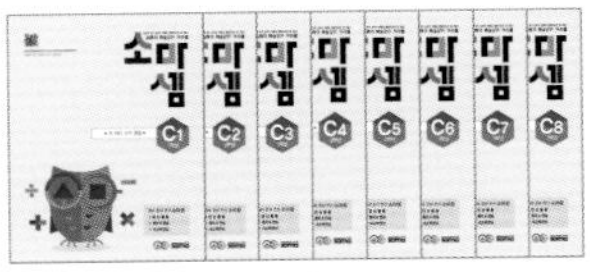 소마셈 C시리즈 C1~C8
초5 ~ 초6	 Lv.5 기본A, 실전A  Lv.5 기본B, 실전B		
초6~	 Lv.6 기본A, 실전A  Lv.6 기본B, 실전B		

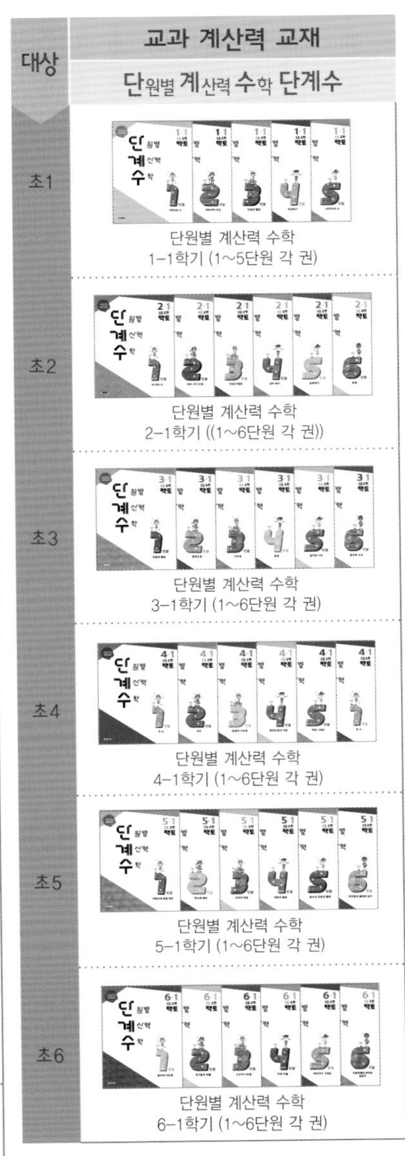

대상	교과 계산력 교재 — 단원별 계산력 수학 단계수
초1	단원별 계산력 수학 1-1학기 (1~5단원 각 권)
초2	단원별 계산력 수학 2-1학기 ((1~6단원 각 권))
초3	단원별 계산력 수학 3-1학기 (1~6단원 각 권)
초4	단원별 계산력 수학 4-1학기 (1~6단원 각 권)
초5	단원별 계산력 수학 5-1학기 (1~6단원 각 권)
초6	단원별 계산력 수학 6-1학기 (1~6단원 각 권)

대상	교과 수학 교재 — 1학기	교과 수학 교재 — 2학기
초1	팩토 수학교과서/익힘책 1-1	팩토 수학교과서/익힘책 1-2
초2	팩토 수학교과서/익힘책 2-1	팩토 수학교과서/익힘책 2-2

단계수 학습 순서

매일 학습

단원별로 꼭 알아야 할 개념만 쏙쏙 학습하고 다양한 연산 문제를 통해 연산 과정을 숙달하여 계산력을 쑥쑥 키울 수 있습니다.

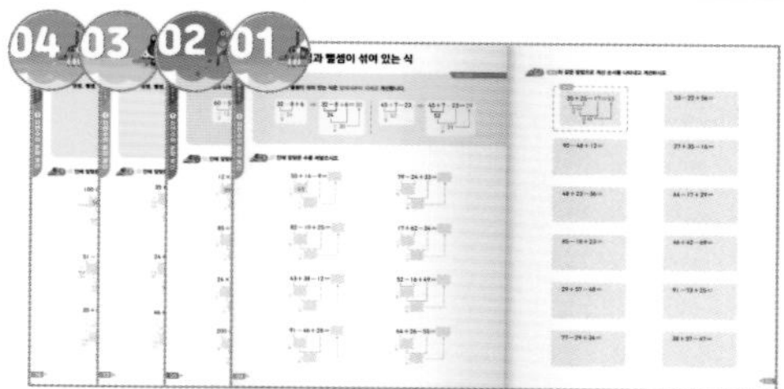

도전! 응용문제

응용 문제와 **서술형** 문제를 통해 사고력과 문제해결력을 기를 수 있습니다.

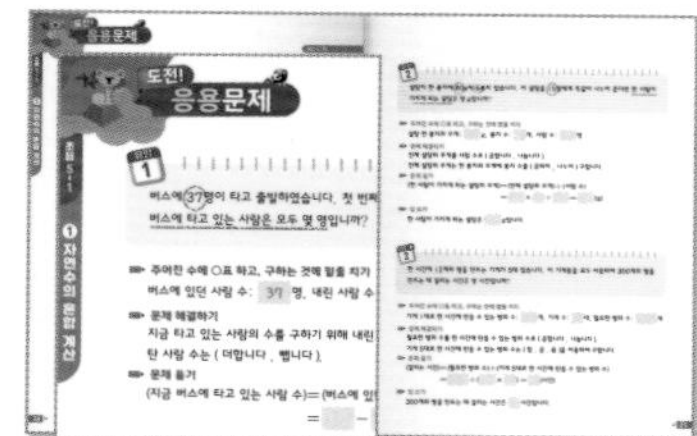

형성 평가

단원의 **복습 단계**로 문제를 풀면서 학습한 내용을 다시 한 번 확인할 수 있습니다.

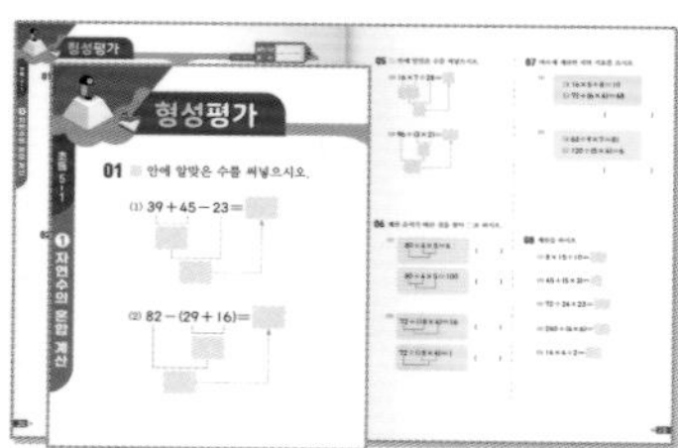

단원 평가

단원의 **마무리 학습**으로 학교 시험에 자주 나오는 문제를 통해 수시 평가 등 학교 시험에 대비할 수 있습니다.

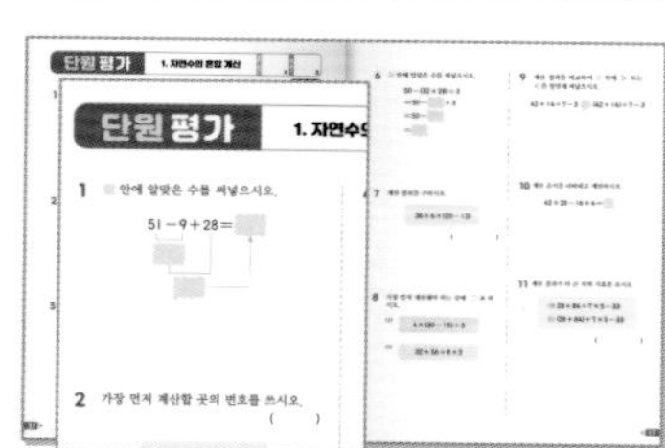

자율안전확인신고필증번호 : B361H200-4001
1. 주소 : 06153 서울특별시 강남구 봉은사로 442 (삼성동)
2. 문의전화 : 1588-6066
3. 제조국 : 대한민국
4. 사용연령 : 13세 이상
※ KC마크는 이 제품이 공통안전기준에 적합하였음을 의미합니다.

주의
종이, 모서리에 다칠 수 있으니 주의하세요!

초등학교	반 번
이름	

FACTO school

6-1

초등 수학 팩토

단원별 계산력 수학

2단원

각기둥과 각뿔

매스티안

팩토는 자유롭게 자신감있게 창의적으로 생각하는 주니어 수학자입니다.

단원별 계산력 수학

펴낸 곳 (주)타임교육C&P 펴낸이 이길호 지은이 매스티안R&D센터
주소 06153 서울특별시 강남구 봉은사로 442 (삼성동) 문의전화 1588.6066
팩토카페 http://cafe.naver.com/factos 홈페이지 http://www.mathtian.com

※ 정답과 풀이는 온라인 팩토카페(http://cafe.naver.com/factos)를 통해서도 확인할 수 있습니다.

GH2108

FACTO school

6-1

초등 수학 **팩토**

단원별 계산력 수학

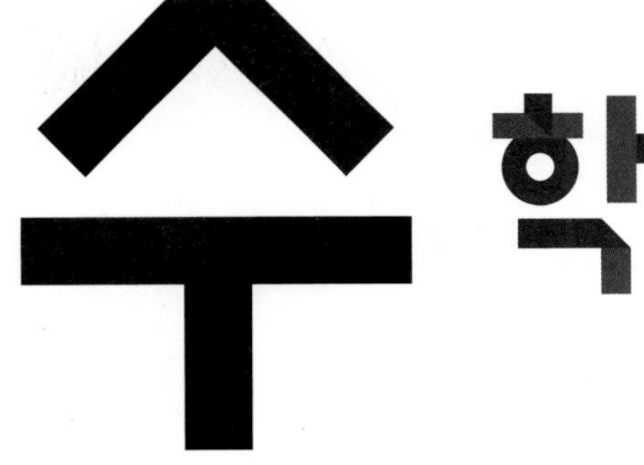

2단원

각기둥과 각뿔

매스티안

2. 각기둥과 각뿔

· 각기둥과 각뿔
· 각기둥의 전개도

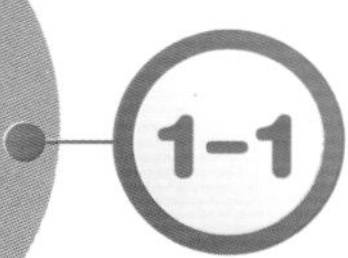

1-1

2. 여러 가지 모양

· 모양
· 모양으로 만들기

5. 직육면체

· 직육면체와 정육면체
· 직육면체의 겨냥도와 전개도

5-2

6-1

6-1

6. 직육면체의 부피와 겉넓이

· 부피 비교하기
· 직육면체의 부피
· 직육면체의 겉넓이

중학 1-2

기본 도형

2 각기둥과 각뿔

Teaching Guide

각기둥이나 원기둥에서 밑면을 말뜻으로만 해석하면 '밑에 있는 면'처럼 들리기 때문에 혼동이 될 수 있는데, 밑면은 한자로 '저면', 영어로 '베이스 플레인'입니다. 이는 밑에 있는 면이라는 뜻도 되지만 '기준이 되는 면'이라는 뜻도 됩니다. 각기둥의 밑면을 정의할 때 '서로 평행하다'라는 조건 외에 '나머지 다른 면에 수직'이라는 조건이 더 있습니다. 이것은 '서로 평행한'이라는 조건만으로는 잘못된 개념이 생길 수 있기 때문입니다. 예를 들어 밑면이 정육각형인 육각기둥의 경우에 서로 평행한 면이 4쌍(색깔별로 1쌍씩 평행)으로 이들이 모두 밑면이 될 수는 없습니다.

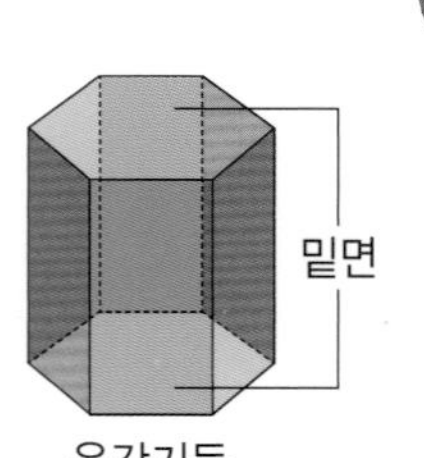

육각기둥

6. 원기둥, 원뿔, 구

· 원기둥, 원뿔, 구
· 원기둥의 전개도

입체도형의 겉넓이와 부피

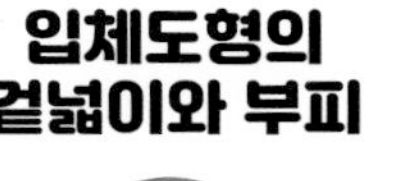

다면체와 회전체

6-2

3. 공간과 입체

· 쌓은 모양과 쌓기나무의 개수
· 쌓기나무로 여러 가지 모양 만들기

공부한 날짜

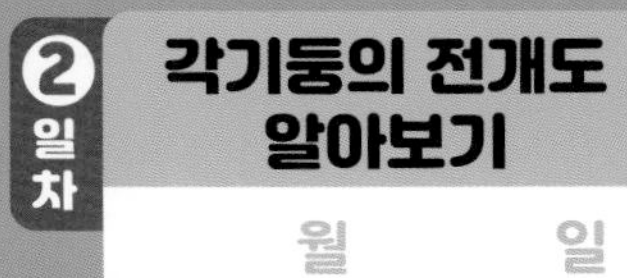

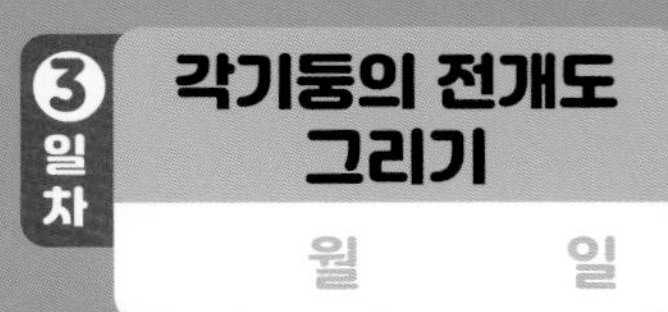

5 일차
응용 문제
월 일

01 각기둥 알아보기

정답 09쪽

그림과 같은 입체도형을 각기둥이라고 합니다.

밑면의 모양: 삼각형
각기둥의 이름: 삼각기둥

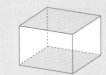

밑면의 모양: 사각형
각기둥의 이름: 사각기둥

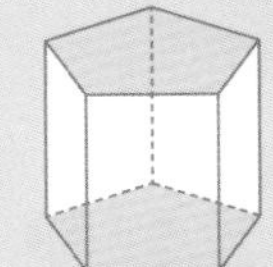

밑면의 모양: 오각형
각기둥의 이름: 오각기둥

1 각기둥의 두 밑면을 찾아 색칠하고, 밑면의 모양과 각기둥의 이름을 쓰시오.

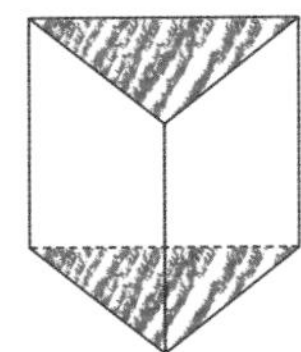

밑면의 모양: 삼각형
각기둥의 이름:

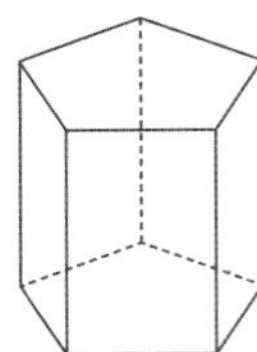

밑면의 모양:
각기둥의 이름:

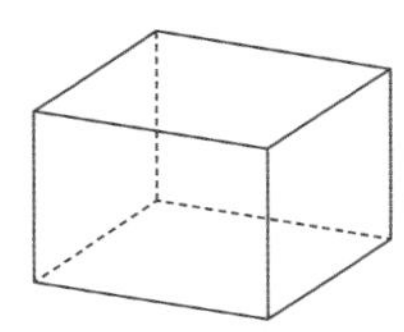

밑면의 모양:
각기둥의 이름:

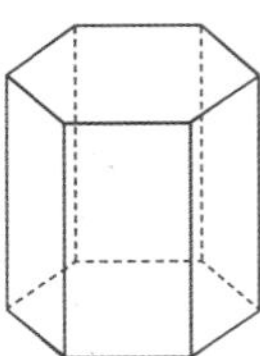

밑면의 모양:
각기둥의 이름:

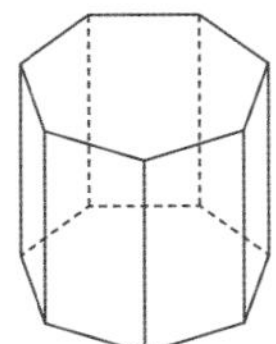

밑면의 모양:
각기둥의 이름:

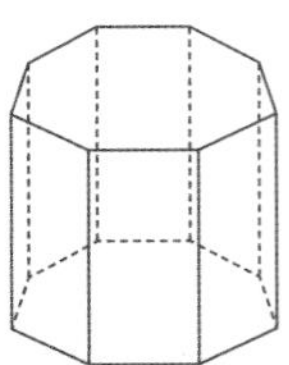

밑면의 모양:
각기둥의 이름:

각기둥의 밑면과 옆면

각기둥의 두 밑면은 서로 평행하고 합동인 다각형입니다.

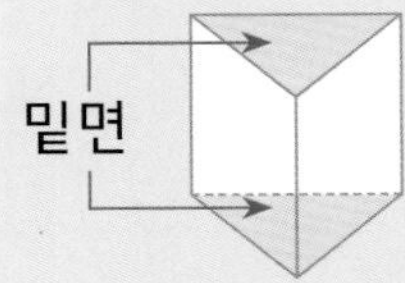

각기둥의 옆면은 모두 직사각형입니다.

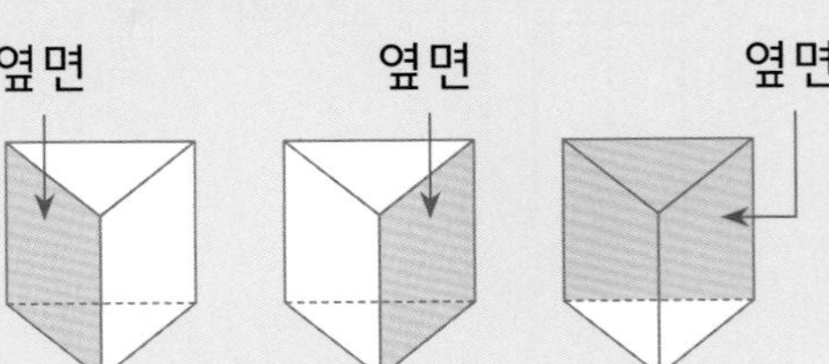

2 각기둥인 것에 ○표, 각기둥이 아닌 것에 ×표 하시오.

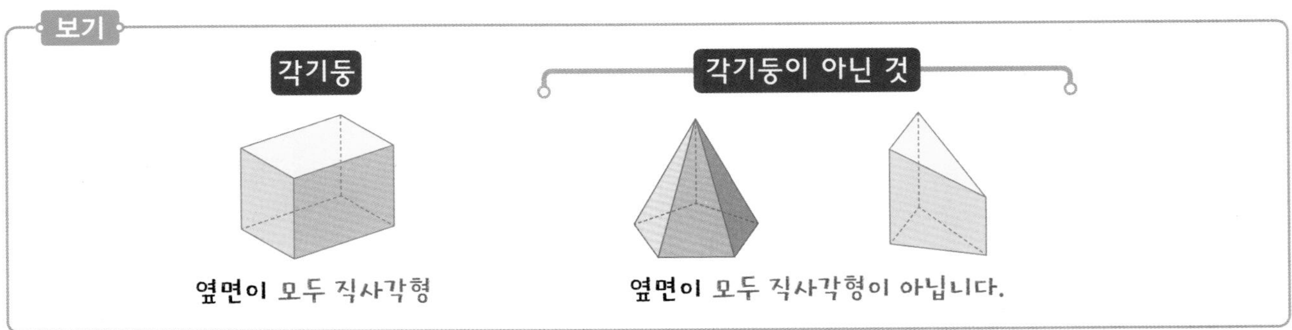

보기
각기둥
각기둥이 아닌 것
옆면이 모두 직사각형
옆면이 모두 직사각형이 아닙니다.

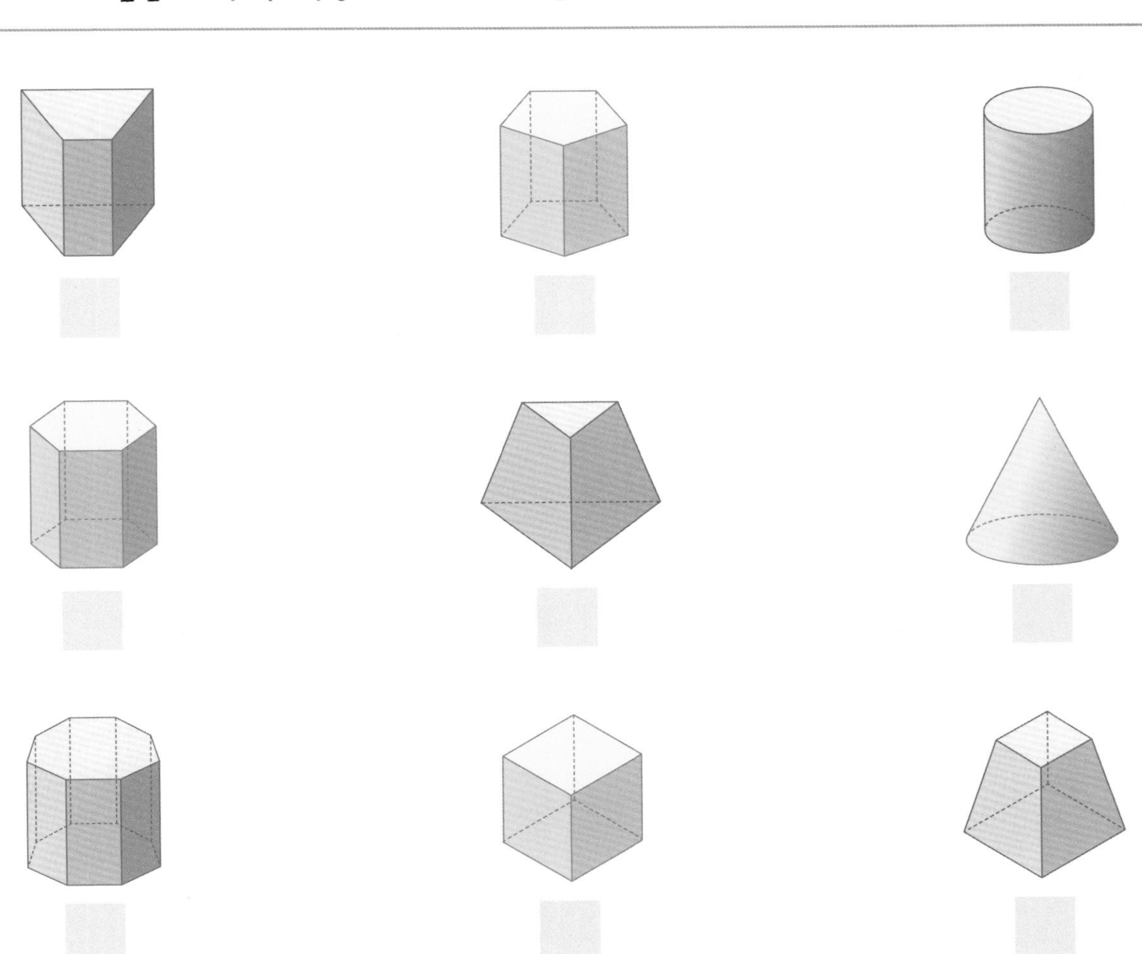

● 각기둥의 구성 요소

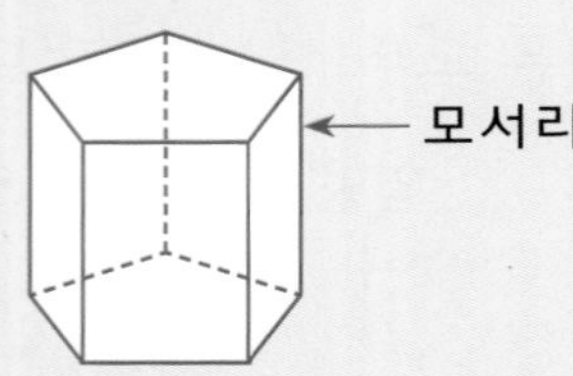

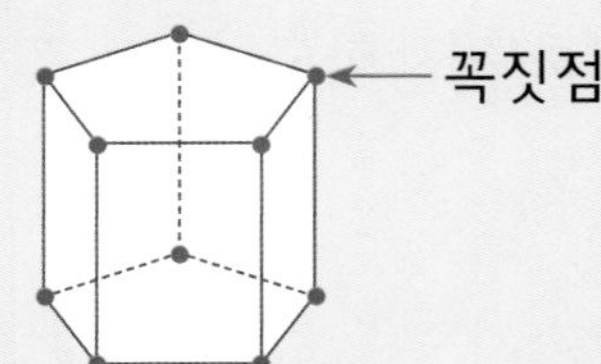

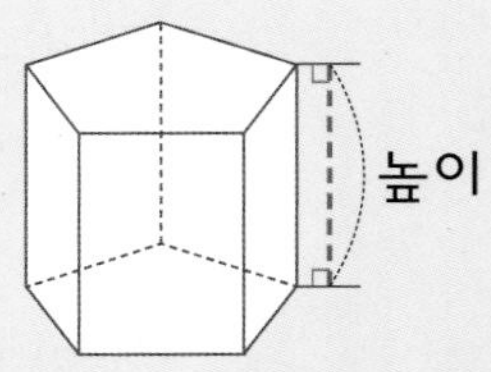

3 각기둥을 보고 ☐ 안에 모서리, 꼭짓점, 높이 중 알맞은 말을 써넣으시오.

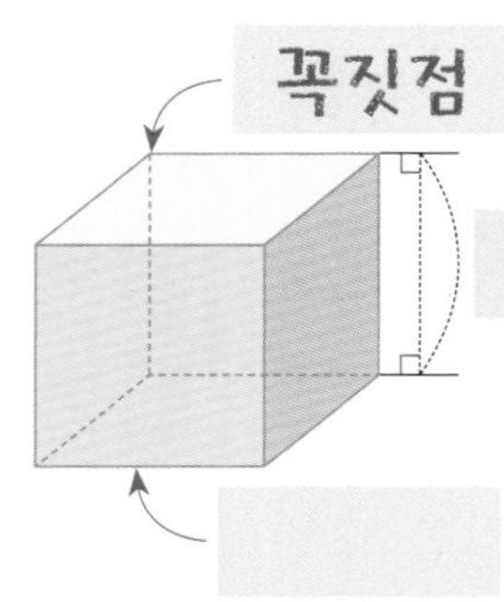

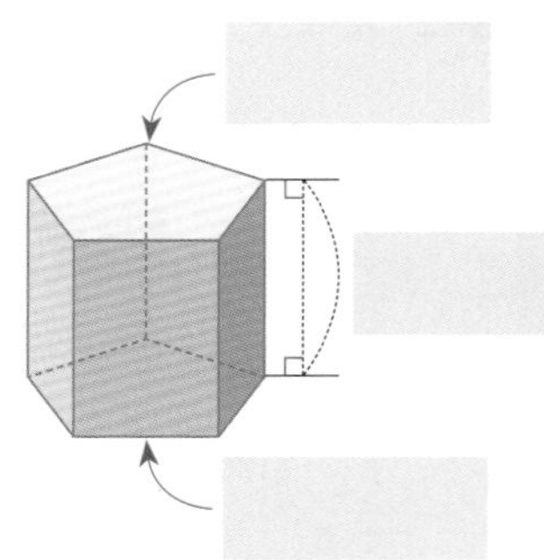

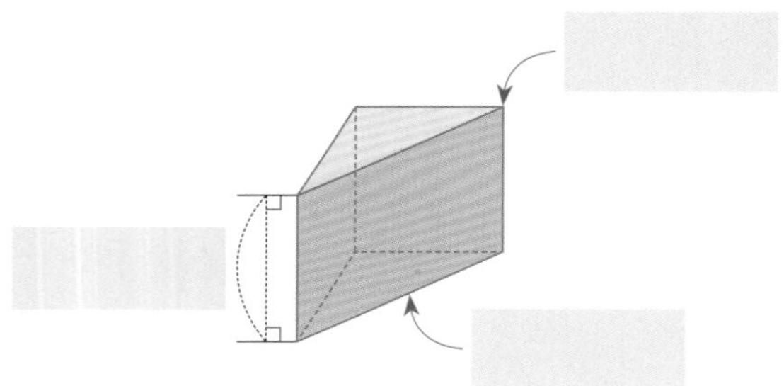

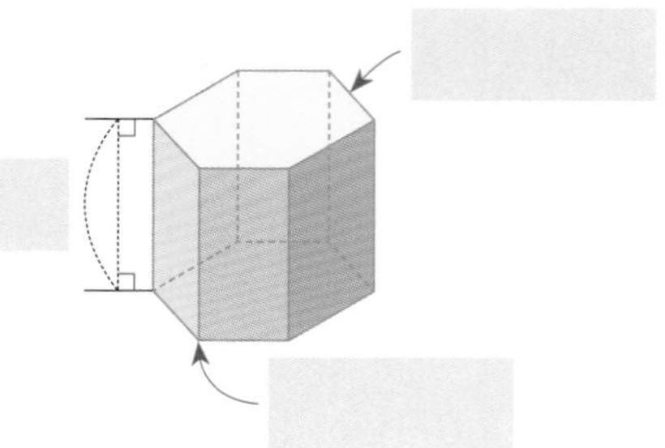

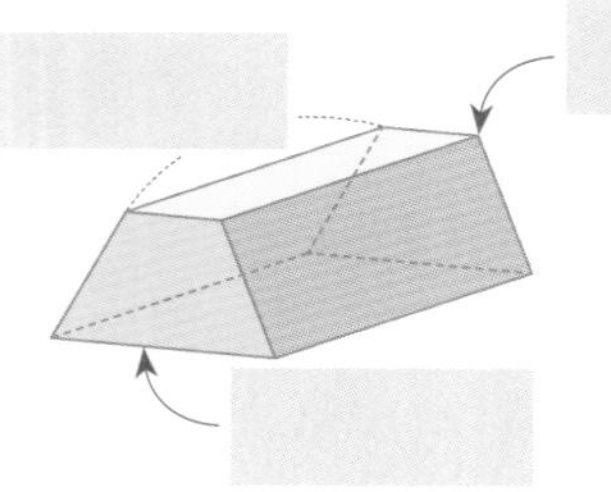

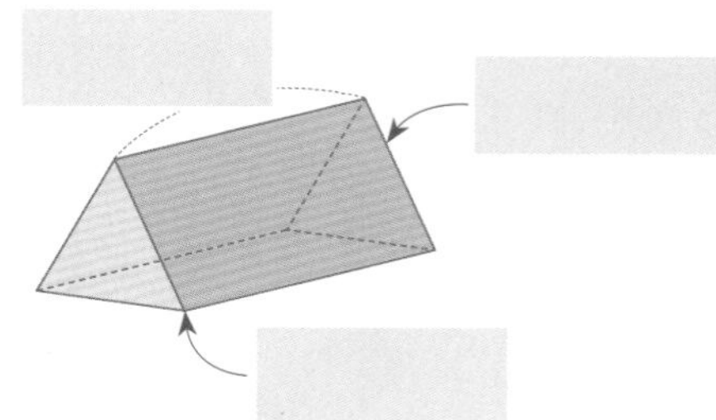

4 각기둥을 보고 한 밑면의 변의 수, 면, 꼭짓점, 모서리의 수를 구하시오.

한 밑면의 변의 수
면의 수
꼭짓점의 수
모서리의 수
삼각기둥
3 개
삼각형
5 개
밑면+옆면
개
개
사각기둥
개
사각형
개
밑면+옆면
개
개
오각기둥
개
개
개
개
육각기둥
개
개
개
개
칠각기둥
개
개
개
개
★각기둥
★개
(★+)개
(★×)개
(★×)개

02 각기둥의 전개도 알아보기

정답 10쪽

각기둥의 모서리를 잘라서 평면 위에 펼쳐 놓은 그림을 각기둥의 전개도라고 합니다.

사각기둥의 전개도

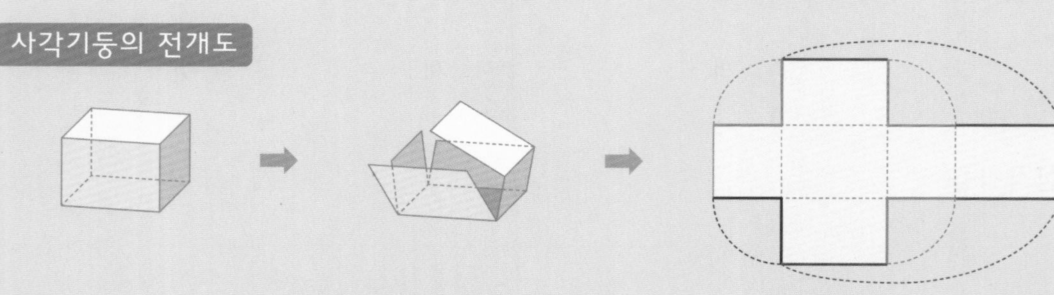

1 왼쪽 각기둥의 전개도를 찾아 ○표 하시오.

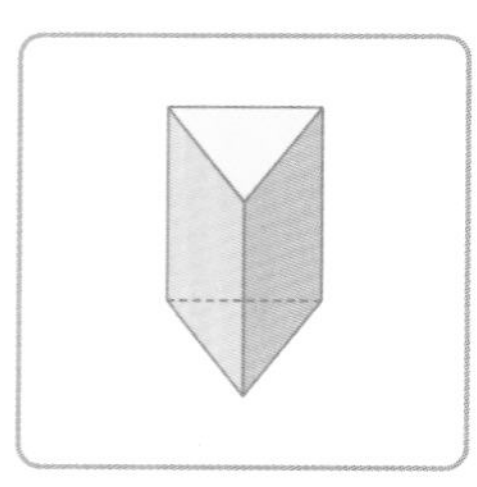

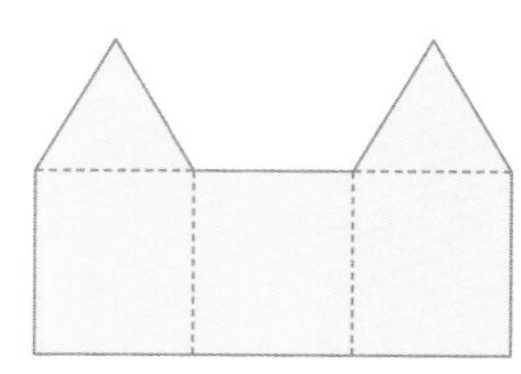

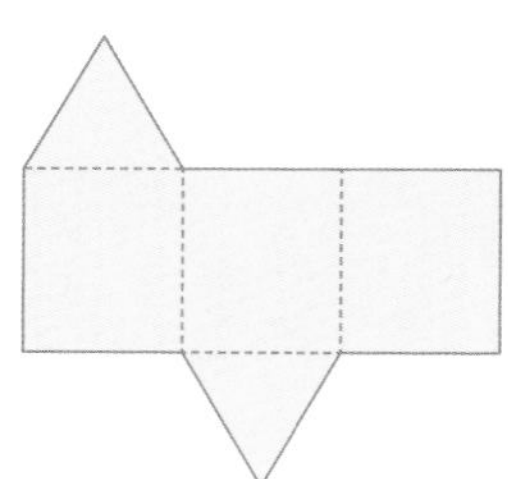

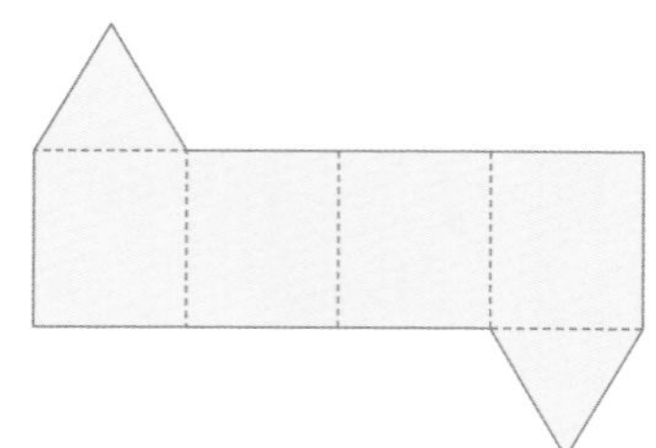

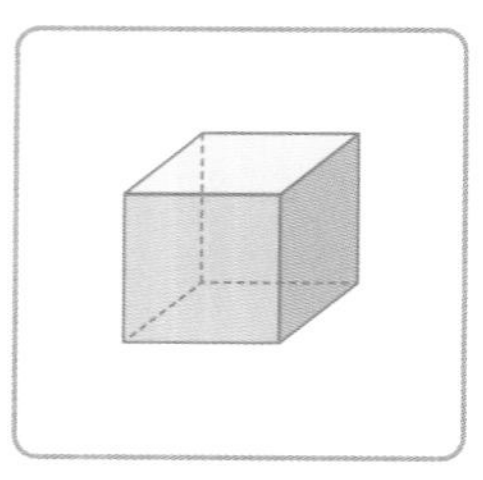

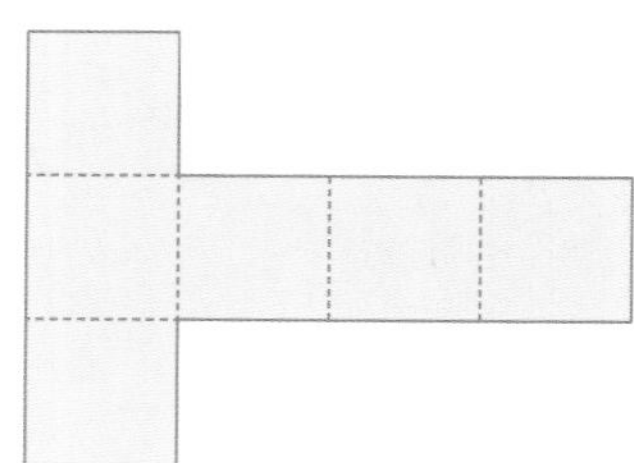

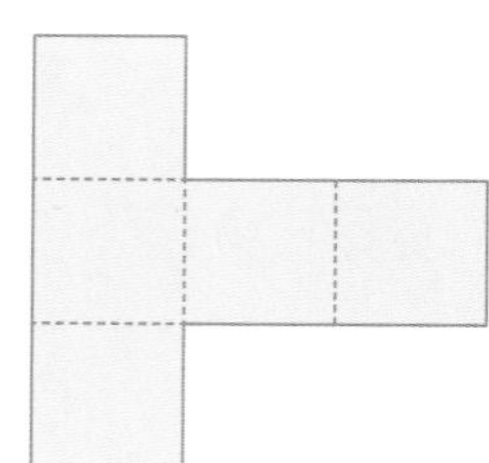

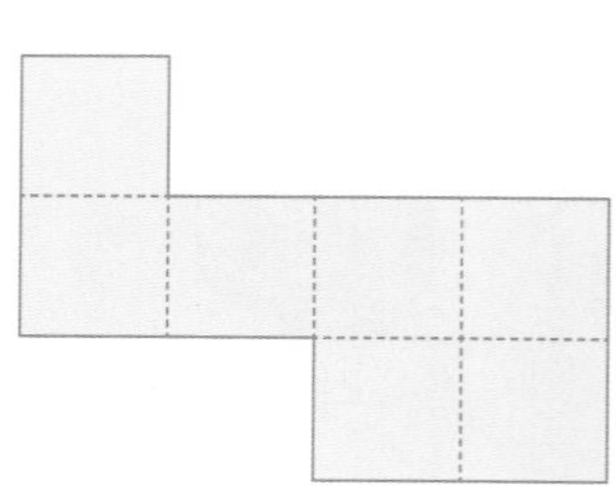

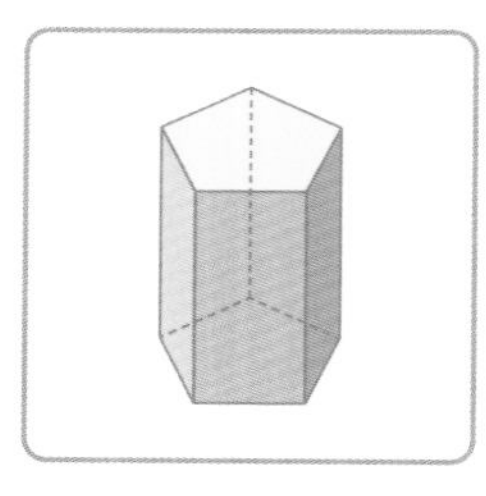

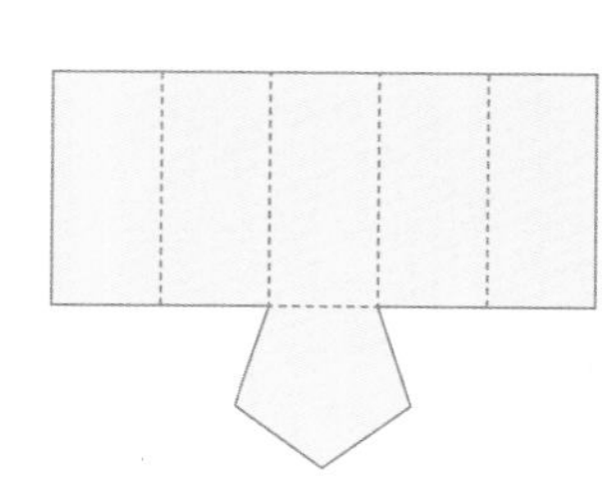

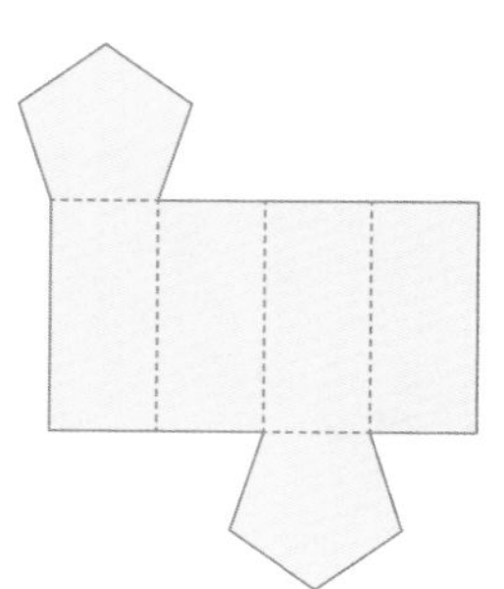

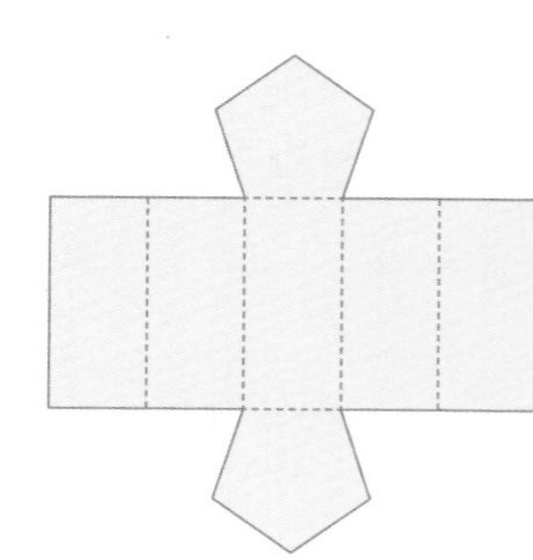

• 밑면: 전개도를 접었을 때 서로 평행하고 합동인 면 (2개)

• 옆면: 전개도를 접었을 때 밑면과 맞닿아 있는 면

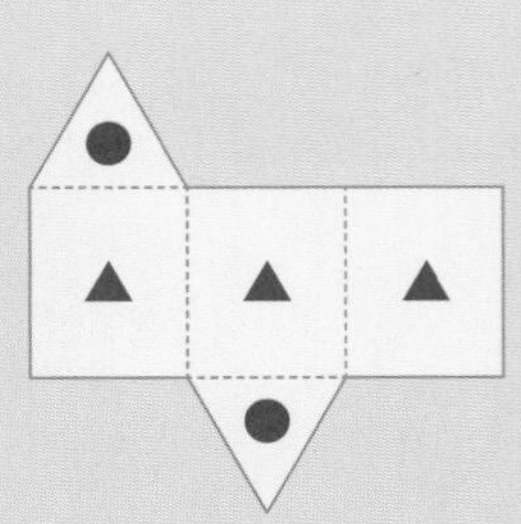

밑면: ●
옆면: ▲

2 각기둥의 전개도를 보고 밑면을 모두 찾아 ○표 하시오.

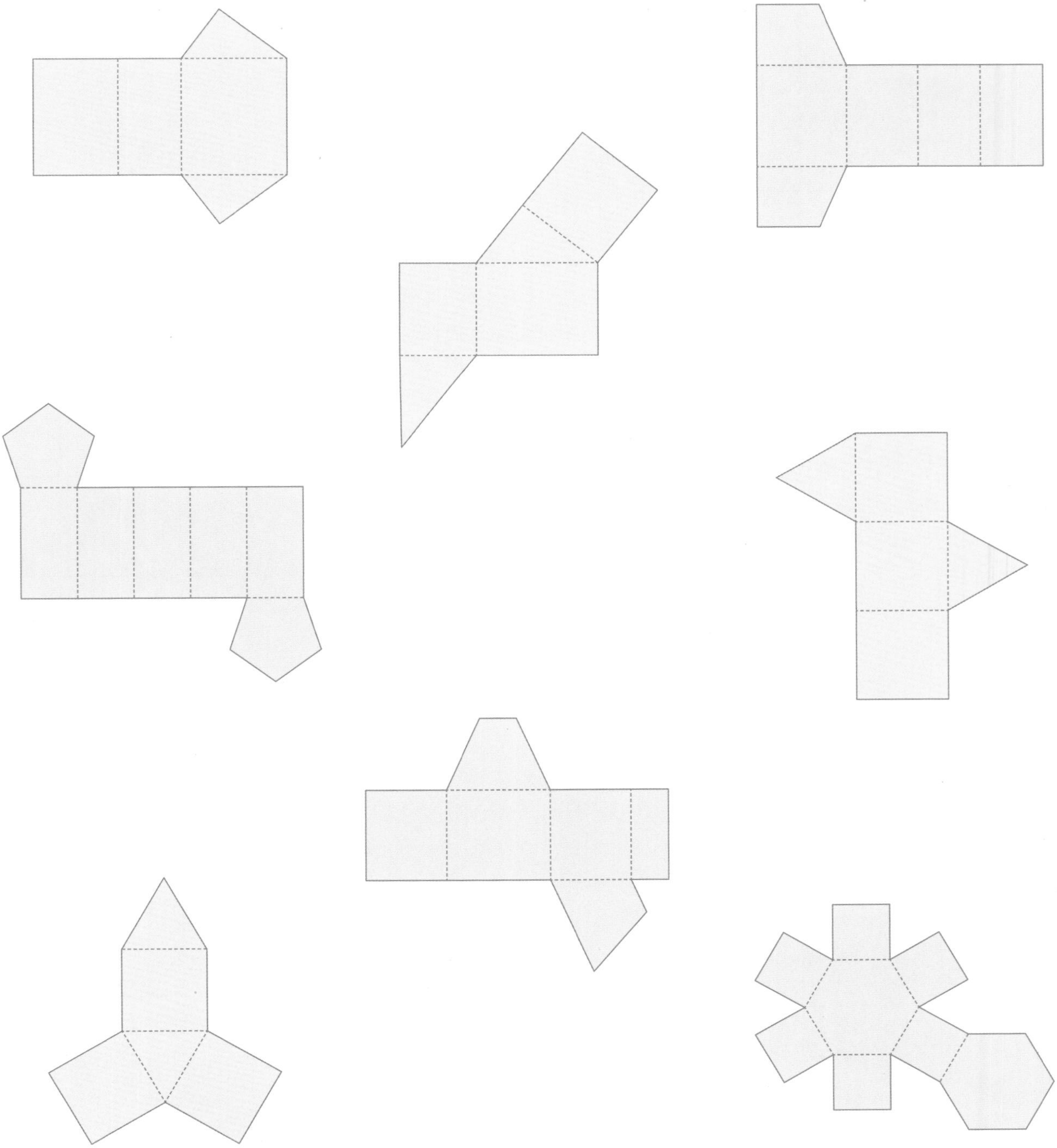

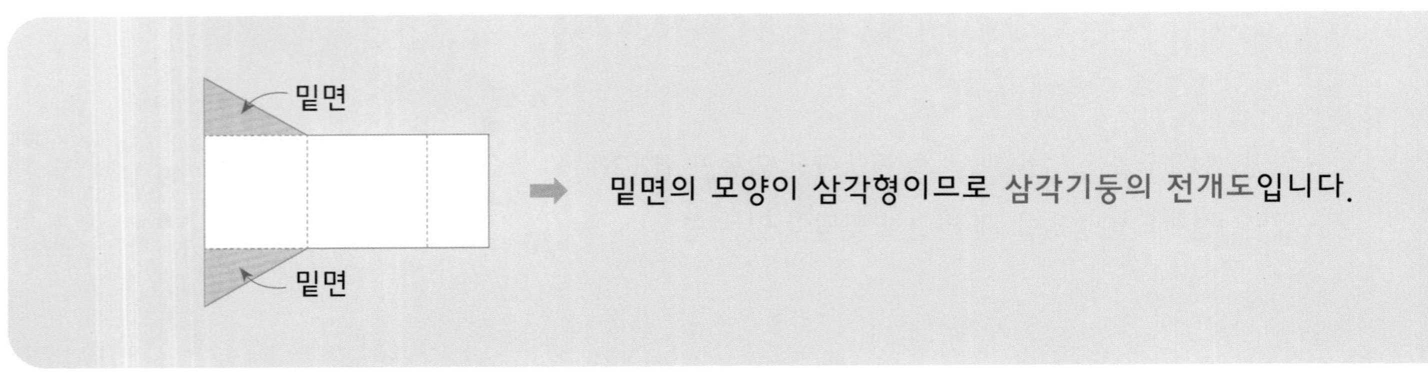

3 전개도로 만들 수 있는 각기둥의 이름을 쓰시오.

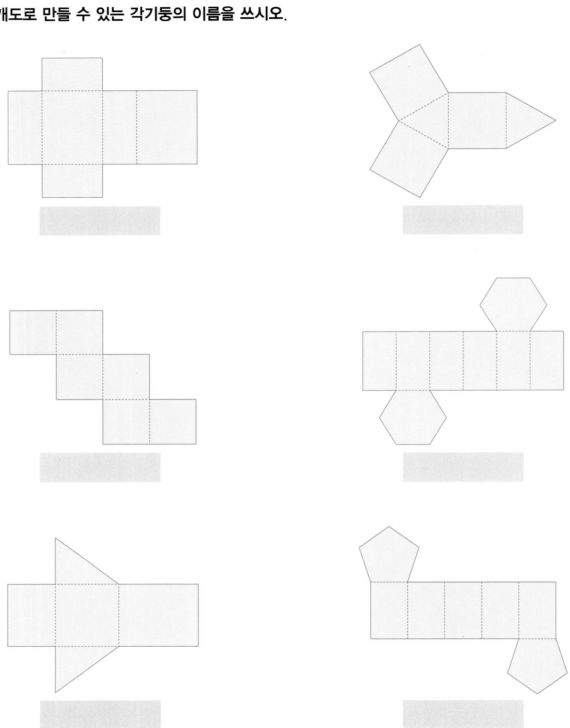

4 전개도를 접었을 때 만나는 선분과 꼭짓점을 쓰시오.

보기

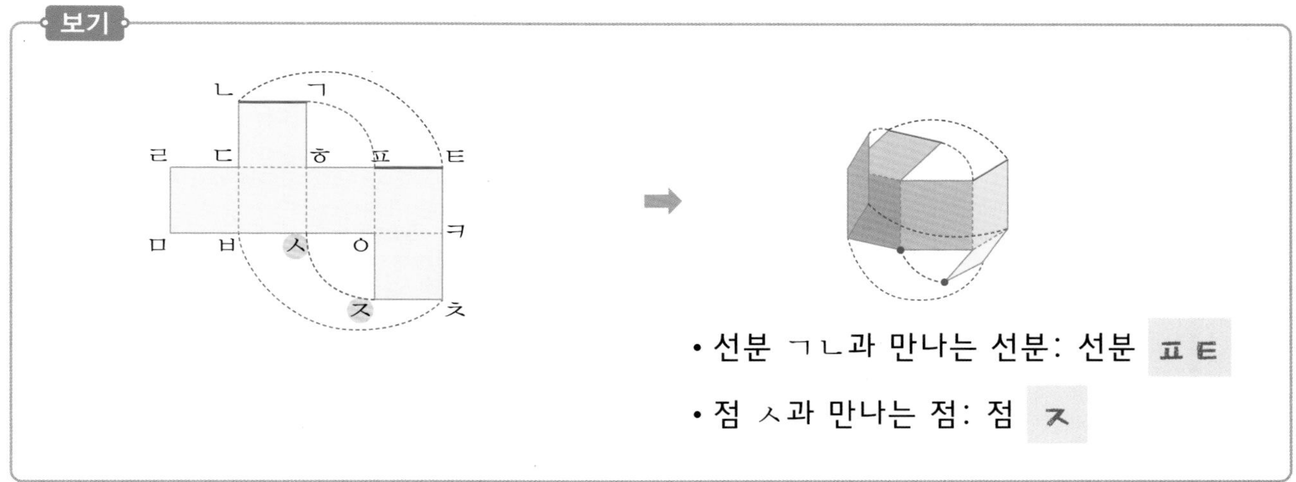

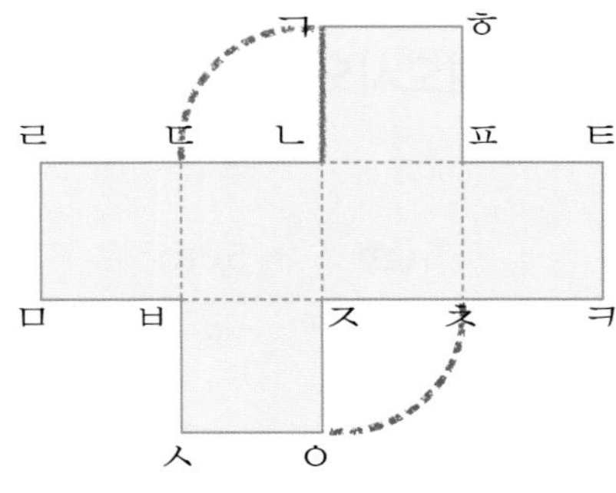

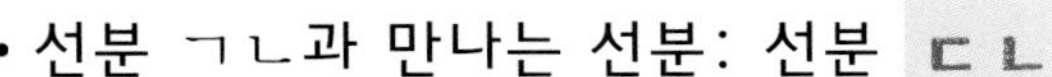

• 점 ㅇ과 만나는 점: 점

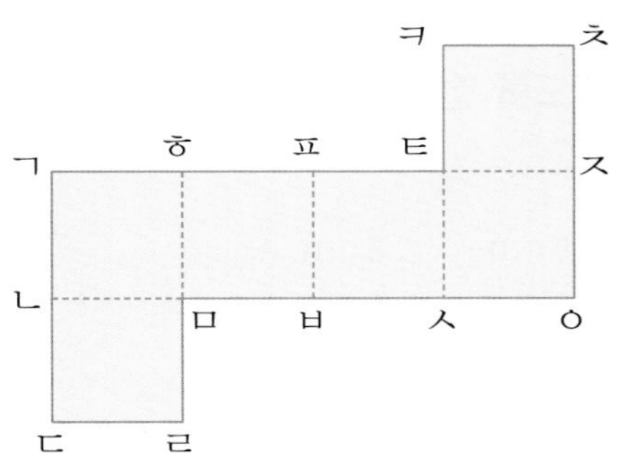

• 선분 ㄹㅁ과 만나는 선분: 선분

• 점 ㅍ과 만나는 점: 점

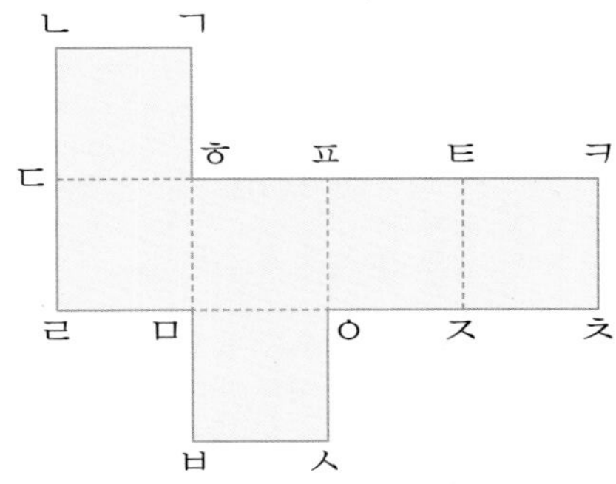

• 선분 ㅍㅌ과 만나는 선분: 선분

• 점 ㅈ과 만나는 점: 점

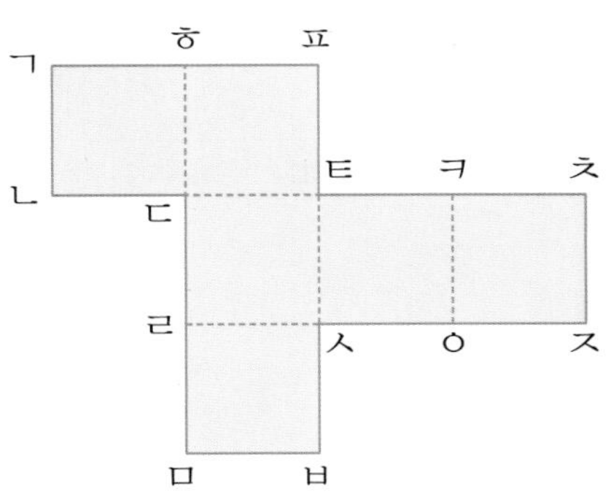

• 선분 ㄱㄴ과 만나는 선분: 선분

• 점 ㅊ과 만나는 점: 점

03 각기둥의 전개도 그리기

정답 11쪽

● 전개도에서 각기둥의 모서리 길이 구하기

전개도를 접었을 때 만나는 선분의 길이는 같습니다.

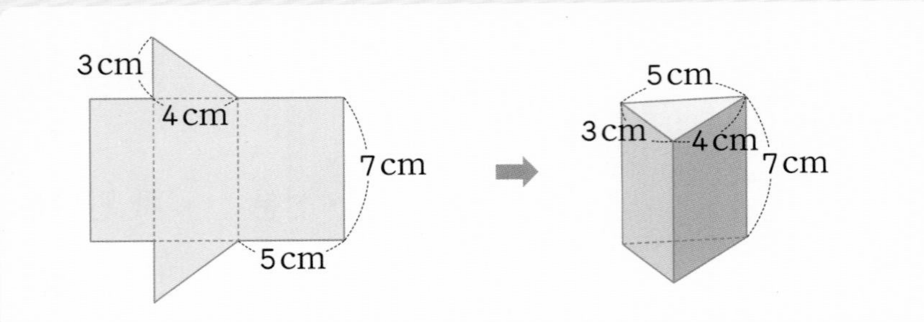

1 전개도를 접어서 각기둥을 만들었습니다. ☐ 안에 알맞은 수를 써넣으시오.

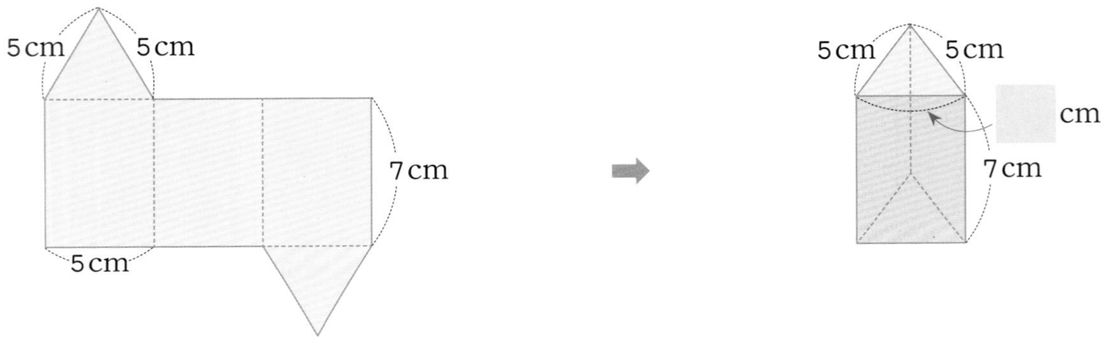

5 cm 5 cm 7 cm 5 cm ➡ 5 cm 5 cm ☐ cm 7 cm

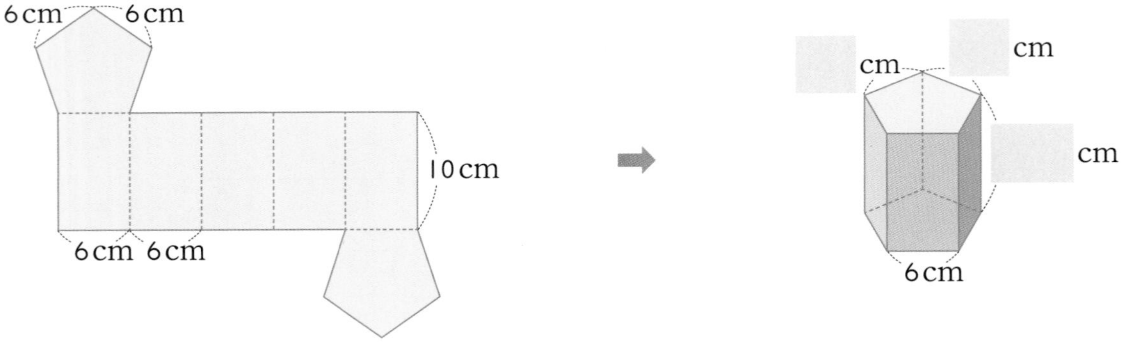

6 cm 6 cm 10 cm 6 cm 6 cm ➡ ☐ cm ☐ cm ☐ cm 6 cm

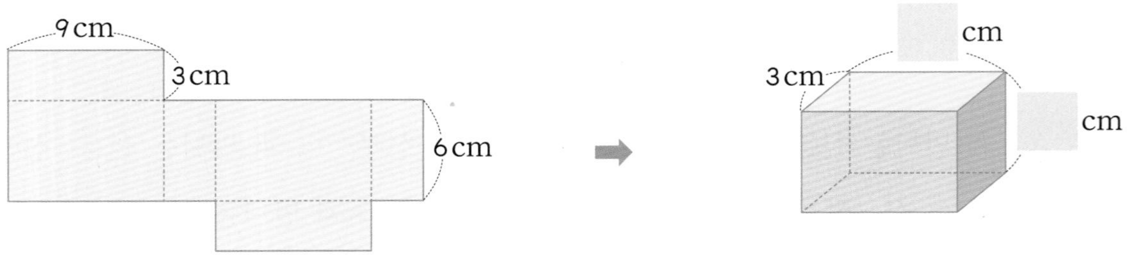

9 cm 3 cm 6 cm ➡ 3 cm ☐ cm ☐ cm

● 각기둥의 전개도 그리기

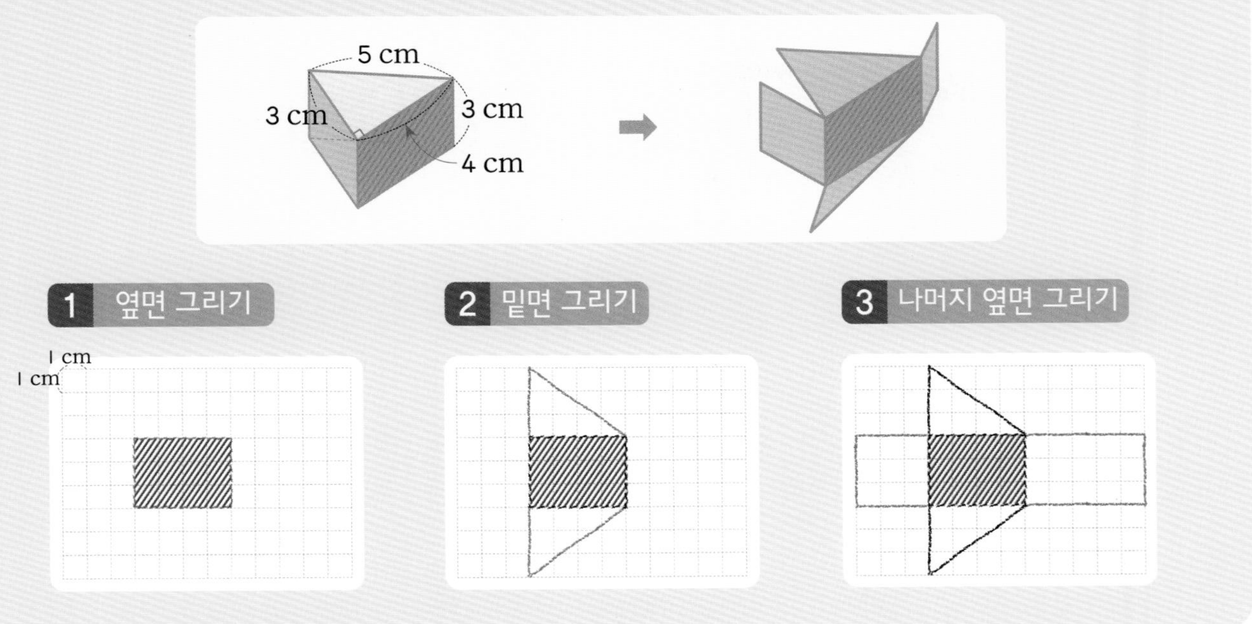

2 각기둥의 전개도를 그려 보시오.

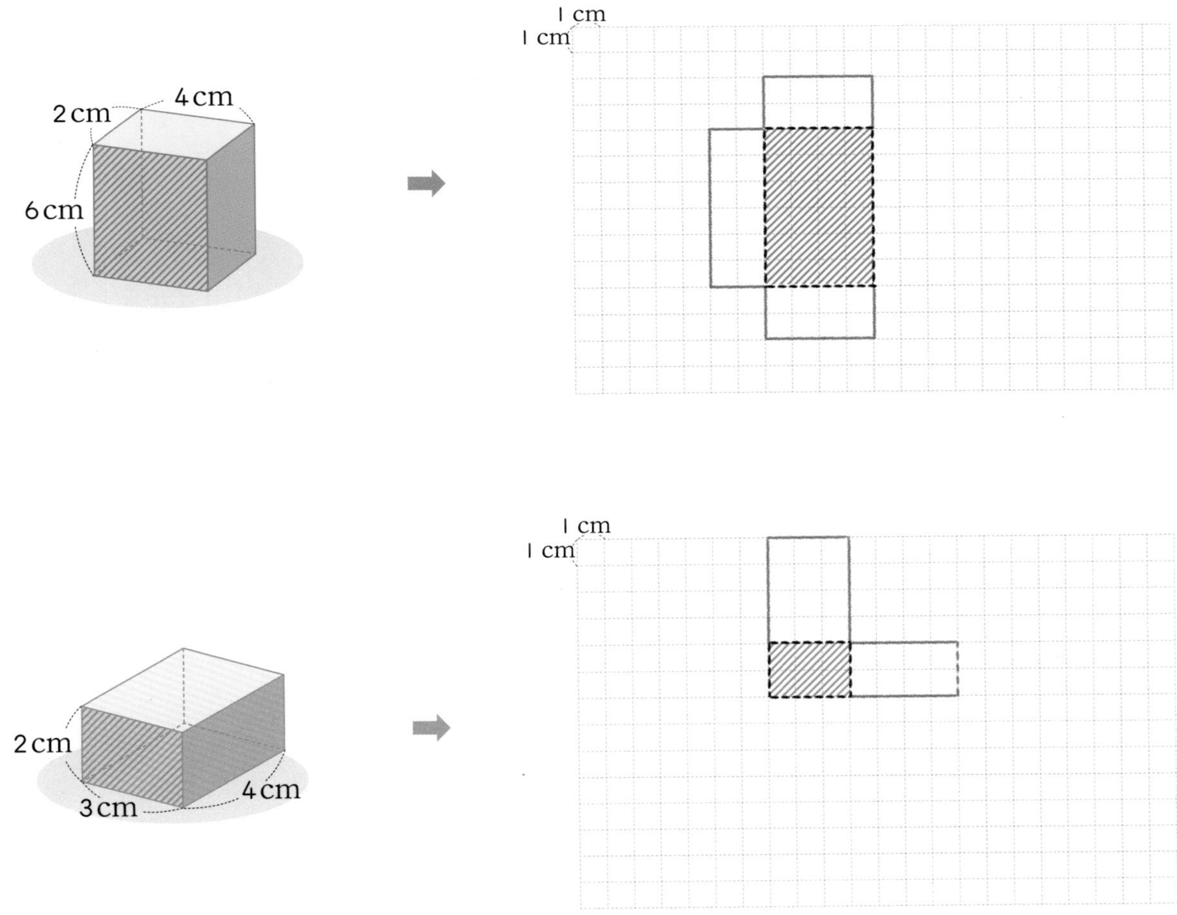

3 각기둥의 전개도를 그려 보시오.

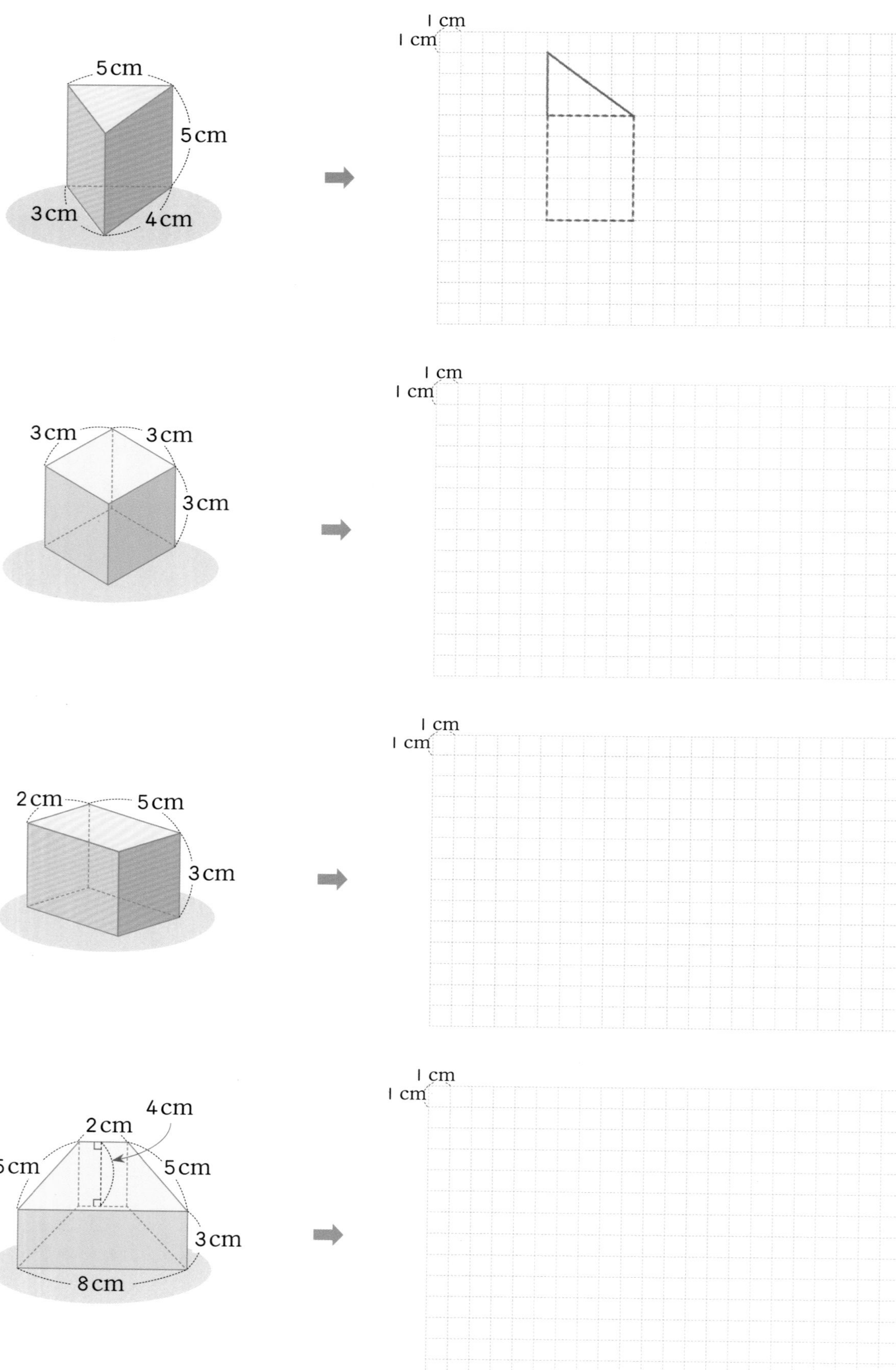

4 각기둥의 겨냥도를 완성하시오.

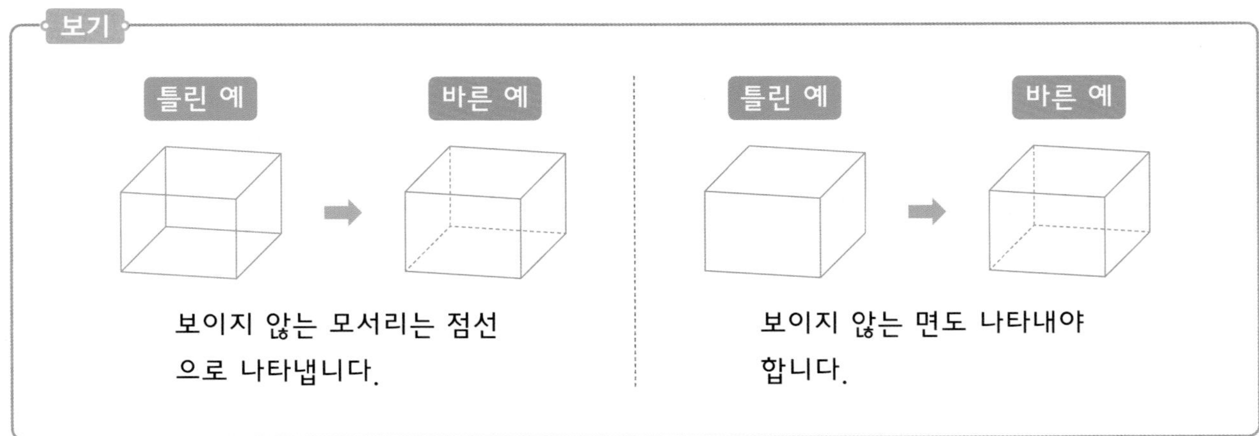

보기
틀린 예
바른 예
보이지 않는 모서리는 점선
으로 나타냅니다.
틀린 예
바른 예
보이지 않는 면도 나타내야
합니다.

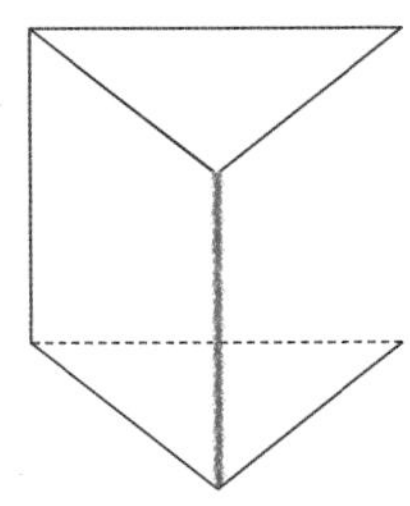

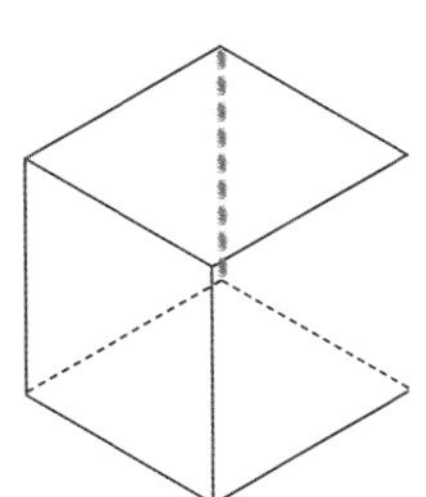

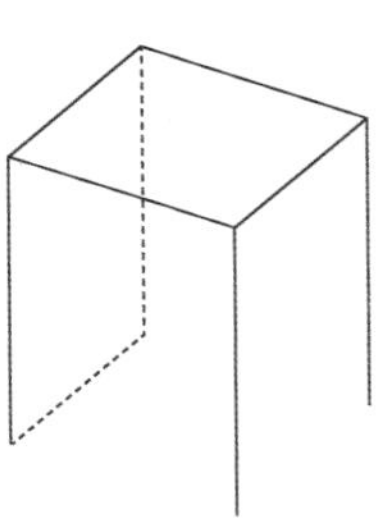

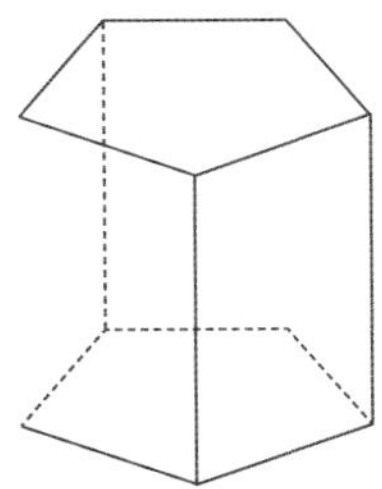

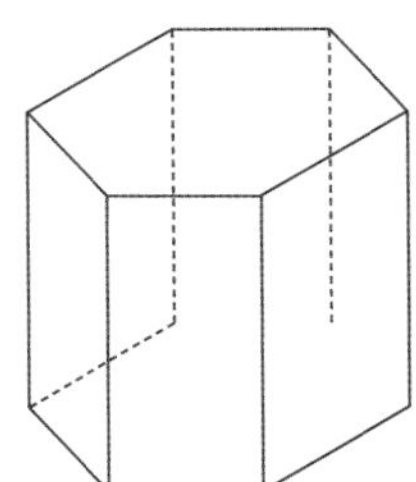

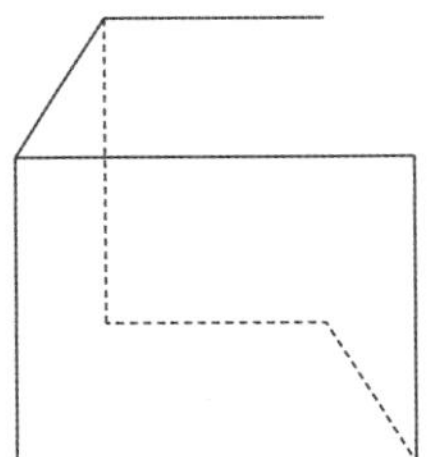

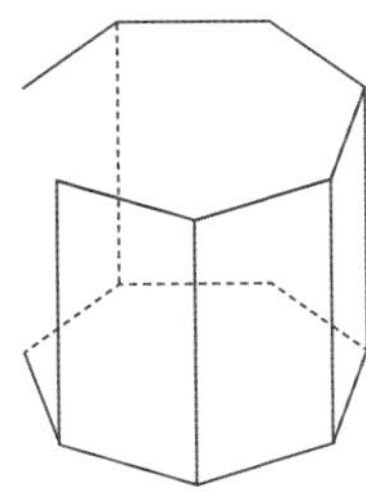

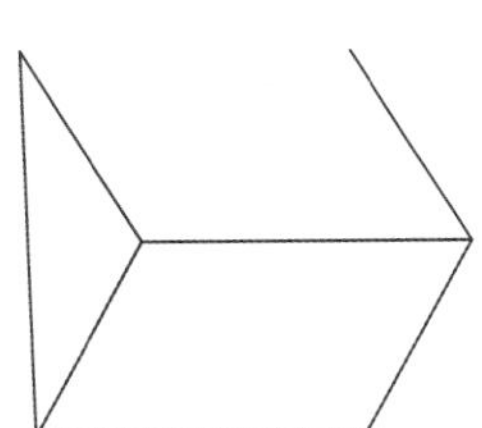

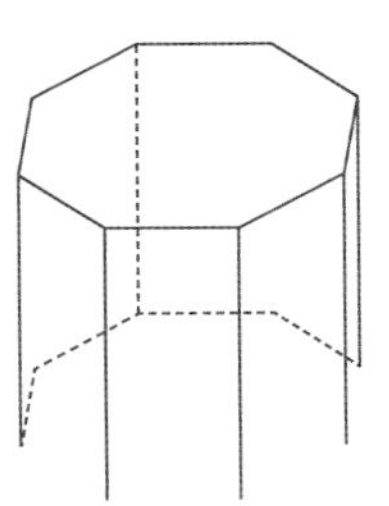

04 각뿔 알아보기

정답 12쪽

그림과 같은 입체도형을 각뿔이라고 합니다.

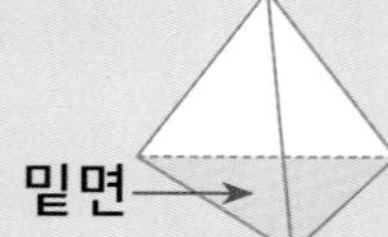

밑면의 모양: 삼각형
각뿔의 이름: 삼각뿔

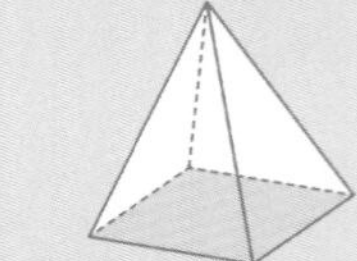

밑면의 모양: 사각형
각뿔의 이름: 사각뿔

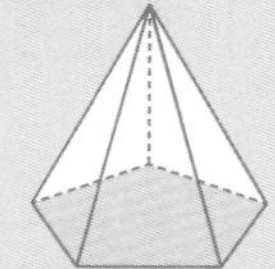

밑면의 모양: 오각형
각뿔의 이름: 오각뿔

1 **각뿔의 밑면을 찾아 색칠하고, 밑면의 모양과 각뿔의 이름을 쓰시오.**

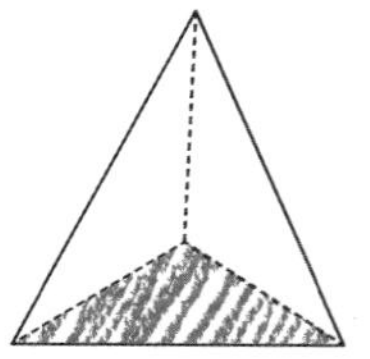

밑면의 모양: 삼각형
각뿔의 이름:

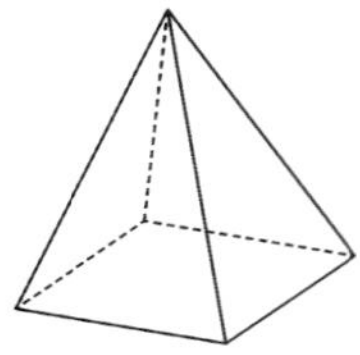

밑면의 모양:
각뿔의 이름:

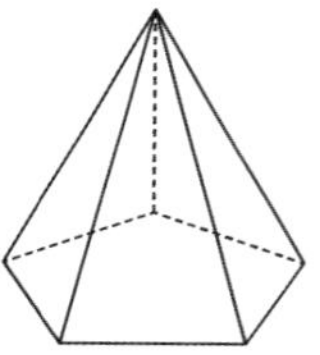

밑면의 모양:
각뿔의 이름:

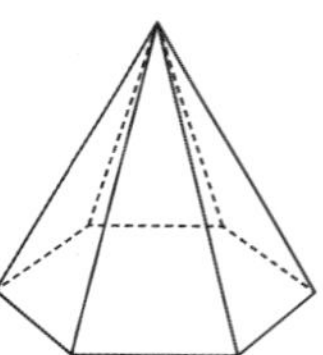

밑면의 모양:
각뿔의 이름:

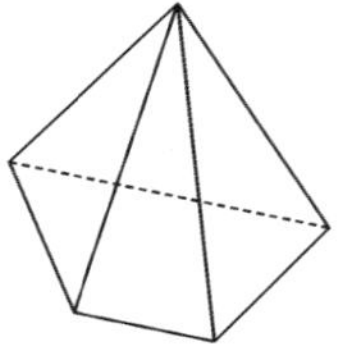

밑면의 모양:
각뿔의 이름:

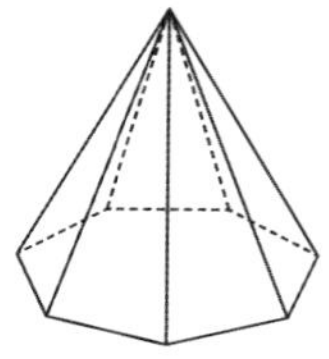

밑면의 모양:
각뿔의 이름:

● 각뿔의 밑면과 옆면

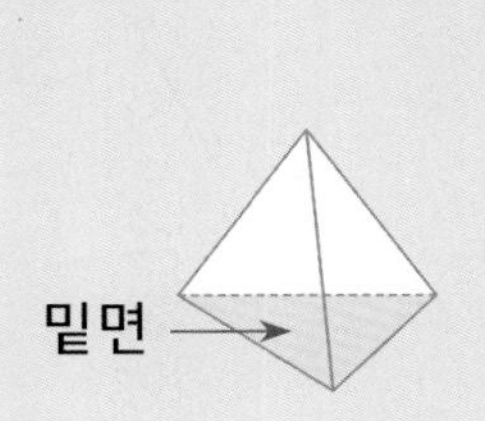

각뿔의 옆면은 모두 삼각형입니다.

옆면

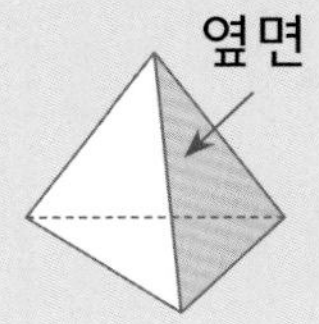

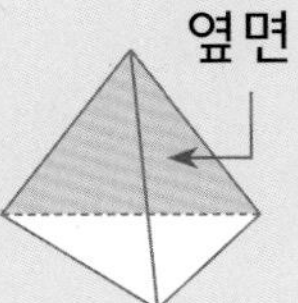

2 각뿔인 것에 ○표, 각뿔이 아닌 것에 ×표 하시오.

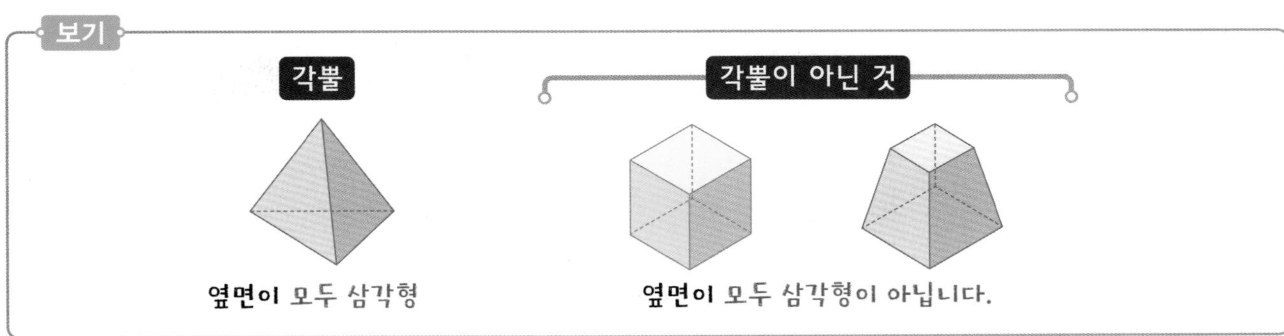

보기
각뿔
각뿔이 아닌 것
옆면이 모두 삼각형
옆면이 모두 삼각형이 아닙니다.

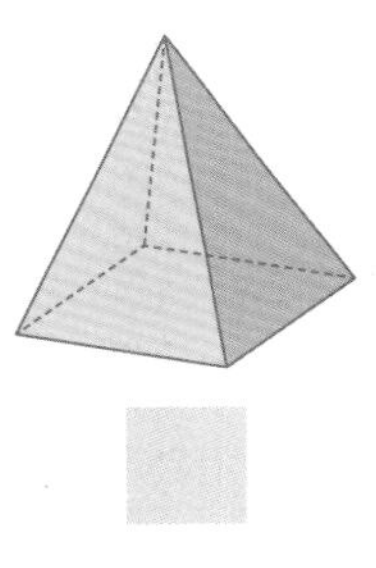

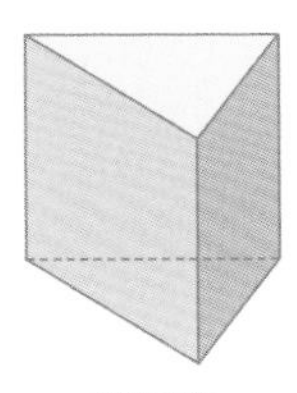

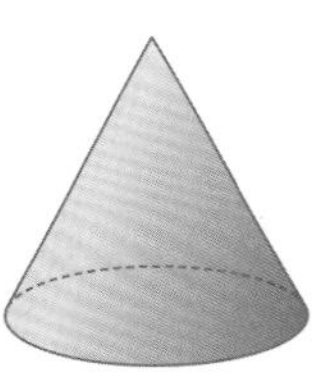

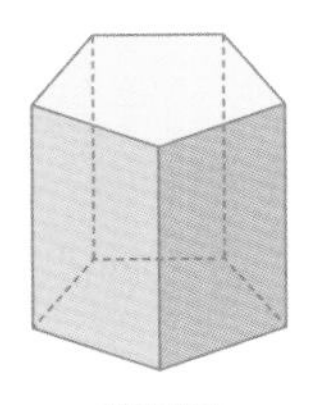

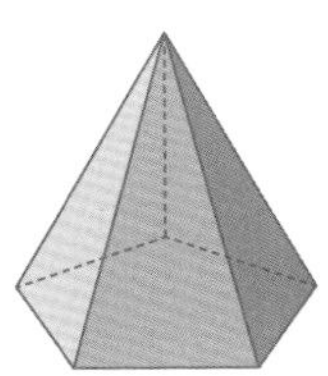

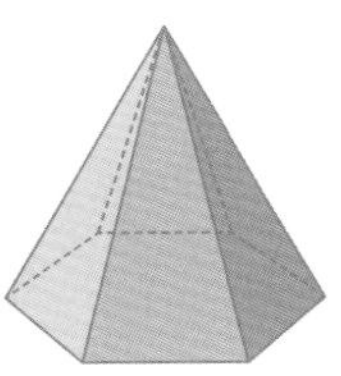

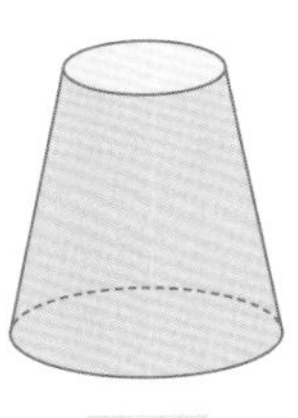

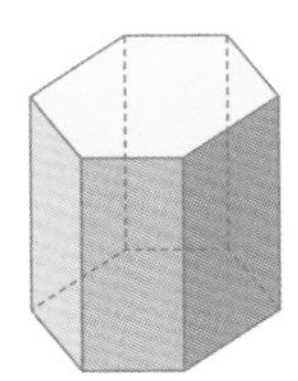

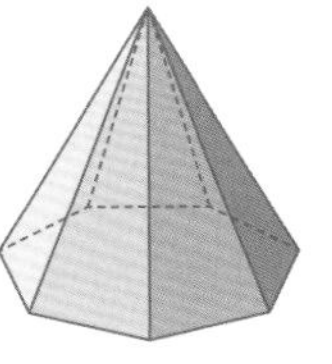

● 각뿔의 구성 요소

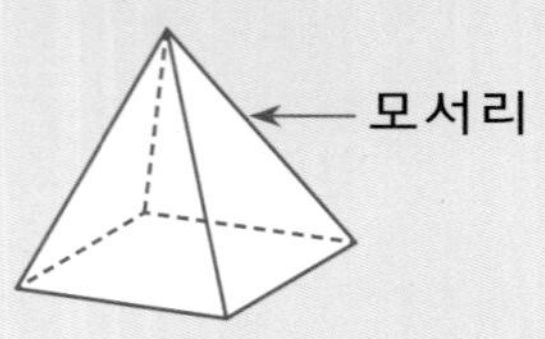

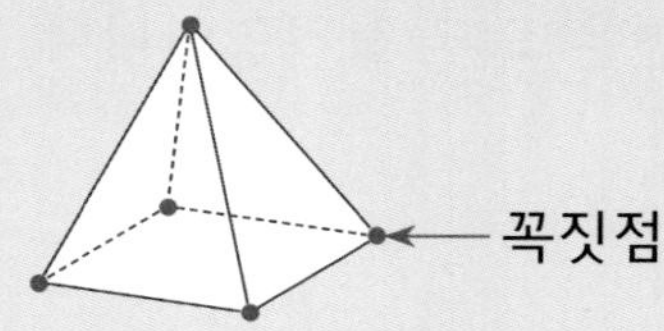

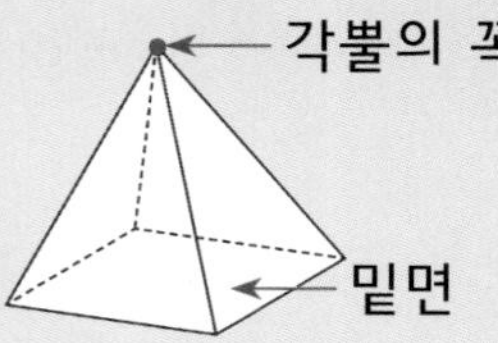

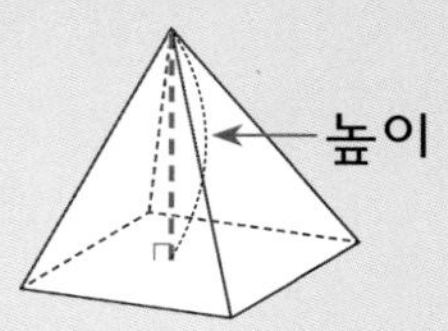

3 각뿔을 보고 ☐ 안에 알맞게 써넣으시오.

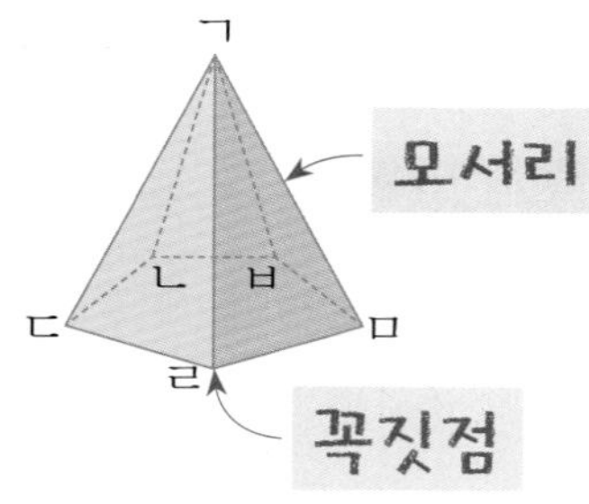

각뿔의 꼭짓점 ☐

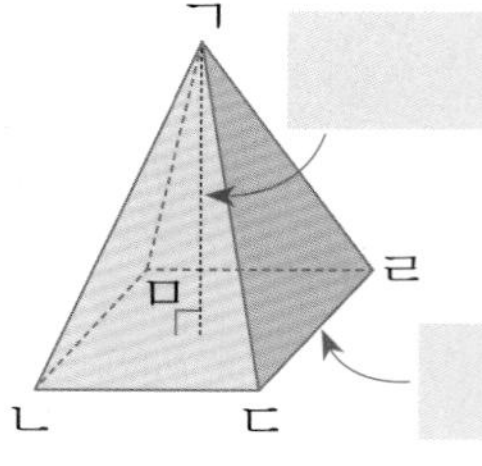

각뿔의 꼭짓점 ☐

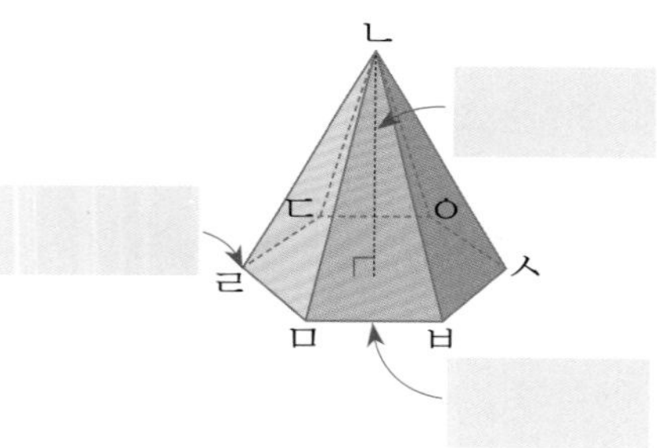

각뿔의 꼭짓점 ☐

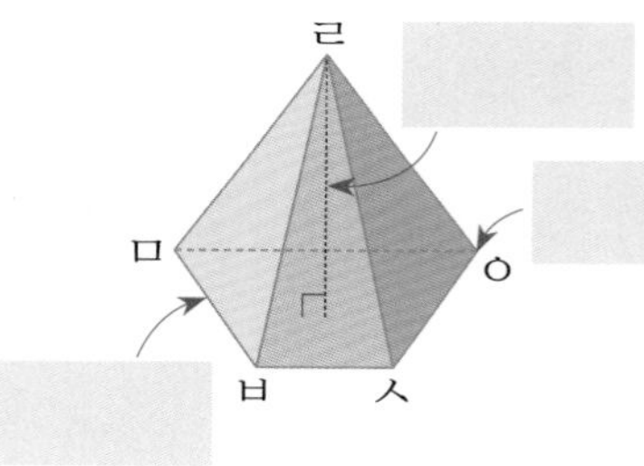

각뿔의 꼭짓점 ☐

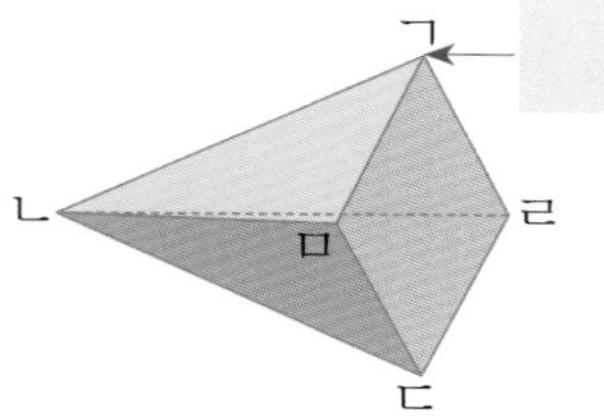

각뿔의 꼭짓점 ☐

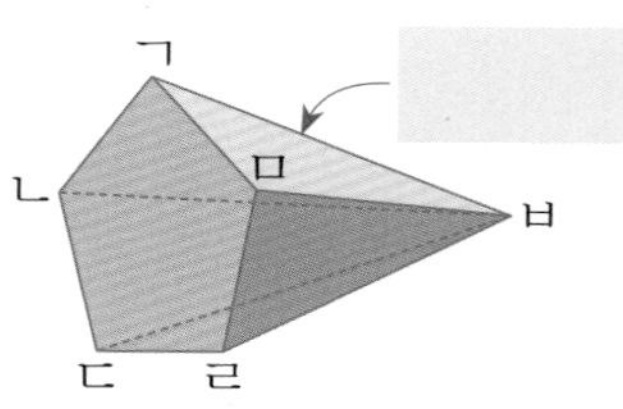

각뿔의 꼭짓점 ☐

4 각뿔을 보고 밑면의 변의 수, 면, 꼭짓점, 모서리의 수를 구하시오.

	밑면의 변의 수	면의 수	꼭짓점의 수	모서리의 수
삼각뿔	3 개 (↑ 삼각형)	4 개 (↑ 밑면+옆면)	□ 개	□ 개
사각뿔	□ 개 (↑ 사각형)	□ 개 (↑ 밑면+옆면)	□ 개	□ 개
오각뿔	□ 개	□ 개	□ 개	□ 개
육각뿔	□ 개	□ 개	□ 개	□ 개
칠각뿔	□ 개	□ 개	□ 개	□ 개
★각뿔	★개	(★＋□)개	(★＋□)개	(★×□)개

도전! 응용문제

정답 13쪽

밑면과 옆면의 모양을 보고 입체도형의 이름 알아보기

밑면 (삼각형)
옆면 (직사각형)
삼각 기둥
밑면 (오각형)
옆면 (직사각형)
오각 기둥
밑면 (삼각형)
옆면 (삼각형)
삼각 뿔
밑면 (오각형)
옆면 (삼각형)
오각 뿔

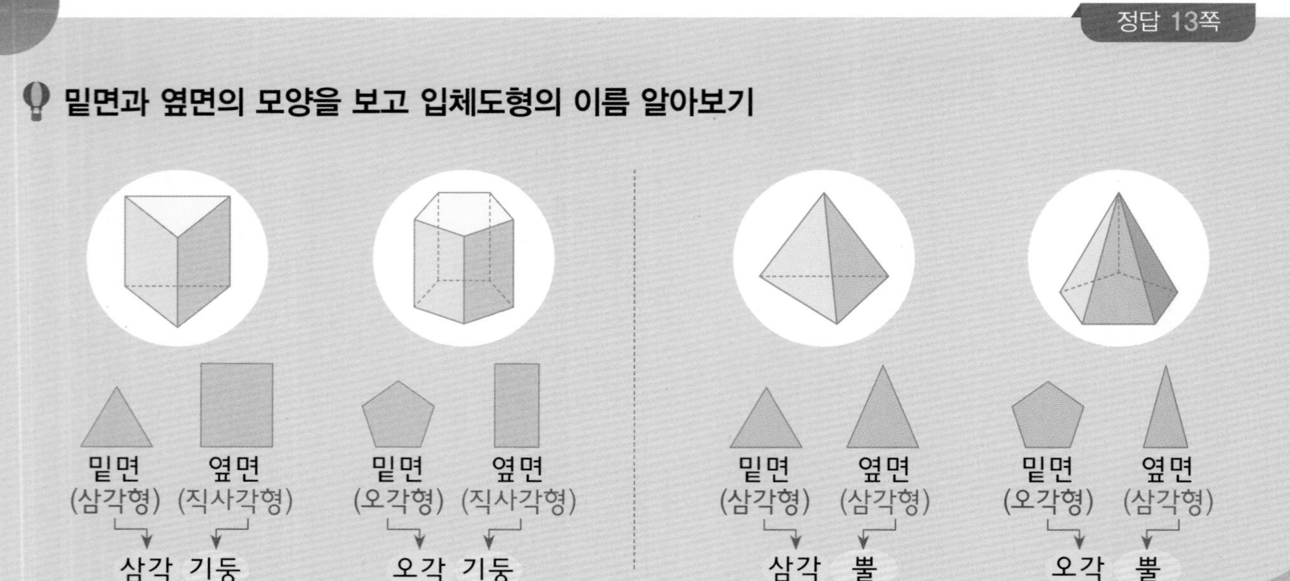

응용 1 밑면과 옆면의 모양을 보고 각기둥 또는 각뿔의 이름을 쓰시오.

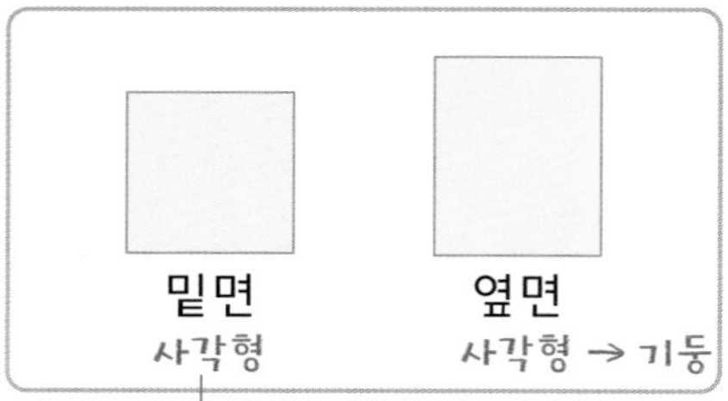

밑면
사각형
옆면
사각형 → 기둥

사각

밑면
사각형
옆면
삼각형 → 뿔

사각

밑면
옆면

밑면
옆면

밑면
옆면

밑면
옆면

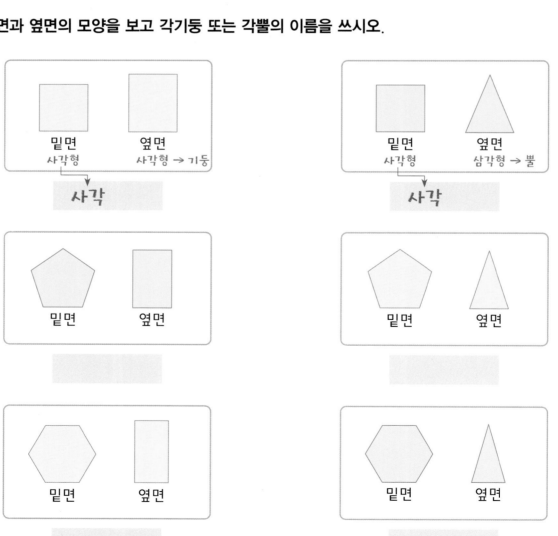

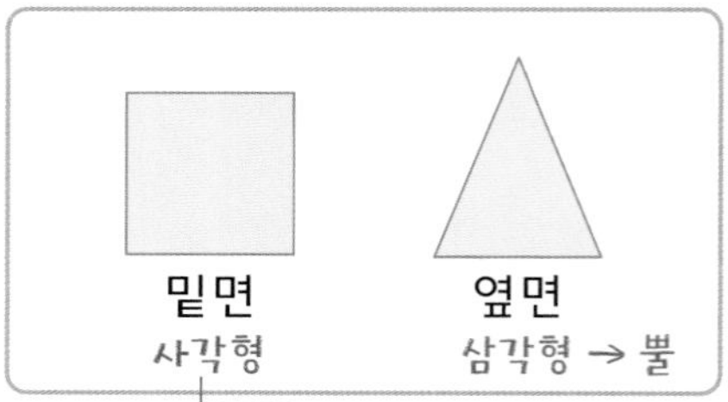

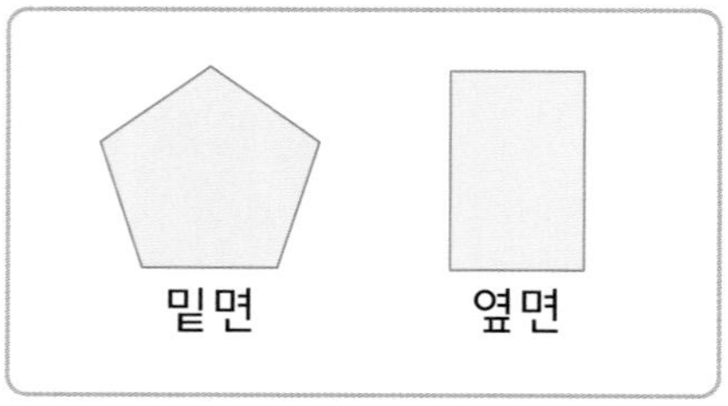

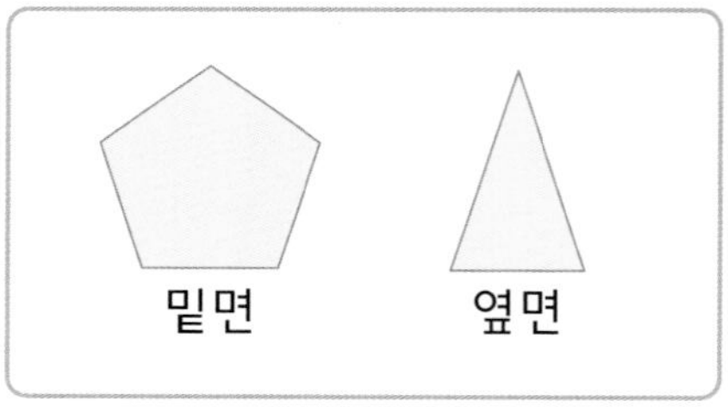

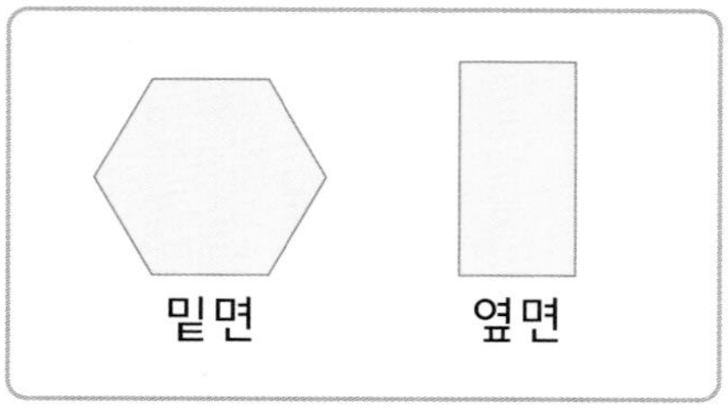

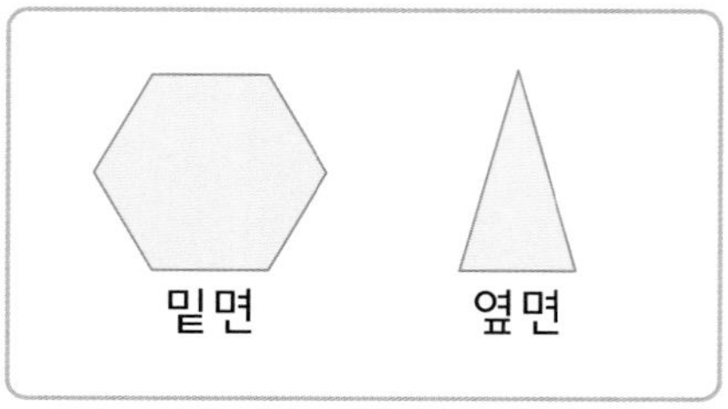

응용 ② 밑면의 모양이 다음과 같은 **각기둥**의 이름과 꼭짓점, 모서리, 면의 수를 구하시오.

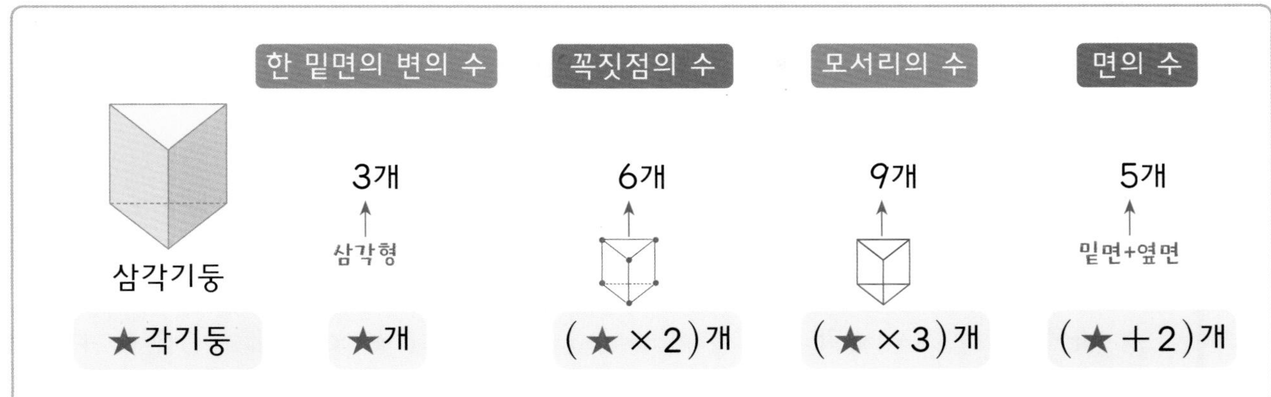

한 밑면의 변의 수
꼭짓점의 수
모서리의 수
면의 수
삼각기둥
3개
삼각형
6개
9개
5개
밑면+옆면
★각기둥
★개
(★×2)개
(★×3)개
(★+2)개

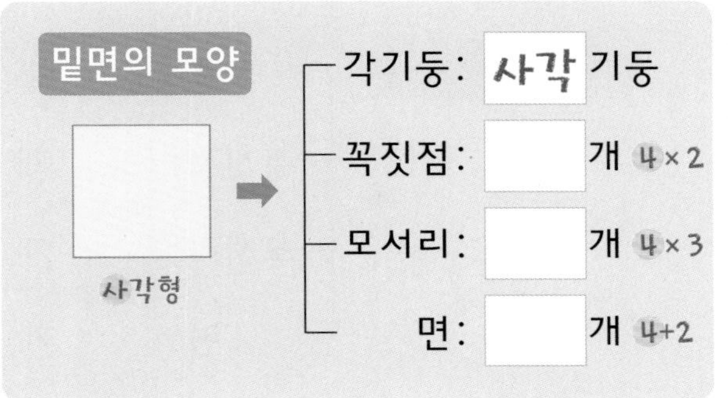

밑면의 모양
사각형
각기둥: 사각 기둥
꼭짓점: 개 4×2
모서리: 개 4×3
면: 개 4+2

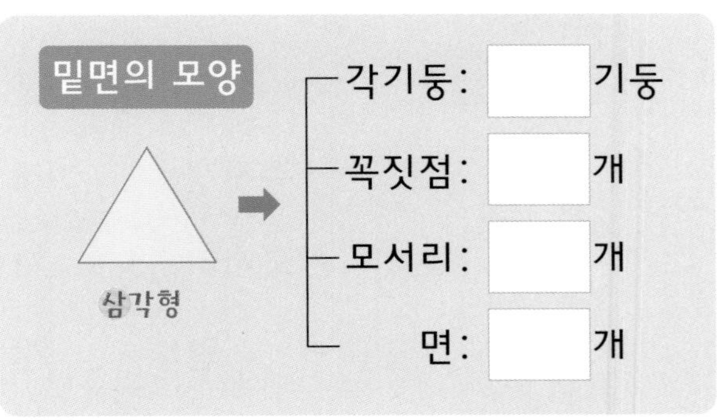

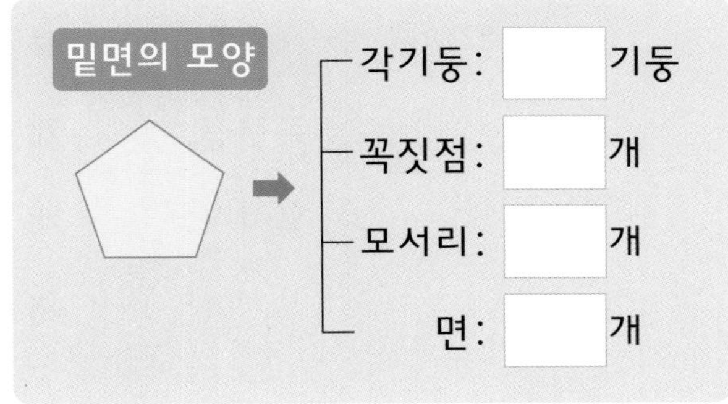

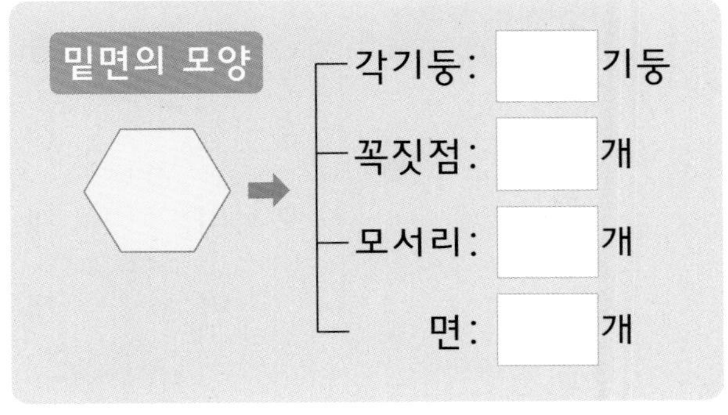

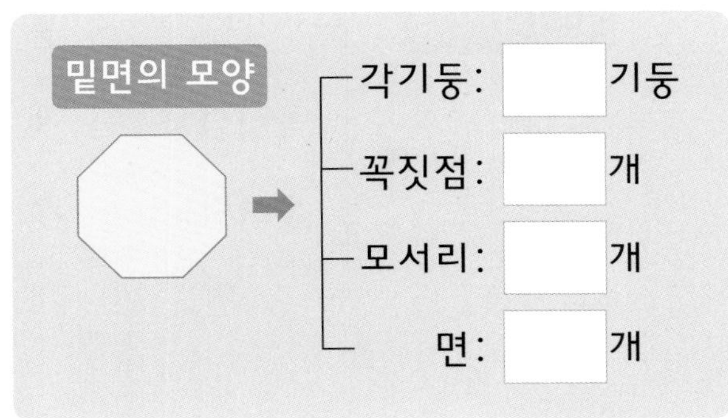

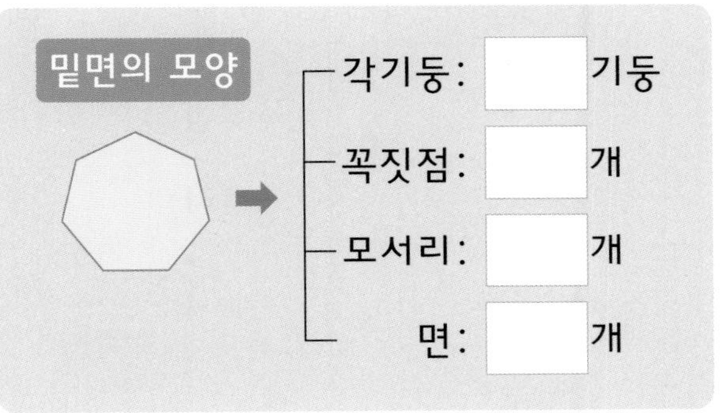

응용 ③ 밑면의 모양이 다음과 같은 **각뿔**의 이름과 꼭짓점, 모서리, 면의 수를 구하시오.

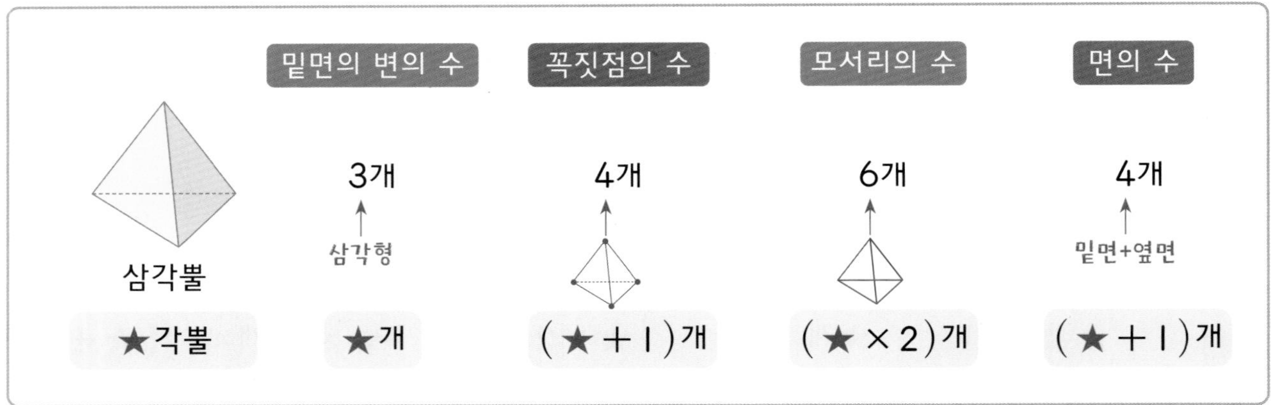

밑면의 변의 수
꼭짓점의 수
모서리의 수
면의 수
삼각뿔
3개
삼각형
4개
6개
4개
밑면+옆면
★각뿔
★개
(★+1)개
(★×2)개
(★+1)개

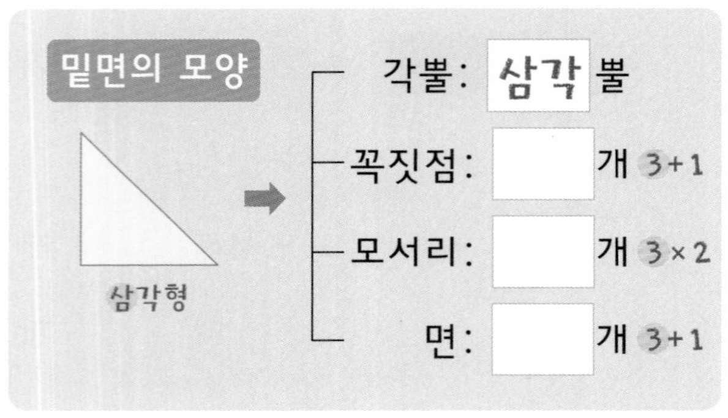

밑면의 모양
삼각형
각뿔: 삼각 뿔
꼭짓점: 개 3+1
모서리: 개 3×2
면: 개 3+1

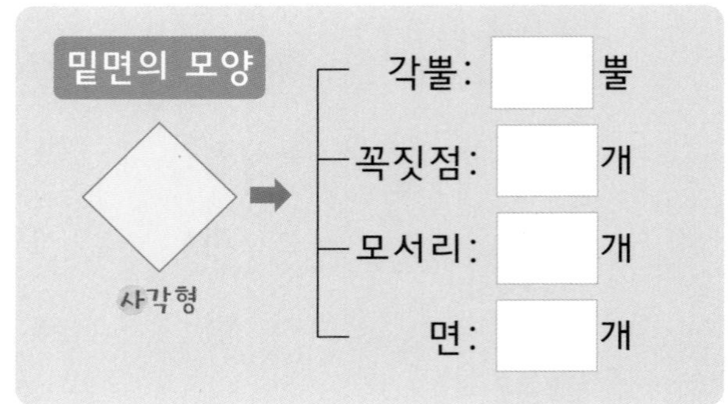

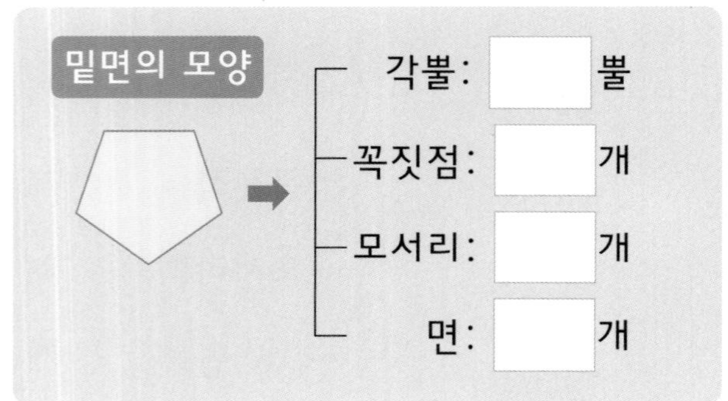

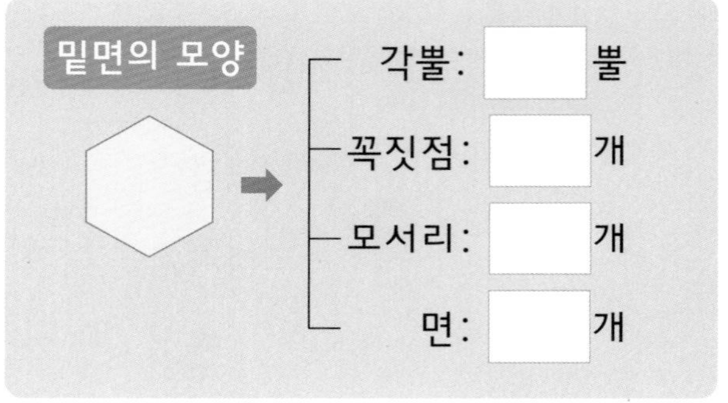

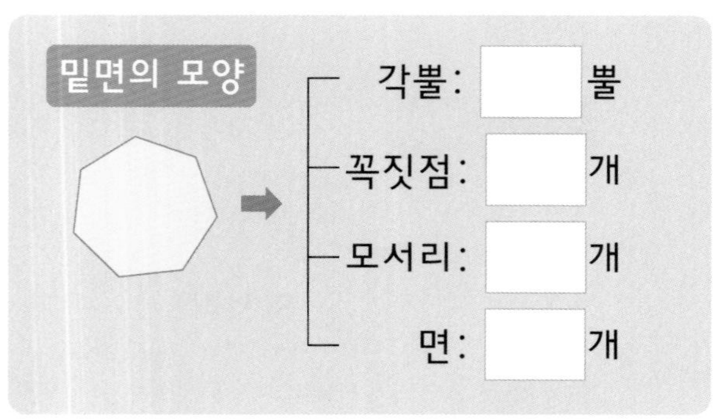

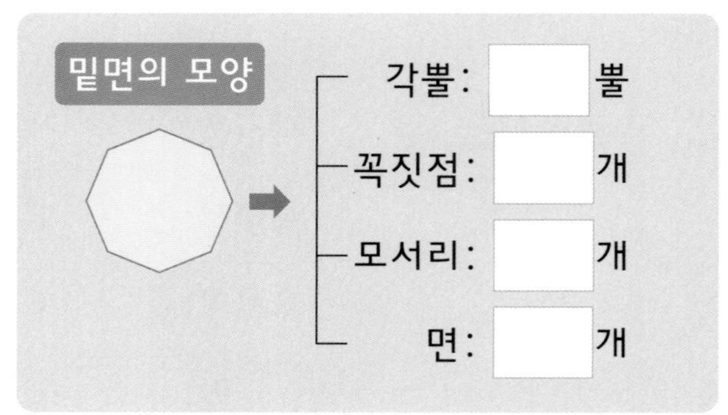

응용 4 다음에서 설명하는 입체도형의 이름을 쓰시오.

- 각기둥입니다.
- 꼭짓점은 8개입니다. ★×2
- 모서리는 12개입니다. ★×3

➡

- 각뿔입니다.
- 꼭짓점은 5개입니다. ★+1
- 모서리는 8개입니다. ★×2

➡

- 각뿔입니다.
- 꼭짓점은 6개입니다.
- 면은 6개입니다.

➡

- 각기둥입니다.
- 꼭짓점은 6개입니다.
- 면은 5개입니다.

➡

- 밑면은 다각형입니다.
- 옆면은 직사각형입니다. → 각기둥
- 꼭짓점은 10개입니다.

➡

- 밑면은 다각형입니다.
- 옆면은 삼각형입니다. → 각뿔
- 꼭짓점은 4개입니다.

➡

- 밑면은 다각형입니다.
- 옆면은 삼각형입니다.
- 모서리는 14개입니다.

➡

- 옆면은 직사각형입니다.
- 면은 8개입니다.
- 모서리는 18개입니다.

➡

형성평가

정답 14쪽

걸린 시간: 분
점 수: 점

01 각기둥의 두 밑면을 찾아 색칠하고, 밑면의 모양과 각기둥의 이름을 쓰시오.

(1)

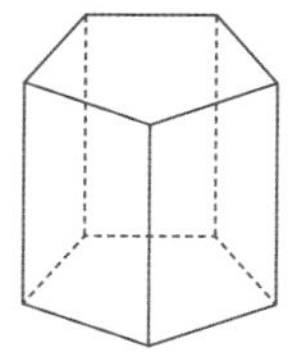

밑면의 모양:

각기둥의 이름:

(2)

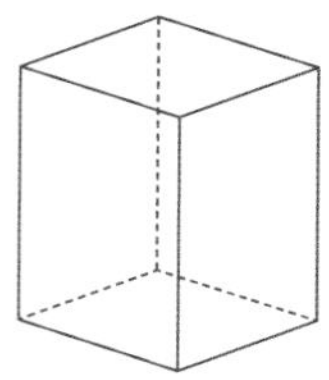

밑면의 모양:

각기둥의 이름:

02 각기둥인 것에 ○표, 각기둥이 아닌 것에 ×표 하시오.

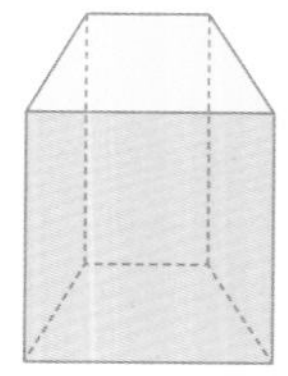

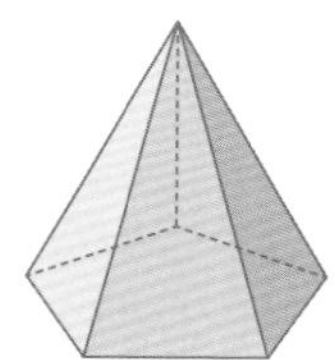

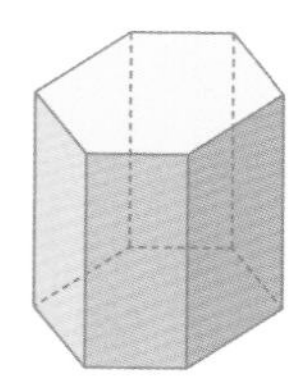

03 각기둥을 보고 안에 알맞은 말을 써넣으시오.

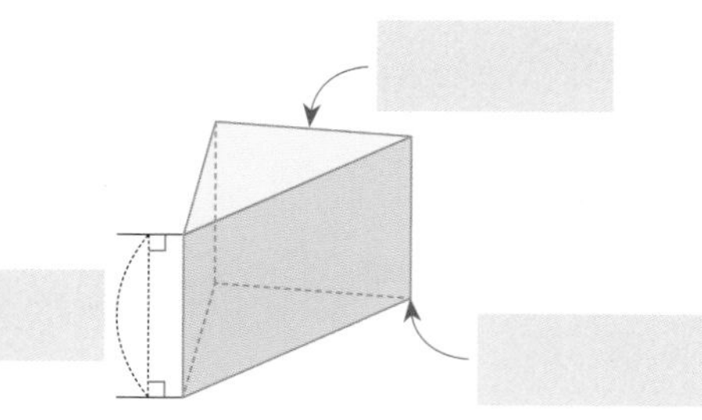

[04~05] 각기둥을 보고 표에 알맞은 수를 써넣으시오.

04

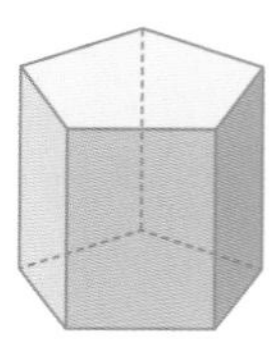

한 밑면의 변의 수(개)	면의 수(개)	꼭짓점의 수(개)	모서리의 수(개)

05

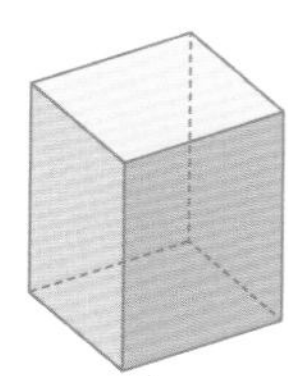

한 밑면의 변의 수(개)	면의 수(개)	꼭짓점의 수(개)	모서리의 수(개)

06 각기둥의 전개도를 찾아 기호를 쓰시오

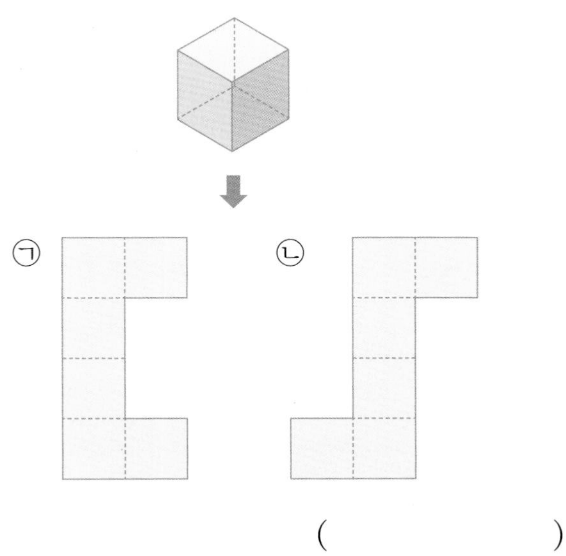

(　　　　　　　)

[07~08] 각기둥의 전개도를 보고 옆면을 모두 찾아 ◯표 하시오.

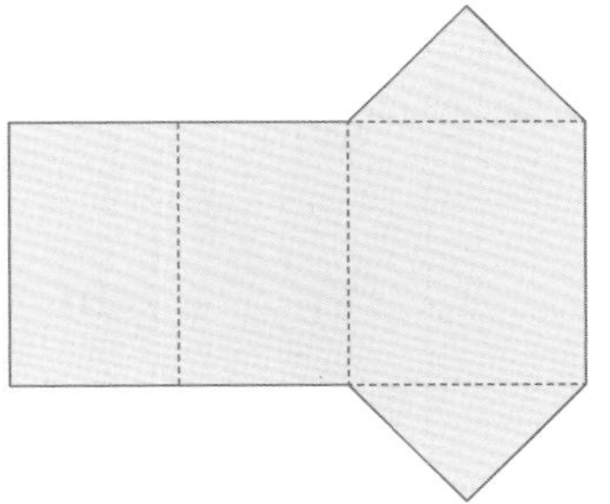

08

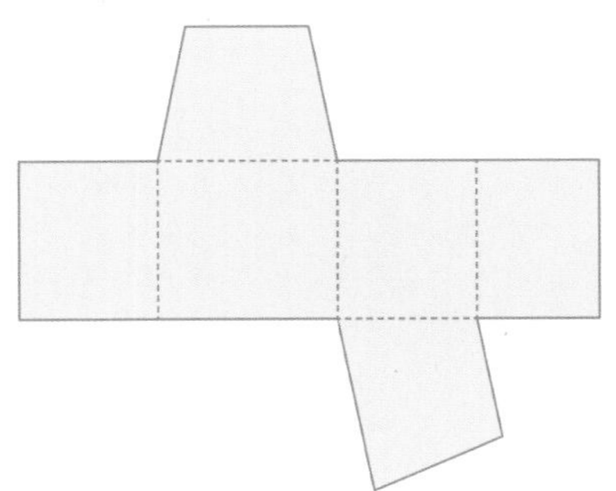

09 전개도로 만들 수 있는 각기둥의 이름을 쓰시오.

(1)

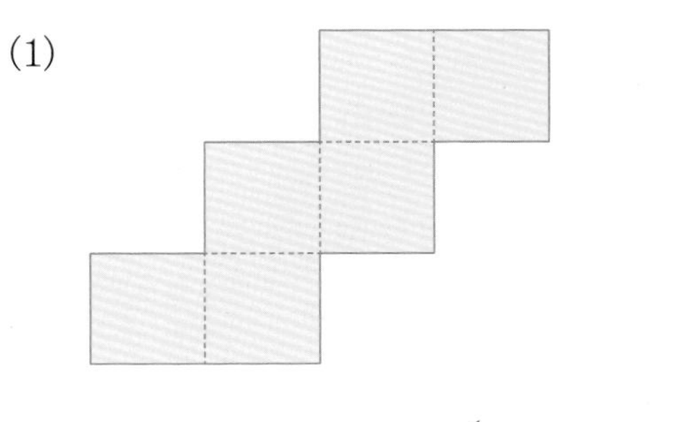

(　　　　　　　)

(2)

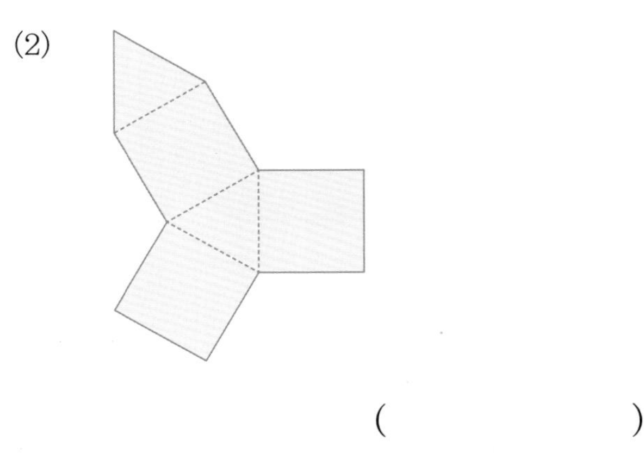

(　　　　　　　)

10 전개도를 접었을 때 만나는 선분과 꼭짓점을 쓰시오.

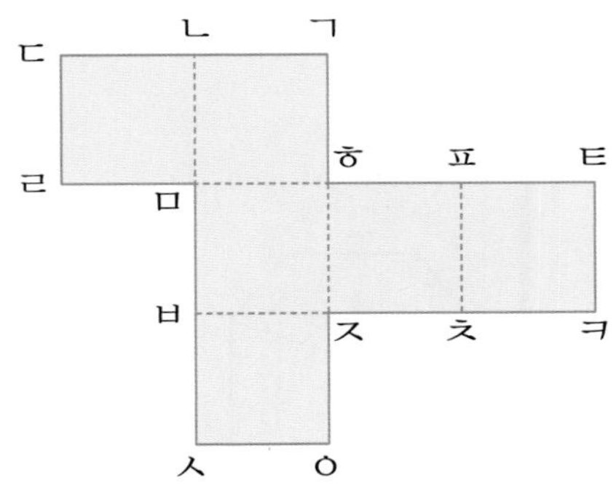

• 선분 ㄹㅁ과 만나는 선분: 선분

• 점 ㅌ과 만나는 점: 점

11 전개도를 접어서 각기둥을 만들었습니다. ☐ 안에 알맞은 수를 써넣으시오.

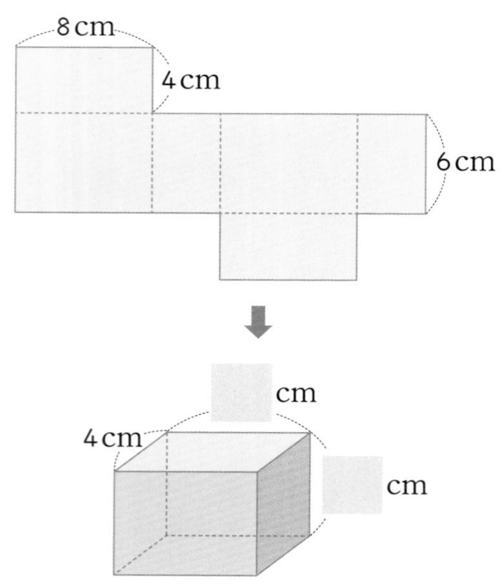

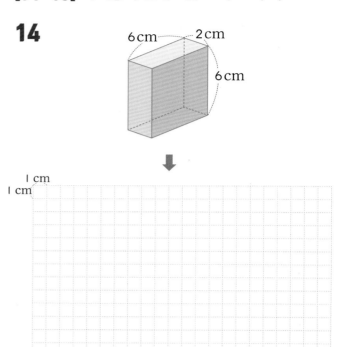

[12~13] 각기둥의 겨냥도를 완성하시오.

12

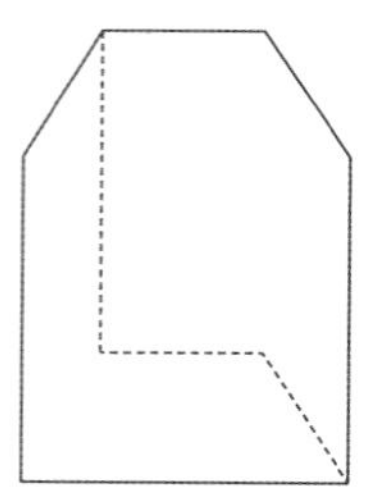

13

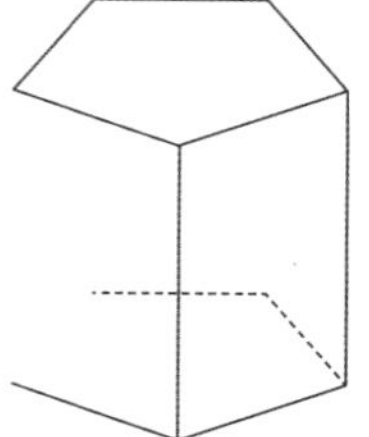

[14~15] 각기둥의 전개도를 그려 보시오.

14

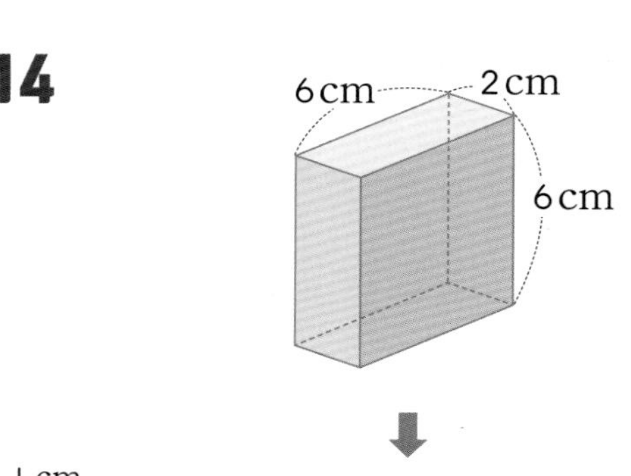

15

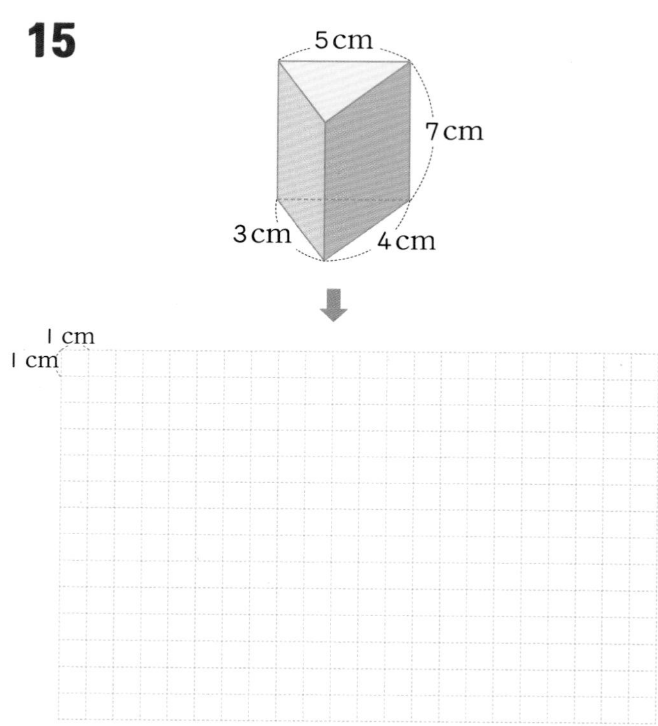

16 각뿔의 밑면을 찾아 색칠하고, 밑면의 모양과 각뿔의 이름을 쓰시오.

(1)

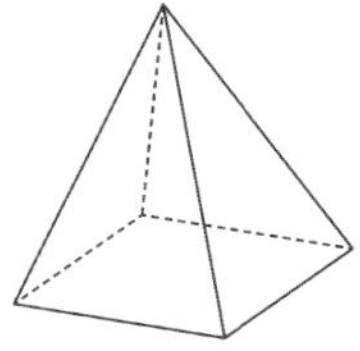

밑면의 모양:

각뿔의 이름:

(2)

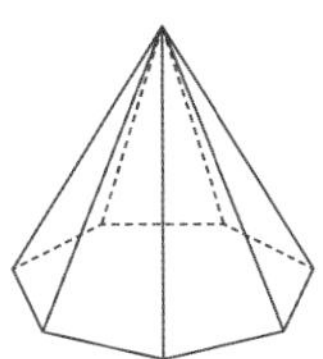

밑면의 모양:

각뿔의 이름:

17 각뿔인 것에 ○표, 각뿔이 아닌 것에 ×표 하시오.

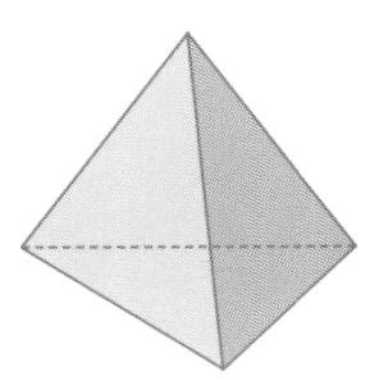

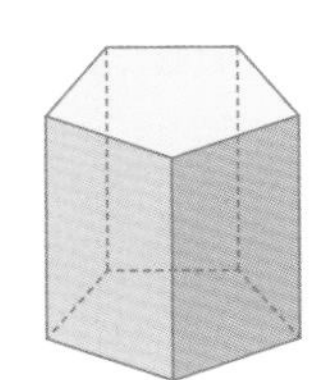

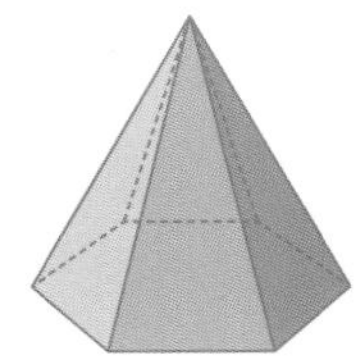

18 각뿔을 보고 ☐ 안에 알맞게 써넣으시오.

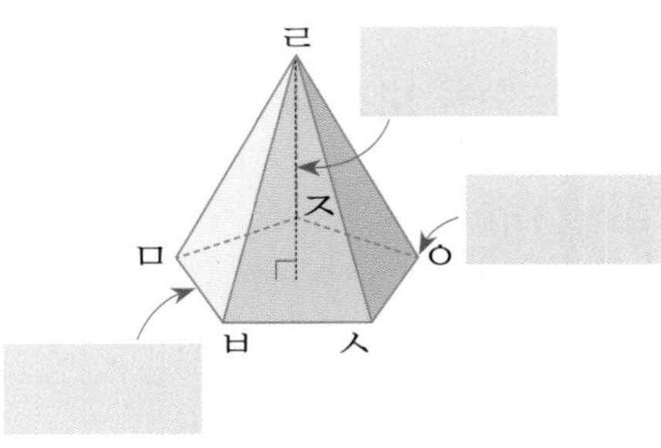

각뿔의 꼭짓점

[19~20] 각뿔을 보고 표에 알맞은 수를 써넣으시오.

19

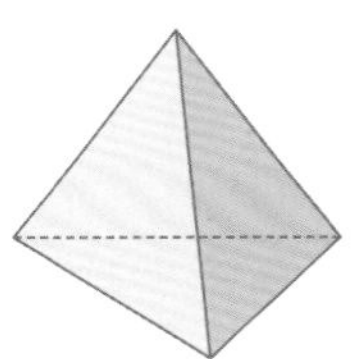

밑면의 변의 수(개)	면의 수(개)	꼭짓점의 수(개)	모서리의 수(개)

20

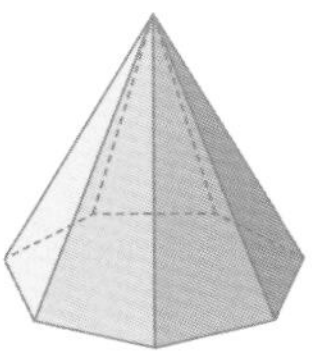

밑면의 변의 수(개)	면의 수(개)	꼭짓점의 수(개)	모서리의 수(개)

단원 평가

2. 각기둥과 각뿔

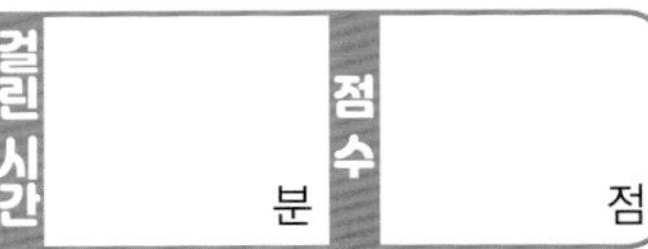

정답 15쪽

[1~3] 도형을 보고 물음에 답하시오.

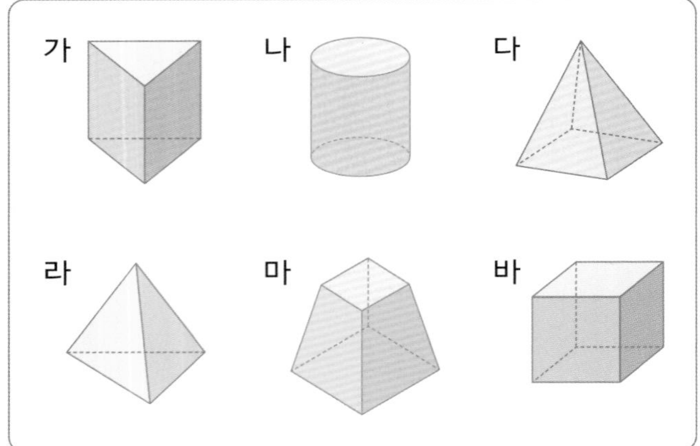

1 모든 면이 다각형인 입체도형을 모두 찾아 기호를 쓰시오.

(　　　　　　　)

2 각기둥을 모두 찾아 기호를 쓰시오.

(　　　　　　　)

3 각뿔을 모두 찾아 기호를 쓰시오.

(　　　　　　　)

4 각기둥의 이름을 쓰시오.

(1)

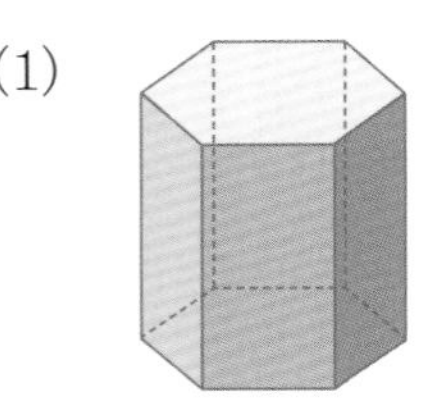

(　　　　　　　)

(2)

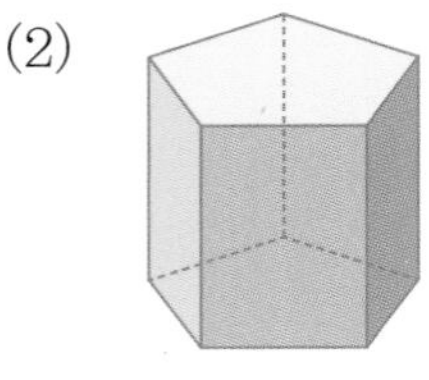

(　　　　　　　)

5 각기둥에서 밑면을 모두 찾아 쓰시오.

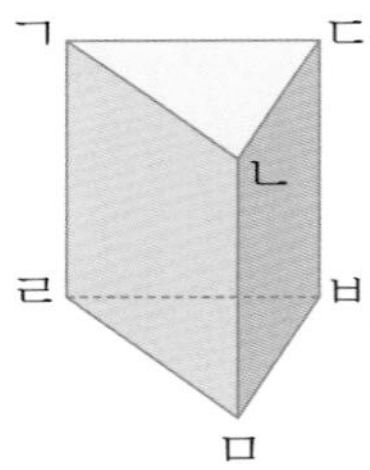

(　　　　　　　　　　　)

6 한 밑면의 모양이 다음과 같은 각기둥의 이름을 쓰시오.

(1)

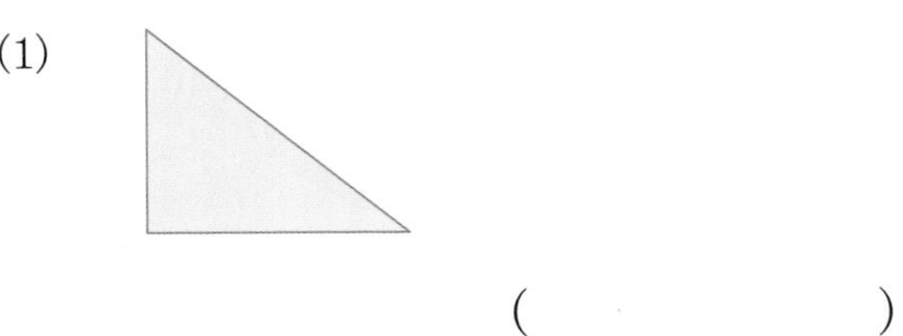

(   )

(2)

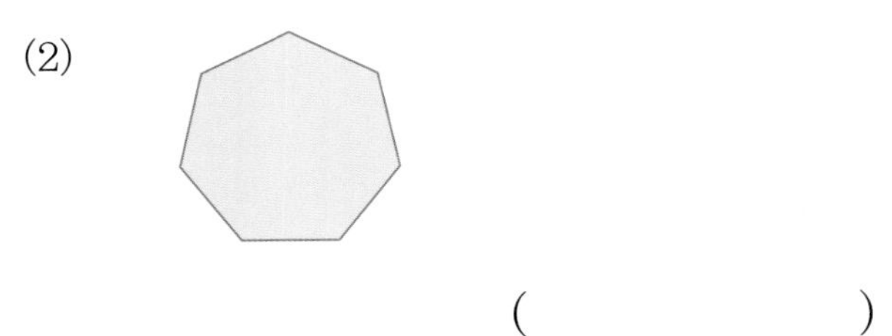

(   )

7 각기둥의 높이는 몇 cm입니까?

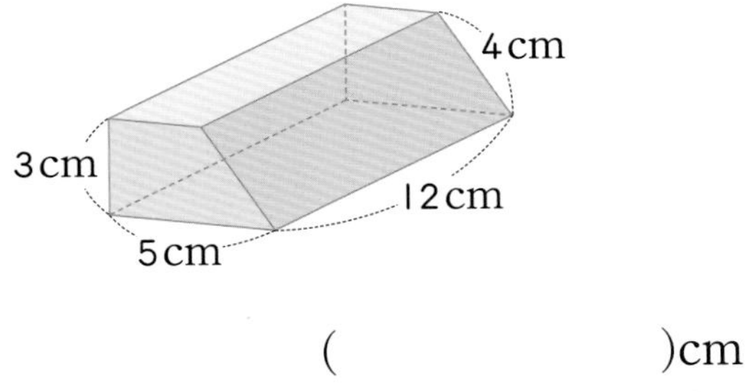

(   )cm

[8~9] 각기둥을 보고 빈칸에 알맞은 수를 써넣으시오.

8

면의 수(개)	
모서리의 수(개)	
꼭짓점의 수(개)	

9

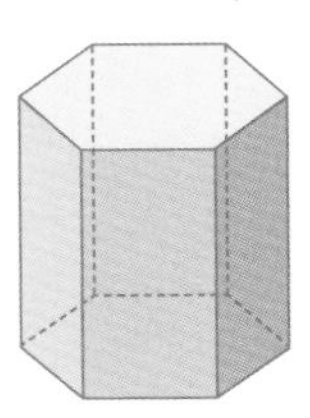

면의 수(개)	
모서리의 수(개)	
꼭짓점의 수(개)	

10 각기둥에서 꼭짓점의 수와 모서리의 수의 합은 몇 개입니까?

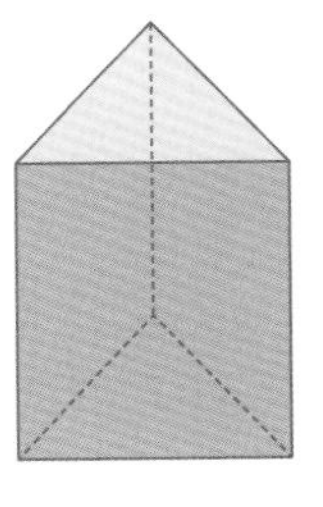

(   )개

11 각기둥의 전개도를 보고 밑면을 모두 찾아 ◯표 하시오.

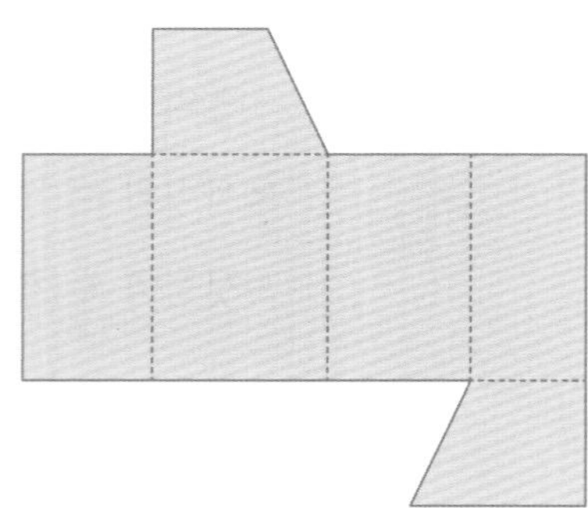

12 각기둥의 전개도가 아닌 것을 모두 찾아 기호를 쓰시오.

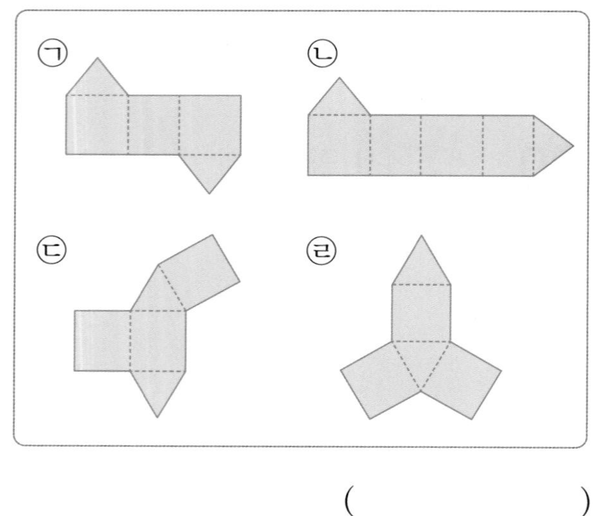

( )

13 각기둥의 전개도를 그려 보시오.

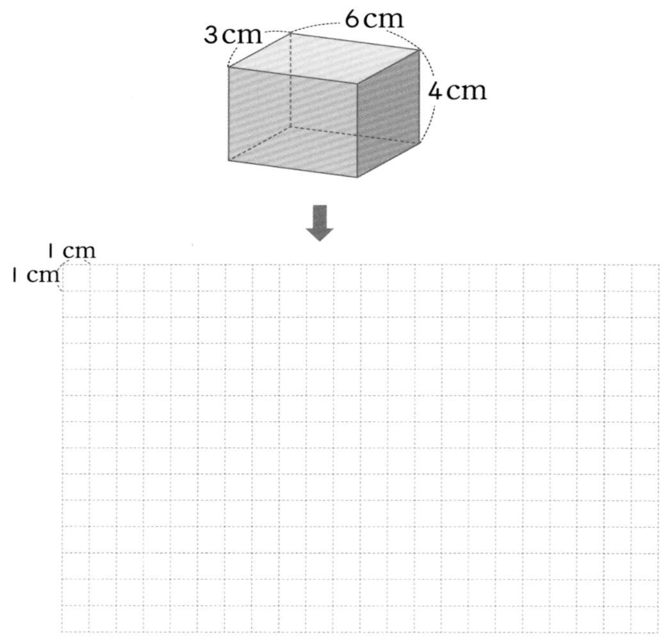

14 ▢ 안에 알맞은 수를 써넣으시오.

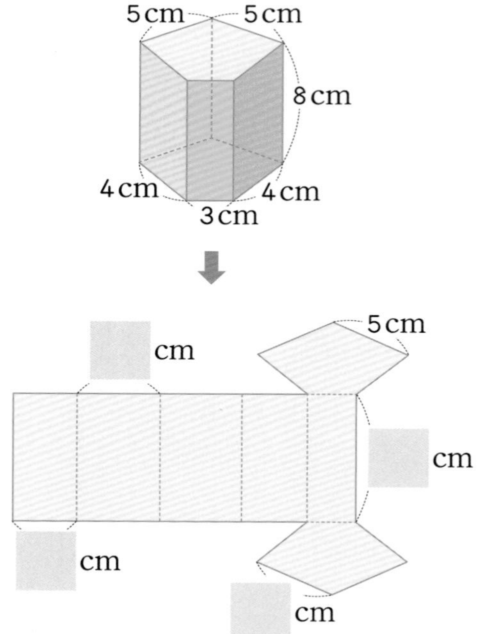

15 각뿔의 이름을 쓰시오.

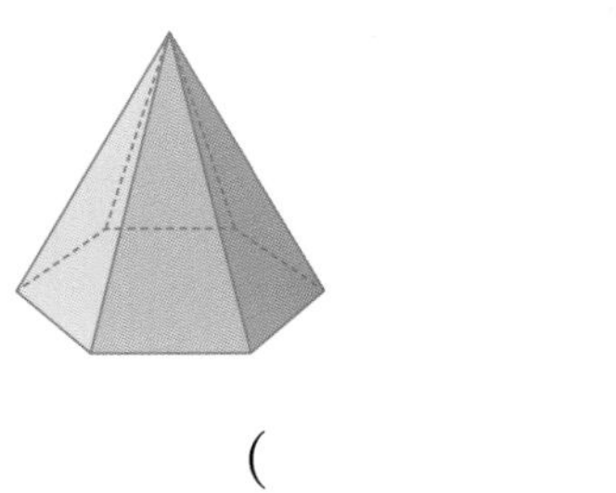

(　　　　　　　　)

16 각뿔을 보고 물음에 답하시오.

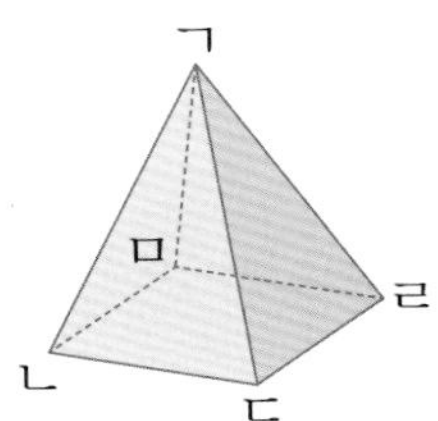

(1) **밑면을 찾아 쓰시오.**

(　　　　　　　　)

(2) **각뿔의 꼭짓점을 찾아 쓰시오.**

(　　　　　　　　)

17 각뿔의 높이는 몇 cm입니까?

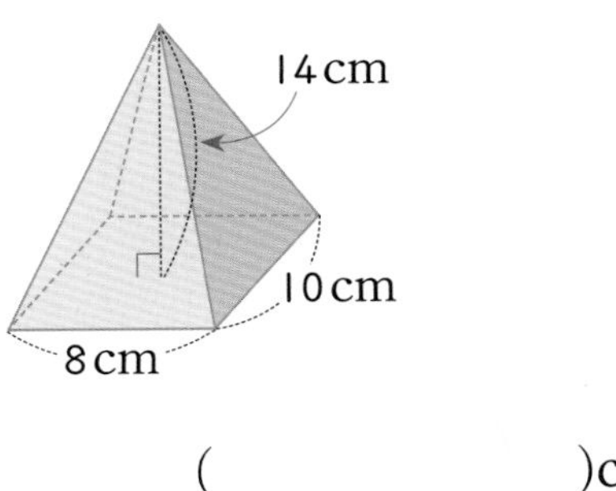

(　　　　　　　　)cm

[18~19] 각뿔을 보고 빈칸에 알맞은 수를 써넣으시오.

18

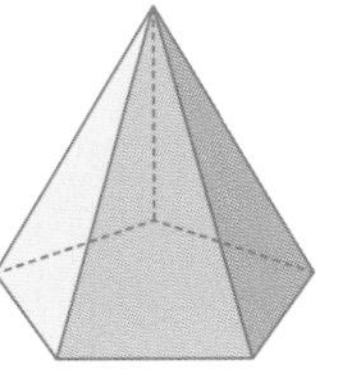

면의 수(개)	
모서리의 수(개)	
꼭짓점의 수(개)	

19

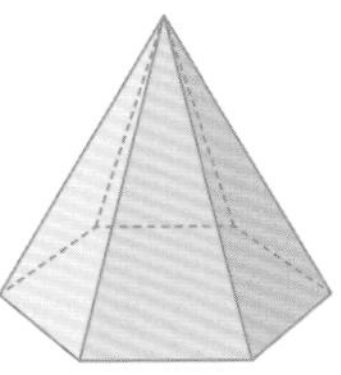

면의 수(개)	
모서리의 수(개)	
꼭짓점의 수(개)	

20 밑면과 옆면의 모양을 보고 각기둥 또는 각뿔의 이름을 쓰시오.

(1)

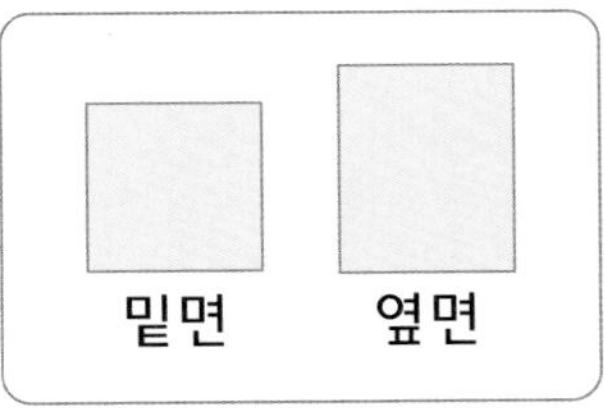

(2)

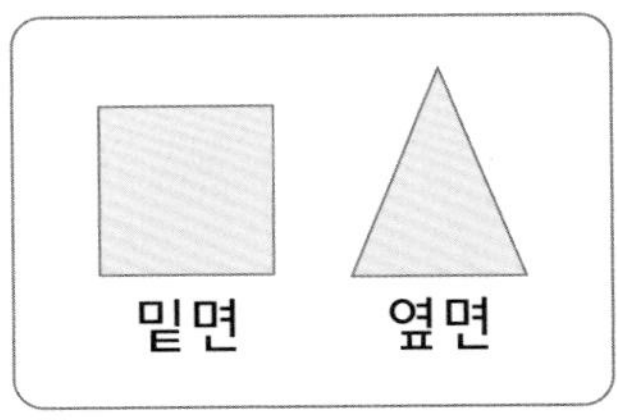

memo

논리적 사고력과 창의적 문제해결력을 키워 주는

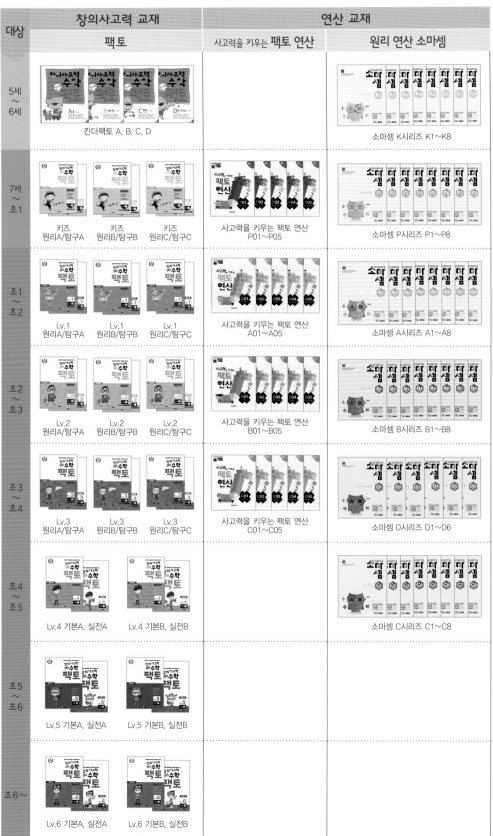

매스티안 교재 활용법!

대상	창의사고력 교재			연산 교재	
	팩토			사고력을 키우는 팩토 연산	원리 연산 소마셈
5세~6세	킨더팩토 A, B, C, D				소마셈 K시리즈 K1~K8
7세~초1	키즈 원리A/탐구A	키즈 원리B/탐구B	키즈 원리C/탐구C	사고력을 키우는 팩토 연산 P01~P05	소마셈 P시리즈 P1~P8
초1~초2	Lv.1 원리A/탐구A	Lv.1 원리B/탐구B	Lv.1 원리C/탐구C	사고력을 키우는 팩토 연산 A01~A05	소마셈 A시리즈 A1~A8
초2~초3	Lv.2 원리A/탐구A	Lv.2 원리B/탐구B	Lv.2 원리C/탐구C	사고력을 키우는 팩토 연산 B01~B05	소마셈 B시리즈 B1~B8
초3~초4	Lv.3 원리A/탐구A	Lv.3 원리B/탐구B	Lv.3 원리C/탐구C	사고력을 키우는 팩토 연산 C01~C05	소마셈 D시리즈 D1~D6
초4~초5	Lv.4 기본A, 실전A	Lv.4 기본B, 실전B			소마셈 C시리즈 C1~C8
초5~초6	Lv.5 기본A, 실전A	Lv.5 기본B, 실전B			
초6~	Lv.6 기본A, 실전A	Lv.6 기본B, 실전B			

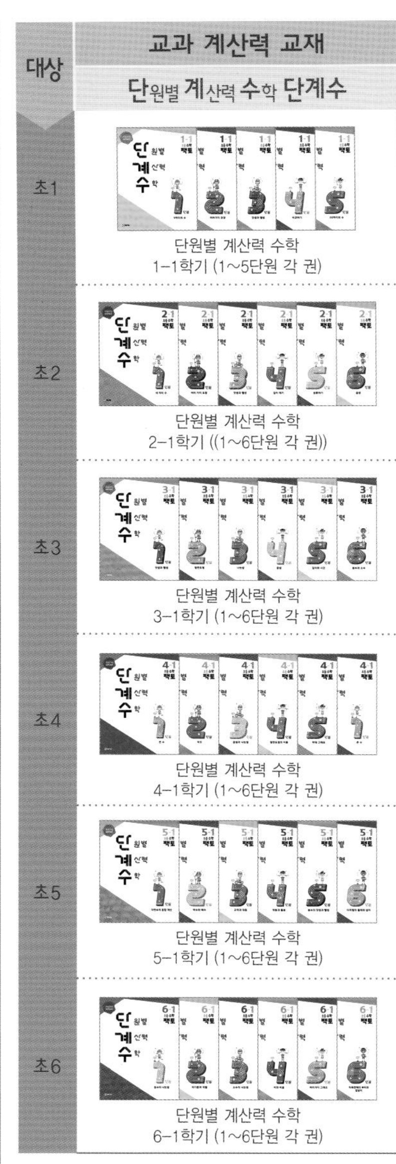

대상	교과 계산력 교재
	단원별 계산력 수학 단계수
초1	단원별 계산력 수학 1-1학기 (1~5단원 각 권)
초2	단원별 계산력 수학 2-1학기 ((1~6단원 각 권))
초3	단원별 계산력 수학 3-1학기 (1~6단원 각 권)
초4	단원별 계산력 수학 4-1학기 (1~6단원 각 권)
초5	단원별 계산력 수학 5-1학기 (1~6단원 각 권)
초6	단원별 계산력 수학 6-1학기 (1~6단원 각 권)

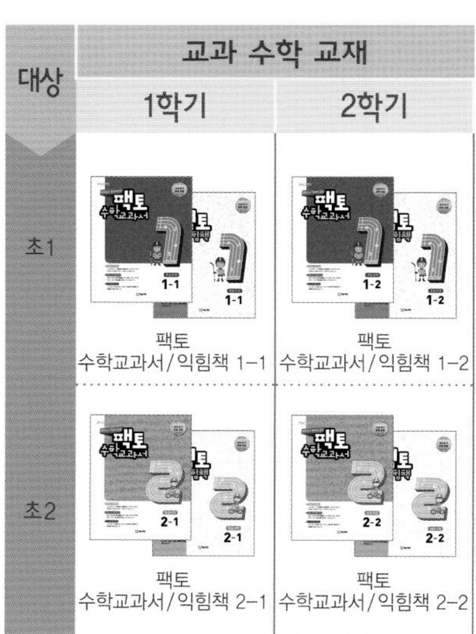

대상	교과 수학 교재	
	1학기	2학기
초1	팩토 수학교과서/익힘책 1-1	팩토 수학교과서/익힘책 1-2
초2	팩토 수학교과서/익힘책 2-1	팩토 수학교과서/익힘책 2-2

단계수 학습 순서

매일 학습

단원별로 꼭 알아야 할 개념만 쏙쏙 학습하고 다양한 연산 문제를 통해 연산 과정을 숙달하여 계산력을 쑥쑥 키울 수 있습니다.

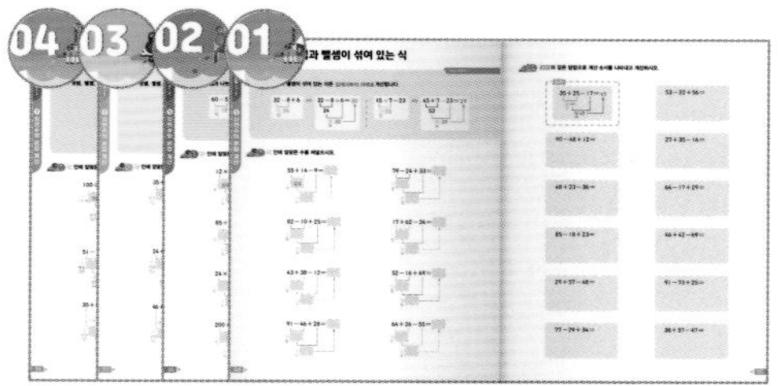

도전! 응용문제

응용 문제와 **서술형** 문제를 통해 사고력과 문제해결력을 기를 수 있습니다.

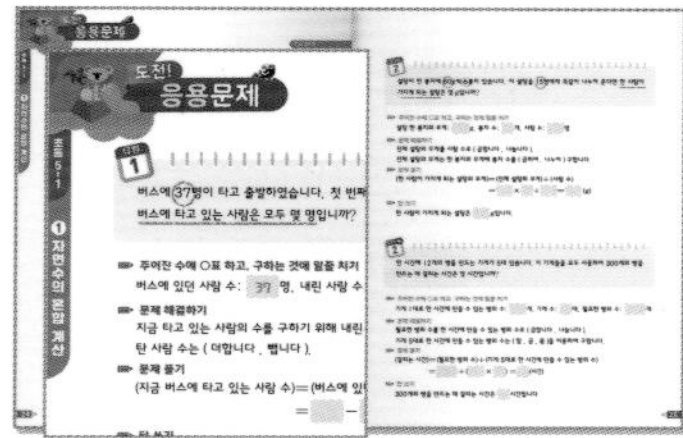

형성 평가

단원의 **복습 단계**로 문제를 풀면서 학습한 내용을 다시 한 번 확인할 수 있습니다.

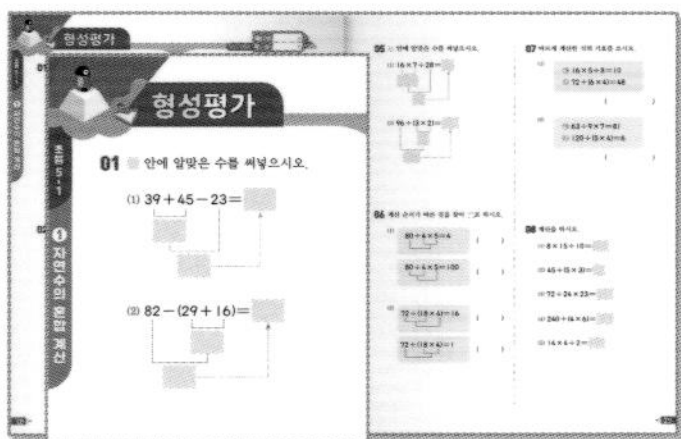

단원 평가

단원의 **마무리 학습**으로 학교 시험에 자주 나오는 문제를 통해 수시 평가 등 학교 시험에 대비할 수 있습니다.

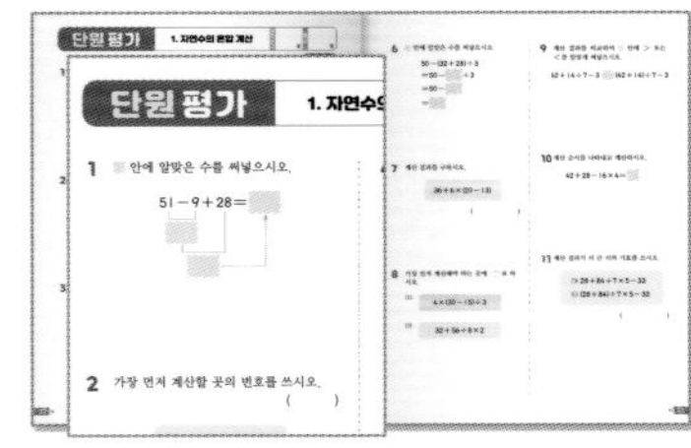

http://www.mathtian.com

자율안전확인신고필증번호 : B361H200-4001
1. 주소 : 06153 서울특별시 강남구 봉은사로 442 (삼성동)
2. 문의전화 : 1588-6066
3. 제조국 : 대한민국
4. 사용연령 : 13세 이상
※ KC마크는 이 제품이 공통안전기준에 적합하였음을 의미합니다.

종이, 모서리에 다칠 수 있으니 주의하세요!

초등학교	반 번
이름	

FACTO school

단원별 계산력 수학

소수의 나눗셈

매스티안

팩토는 자유롭게 자신감있게 창의적으로 생각하는 주니어수학자입니다.

단원별 계산력 수학

펴낸 곳 (주)타임교육C&P **펴낸이** 이길호 **지은이** 매스티안R&D센터
주소 06153 서울특별시 강남구 봉은사로 442(삼성동) **문의전화** 1588.6066
팩토카페 http://cafe.naver.com/factos **홈페이지** http://www.mathtian.com

※ 정답과 풀이는 온라인 팩토카페(http://cafe.naver.com/factos)를 통해서도 확인할 수 있습니다.

GH2108

FACTO school

6-1

초등 수학 팩토

단원별 계산력 수학

3단원

소수의 나눗셈

매스티안

6. 분수와 소수
· 분수와 소수
· 분수와 소수의 크기 비교

4. 분수
· 진분수, 가분수, 대분수
· 분모가 같은 분수의 크기 비교

1. 분수의 덧셈과 뺄셈
· 분모가 같은 진분수, 대분수의 덧셈과 뺄셈

4. 약분과 통분
· 약분하기, 통분하기
· 분모가 다른 분수의 크기 비교

3. 소수의 덧셈과 뺄셈
· 소수 두 자리 수, 소수 세 자리 수
· 소수의 덧셈과 뺄셈

5-2

4. 소수의 곱셈
· (소수)×(자연수)
· (소수)×(소수)

3 소수의 나눗셈

Teaching Guide

나눗셈과 관련된 어림 전략으로는 다음과 같은 3가지 등이 있습니다.

전략 1 끝수 처리 전략
예 4.1÷2 → 4.1을 4로 바꾸어 계산하면 4÷2=2이므로 4.1÷2의 계산값은 2보다 약간 큼.

전략 2 나누는 수와 나누어지는 수를 나누어떨어지는 가까운 수로 바꾸기 전략
예 32.68÷7 → 35÷7은 쉽게 나누어떨어지므로 35÷7=5에서 32.68÷7의 계산값은 5보다 약간 작음.

전략 3 1, 10등 쉽게 계산할 수 있는 특별한 수를 활용하는 전략
예 76.5÷9 → 9는 10에 가까우므로 76.5÷10=7.65에서 76.5÷9의 계산값은 7.65보다 약간 큼.

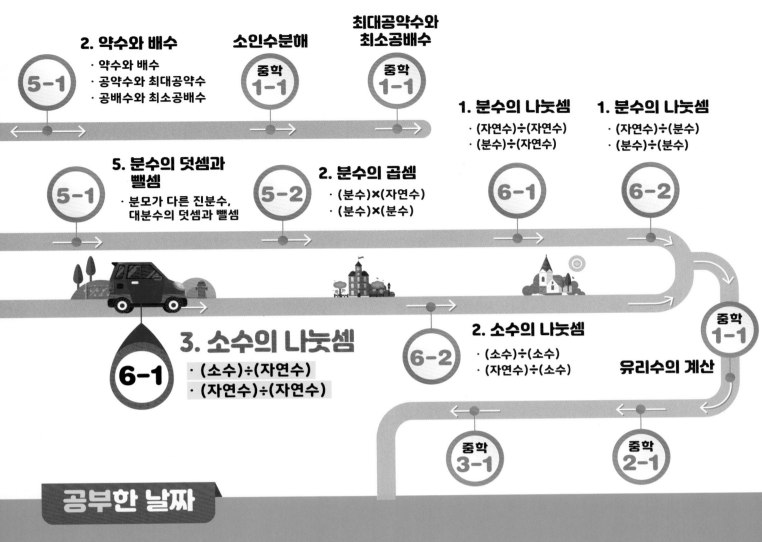

5-1 **2. 약수와 배수**
- 약수와 배수
- 공약수와 최대공약수
- 공배수와 최소공배수

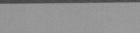

중학 1-1 **소인수분해**

중학 1-1 **최대공약수와 최소공배수**

5-1 **5. 분수의 덧셈과 뺄셈**
- 분모가 다른 진분수, 대분수의 덧셈과 뺄셈

5-2 **2. 분수의 곱셈**
- (분수)×(자연수)
- (분수)×(분수)

6-1 **1. 분수의 나눗셈**
- (자연수)÷(자연수)
- (분수)÷(자연수)

6-2 **1. 분수의 나눗셈**
- (자연수)÷(분수)
- (분수)÷(분수)

6-1 3. 소수의 나눗셈

- (소수)÷(자연수)
- (자연수)÷(자연수)

6-2 **2. 소수의 나눗셈**
- (소수)÷(소수)
- (자연수)÷(소수)

중학 1-1 **유리수의 계산**

중학 2-1

중학 3-1

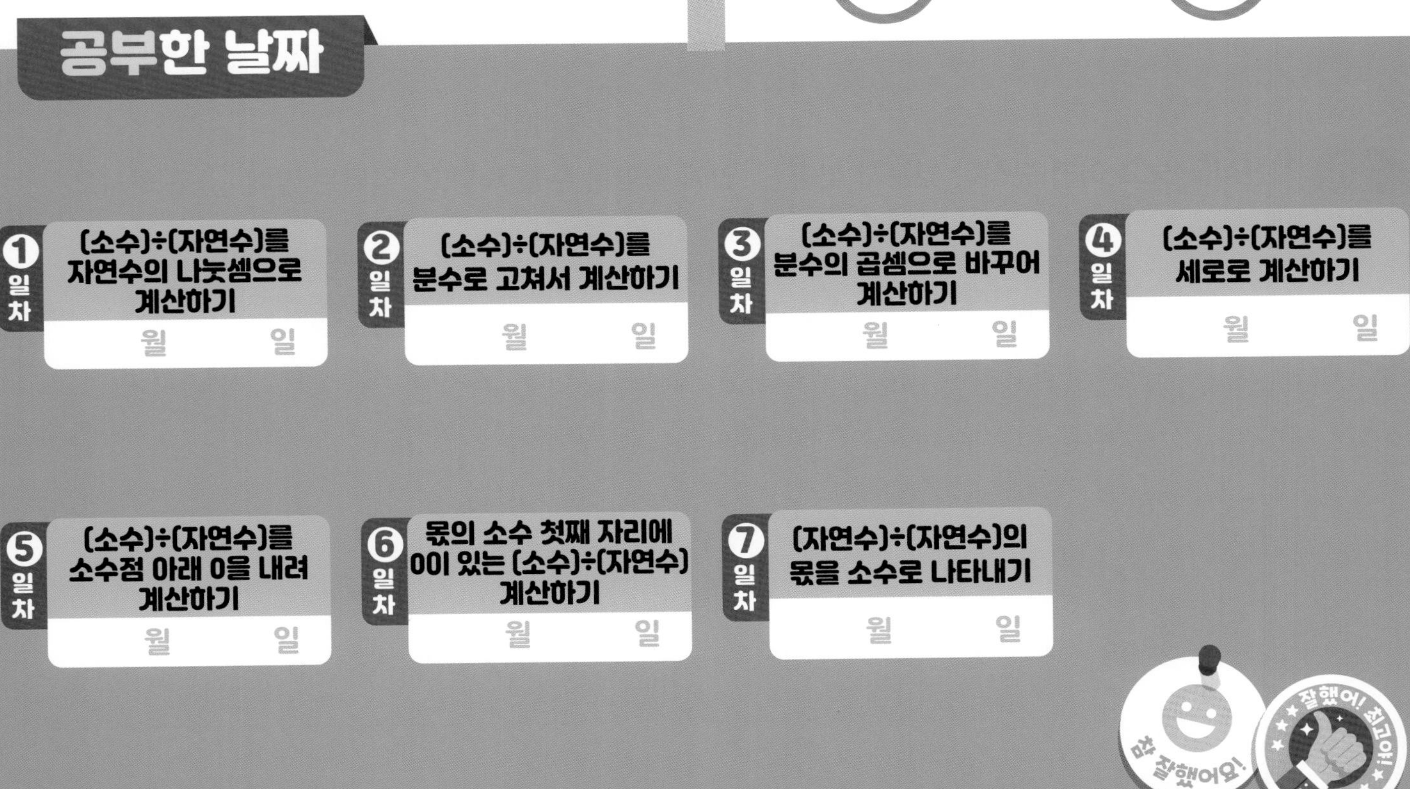

공부한 날짜
1일차 (소수)÷(자연수)를 자연수의 나눗셈으로 계산하기 월 일
2일차 (소수)÷(자연수)를 분수로 고쳐서 계산하기 월 일
3일차 (소수)÷(자연수)를 분수의 곱셈으로 바꾸어 계산하기 월 일
4일차 (소수)÷(자연수)를 세로로 계산하기 월 일
5일차 (소수)÷(자연수)를 소수점 아래 0을 내려 계산하기 월 일
6일차 몫의 소수 첫째 자리에 0이 있는 (소수)÷(자연수) 계산하기 월 일
7일차 (자연수)÷(자연수)의 몫을 소수로 나타내기 월 일
참 잘했어요!
잘했어! 최고야!

8일차 응용 문제 월 일

9일차 형성 평가 월 일

10일차 단원 평가 월 일

01 (소수)÷(자연수)를 자연수의 나눗셈으로 계산하기

정답 16쪽

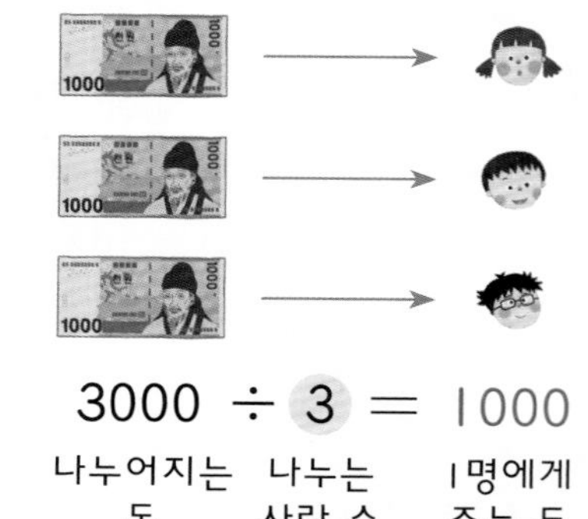

3000 ÷ 3 = 1000
나누어지는 돈 / 나누는 사람 수 / 1명에게 주는 돈

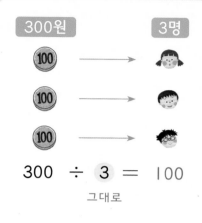

300원 3명

300 ÷ 3 = 100
그대로

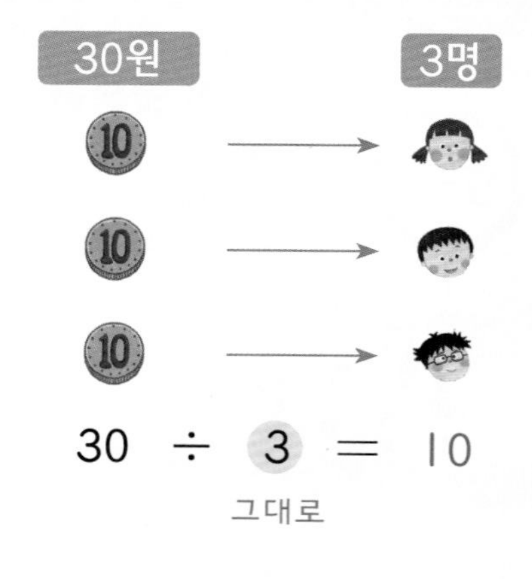

30 ÷ 3 = 10
그대로

(나누어지는 수)÷(나누는 수)=(몫)

나누어지는 돈: $\frac{1}{10}$배, $\frac{1}{100}$배 …… 줄어듦
나누는 사람 수: 그대로
➡ 1명에게 나누어 주는 돈: $\frac{1}{10}$배, $\frac{1}{100}$배 …… 줄어듦

1 계산식을 보고 어떤 규칙이 있는지 찾아 ☐ 안에 알맞은 수를 써넣고, 알맞은 말에 ○표 하시오.

나누어지는 수		나누는 수		몫
288	÷	8	=	36
↓ $\times\frac{1}{10}$				↓ $\times\frac{1}{10}$
28.8	÷	8	=	3.6
↓ $\times\frac{1}{10}$				↓ $\times\frac{1}{10}$
2.88	÷	8	=	0.36

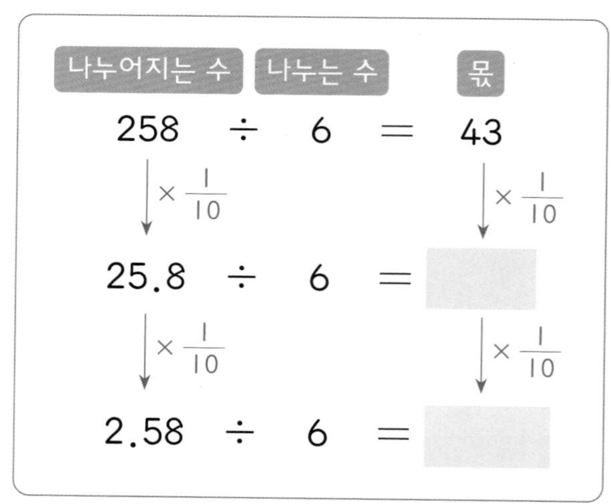

나누어지는 수		나누는 수		몫
258	÷	6	=	43
↓ $\times\frac{1}{10}$				↓ $\times\frac{1}{10}$
25.8	÷	6	=	☐
↓ $\times\frac{1}{10}$				↓ $\times\frac{1}{10}$
2.58	÷	6	=	☐

➡ 나누어지는 수가 $\frac{1}{10}$배씩 작아지면 몫도 ☐ 배씩 (커집니다, 작아집니다).

2 ☐ 안에 알맞은 수를 써넣으시오.

4.8÷2

$48 \div 2 = 24$

$\downarrow \times \frac{1}{10}$ $\quad$ $\downarrow \times \frac{1}{10}$

$4.8 \div 2 = \square$

12.6÷3

$126 \div 3 = 42$

$\downarrow \times \frac{1}{10}$ $\quad$ $\downarrow \times \frac{1}{10}$

$12.6 \div 3 = \square$

93.6÷3

$936 \div 3 = 312$

$\downarrow \times \frac{1}{10}$ $\quad$ $\downarrow \times \frac{1}{10}$

$93.6 \div 3 = \square$

48.4÷4

$484 \div 4 = 121$

$\downarrow \times \frac{1}{10}$ $\quad$ $\downarrow \times \frac{1}{10}$

$48.4 \div 4 = \square$

8.44÷4

$844 \div 4 = 211$

$\downarrow \times \frac{1}{100}$ $\quad$ $\downarrow \times \frac{1}{100}$

$8.44 \div 4 = \square$

3.69÷3

$369 \div 3 = 123$

$\downarrow \times \frac{1}{100}$ $\quad$ $\downarrow \times \frac{1}{100}$

$3.69 \div 3 = \square$

18.93÷3

$1893 \div 3 = 631$

$\downarrow \times \frac{1}{100}$ $\quad$ $\downarrow \times \frac{1}{100}$

$18.93 \div 3 = \square$

22.46÷2

$2246 \div 2 = 1123$

$\downarrow \times \frac{1}{100}$ $\quad$ $\downarrow \times \frac{1}{100}$

$22.46 \div 2 = \square$

3 □ 안에 알맞은 수를 써넣으시오.

$624 \div 2 = \boxed{312}$, $\downarrow \times \frac{1}{10}$, $62.4 \div 2 = \square$

$663 \div 3 = \square$, $\downarrow \times \frac{1}{10}$, $66.3 \div 3 = \square$

$448 \div 4 = \square$, $\downarrow \times \frac{1}{10}$, $44.8 \div 4 = \square$

$555 \div 5 = \square$, $\downarrow \times \frac{1}{10}$, $55.5 \div 5 = \square$

$636 \div 3 = \square$, $\downarrow \times \frac{1}{10}$, $63.6 \div 3 = \square$

$888 \div 2 = \square$, $\downarrow \times \frac{1}{100}$, $8.88 \div 2 = \square$

$286 \div 2 = \square$, $\downarrow \times \frac{1}{100}$, $2.86 \div 2 = \square$

$848 \div 8 = \square$, $\downarrow \times \frac{1}{100}$, $8.48 \div 8 = \square$

$339 \div 3 = \square$, $\downarrow \times \frac{1}{100}$, $3.39 \div 3 = \square$

$482 \div 2 = \square$, $\downarrow \times \frac{1}{100}$, $4.82 \div 2 = \square$

4 □ 안에 알맞은 수를 써넣으시오.

보기

$1569 \div 3 = 523$

$15.69 \div 3 = \square$ → $15.69 \div 3 = 5.23$

$33.6 \div 3 = \square$

$336 \div 3 = 112$ (1칸, 1칸)

$2.46 \div 2 = \square$

$246 \div 2 = 123$ (2칸, 2칸)

$48.8 \div 4 = \square$

$488 \div 4 = \square$ (1칸)

$6.39 \div 3 = \square$

$639 \div 3 = \square$ (2칸)

$8.04 \div 4 = \square$

$804 \div 4 = \square$

$40.8 \div 4 = \square$

$408 \div 4 = \square$

$96.3 \div 3 = \square$

$963 \div 3 = \square$

$6.96 \div 3 = \square$

$696 \div 3 = \square$

$8.22 \div 2 = \square$

$822 \div 2 = \square$

$64.8 \div 2 = \square$

$648 \div 2 = \square$

02 (소수)÷(자연수)를 분수로 고쳐서 계산하기

정답 17쪽

46.8÷3

$46.8 \div 3 = \frac{468}{10} \div 3 = \frac{468 \div 3}{10} = \frac{156}{10} = 15.6$

소수를 분수로 / 분수를 소수로

1 소수를 분수로 고쳐서 계산해 보시오.

$35.4 \div 3 = \frac{354}{10} \div 3 = \frac{354 \div 3}{10} = \frac{\square}{10} = \square$

$31.6 \div 2 = \frac{\square}{10} \div 2 = \frac{\square \div 2}{\square} = \frac{\square}{\square} = \square$

$54.8 \div 4 = \frac{\square}{10} \div 4 = \frac{\square \div 4}{\square} = \frac{\square}{\square} = \square$

$73.5 \div 5 = \frac{\square}{\square} \div 5 = \frac{\square \div 5}{\square} = \frac{\square}{\square} = \square$

$86.4 \div 6 = \frac{\square}{\square} \div 6 = \frac{\square \div 6}{\square} = \frac{\square}{\square} = \square$

$95.9 \div 7 = \frac{\square}{\square} \div 7 = \frac{\square \div 7}{\square} = \frac{\square}{\square} = \square$

2 소수를 분수로 고쳐서 계산해 보시오.

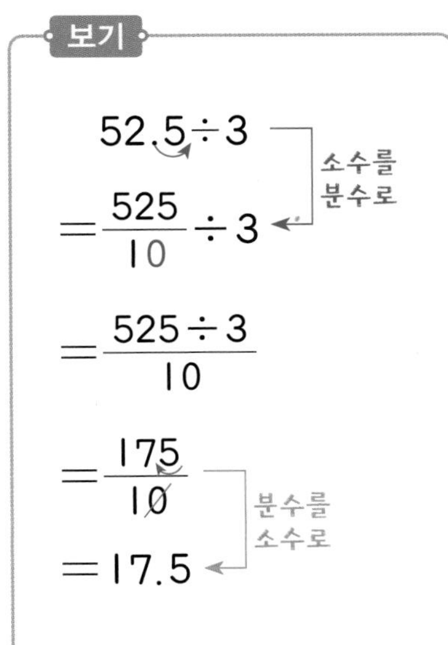

$21.6 \div 2$

$= \dfrac{\square}{10} \div 2$ (소수를 분수로)

$= \dfrac{\square \div 2}{10}$

$= \dfrac{\square}{10}$

$= \square$ (분수를 소수로)

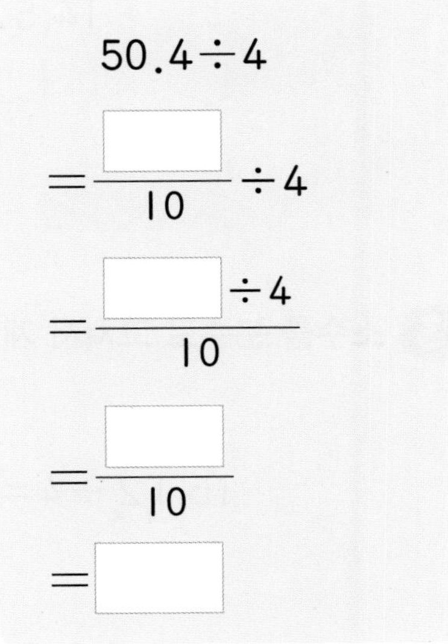

$27.5 \div 5$

$75.6 \div 6$

$86.8 \div 7$

$61.5 \div 3$

$43.2 \div 8$

$$14.52 \div 4 = \frac{1452}{100} \div 4 = \frac{1452 \div 4}{100} = \frac{363}{100} = 3.63$$

소수를 분수로 / 분수를 소수로

3 소수를 분수로 고쳐서 계산해 보시오.

$15.12 \div 4 = \frac{1512}{100} \div 4 = \frac{1512 \div 4}{100} = \frac{\square}{100} = \square$

$17.52 \div 2 = \frac{1752}{100} \div 2 = \frac{\square \div 2}{100} = \frac{\square}{\square} = \square$

$27.85 \div 5 = \frac{\square}{100} \div 5 = \frac{\square \div 5}{\square} = \frac{\square}{\square} = \square$

$38.94 \div 6 = \frac{\square}{\square} \div 6 = \frac{\square \div 6}{\square} = \frac{\square}{\square} = \square$

$52.15 \div 7 = \frac{\square}{\square} \div 7 = \frac{\square \div 7}{\square} = \frac{\square}{\square} = \square$

$43.71 \div 3 = \frac{\square}{\square} \div 3 = \frac{\square \div 3}{\square} = \frac{\square}{\square} = \square$

$67.32 \div 4 = \frac{\square}{\square} \div 4 = \frac{\square \div 4}{\square} = \frac{\square}{\square} = \square$

4 소수를 분수로 고쳐서 계산해 보시오.

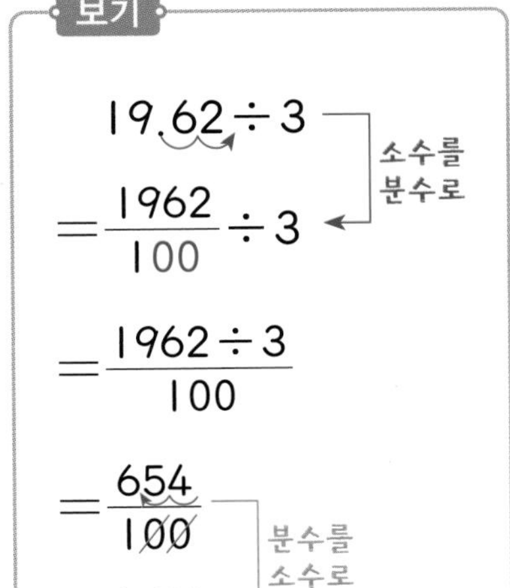

$17.34 \div 2$ (소수를 분수로)

$= \frac{\square}{100} \div 2$

$= \frac{\square \div 2}{100}$

$= \frac{\square}{100}$ (분수를 소수로)

$= \square$

$47.67 \div 3$

$= \frac{\square}{100} \div 3$

$= \frac{\square \div 3}{100}$

$= \frac{\square}{100}$

$= \square$

$34.16 \div 4$

$23.55 \div 5$

$52.38 \div 6$

$65.24 \div 7$

$54.72 \div 8$

$29.43 \div 9$

03 (소수)÷(자연수)를 분수의 곱셈으로 바꾸어 계산하기

정답 18쪽

36.8÷2

약분하여 계산하기

$$36.8\div2=\frac{368}{10}\div2=\frac{\overset{184}{\cancel{368}}}{10}\times\frac{1}{\underset{1}{\cancel{2}}}=\frac{184}{10}=18.4$$

나눗셈을 곱셈으로

1 분수의 곱셈으로 바꾸어 계산해 보시오.

$49.5\div3=\frac{495}{10}\div3=\frac{\overset{165}{\cancel{495}}}{10}\times\frac{1}{\underset{1}{\cancel{3}}}=\frac{\square}{10}=\square$

$35.6\div4=\frac{\square}{\square}\div4=\frac{\square}{\square}\times\frac{1}{\square}=\frac{\square}{\square}=\square$

$49.5\div5=\frac{\square}{\square}\div5=\frac{\square}{\square}\times\frac{1}{\square}=\frac{\square}{\square}=\square$

$63.6\div6=\frac{\square}{\square}\div6=\frac{\square}{\square}\times\frac{1}{\square}=\frac{\square}{\square}=\square$

$85.4\div7=\frac{\square}{\square}\div7=\frac{\square}{\square}\times\frac{1}{\square}=\frac{\square}{\square}=\square$

$57.6\div8=\frac{\square}{\square}\div8=\frac{\square}{\square}\times\frac{1}{\square}=\frac{\square}{\square}=\square$

2 분수의 곱셈으로 바꾸어 계산해 보시오.

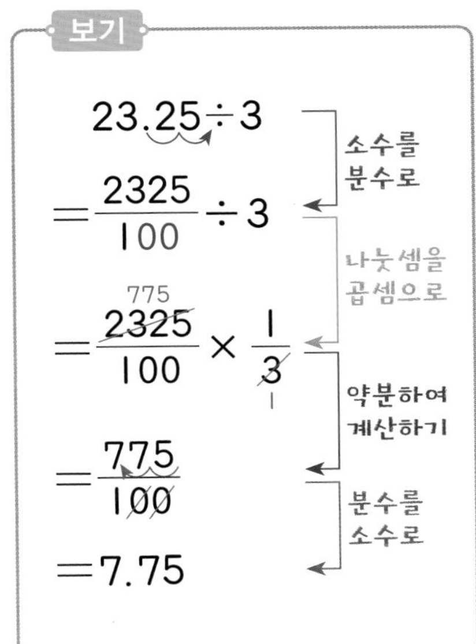

보기
23.25÷3
소수를 분수로
$=\frac{2325}{100}\div 3$
나눗셈을 곱셈으로
$=\frac{2325}{100}\times\frac{1}{3}$
약분하여 계산하기
$=\frac{775}{100}$
분수를 소수로
=7.75

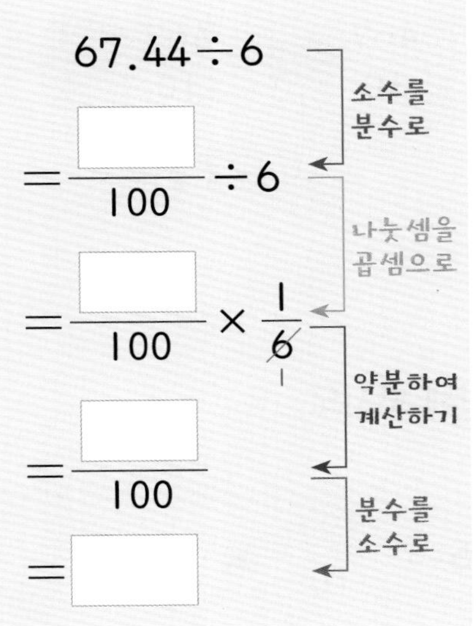

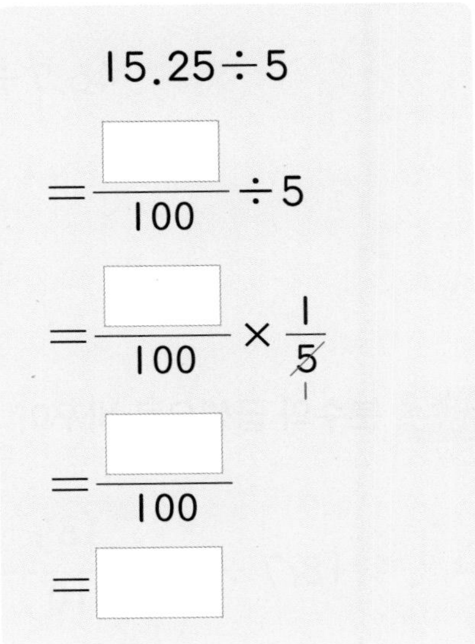

73.28÷8

8.24÷4

6.14÷2

7.56÷4

16.98÷6

40.46÷7

46.7÷2

$$46.7 \div 2 = \frac{467}{10} \div 2 = \frac{467}{10} \times \frac{1}{2} = \frac{467}{20} = \frac{2335}{100} = 23.35$$

나눗셈을 곱셈으로

×5 분모를 100 만들기

3 분수의 곱셈으로 바꾸어 계산해 보시오.

$18.7 \div 5 = \frac{187}{10} \div 5 = \frac{187}{10} \times \frac{1}{5} = \frac{\square}{50} = \frac{\square}{100} = \square$ (×2)

$13.5 \div 6 = \frac{\square}{10} \div 6 = \frac{\square}{10} \times \frac{1}{\cancel{6}_{2}} = \frac{\square}{20} = \frac{\square}{100} = \square$

$23.4 \div 4 = \frac{\square}{10} \div 4 = \frac{\square}{10} \times \frac{1}{\square} = \frac{\square}{\square} = \frac{\square}{100} = \square$

$22.5 \div 2 = \frac{\square}{10} \div 2 = \frac{\square}{10} \times \frac{1}{\square} = \frac{\square}{\square} = \frac{\square}{100} = \square$

$35.8 \div 4 = \frac{\square}{10} \div 4 = \frac{\square}{10} \times \frac{1}{\square} = \frac{\square}{\square} = \frac{\square}{100} = \square$

$20.4 \div 8 = \frac{\square}{10} \div 8 = \frac{\square}{10} \times \frac{1}{\square} = \frac{\square}{\square} = \frac{\square}{100} = \square$

$16.3 \div 5 = \frac{\square}{10} \div 5 = \frac{\square}{10} \times \frac{1}{\square} = \frac{\square}{\square} = \frac{\square}{100} = \square$

4 소수의 나눗셈 실력을 점검해 보시오.

실력 평가

맞힌 개수 개 | 제한 시간 10 분

1. $11.4 \div 3$
2. $27.2 \div 4$
3. $36.5 \div 5$
4. $28.2 \div 6$
5. $7.5 \div 3$
6. $6.36 \div 4$
7. $22.4 \div 7$
8. $8.5 \div 2$
9. $12.6 \div 4$
10. $46.8 \div 9$
11. $6.1 \div 5$
12. $13.2 \div 8$
13. $11.32 \div 4$
14. $19.56 \div 6$
15. $34.15 \div 5$
16. $19.5 \div 6$
17. $12.96 \div 3$
18. $26.11 \div 7$
19. $12.48 \div 8$
20. $38.25 \div 9$

수고하셨습니다!

04 (소수)÷(자연수)를 세로로 계산하기

정답 19쪽

● 15.36÷2를 세로로 계산하고 소수점 찍기

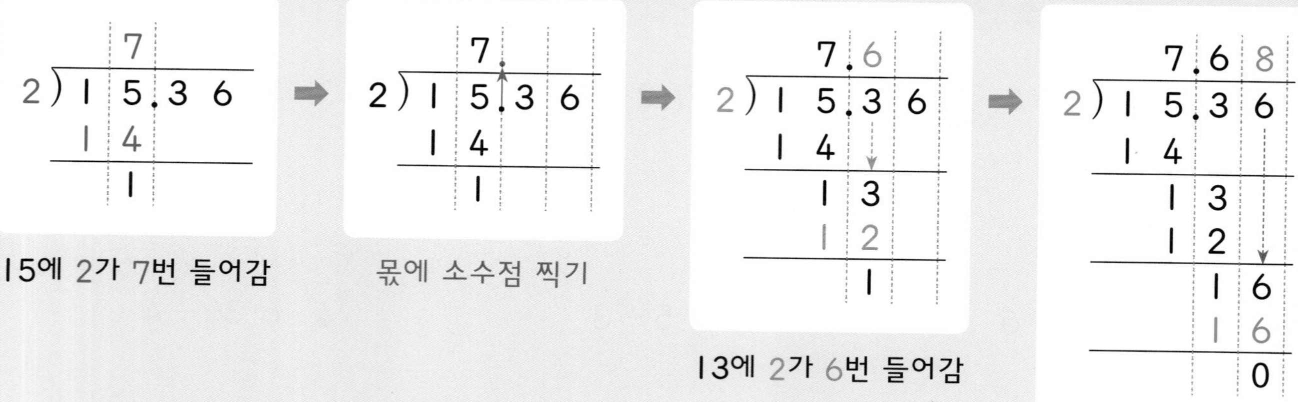

15에 2가 7번 들어감 → 몫에 소수점 찍기 → 13에 2가 6번 들어감 → 16에 2가 8번 들어감

1 (소수)÷(자연수)의 몫에 소수점을 알맞게 찍어 보시오.

보기

$$\begin{array}{r} 17.7 \\ 2\overline{)35.4} \\ \underline{2} \\ 15 \\ \underline{14} \\ 14 \\ \underline{14} \\ 0 \end{array}$$

소수점의 위치가 같게 올려 찍기

$$\begin{array}{r} 169 \\ 3\overline{)50.7} \\ \underline{3} \\ 20 \\ \underline{18} \\ 27 \\ \underline{27} \\ 0 \end{array}$$

$$\begin{array}{r} 135 \\ 5\overline{)67.5} \\ \underline{5} \\ 17 \\ \underline{15} \\ 25 \\ \underline{25} \\ 0 \end{array}$$

$$\begin{array}{r} 234 \\ 4\overline{)93.6} \\ \underline{8} \\ 13 \\ \underline{12} \\ 16 \\ \underline{16} \\ 0 \end{array}$$

$$\begin{array}{r} 95 \\ 7\overline{)66.5} \\ \underline{63} \\ 35 \\ \underline{35} \\ 0 \end{array}$$

$$\begin{array}{r} 1253 \\ 6\overline{)75.18} \\ \underline{6} \\ 15 \\ \underline{12} \\ 31 \\ \underline{30} \\ 18 \\ \underline{18} \\ 0 \end{array}$$

2 나눗셈을 하고, 소수점을 알맞게 찍어 보시오.

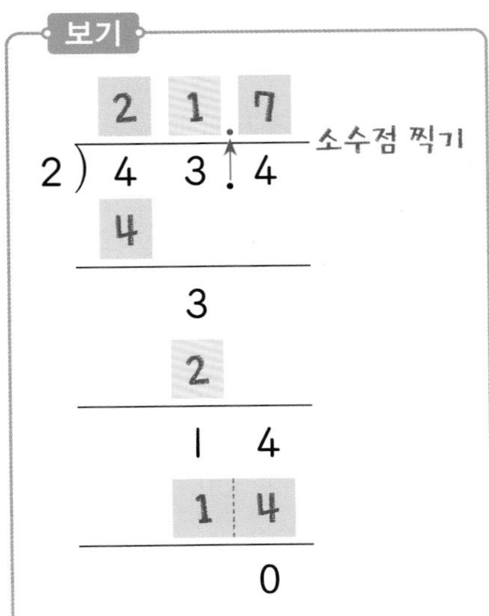

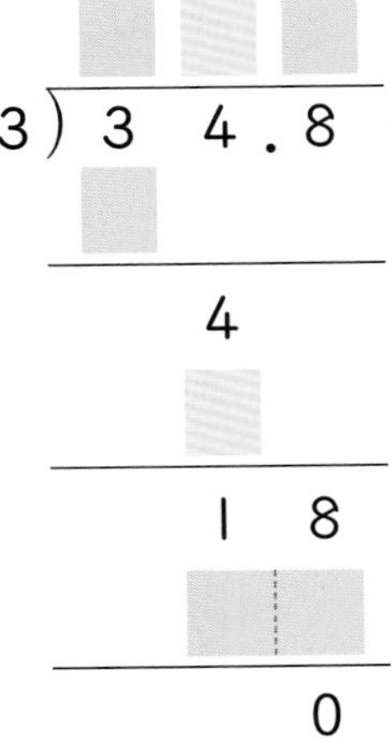

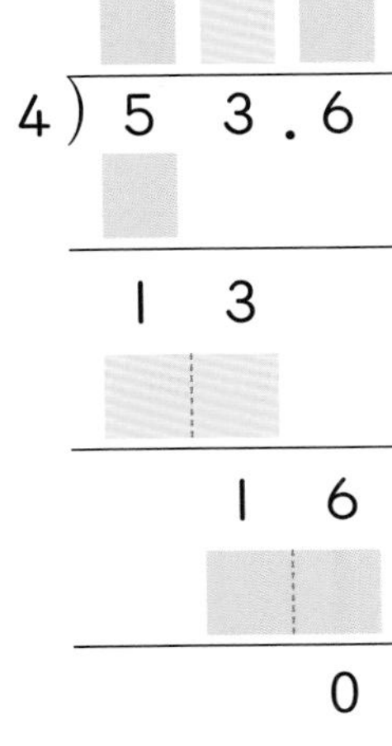

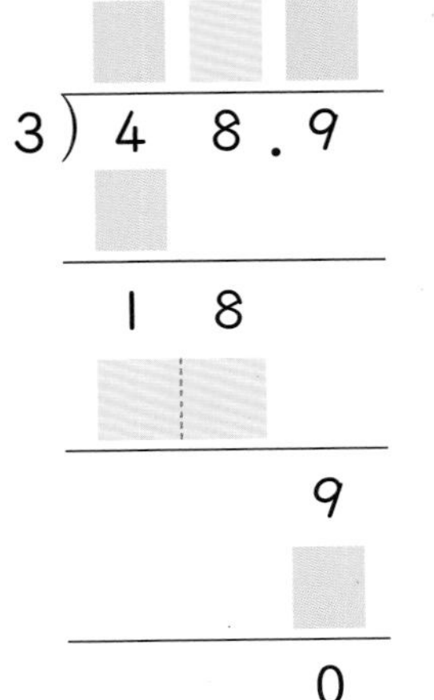

5) 8 2 . 5

3 2

2 5

0

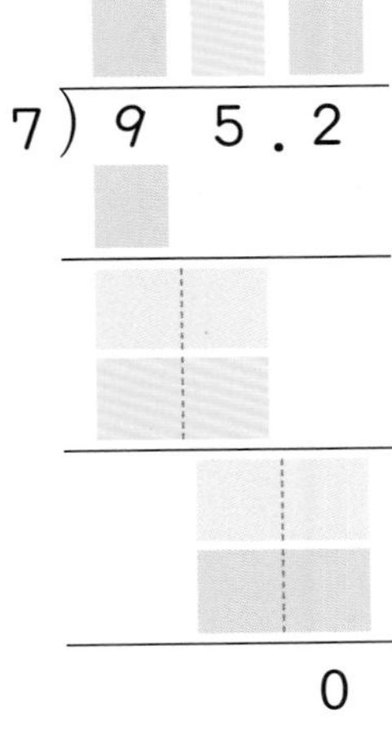

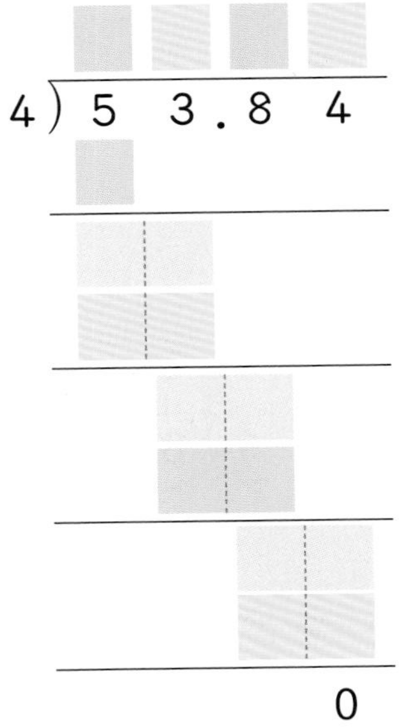

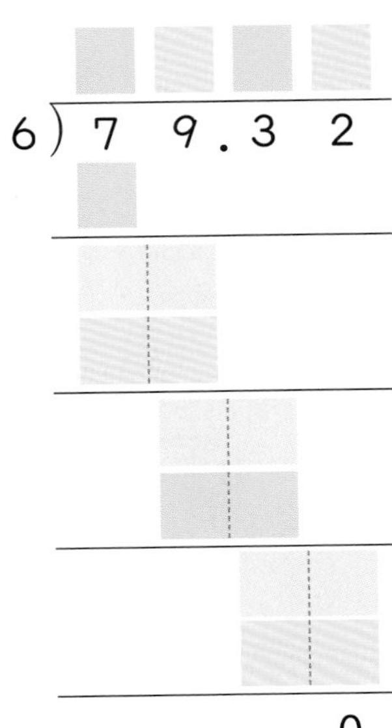

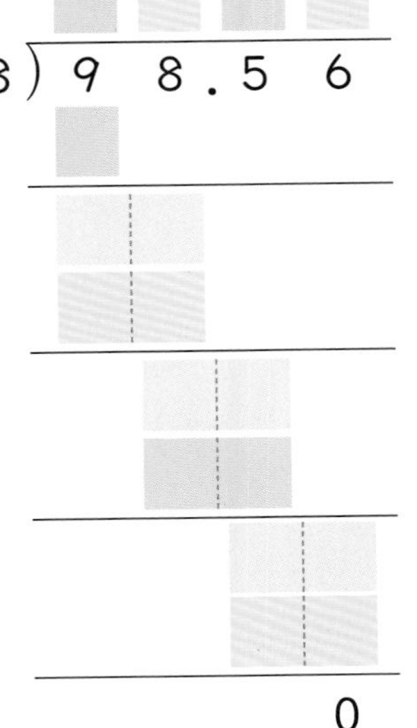

● 몫이 1보다 작은 (소수) ÷ (자연수) 계산하기

```
    0.
3 ) 1.3 8
```
1에 3이 0번 들어감

➡

```
    0.4
3 ) 1.3 8
    1 2
      1
```
13에 3이 4번 들어감

➡

```
    0.4 6
3 ) 1.3 8
    1 2
      1 8
      1 8
        0
```
18에 3이 6번 들어감

3 몫이 1보다 작은 (소수) ÷ (자연수)를 계산해 보시오.

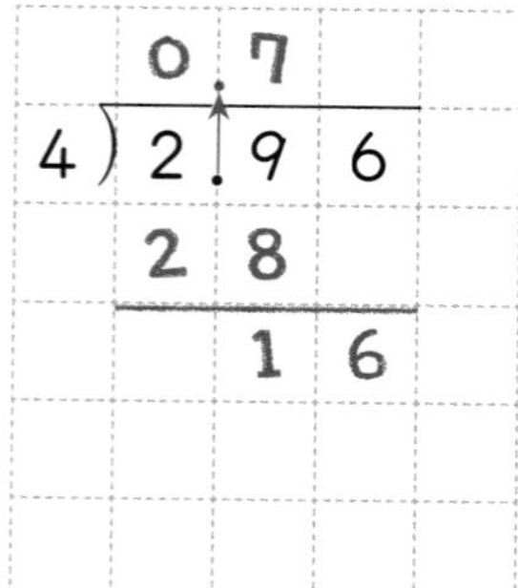

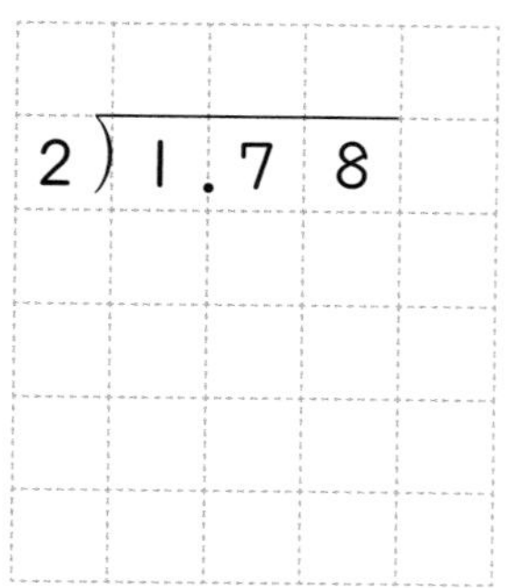

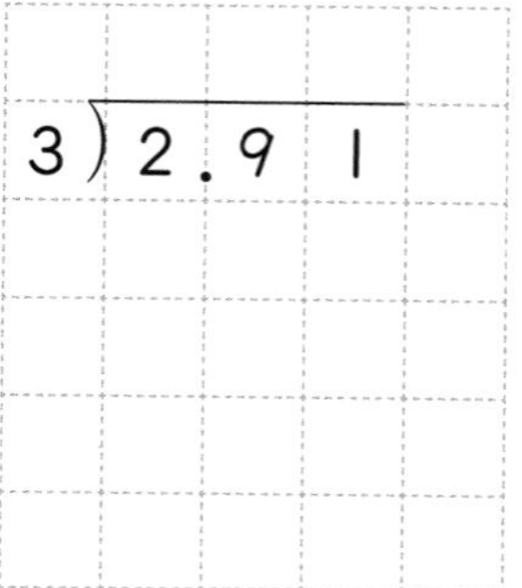

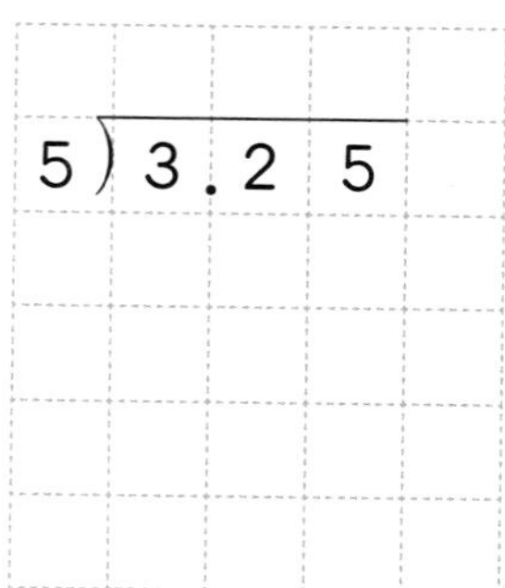

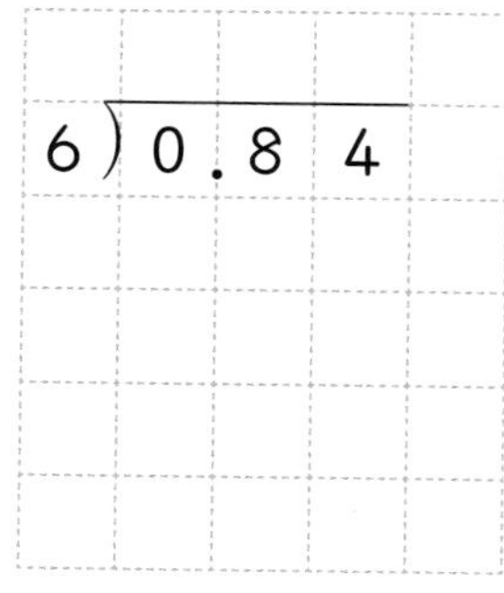

4) 1.8 4

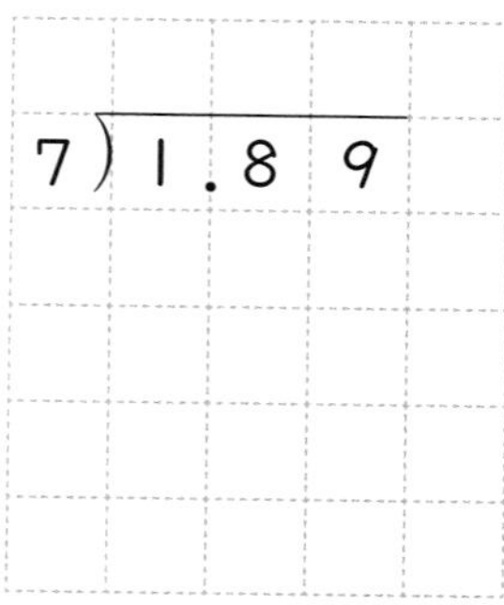

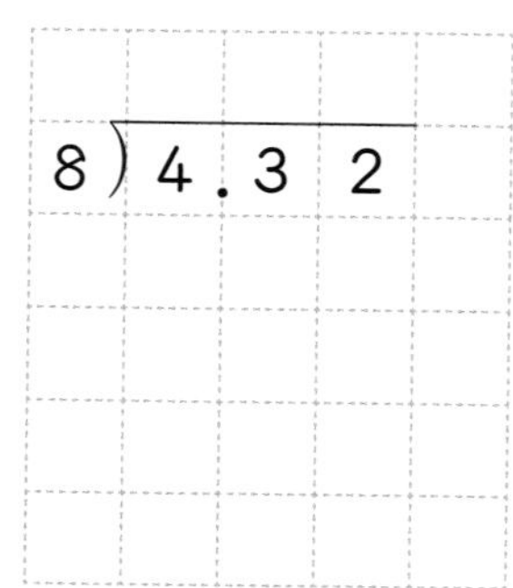

9) 8.0 1

4 소수의 나눗셈을 하시오.

$$\begin{array}{r} 0.8 \\ 2\overline{)1.74} \\ 16 \\ \hline \end{array}$$

$$\begin{array}{r} 0. \\ 3\overline{)2.31} \end{array}$$

$$4\overline{)3.76}$$

$$3\overline{)1.29}$$

$$4\overline{)0.52}$$

$$5\overline{)3.75}$$

$$6\overline{)0.72}$$

$$7\overline{)4.48}$$

$$8\overline{)6.08}$$

$$7\overline{)6.44}$$

$$8\overline{)5.36}$$

$$9\overline{)7.47}$$

05 (소수)÷(자연수)를 소수점 아래 0을 내려 계산하기

정답 20쪽

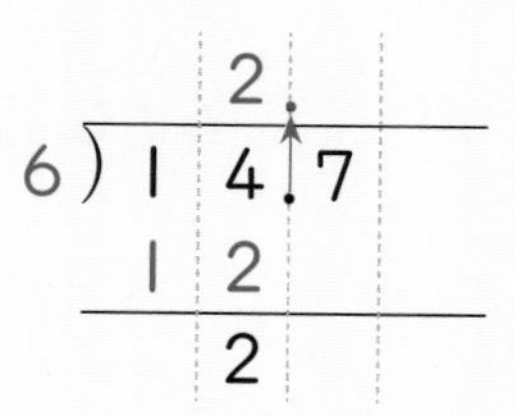

$$6\overline{)14.7} \rightarrow 2.\ ,\ 12,\ 2$$

$$6\overline{)14.7} \rightarrow 2.4,\ 12,\ 27,\ 24,\ 3$$

$$6\overline{)14.70} \rightarrow 2.45,\ 12,\ 27,\ 24,\ 30,\ 30,\ 0$$

나머지가 0이 될 때까지 0을 내려 계산하기

1 소수점 아래 0을 내려 계산하는 (소수)÷(자연수)를 계산해 보시오.

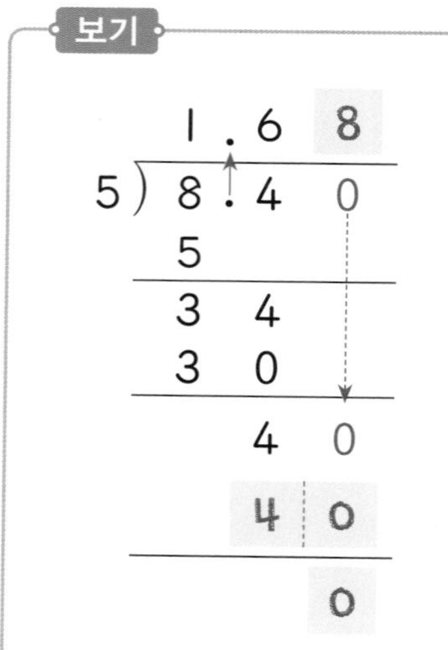

보기

$$5\overline{)8.40} = 1.68:\ 5,\ 34,\ 30,\ 40,\ 40,\ 0$$

$4\overline{)9.80}$ → 2.4□ : 8, 18, 16, 2□, □□, □

$2\overline{)5.70}$ → 2.8□ : 4, 17, 16, 1□, □□, □

$2\overline{)17.90}$ → 8.9□ : 16, 19, 18, 1□, □□, □

$6\overline{)27.90}$ → 4.6□ : 24, 39, 36, 3□, □□, □

$8\overline{)35.60}$ → 4.4□ : 32, 36, 32, 4□, □□, □

2 소수점 아래 0을 내려 계산하는 (소수) ÷ (자연수)를 계산해 보시오.

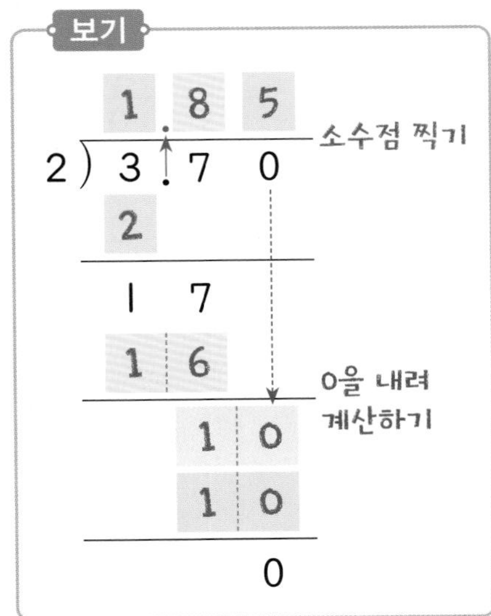

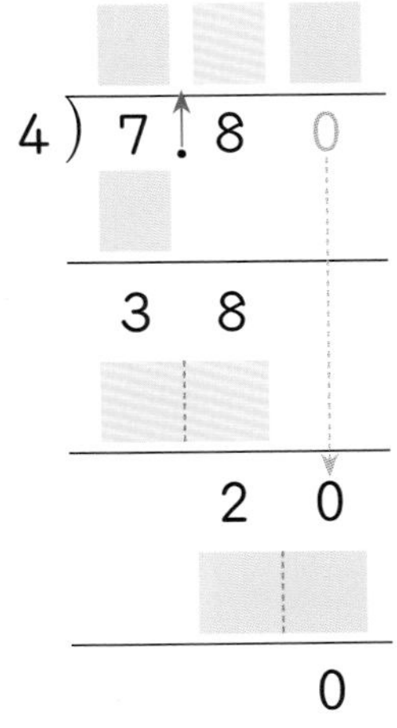

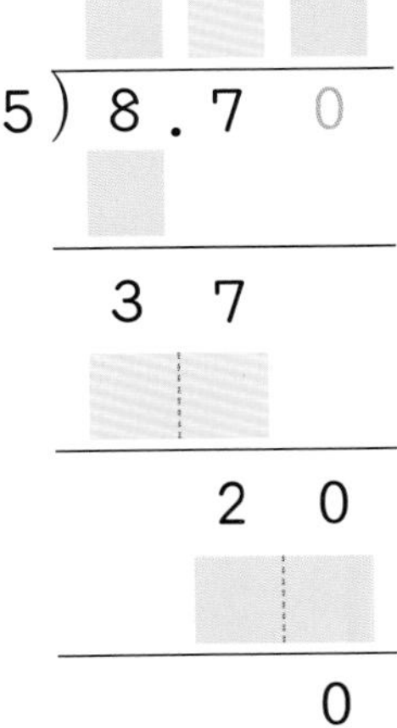

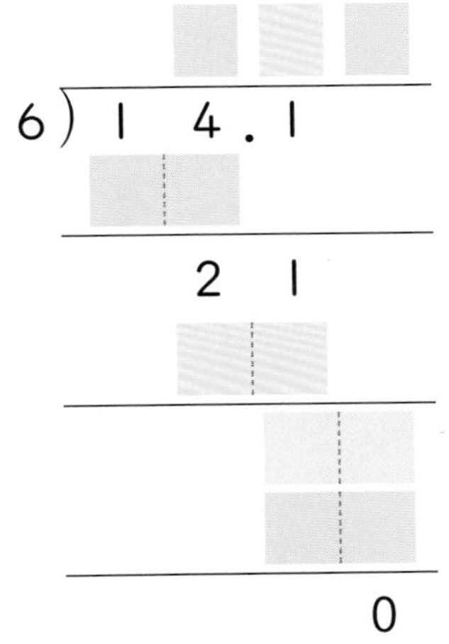

8) 2 7.6

3 6

0

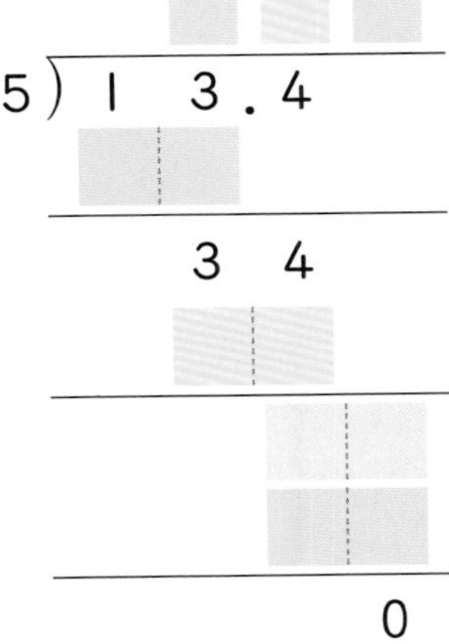

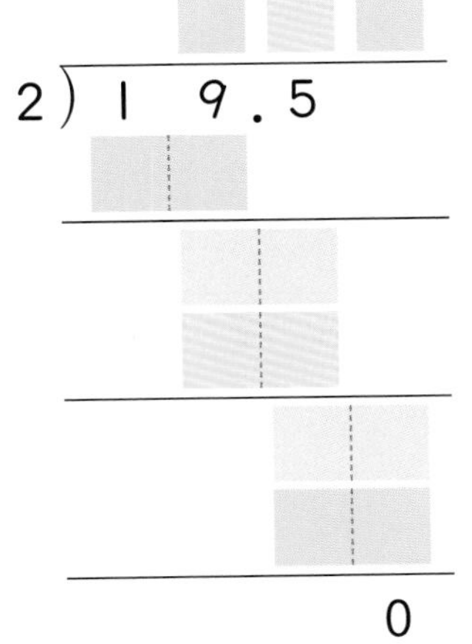

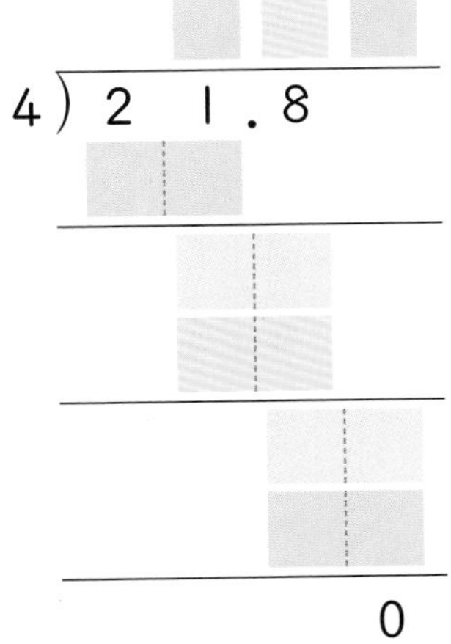

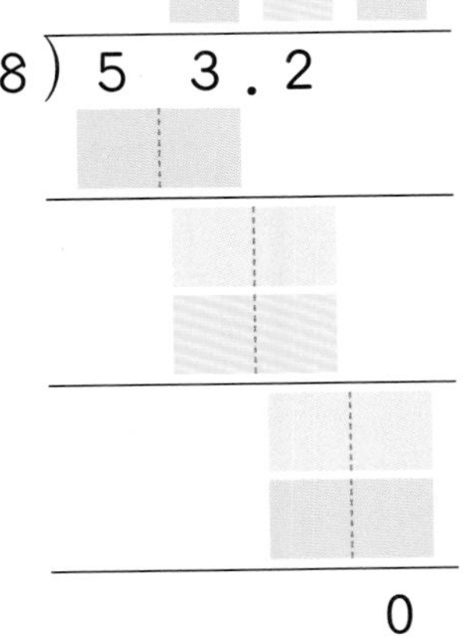

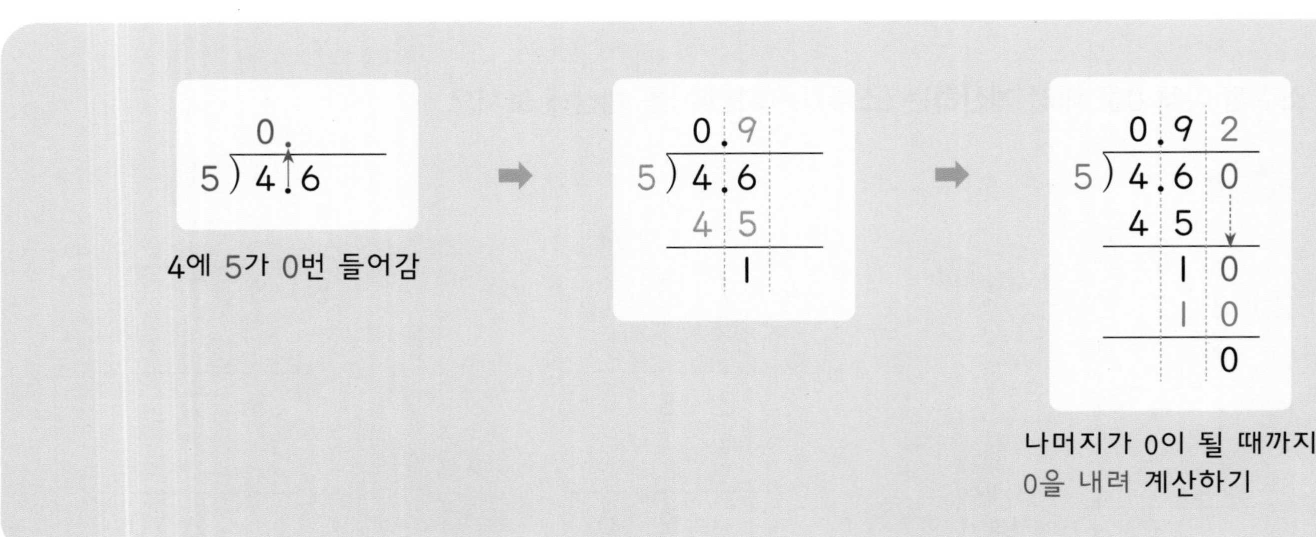

3 몫이 1보다 작고 소수점 아래 0을 내려 계산하는 (소수)÷(자연수)를 계산해 보시오.

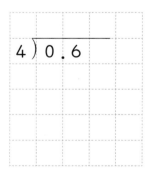

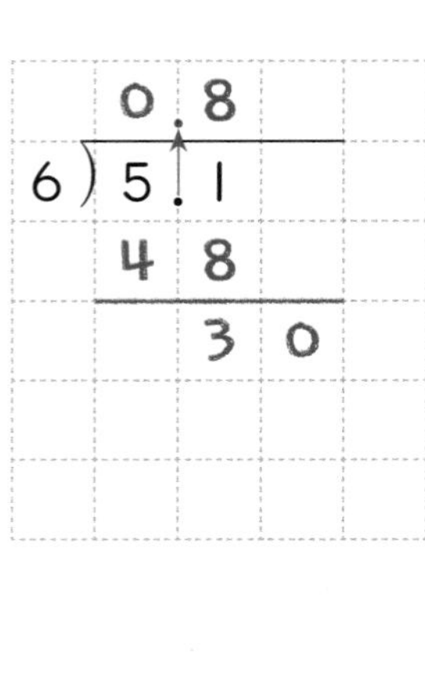

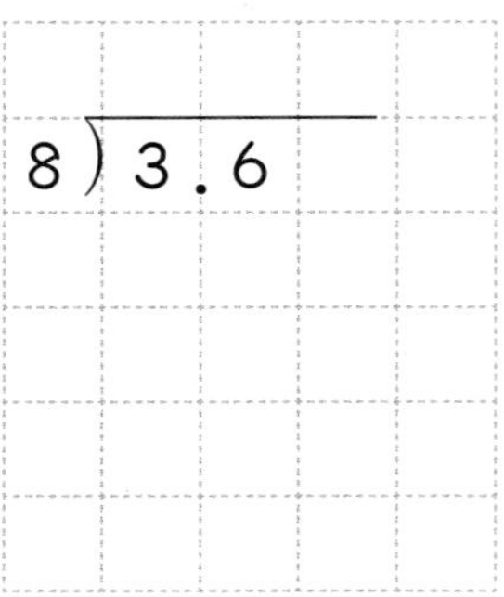

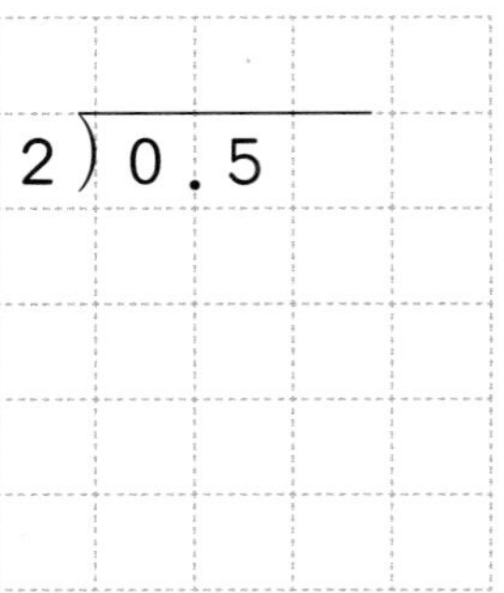

4)0.6

5)4.2

6)4.5

2)1.7

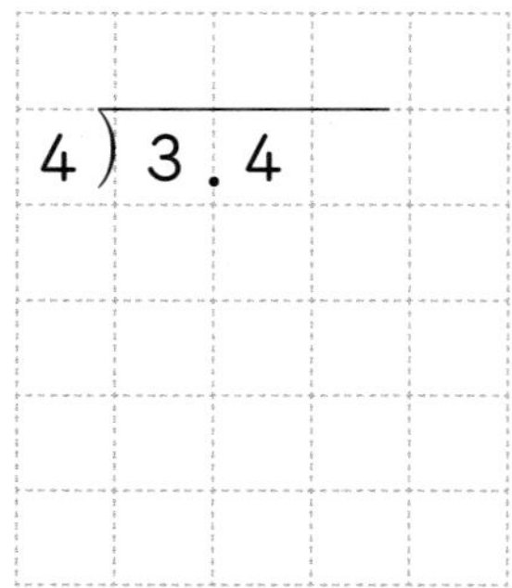

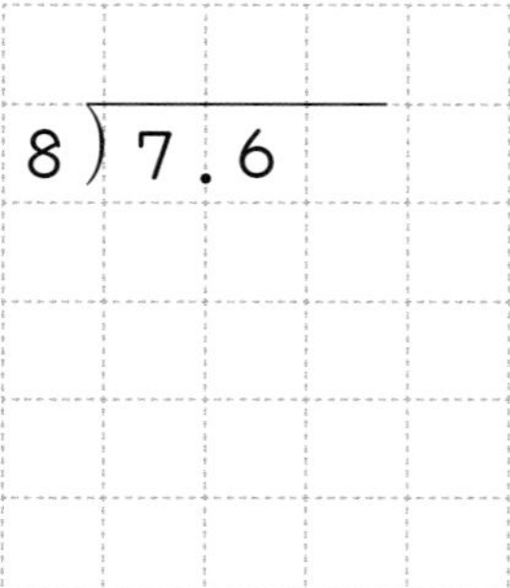

4 소수의 나눗셈을 하시오.

$$\begin{array}{r} 2.1 \\ 2\overline{)4.30} \\ \underline{4} \\ 3 \\ \underline{2} \\ 1 \end{array}$$

$4\overline{)6.2}$

$6\overline{)8.7}$

$2\overline{)15.7}$

$5\overline{)13.4}$

$4\overline{)22.6}$

$8\overline{)6.8}$

$5\overline{)3.8}$

$6\overline{)2.7}$

$2\overline{)1.9}$

$4\overline{)3.4}$

$8\overline{)59.6}$

06 몫의 소수 첫째 자리에 0이 있는 (소수)÷(자연수) 계산하기

정답 21쪽

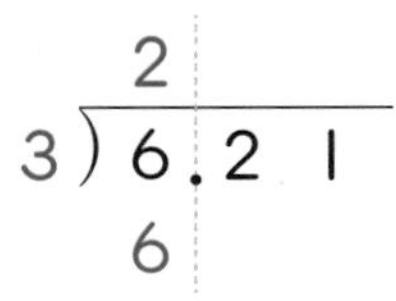

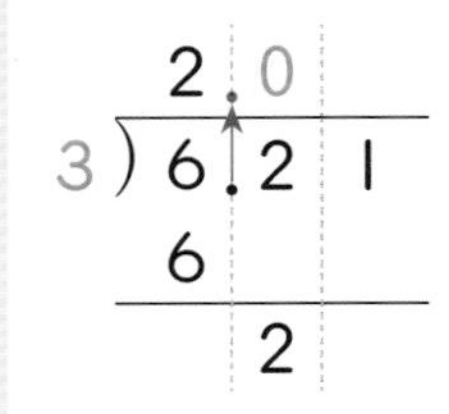

2에 3이 0번 들어감

$$\begin{array}{r} 2.07 \\ 3\overline{)6.21} \\ 6 \\ \hline 21 \\ 21 \\ \hline 0 \end{array}$$

1 몫의 소수 첫째 자리에 0이 있는 (소수)÷(자연수)를 계산해 보시오.

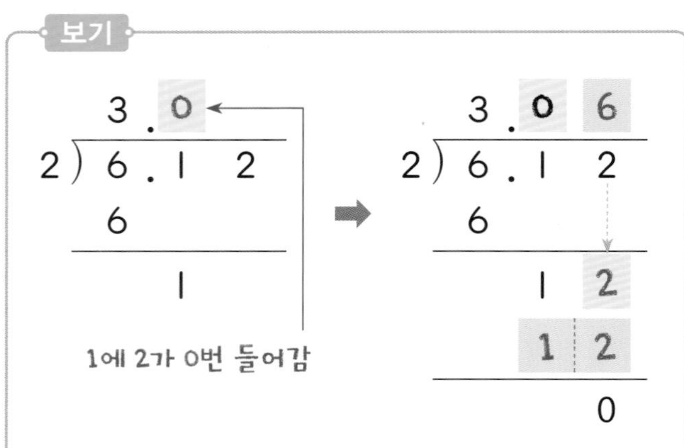

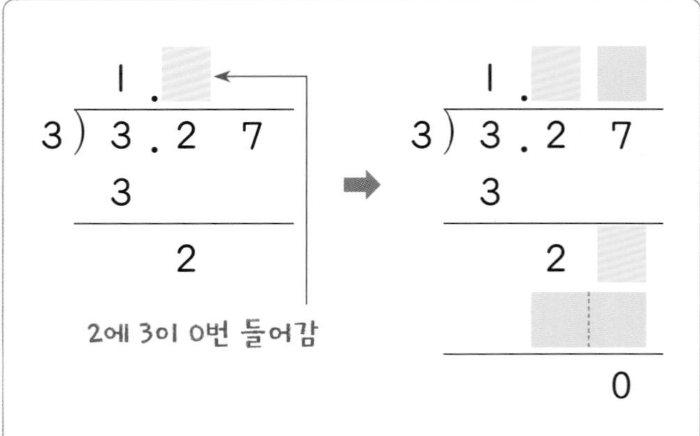

$$\begin{array}{r} 2.\square \\ 4\overline{)8.28} \\ 8 \\ \hline 2 \end{array} \Rightarrow \begin{array}{r} 2.\square\square \\ 4\overline{)8.28} \\ 8 \\ \hline 2\square \\ \square\square \\ \hline 0 \end{array}$$

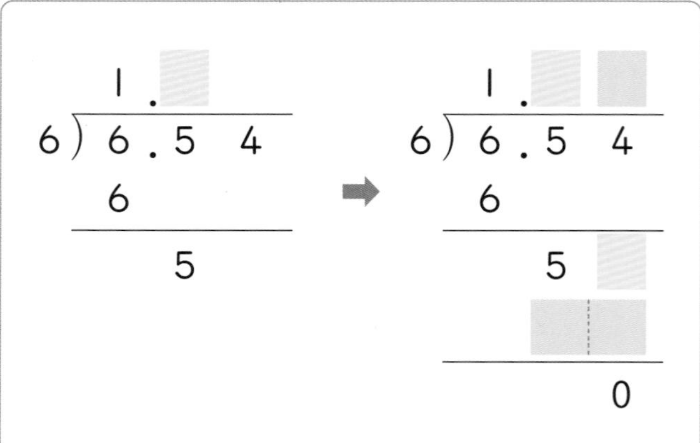

2 몫의 소수 첫째 자리에 0이 있는 (소수) ÷ (자연수)를 계산해 보시오.

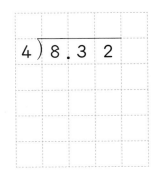

$$\begin{array}{r} 2.0 \\ 2\overline{)4.18} \\ \underline{4} \\ 1 \end{array}$$

4)8.32

3)12.21

5)15.25

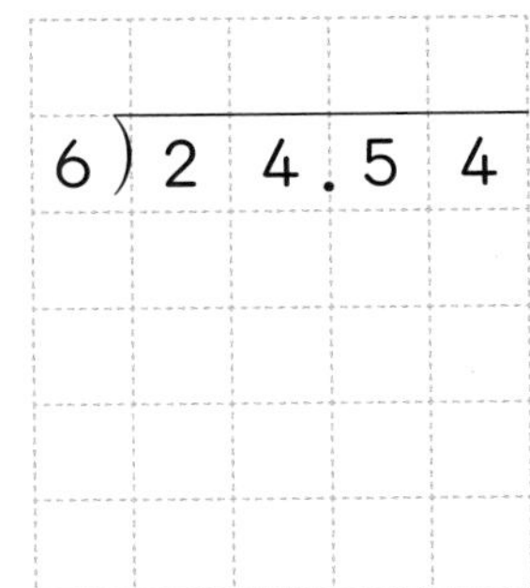

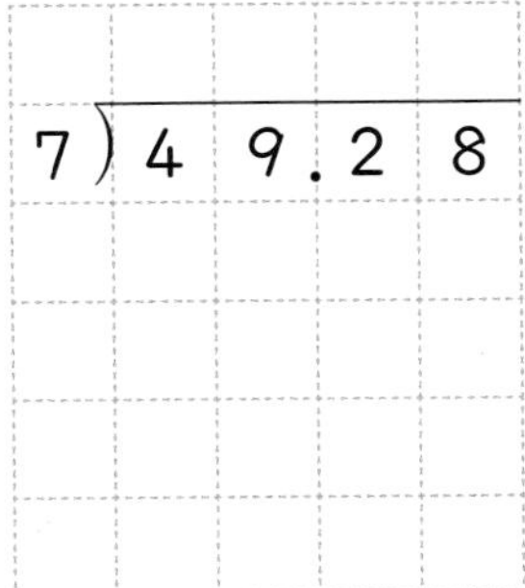

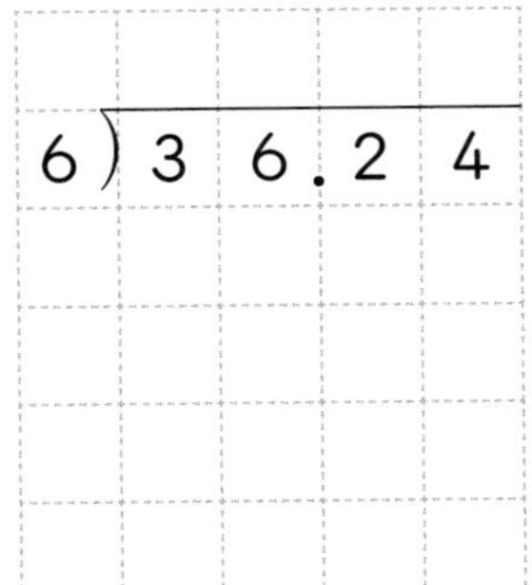

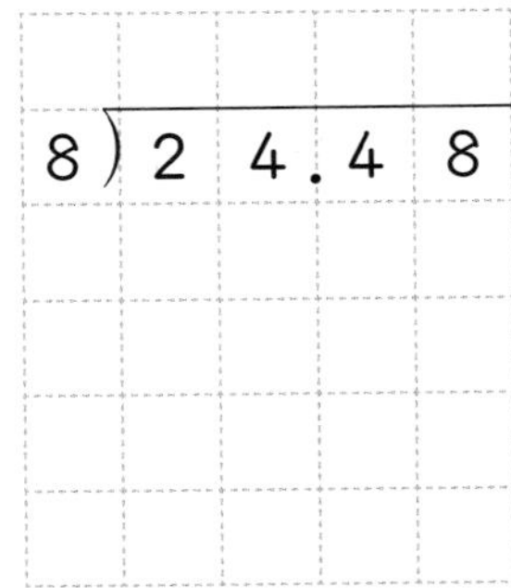

3)27.24

4)24.28

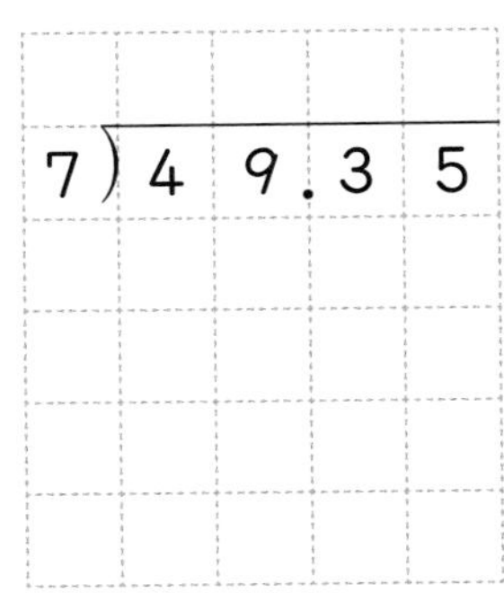

9)45.72

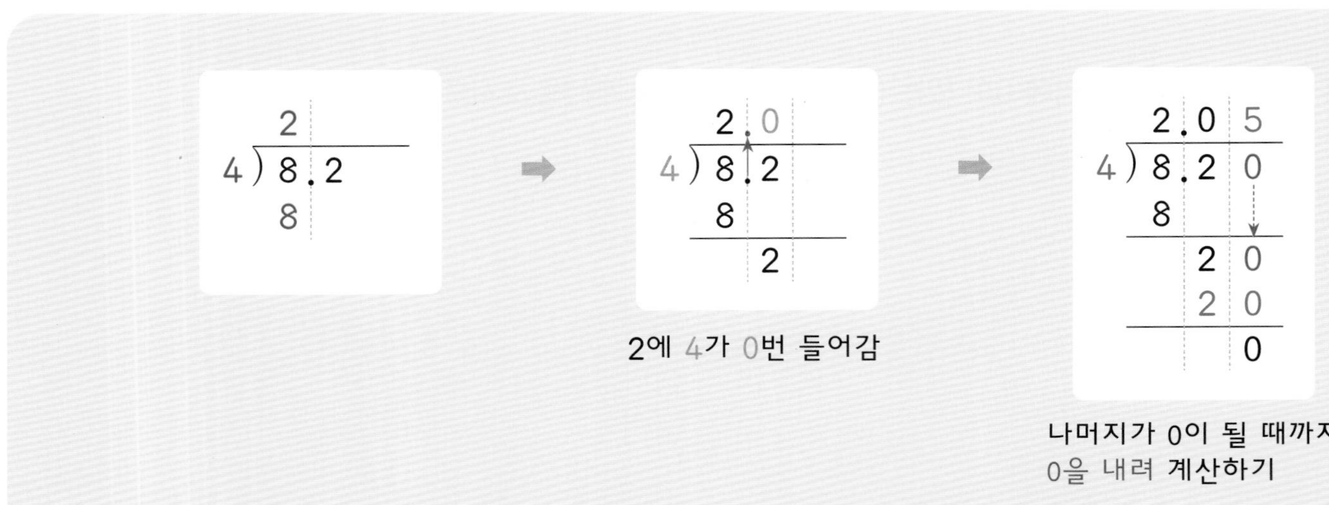

3 몫의 소수 첫째 자리에 0이 있고, 소수점 아래 0을 내려 계산하는 (소수)÷(자연수)를 계산해 보시오.

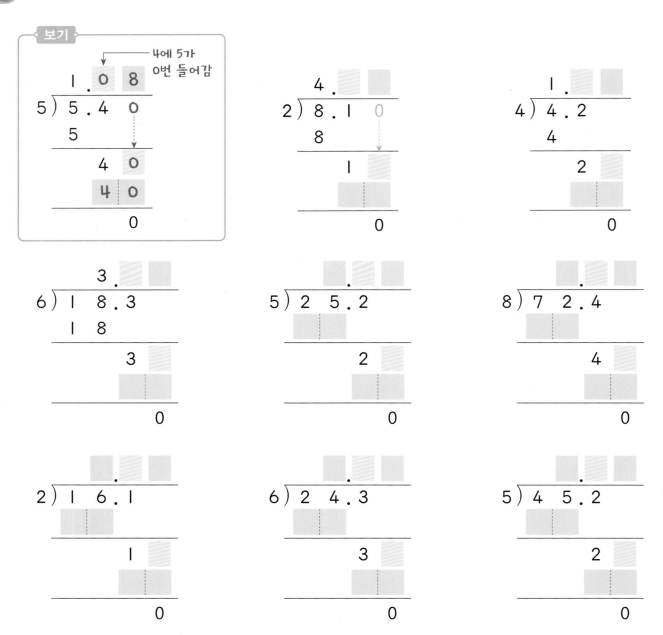

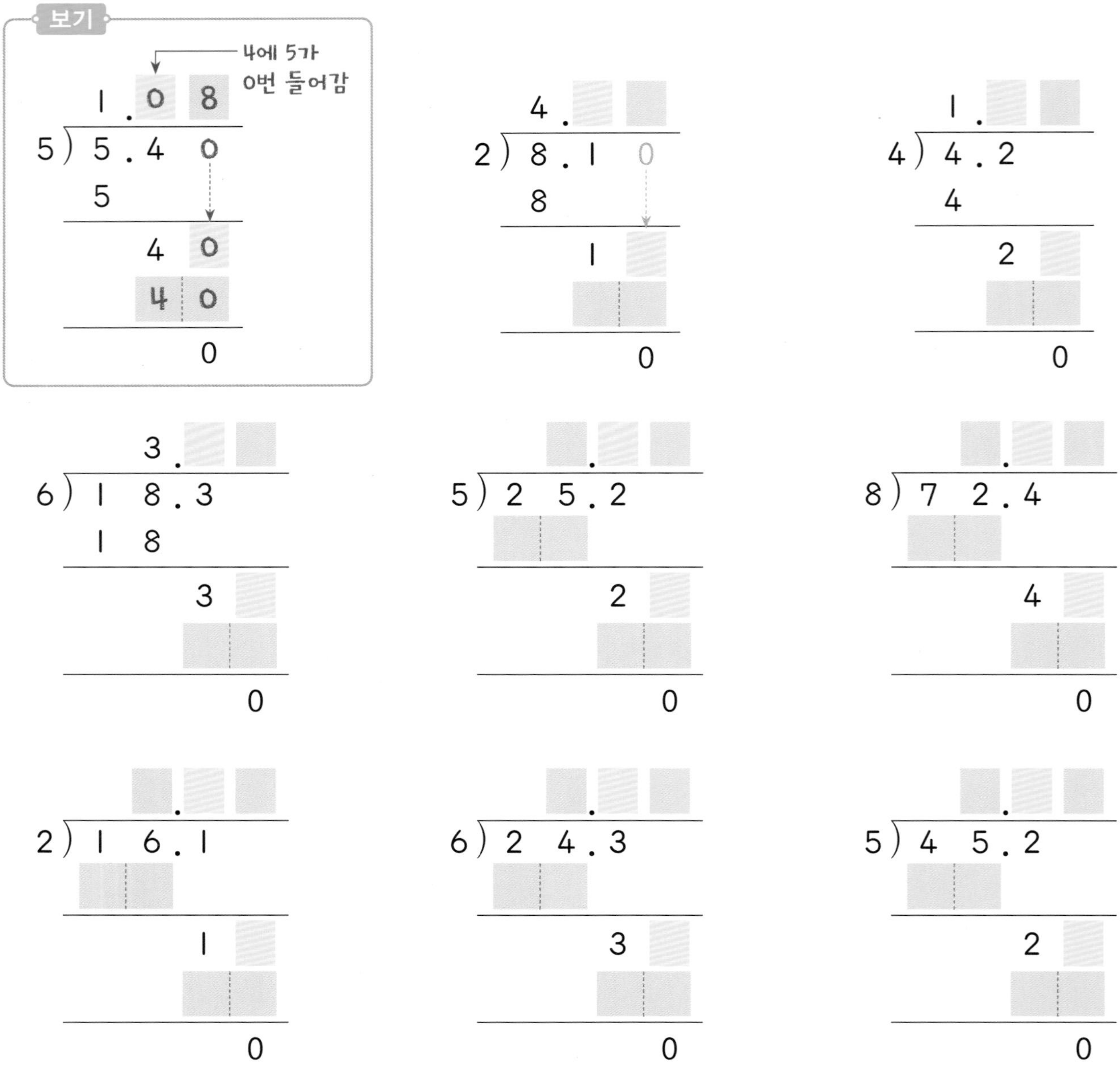

보기

$5.4 \div 5 = 1.08$ (4에 5가 0번 들어감)

$$\begin{array}{r} 1.08 \\ 5\overline{)5.40} \\ 5 \\ \hline 40 \\ 40 \\ \hline 0 \end{array}$$

$$\begin{array}{r} 4.\square\square \\ 2\overline{)8.10} \\ 8 \\ \hline 1\square \\ \square\square \\ \hline 0 \end{array}$$

$$\begin{array}{r} 1.\square\square \\ 4\overline{)4.2} \\ 4 \\ \hline 2\square \\ \square\square \\ \hline 0 \end{array}$$

$$\begin{array}{r} 3.\square\square \\ 6\overline{)18.3} \\ 18 \\ \hline 3\square \\ \square\square \\ \hline 0 \end{array}$$

$$\begin{array}{r} \square.\square\square \\ 5\overline{)25.2} \\ \square\square \\ \hline 2\square \\ \square\square \\ \hline 0 \end{array}$$

$$\begin{array}{r} \square.\square\square \\ 8\overline{)72.4} \\ \square\square \\ \hline 4\square \\ \square\square \\ \hline 0 \end{array}$$

$$\begin{array}{r} \square.\square\square \\ 2\overline{)16.1} \\ \square\square \\ \hline 1\square \\ \square\square \\ \hline 0 \end{array}$$

$$\begin{array}{r} \square.\square\square \\ 6\overline{)24.3} \\ \square\square \\ \hline 3\square \\ \square\square \\ \hline 0 \end{array}$$

$$\begin{array}{r} \square.\square\square \\ 5\overline{)45.2} \\ \square\square \\ \hline 2\square \\ \square\square \\ \hline 0 \end{array}$$

4 몫의 소수 첫째 자리에 0이 있는 소수의 나눗셈을 하시오.

$$\begin{array}{r} 1.0 \\ 2{\overline{\smash{)}\,2.16}} \\ \underline{2} \\ 1 \end{array}$$

$3\overline{)9.27}$

$4\overline{)4.36}$

$5\overline{)10.45}$

$6\overline{)12.18}$

$7\overline{)28.21}$

$5\overline{)5.3}$

$4\overline{)12.2}$

$8\overline{)16.4}$

$6\overline{)42.3}$

$2\overline{)84.1}$

$5\overline{)55.4}$

07 (자연수)÷(자연수)의 몫을 소수로 나타내기

정답 22쪽

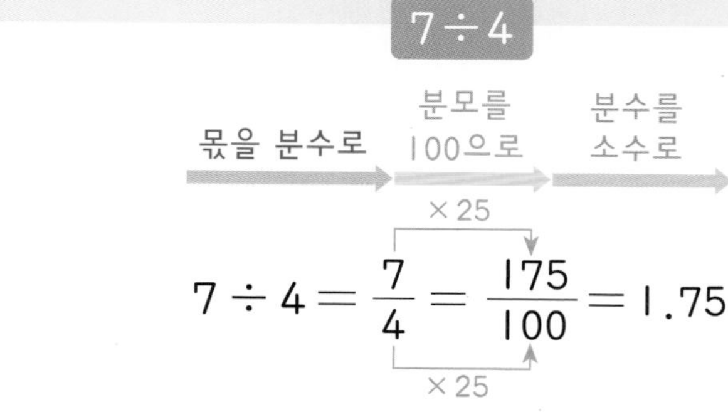

1 계산하여 몫을 소수로 나타내시오.

보기

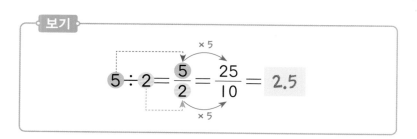

$5\div2=\frac{5}{2}=\frac{25}{10}=2.5$ (×5)

$9\div5=$ ☐

$9\div4=$ ☐

$3\div4=$ ☐

$7\div20=$ ☐

$3\div25=$ ☐

$15\div2=$ ☐

$13\div50=$ ☐

$21\div20=$ ☐

$6\div25=$ ☐

$17\div2=$ ☐

$23\div50=$ ☐

$56\div5=$ ☐

$11\div4=$ ☐

2 계산하여 몫을 소수로 나타내시오.

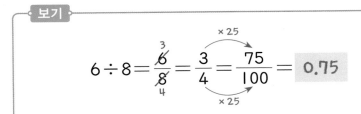

보기

$6 \div 8 = \frac{\cancel{6}^{3}}{\cancel{8}_{4}} = \frac{3}{4} = \frac{75}{100} = 0.75$ (×25)

$9 \div 6 =$ ☐

$6 \div 4 =$ ☐

$3 \div 12 =$ ☐

$15 \div 10 =$ ☐

$5 \div 20 =$ ☐

$15 \div 6 =$ ☐

$7 \div 28 =$ ☐

$9 \div 15 =$ ☐

$12 \div 8 =$ ☐

$12 \div 30 =$ ☐

$15 \div 12 =$ ☐

$10 \div 4 =$ ☐

$21 \div 35 =$ ☐

$12 \div 16 =$ ☐

$6 \div 15 =$ ☐

$18 \div 24 =$ ☐

$12 \div 20 =$ ☐

$20 \div 25 =$ ☐

$16 \div 50 =$ ☐

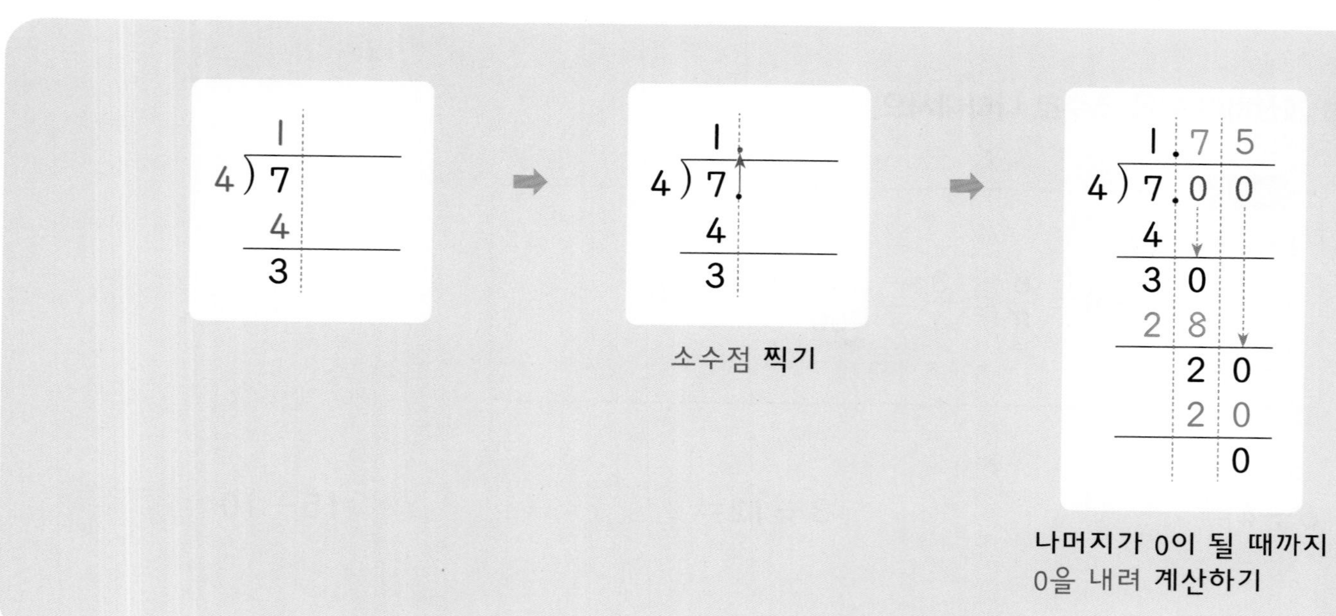

3 (자연수) ÷ (자연수)를 계산해 보시오.

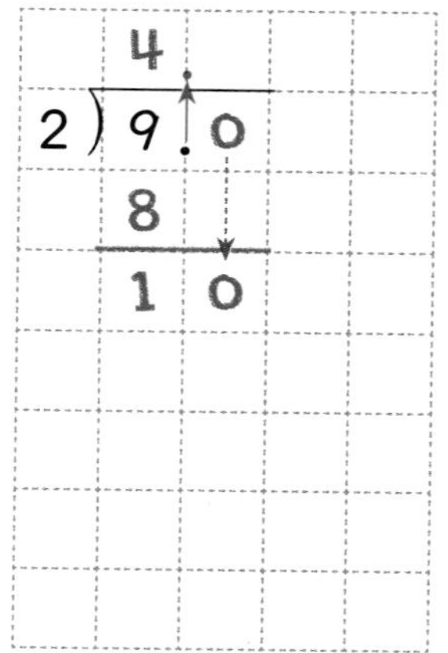
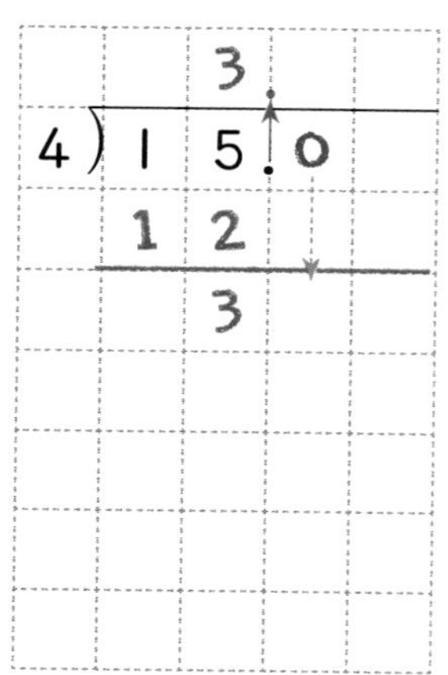
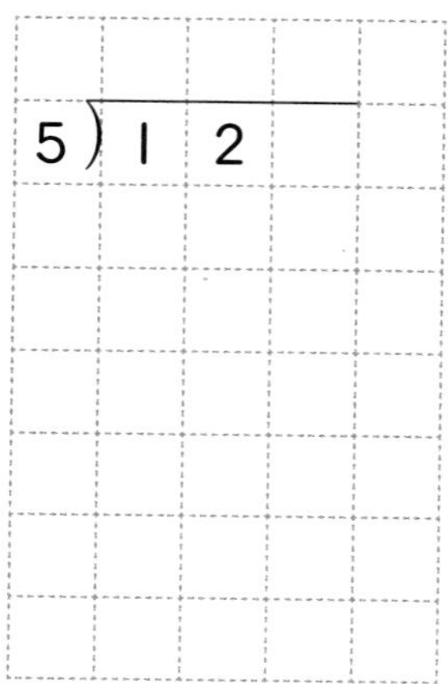

20) 2 5

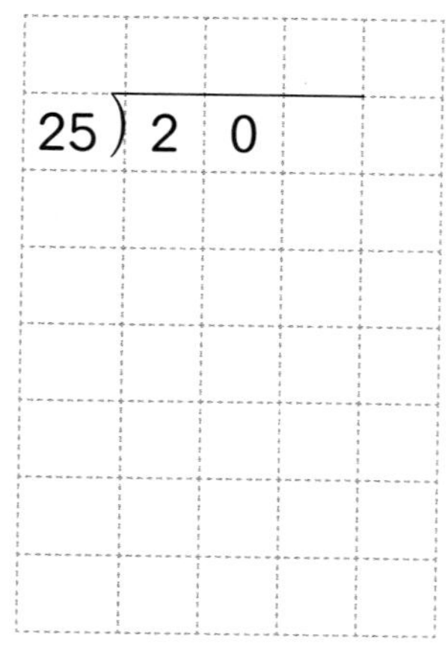
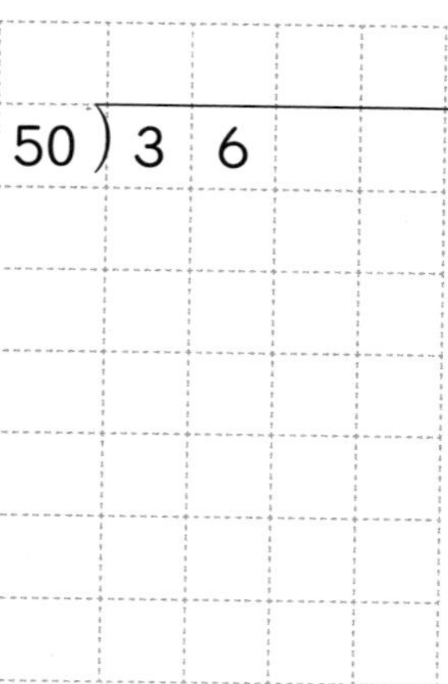

4 소수의 나눗셈 실력을 점검해 보시오.

실력평가

맞힌 개수 ___ 개 | 제한 시간 10 분

1. $2\overline{)8.36}$

2. $3\overline{)21.6}$

3. $5\overline{)17.25}$

4. $4\overline{)3.48}$

5. $7\overline{)8.4}$

6. $6\overline{)19.44}$

7. $5\overline{)5.25}$

8. $2\overline{)1.5}$

9. $3\overline{)1.77}$

10. $4\overline{)9.8}$

11. $6\overline{)6.3}$

12. $8\overline{)3.52}$

13. $8\overline{)1.92}$

14. $9\overline{)27.18}$

15. $2\overline{)7}$

16. $4\overline{)10}$

17. $5\overline{)4}$

18. $8\overline{)22}$

19. $6\overline{)21}$

20. $20\overline{)17}$

수고하셨습니다!

정답 23쪽

유형 1

물 36.9L를 물통 3개에 남김없이 똑같이 나누어 담으려고 합니다. 물통 한 개에 물을 몇 L씩 담을 수 있습니까?

주어진 수에 ○표 하고, 구하는 것에 밑줄 치기

물의 양: ☐ L, 물통의 수: ☐ 개

문제 해결하기

소수를 분모가 (10 , 100)인 분수로 바꾸어 계산합니다.

문제 풀기

(물통 한 개에 담을 수 있는 물의 양)$=36.9\div3=\frac{\square}{\square}\div3=\frac{\square\div3}{\square}=\square$(L)

답 쓰기

물통 한 개에 물을 ☐ L씩 담을 수 있습니다.

유형 1+

굵기가 일정한 나무 막대 7m의 무게가 3.15kg입니다. 이 나무 막대 1m의 무게는 몇 kg입니까?

주어진 수에 ○표 하고, 구하는 것에 밑줄 치기

나무 막대의 길이: ☐ m, 나무 막대의 무게: ☐ kg

문제 해결하기

소수를 분모가 (10 , 100)인 분수로 바꾸어 계산합니다.

문제 풀기

(나무 막대 1m의 무게)$=3.15\div7=\frac{\square}{\square}\div7=\frac{\square\div7}{\square}=\square$(kg)

답 쓰기

나무 막대 1m의 무게는 ☐ kg입니다.

슬기는 자전거를 타고 5분 동안 9.1km를 달렸습니다. 일정한 빠르기로 달렸다면 1분 동안 몇 km를 달렸습니까?

주어진 수에 ○표 하고, 구하는 것에 밑줄 치기

자전거를 탄 시간: 　 분, 달린 거리: 　 km

문제 해결하기

나누어떨어지지 않을 때에는 소수점 아래 　 을 내려 계산합니다.

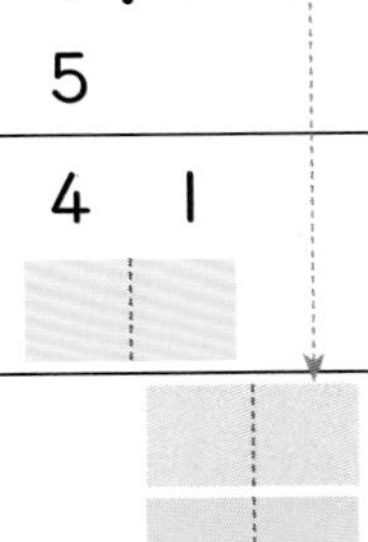

문제 풀기

(1분 동안 달린 거리)＝9.1÷5 ➡

답 쓰기

1분 동안 　 km를 달렸습니다.

넓이가 16.32m^2인 직사각형 모양의 꽃밭이 있습니다. 이 꽃밭의 가로가 4m라면 세로는 몇 m입니까?

주어진 수에 ○표 하고, 구하는 것에 밑줄 치기

꽃밭의 넓이: 　 m^2, 꽃밭의 가로: 　 m

문제 해결하기

세로 계산 중 나누어지는 수가 나누는 수보다 작을 때에는 몫에 　 을 쓰고 수를 하나 더 내려 계산합니다.

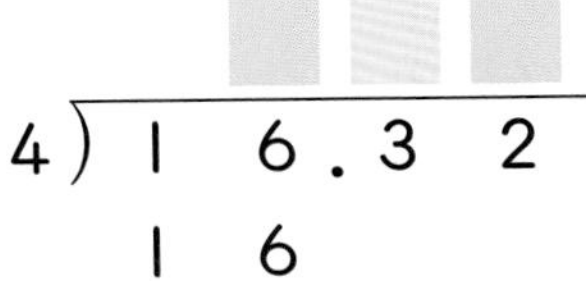

문제 풀기

(꽃밭의 세로)＝16.32÷4 ➡

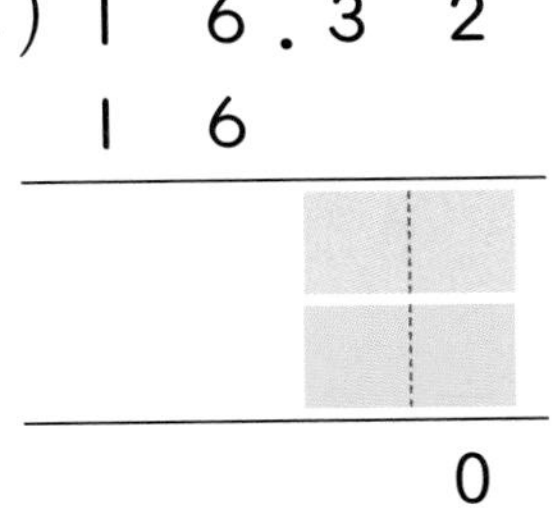

답 쓰기

꽃밭의 세로는 　 m입니다.

● ☐ 안에 알맞은 수를 써넣고, 답을 구하시오.

1 Drill

색 테이프 21.6m를 6명에게 똑같이 나누어 주려고 합니다. 한 사람이 가질 수 있는 색 테이프는 몇 m입니까?

주어진 수에
O표 하고, 구하는 것에
밑줄 쫙!

풀이 (한 사람이 가질 수 있는 색 테이프의 길이)

$= \square \div \square = \frac{\square}{\square} \times \frac{1}{6} = \square$ (m)

답 ______ m

2 Drill

집에서 학교까지의 거리는 5km이고, 집에서 도서관까지의 거리는 6.25km입니다. 집에서 도서관까지의 거리는 집에서 학교까지의 거리의 몇 배입니까?

풀이 (집에서 도서관까지의 거리)
÷(집에서 학교까지의 거리)

$= \square \div \square$ ➡ 5) 6 . 2 5

답 ______ 배

3 Drill

빵 7개를 만드는 데 밀가루 1.75kg을 사용했습니다. 빵 1개를 만드는 데 밀가루 몇 kg을 사용했습니까?

풀이 (빵 1개를 만드는 데 사용한 밀가루의 양)

$= \square \div \square$ ➡ 7) 1 . 7 5

답 ______ kg

4 Drill

우유 3L를 4명이 똑같이 나누어 마시려고 합니다. 한 명이 마실 수 있는 우유는 몇 L입니까?

풀이 (한 명이 마실 수 있는 우유의 양)

$= \square \div \square = \frac{\square}{\square} = \frac{\square}{100} = \square$ (L)

답 ______ L

● 서술형 문제를 읽고 풀이 과정과 답을 쓰시오.

도전 1

넓이가 $6\,m^2$인 직사각형 모양의 벽을 모두 칠하는 데 페인트 $7.2\,L$를 사용했습니다. 벽 $1\,m^2$를 칠하는 데 사용한 페인트는 몇 L입니까?

풀이

답

도전 2

똑같은 컵 3개의 무게는 1.56 kg이고, 똑같은 접시 4개의 무게는 2.2 kg입니다. 컵 한 개와 접시 한 개 중 어느 것이 더 무겁습니까?

풀이

답

도전 3

간장 7 L를 병 20개에 똑같이 나누어 담았습니다. 병 한 개에 담은 간장은 몇 L입니까?

풀이

답

도전 4

둘레가 49.5 m인 원 모양의 연못 둘레에 나무 9그루를 같은 간격으로 심으려고 합니다. 나무 사이의 간격은 몇 m로 해야 합니까? (단, 나무의 굵기는 생각하지 않습니다.)

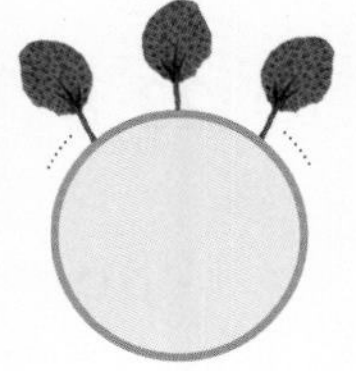

풀이

답

형성평가

정답 24쪽 걸린 시간: 분 점 수: 점

01 ▢ 안에 알맞은 수를 써넣으시오.

(1)

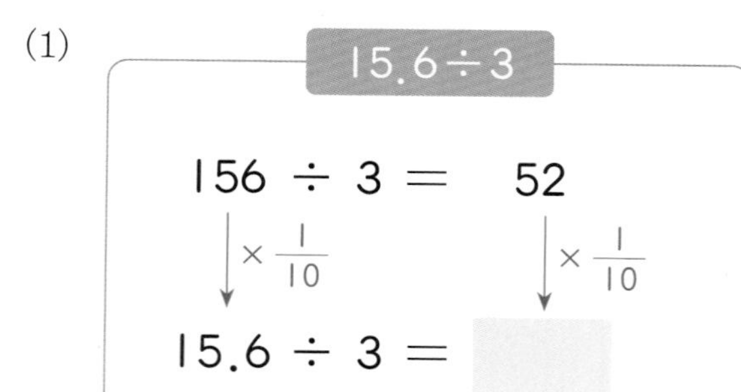

(2) 4.88÷4

$488 \div 4 = 122$

$\downarrow \times \frac{1}{100}$ $\quad$ $\downarrow \times \frac{1}{100}$

$4.88 \div 4 =$ ▢

02 ▢ 안에 알맞은 수를 써넣으시오.

(1) $3.96 \div 3 =$ ▢

$396 \div 3 =$ ▢

(2) $28.6 \div 2 =$ ▢

$286 \div 2 =$ ▢

03 소수를 분수로 고쳐서 계산해 보시오.

$2.58 \div 6 = \frac{▢}{▢} \div 6$

$= \frac{▢ \div 6}{▢}$

$= \frac{▢}{▢} =$ ▢

[04~05] 소수를 분수로 고쳐서 계산해 보시오.

04

$42.5 \div 5$

05

$24.64 \div 7$

06 분수의 곱셈으로 바꾸어 계산해 보시오.

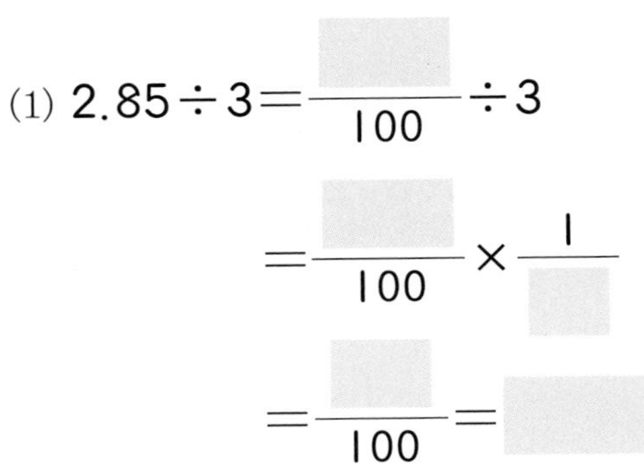

(2) $7.5 \div 2 = \dfrac{\square}{\square} \div 2$

$= \dfrac{\square}{\square} \times \dfrac{1}{\square}$

$= \dfrac{\square}{20} = \dfrac{\square}{100} = \square$

07 소수의 나눗셈을 하시오.

(1) $8.4 \div 3$

(2) $21.6 \div 4$

(3) $46.5 \div 5$

(4) $18.9 \div 7$

(5) $11.3 \div 2$

08 나눗셈의 몫에 소수점을 알맞게 찍어 보시오.

```
     □6□4□
  8 ) 5 1.2
      4 8
     ------
        3 2
        3 2
     ------
          0
```

[09~10] 몫이 1보다 작은 소수의 나눗셈을 하시오.

09

```
3 ) 1.9 2
```

10

```
7 ) 2.5 2
```

11 소수점 아래 0을 내려 계산하는 소수의 나눗셈을 하시오.

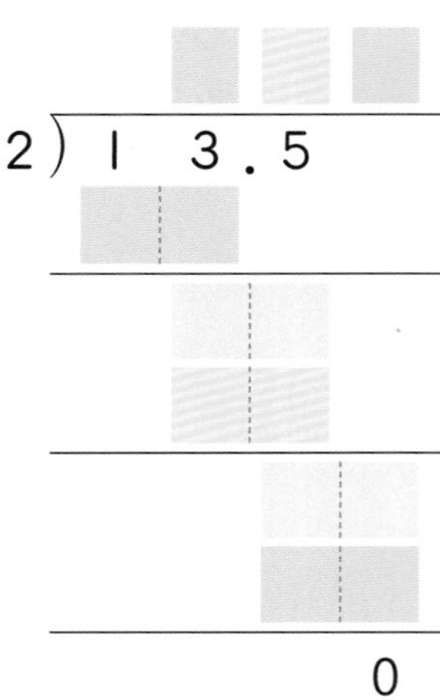

[12~13] 몫이 1보다 작고 소수점 아래 0을 내려 계산하는 소수의 나눗셈을 하시오.

12

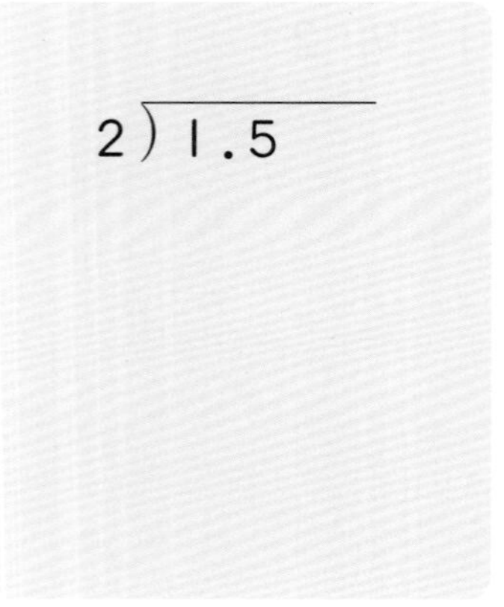

13

4) 2.6

14 몫의 소수 첫째 자리에 0이 있는 소수의 나눗셈을 하시오.

(1)

4) 2 8.3 2

(2)

7) 1 4.3 5

15 몫의 소수 첫째 자리에 0이 있고 소수점 아래 0을 내려 계산하는 소수의 나눗셈을 하시오.

(1)

8) 2 4.4

(2)

6) 3 0.3

16 (자연수)÷(자연수)를 계산해 보시오.

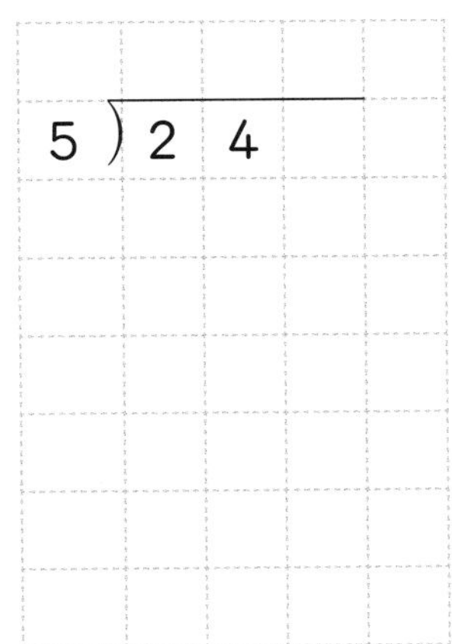

[17~18] **(자연수)÷(자연수)의 몫을 소수로 나타내시오.**

17

	6	
35	÷	14
	20	

18

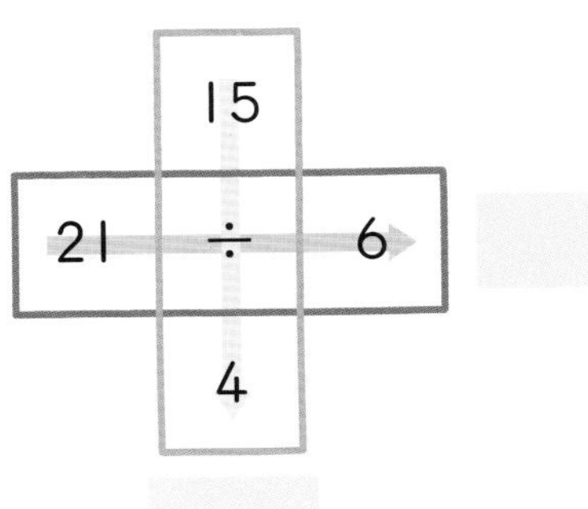

19 나눗셈을 하여 빈칸에 알맞은 몫을 써넣으시오.

÷8

25.6	
3.6	
8.48	
41.04	
12	

20 소수의 나눗셈을 하시오.

(1) 4.16÷2

(2) 9.8÷7

(3) 1.86÷3

(4) 16.2÷5

(5) 15÷6

걸린 시간 분 점수 점

정답 25쪽

1 256÷8=32를 이용하여 □ 안에 알맞은 수를 써넣으시오.

(1) 25.6÷8=□

(2) 2.56÷8=□

2 분수로 고쳐서 계산하시오.

(1) 16.8÷7

(2) 6.24÷6

3 나누어떨어지도록 세로로 계산하여 몫을 구하시오.

(1) $8\overline{)4.32}$

(2) $8\overline{)6.8}$

4 □ 안에 알맞은 수를 써넣으시오.

(1) 7 → ÷2 → □

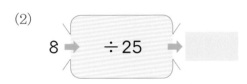

(2) 8 → ÷25 → □

5 관계있는 것끼리 선으로 이어 보시오.

6.58÷7 •	• 2.17
6.51÷3 •	• 0.75
8.32÷4 •	• 0.94
6÷8 •	• 1.45
8.7÷6 •	• 2.08

6 계산이 잘못된 곳을 찾아 바르게 계산하시오.

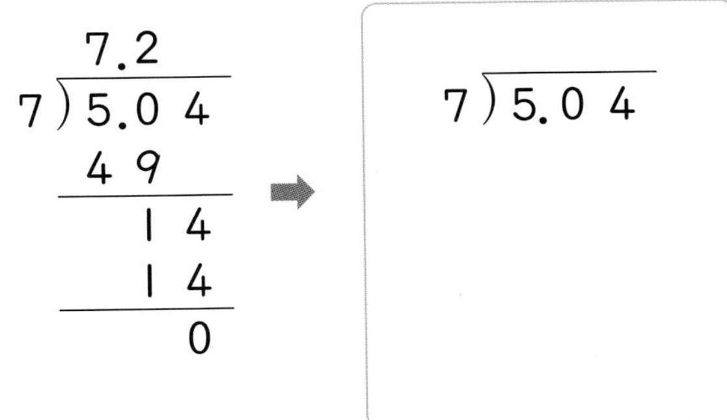

7 몫을 어림하여 소수점의 위치를 바르게 나타낸 식을 찾아 기호를 쓰시오.

㉠ 21.12÷8=264
㉡ 21.12÷8=26.4
㉢ 21.12÷8=2.64
㉣ 21.12÷8=0.264

( )

8 길이가 63.5 cm인 색 테이프를 5등분 하였습니다. 한 도막의 길이는 몇 cm입니까?

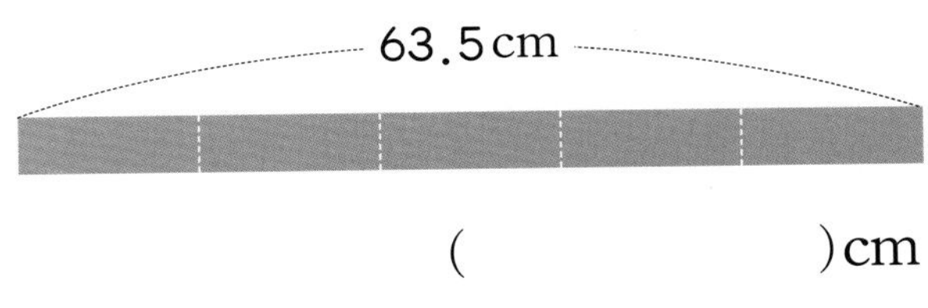

( ) cm

9 몫의 크기를 비교하여 ○ 안에 >, =, <를 알맞게 써넣으시오.

3.8÷5 ○ 3÷4

10 빈 곳에 알맞은 수를 써넣으시오.

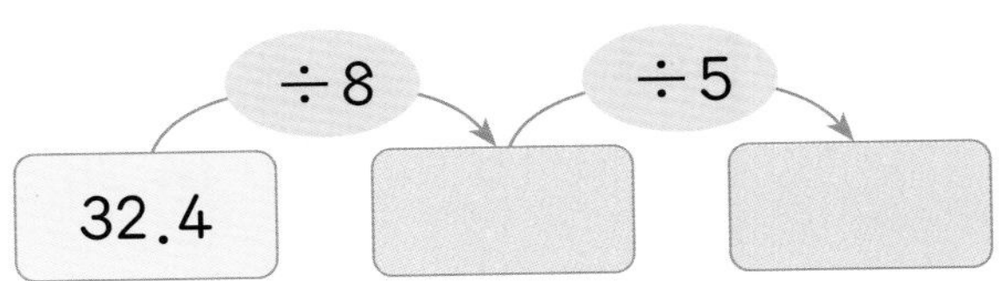

11 빈칸에 알맞은 수를 써넣으시오.

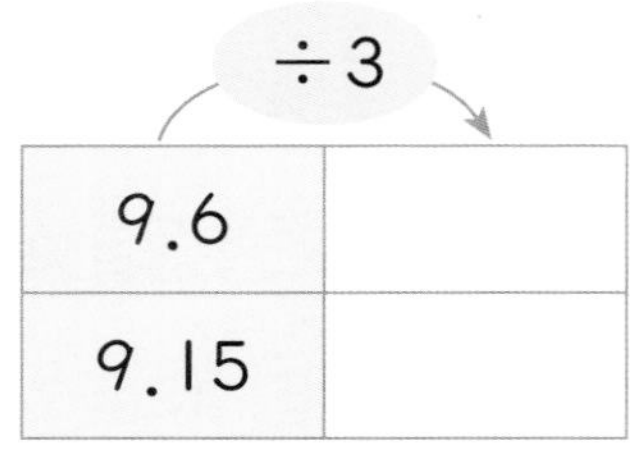

12 둘레가 48.54 cm인 정육각형입니다. 이 정육각형의 한 변의 길이를 구하시오.

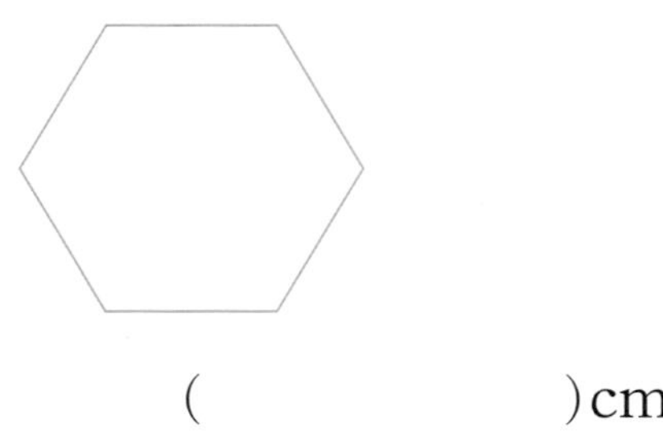

(   )cm

13 다음 중 몫이 1보다 작은 나눗셈식을 모두 고르시오. (   )

① $7.63 \div 7$　② $4.9 \div 5$
③ $17.1 \div 15$　④ $14.28 \div 14$
⑤ $19.2 \div 20$

14 수 카드 중 가장 큰 수를 가장 작은 수로 나눈 몫을 소수로 나타내시오.

7	9	3	2

(   )

15 몫의 크기 비교가 잘못된 것을 찾아 기호를 쓰시오.

㉠ $12 \div 8 < 10.2 \div 6$
㉡ $6.5 \div 5 > 9.8 \div 7$
㉢ $9.6 \div 4 < 7.5 \div 3$

(   )

16 똑같은 음료수 9개의 무게가 5.4 kg입니다. 이 음료수 한 개의 무게는 몇 kg입니까?

( ) kg

17 ▢ 안에 알맞은 수를 써넣으시오.

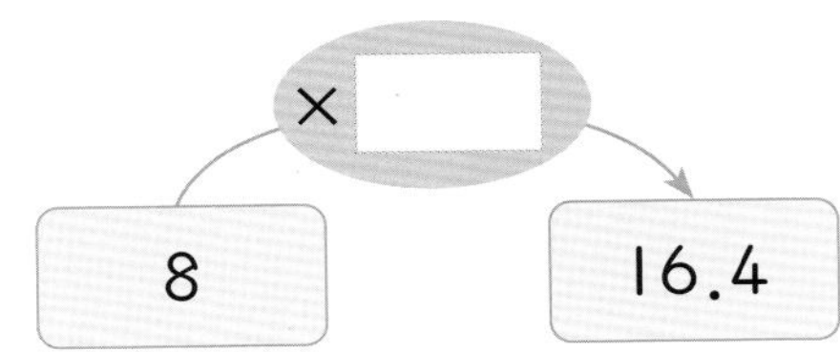

18 몫이 큰 것부터 차례로 기호를 쓰시오.

㉠ $34.3 \div 7$	㉡ $52 \div 8$
㉢ $50.58 \div 9$	㉣ $30.4 \div 5$

( )

19 색 테이프 994 cm를 7명에게 똑같이 나누어 주려고 합니다. 한 사람이 가지게 될 색 테이프는 몇 m인지 풀이 과정을 쓰고 답을 구하시오.

풀이

답

20 둘레가 75 m인 원 모양의 연못 둘레에 같은 간격으로 나무 6그루를 심으려고 합니다. 나무와 나무 사이의 간격은 몇 m로 해야 하는지 풀이 과정을 쓰고 답을 구하시오. (단, 나무의 두께는 생각하지 않습니다.)

풀이

답

memo

논리적 사고력과 창의적 문제해결력을 키워 주는

매스티안 교재 활용법!

대상	창의사고력 교재 팩토	연산 교재 사고력을 키우는 팩토 연산	연산 교재 원리 연산 소마셈
5세~6세	 킨더팩토 A, B, C, D		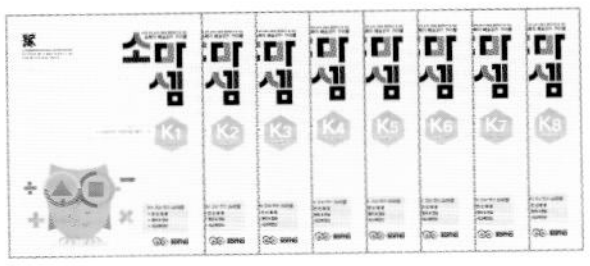 소마셈 K시리즈 K1~K8
7세~초1	   키즈 원리A/탐구A 키즈 원리B/탐구B 키즈 원리C/탐구C	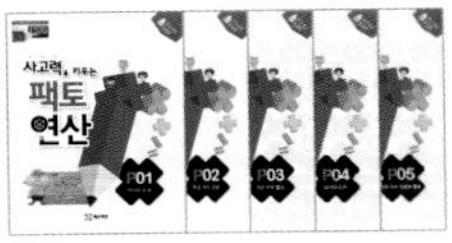 사고력을 키우는 팩토 연산 P01~P05	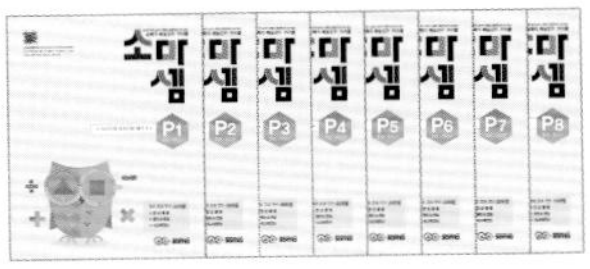 소마셈 P시리즈 P1~P8
초1~초2	   Lv.1 원리A/탐구A Lv.1 원리B/탐구B Lv.1 원리C/탐구C	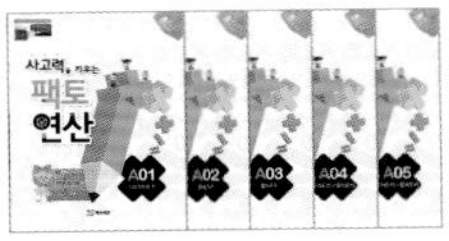 사고력을 키우는 팩토 연산 A01~A05	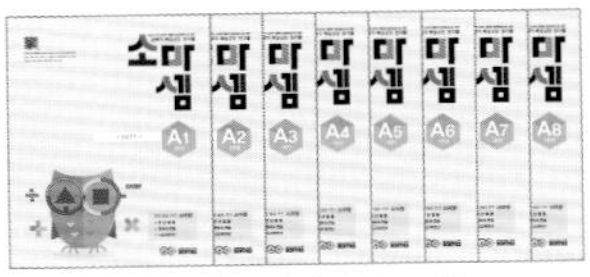 소마셈 A시리즈 A1~A8
초2~초3	   Lv.2 원리A/탐구A Lv.2 원리B/탐구B Lv.2 원리C/탐구C	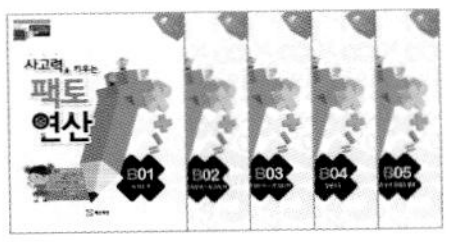 사고력을 키우는 팩토 연산 B01~B05	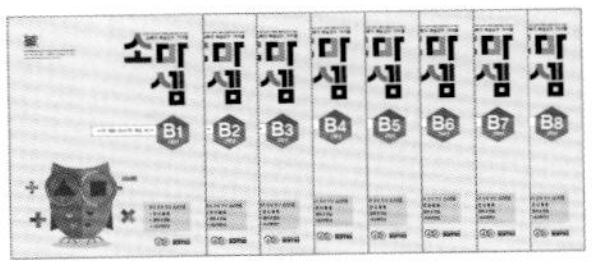 소마셈 B시리즈 B1~B8
초3~초4	   Lv.3 원리A/탐구A Lv.3 원리B/탐구B Lv.3 원리C/탐구C	 사고력을 키우는 팩토 연산 C01~C05	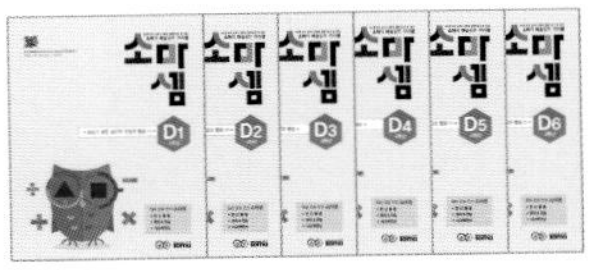 소마셈 D시리즈 D1~D6
초4~초5	  Lv.4 기본A, 실전A Lv.4 기본B, 실전B		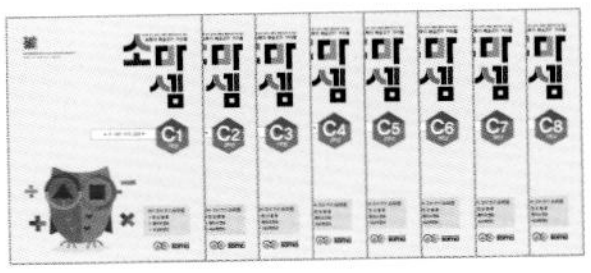 소마셈 C시리즈 C1~C8
초5~초6	  Lv.5 기본A, 실전A Lv.5 기본B, 실전B		
초6~	  Lv.6 기본A, 실전A Lv.6 기본B, 실전B		

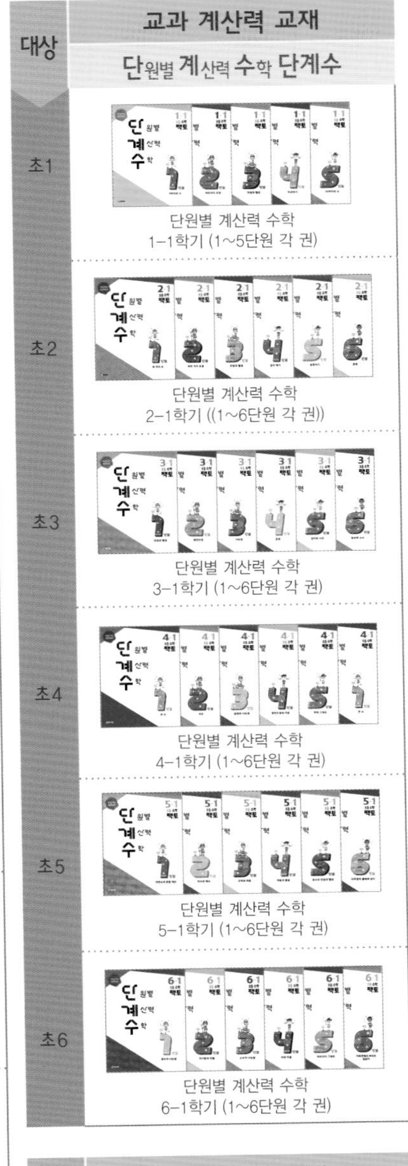

대상	교과 계산력 교재 단원별 계산력 수학 단계수
초1	단원별 계산력 수학 1-1학기 (1~5단원 각 권)
초2	단원별 계산력 수학 2-1학기 ((1~6단원 각 권))
초3	단원별 계산력 수학 3-1학기 (1~6단원 각 권)
초4	단원별 계산력 수학 4-1학기 (1~6단원 각 권)
초5	단원별 계산력 수학 5-1학기 (1~6단원 각 권)
초6	단원별 계산력 수학 6-1학기 (1~6단원 각 권)

대상	교과 수학 교재 1학기	교과 수학 교재 2학기
초1	팩토 수학교과서/익힘책 1-1	팩토 수학교과서/익힘책 1-2
초2	팩토 수학교과서/익힘책 2-1	팩토 수학교과서/익힘책 2-2

단계수 학습 순서

매일 학습

단원별로 꼭 알아야 할 개념만 쏙쏙 학습하고 다양한 연산 문제를 통해 연산 과정을 숙달하여 계산력을 쑥쑥 키울 수 있습니다.

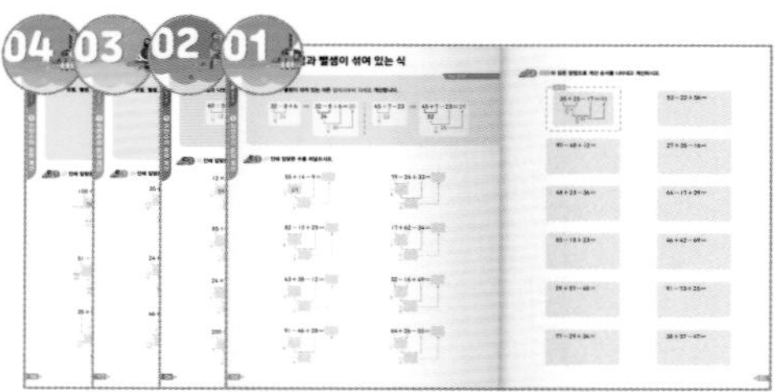

도전! 응용문제

응용 문제와 **서술형** 문제를 통해 사고력과 문제해결력을 기를 수 있습니다.

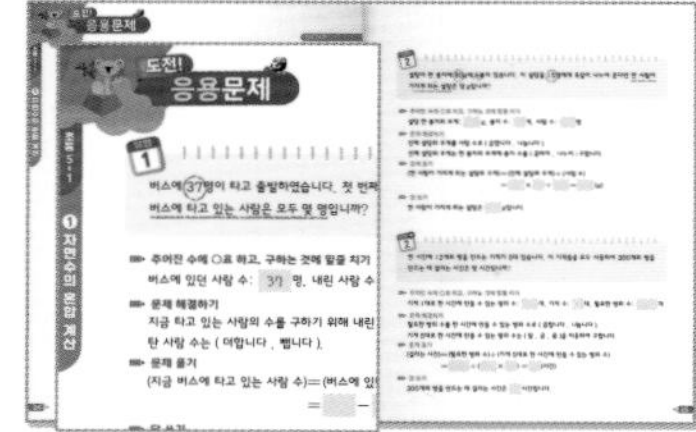

형성 평가

단원의 **복습 단계**로 문제를 풀면서 학습한 내용을 다시 한 번 확인할 수 있습니다.

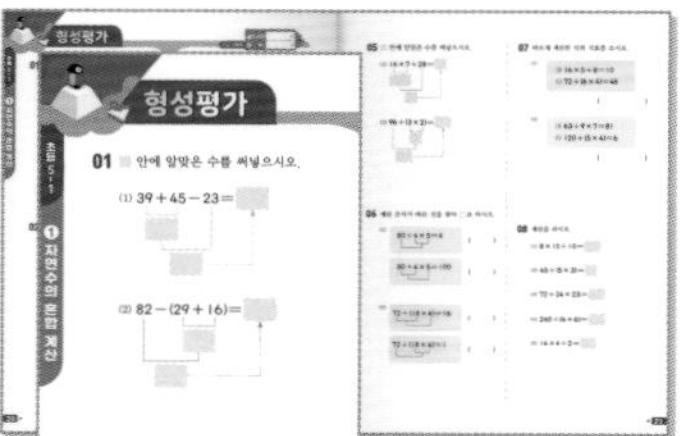

단원 평가

단원의 **마무리 학습**으로 학교 시험에 자주 나오는 문제를 통해 수시 평가 등 학교 시험에 대비할 수 있습니다.

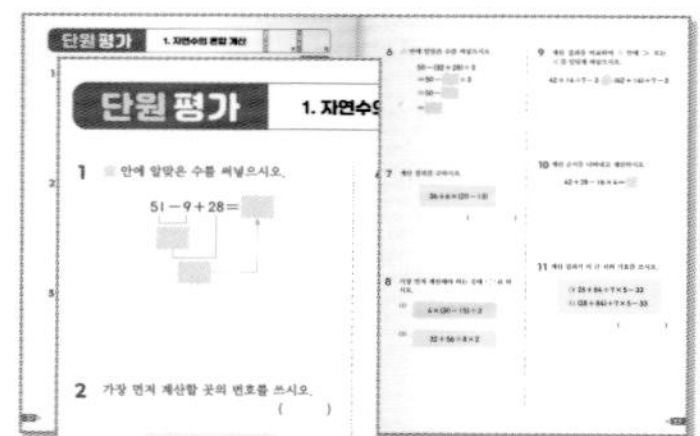

매스티안 http://www.mathtian.com

자율안전확인신고필증번호 : B361H200-4001
1. 주소 : 06153 서울특별시 강남구 봉은사로 442 (삼성동)
2. 문의전화 : 1588-6066
3. 제조국 : 대한민국
4. 사용연령 : 13세 이상
※ KC마크는 이 제품이 공통안전기준에 적합하였음을 의미합니다.

⚠ 주의

종이, 모서리에 다칠 수 있으니 주의하세요!

초등학교	반 번
이름	

FACTO school

단원별 계산력 수학

6-1

초등 수학 팩토

4단원

비와 비율

매스티안

팩토는 자유롭게 자신감있게 창의적으로 생각하는 주니어수학자입니다.

단원별 계산력 수학

펴낸 곳 (주)타임교육C&P **펴낸이** 이길호 **지은이** 매스티안R&D센터
주소 06153 서울특별시 강남구 봉은사로 442 (삼성동) **문의전화** 1588.6066
팩토카페 http://cafe.naver.com/factos **홈페이지** http://www.mathtian.com

※ 정답과 풀이는 온라인 팩토카페(http://cafe.naver.com/factos)를 통해서도 확인할 수 있습니다.

GH2108

FACTO school

6-1

초등 수학 팩토

단원별 계산력 수학

4 단원

비와 비율

매스티안

4. 비와 비율

· 비
· 비율을 분수, 소수, 백분율로 나타내기

5. 시계 보기와 규칙 찾기

· '몇 시', '몇 시 30분'
· 물체, 무늬, 수 배열에서 규칙 찾기

6. 규칙 찾기

· 수 배열표에서 수의 규칙 찾기
· 변화하는 모양에서 규칙 찾기
· 계산식의 배열에서 규칙 찾기

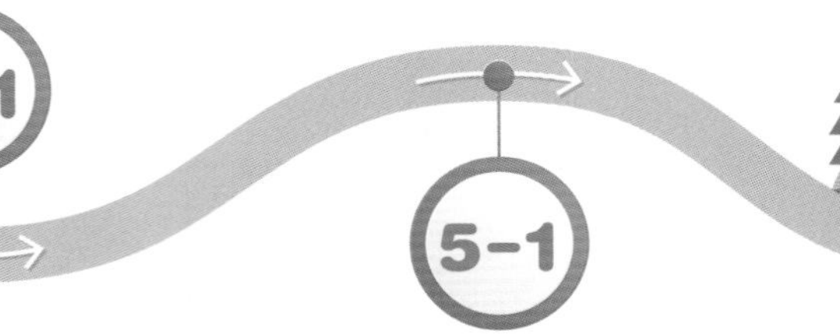

6. 규칙 찾기

· 덧셈표, 곱셈표에서 규칙 찾기
· 여러 가지 무늬, 쌓은 모양, 생활에서 규칙 찾기

3. 규칙과 대응

· 대응 관계
· 대응 관계를 식으로 나타내기

4 비와 비율

Teaching Guide

- 비와 비율은 수학적으로 동일한 것을 뜻하지만, 굳이 차이를 말하자면 비는 식이고 비율은 수라고 할 수 있습니다. 비는 어떤 두 개의 수 또는 두 양을 비교하여 몇 배인가를 나타내는 관계로써 a가 b의 몇 배인지를 'a와 b의 비'라고 하며, a:b의 형태로 나타냅니다. 비율은 비를 하나의 수로 나타낸 것으로 이해하면 됩니다. 즉 3 : 5는 비이고, $\frac{3}{5}$, 0.6, 60 %는 비율입니다.
- %p (퍼센트포인트)는 백분율로 나타낸 수치가 이전 수치에 비해 증가하거나 감소한 양을 나타내는 데 사용하는 용어입니다. 예를 들어 어떤 공장의 생산량이 50 %에서 60 %로 늘었다는 것을 나타낼 경우에는 10 %p (퍼센트포인트) 늘었다고 말해야 합니다. 10 % 늘었다고 표현하면 틀린 표현이 됩니다.

4. 비례식과 비례배분

- 비의 성질, 비례식, 비례식의 성질
- 비례배분

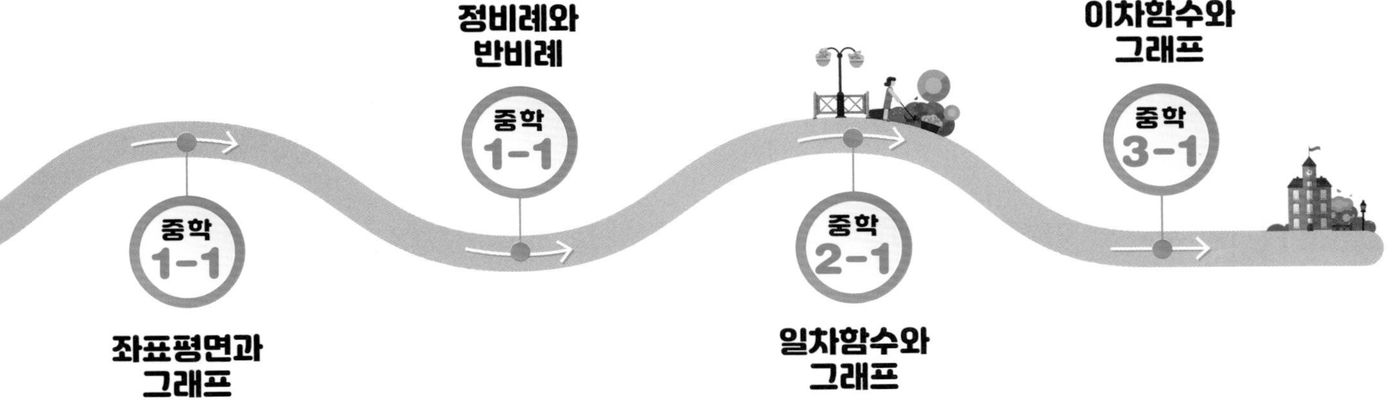

공부한 날짜

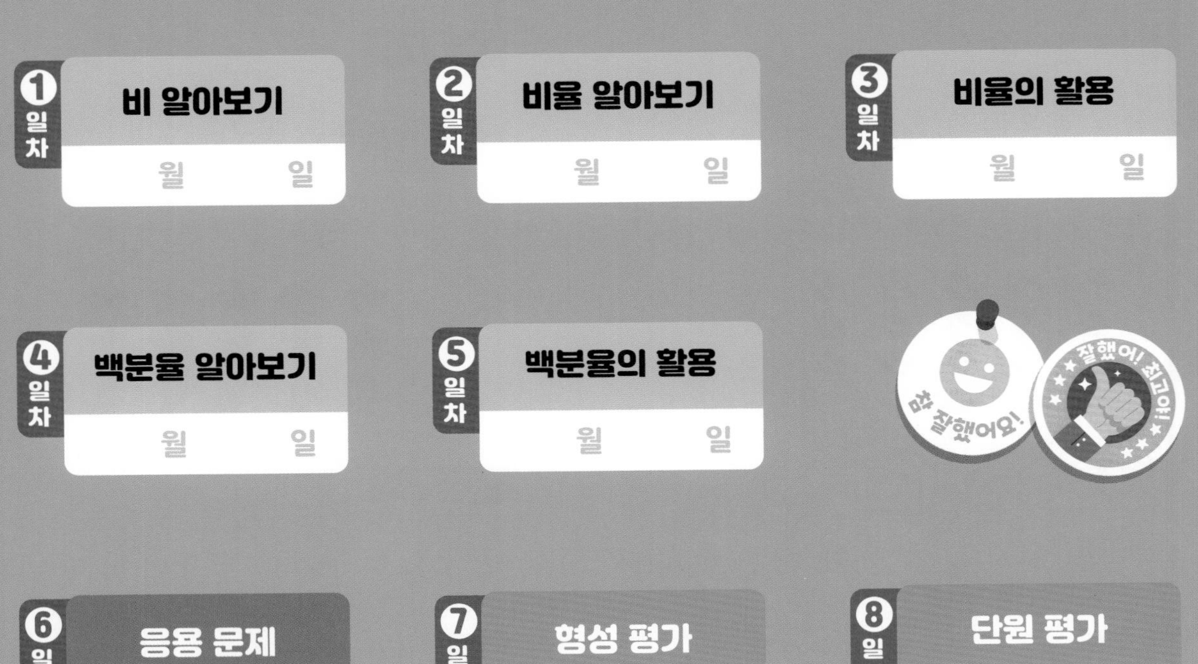

01 비 알아보기

정답 26쪽

● 두 수 비교하기

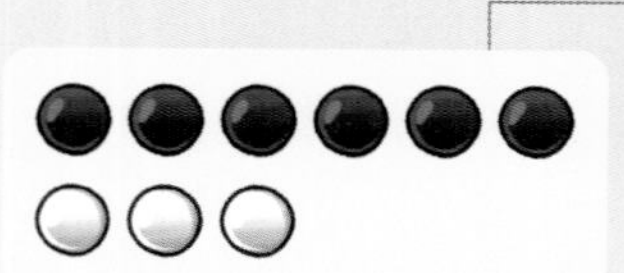

빼셈으로 비교 6−3=3

➡ 검은 돌은 흰 돌보다 3개 더 많습니다.

나눗셈으로 비교 6÷3=2

➡ 검은 돌 수는 흰 돌 수의 2배입니다.

1 그림을 보고 두 수의 크기를 비교해 보시오.

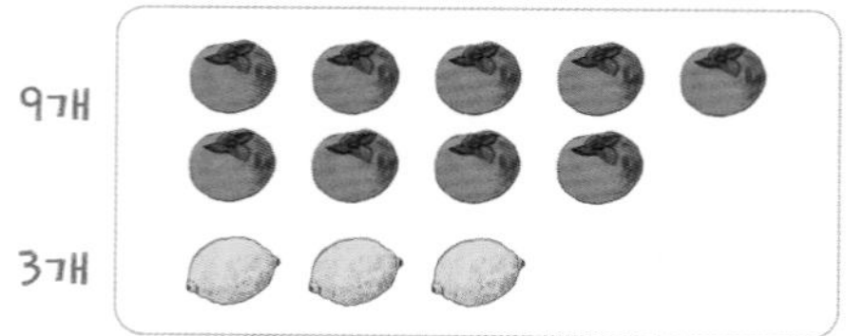

뺄셈 비교 9−3=6

➡ 감은 레몬보다 ☐개 더 많습니다.

나눗셈 비교 9÷3=3

➡ 감 수는 레몬 수의 ☐배입니다.

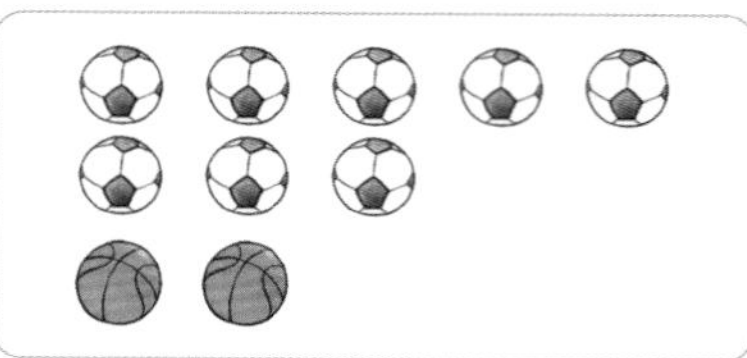

뺄셈 비교

➡ 축구공은 농구공보다 ☐개 더 많습니다.

나눗셈 비교

➡ 축구공 수는 농구공 수의 ☐배입니다.

뺄셈 비교

➡ 초콜릿은 사탕보다 ☐개 더 많습니다.

나눗셈 비교

➡ 초콜릿 수는 사탕 수의 ☐배입니다.

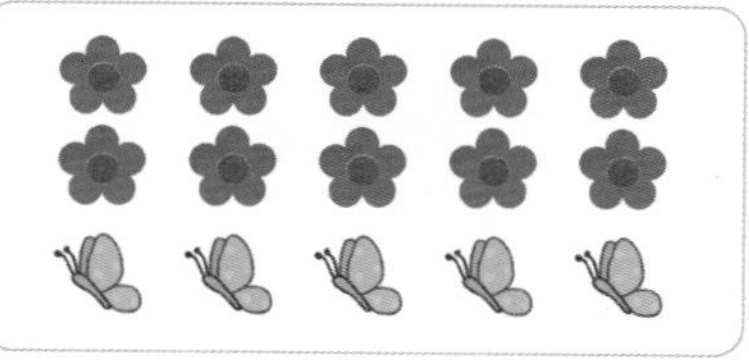

뺄셈 비교

➡ 꽃은 나비보다 ☐송이 더 많습니다.

나눗셈 비교

➡ 꽃 수는 나비 수의 ☐배입니다.

2 두 양의 크기를 비교하려고 합니다. ☐ 안에 알맞은 수를 써넣으시오.

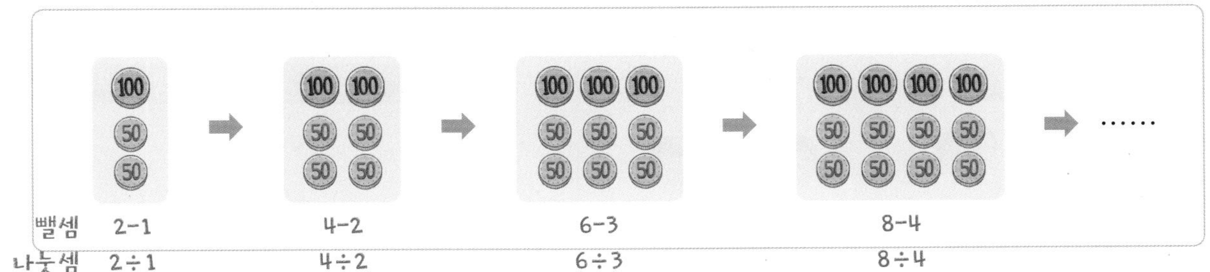

뺄셈 비교 50원짜리 동전은 100원짜리 동전보다 1개, 2개, ☐개, ☐개 …… 더 많습니다.

나눗셈 비교 50원짜리 동전 수는 100원짜리 동전 수의 ☐배입니다.

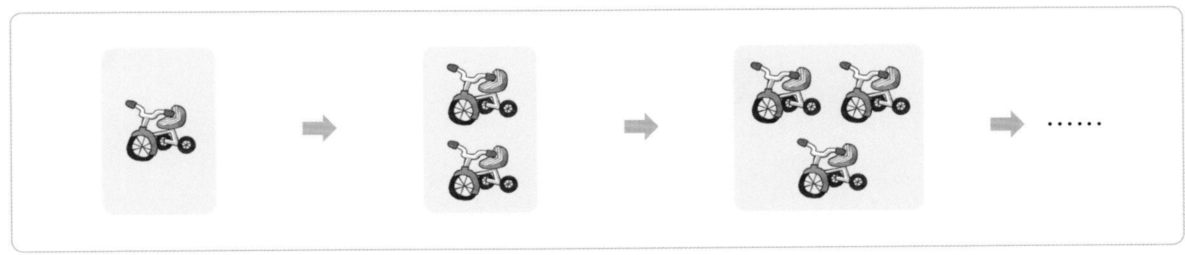

뺄셈 비교 바퀴 수는 세발자전거 수보다 2개, ☐개, ☐개 …… 더 많습니다.

나눗셈 비교 바퀴 수는 세발자전거 수의 ☐배입니다.

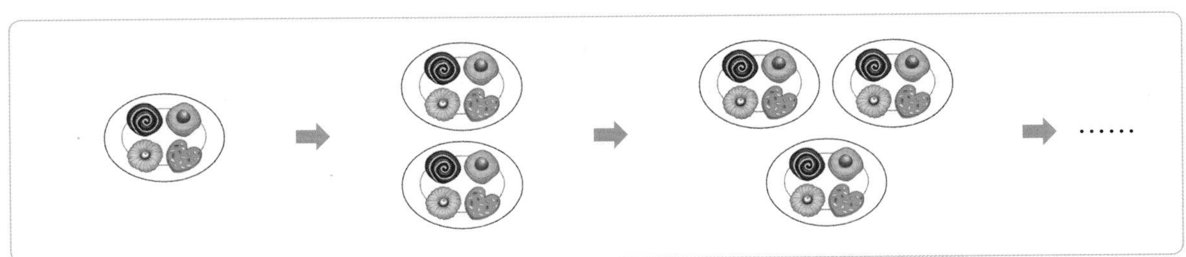

뺄셈 비교 쿠키 수는 접시 수보다 ☐개, ☐개, ☐개 …… 더 많습니다.

나눗셈 비교 쿠키 수는 접시 수의 ☐배입니다.

두 수의 비 알아보기

비: 두 수를 나눗셈으로 비교하기 위해 기호 :을 사용하여 나타낸 것

➡ **남학생 수와 여학생 수의 비**

5 : 3

3 그림을 보고 □ 안에 알맞은 수를 써넣으시오.

□ : □

□ : □

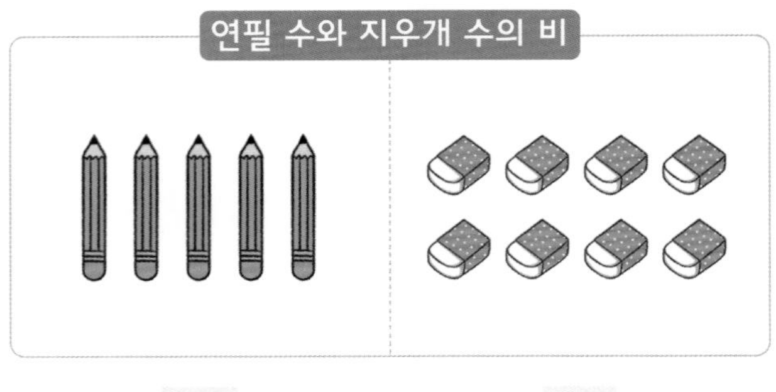

□ : □

□ : □

□ : □

□ : □

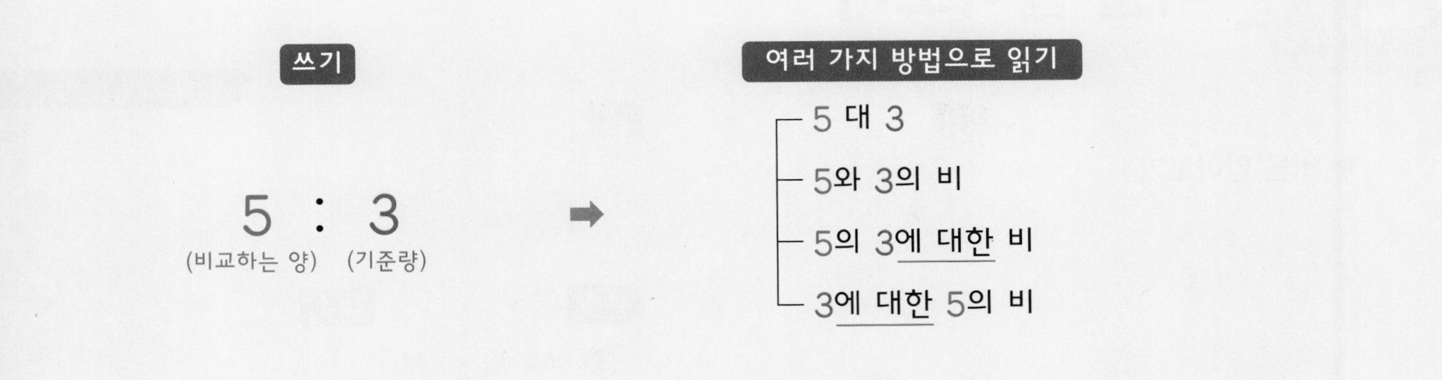

쓰기
여러 가지 방법으로 읽기
5 : 3
(비교하는 양) (기준량)
5 대 3
5와 3의 비
5의 3에 대한 비
3에 대한 5의 비

4 ▢ 안에 알맞은 수를 써넣으시오.

2 대 9 (비교하는 양) (기준량) ➡ ▢ : ▢

5와 4의 비 (비교하는 양) (기준량) ➡ ▢ : ▢

6의 1에 대한 비 (비교하는 양) (기준량) ➡ ▢ : ▢

3에 대한 4의 비 (기준량) (비교하는 양) ➡ ▢ : ▢

7 대 9 ➡ ▢ : ▢

9의 11에 대한 비 ➡ ▢ : ▢

5와 7의 비 ➡ ▢ : ▢

8에 대한 13의 비 ➡ ▢ : ▢

3에 대한 2의 비 ➡ ▢ : ▢

10과 3의 비 ➡ ▢ : ▢

6과 5의 비 ➡ ▢ : ▢

12 대 15 ➡ ▢ : ▢

3 대 4 ➡ ▢ : ▢

14의 9에 대한 비 ➡ ▢ : ▢

7의 8에 대한 비 ➡ ▢ : ▢

12에 대한 11의 비 ➡ ▢ : ▢

02 비율 알아보기

정답 27쪽

● 비율 알아보기

분수 / 소수

3 : 5 (비교하는 양) (기준량) ➡ 비율: $\frac{3}{5}$ (비교하는 양)/(기준량) $= 0.6$

1 비를 보고 기준량과 비교하는 양을 찾아 쓰시오.

2 : 3
(비교하는 양) (기준량)

기준량: ☐

비교하는 양: ☐

3 : 2
(비교하는 양) (기준량)

기준량: ☐

비교하는 양: ☐

6에 대한 5의 비
(기준량)

기준량: ☐

비교하는 양: ☐

3의 5에 대한 비

기준량: ☐

비교하는 양: ☐

5 대 7

기준량: ☐

비교하는 양: ☐

4와 5의 비

기준량: ☐

비교하는 양: ☐

7의 6에 대한 비

기준량: ☐

비교하는 양: ☐

8에 대한 9의 비

기준량: ☐

비교하는 양: ☐

2 비와 비율로 나타내시오

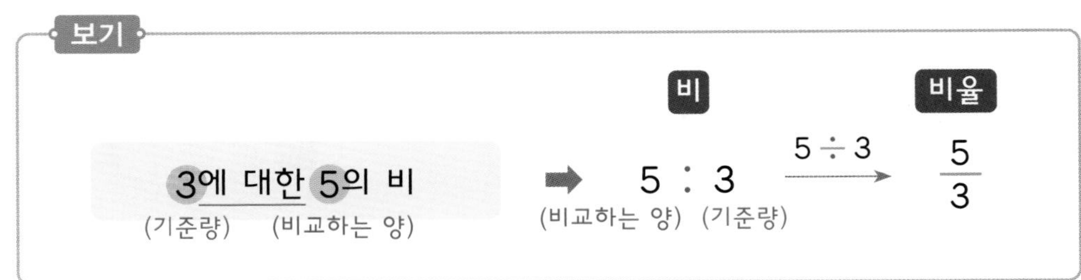

보기

3에 대한 5의 비 (기준량) (비교하는 양) ➡ 비 5 : 3 (비교하는 양) (기준량) —5 ÷ 3→ 비율 $\frac{5}{3}$

4 대 5

비 □ : □ ➡ 비율 $\frac{\square}{\square}$

6의 5에 대한 비

비 □ : □ ➡ 비율 $\frac{\square}{\square}$

3과 8의 비

□ : □ ➡ $\frac{\square}{\square}$

9와 7의 비

□ : □ ➡ $\frac{\square}{\square}$

7에 대한 4의 비

□ : □ ➡ $\frac{\square}{\square}$

6에 대한 5의 비

□ : □ ➡ $\frac{\square}{\square}$

5의 2에 대한 비

□ : □ ➡ $\frac{\square}{\square}$

7 대 10

□ : □ ➡ $\frac{\square}{\square}$

21에 대한 17의 비

□ : □ ➡ $\frac{\square}{\square}$

8의 13에 대한 비

□ : □ ➡ $\frac{\square}{\square}$

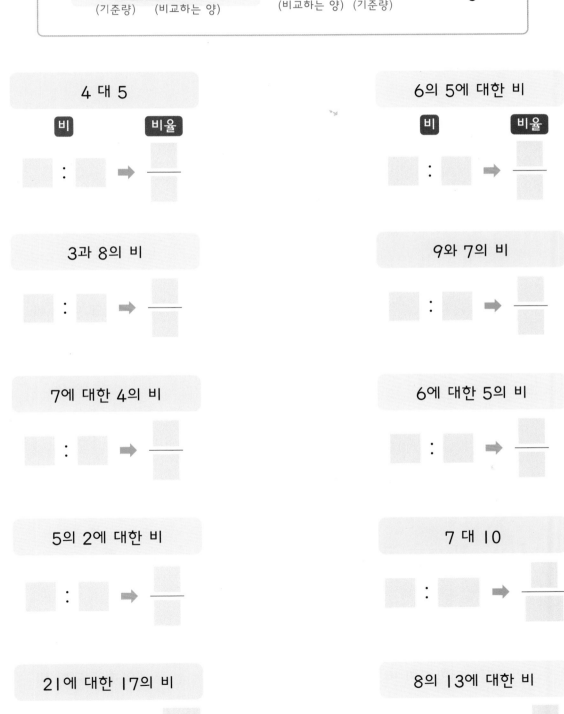

3 비를 쓰고 비율을 분수와 소수로 나타내시오

2 대 5

  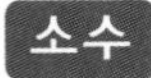

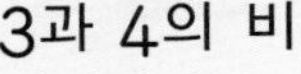

3의 10에 대한 비

4에 대한 7의 비

8 대 5

6의 4에 대한 비

2에 대한 5의 비

14와 20의 비

15에 대한 9의 비

4의 8에 대한 비

비율의 크기

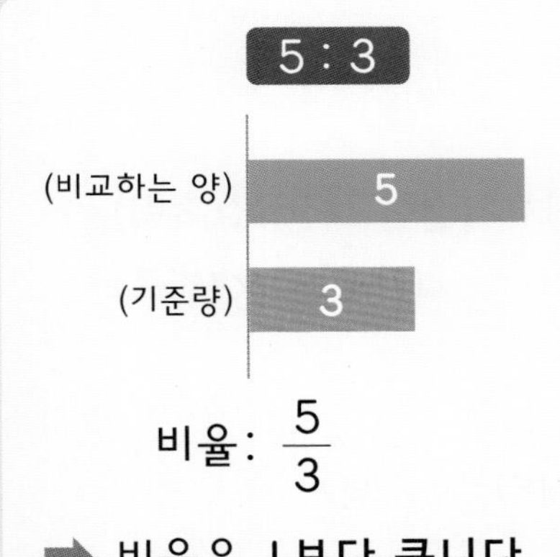

비율: $\frac{5}{3}$

➡ 비율은 1보다 큽니다.

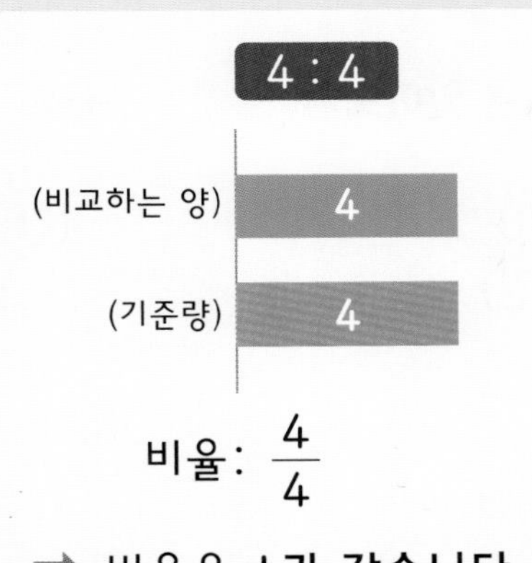

비율: $\frac{4}{4}$

➡ 비율은 1과 같습니다.

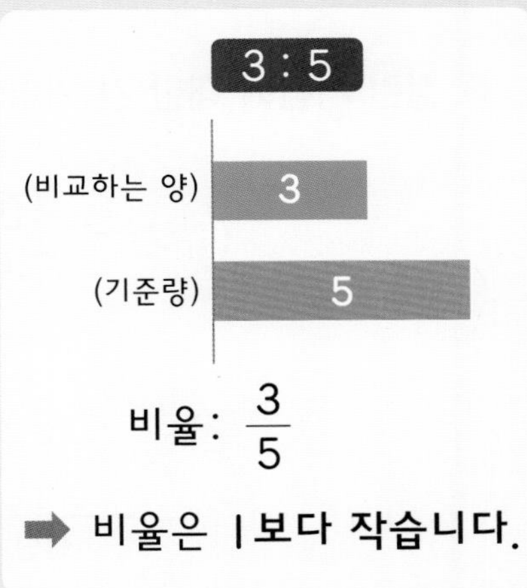

비율: $\frac{3}{5}$

➡ 비율은 1보다 작습니다.

4 알맞은 말에 ○표 하시오.

3 : 4

➡ 비율은 1보다
(큽니다 , 작습니다).

10 : 5

➡ 비율은 1보다
(큽니다 , 작습니다).

7 : 3

➡ 비율은 1보다
(큽니다 , 작습니다).

6 : 13

➡ 비율은 1보다
(큽니다 , 작습니다).

9 : 21

➡ 비율은 1보다
(큽니다 , 작습니다).

19 : 17

➡ 비율은 1보다
(큽니다 , 작습니다).

23 : 15

➡ 비율은 1보다
(큽니다 , 작습니다).

7 : 12

➡ 비율은 1보다
(큽니다 , 작습니다).

03 비율의 활용

정답 28쪽

● 걸린 시간에 대한 간 거리의 비율 알아보기

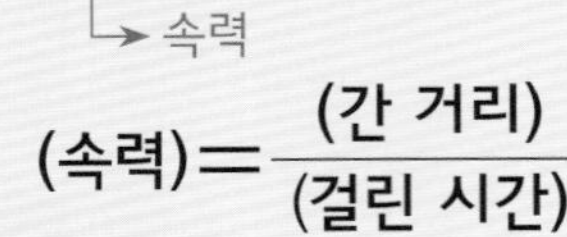

$$(\text{속력})=\frac{(\text{간 거리})}{(\text{걸린 시간})}$$

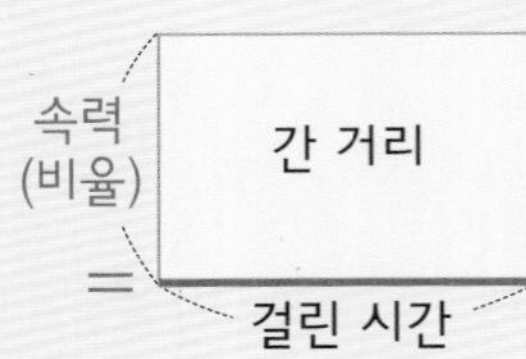

(간 거리)=(걸린 시간)×(속력)

(넓이)= (가로) ×(세로)

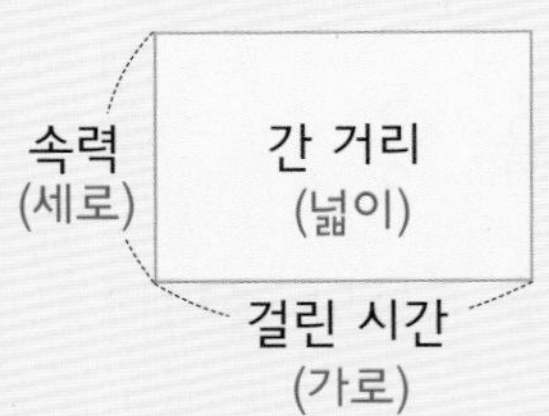

1 걸린 시간에 대한 간 거리의 비율(속력)을 구해 보시오.

3시간 동안 240 km를 달리는 자동차가 있습니다.

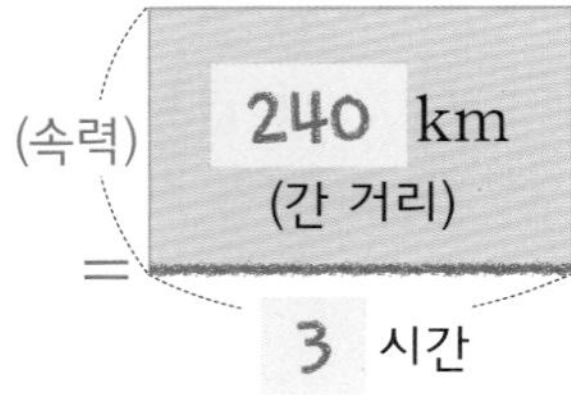

(속력)= $\frac{\square}{3}$ = $\square$

(간 거리)/(걸린 시간)

4시간 동안 300 km를 달리는 자동차가 있습니다.

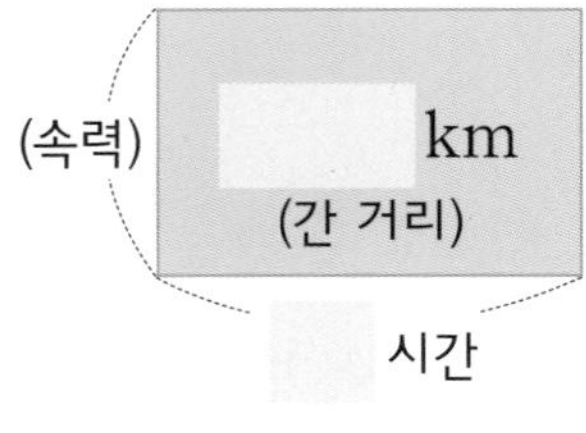

(속력)= $\frac{\square}{\square}$ = $\square$

5시간 동안 410 km를 달리는 자동차가 있습니다.

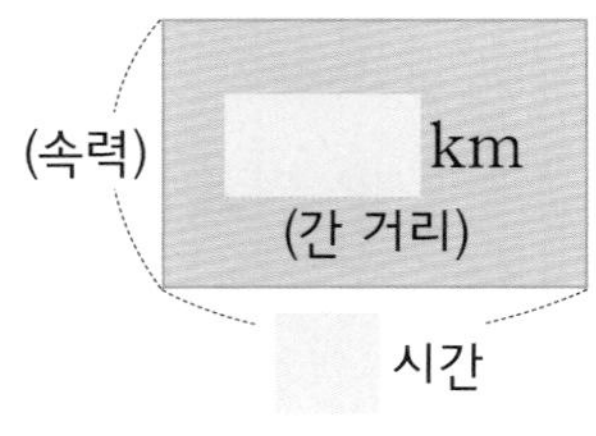

(속력)= $\frac{\square}{\square}$ = $\square$

2 걸린 시간에 대한 간 거리의 비율(속력)을 구하고, 비교해 보시오.

• 지아는 300 m를 50초에 달렸습니다. ➡ (속력)= $\frac{\square}{\square}$ = $\square$

(간 거리)/(걸린 시간)

• 경수는 455 m를 70초에 달렸습니다. ➡ (속력)= $\frac{\square}{\square}$ = $\square$

➡ 더 빨리 달린 사람: $\square$

• 가 기차는 270 km를 3시간에 달렸습니다. ➡ (속력)= $\frac{\square}{\square}$ = $\square$

• 나 기차는 340 km를 4시간에 달렸습니다. ➡ (속력)= $\frac{\square}{\square}$ = $\square$

➡ 더 빨리 달린 기차: $\square$ 기차

• A 버스는 135 km를 90분에 달렸습니다. ➡ (속력)= $\frac{\square}{\square}$ = $\square$

• B 버스는 60 km를 50분에 달렸습니다. ➡ (속력)= $\frac{\square}{\square}$ = $\square$

➡ 더 빨리 달린 버스: $\square$ 버스

넓이에 대한 인구의 비율 알아보기

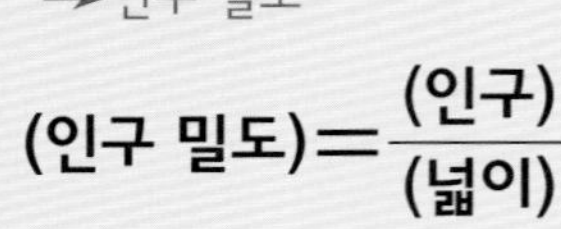

$$(\text{인구 밀도}) = \frac{(\text{인구})}{(\text{넓이})}$$

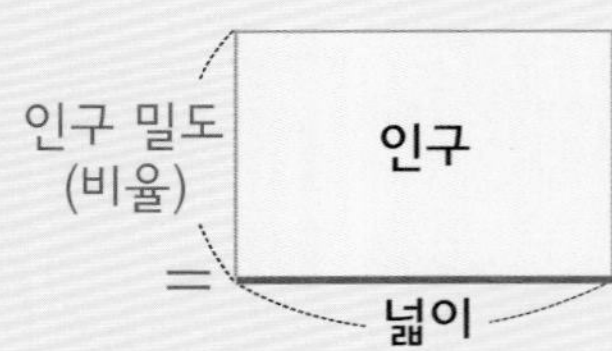

(인구) = (넓이) × (인구 밀도)

(넓이) = (가로) × (세로)

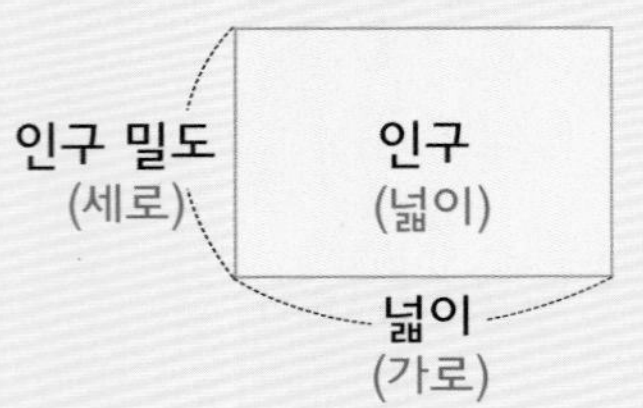

3 넓이에 대한 인구의 비율(인구 밀도)을 구해 보시오.

모소 마을의 인구는 2400명이고 땅 넓이는 4 km^2입니다.

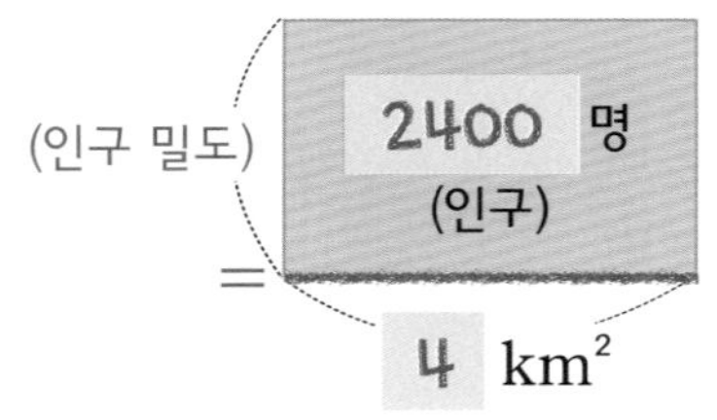

(인구 밀도) = $\frac{\square}{4}$ = $\square$

(인구)/(넓이)

유자 마을의 인구는 1530명이고 땅 넓이는 3 km^2입니다.

(인구 밀도) ☐ 명 (인구) ☐ km^2

(인구 밀도) = $\frac{\square}{\square}$ = $\square$

솔잎 마을의 인구는 2050명이고 땅 넓이는 5 km^2입니다.

(인구 밀도) ☐ 명 (인구) ☐ km^2

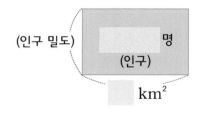

(인구 밀도) = $\frac{\square}{\square}$ = $\square$

4 넓이에 대한 인구의 비율(인구 밀도)을 구하고, 비교해 보시오.

• 가 마을의 인구는 8100명이고 넓이는 60 km²입니다.

➡ (인구 밀도)= $\frac{\square}{\square}$ = □

(인구)/(넓이)

• 나 마을의 인구는 11520명이고 넓이는 90 km²입니다.

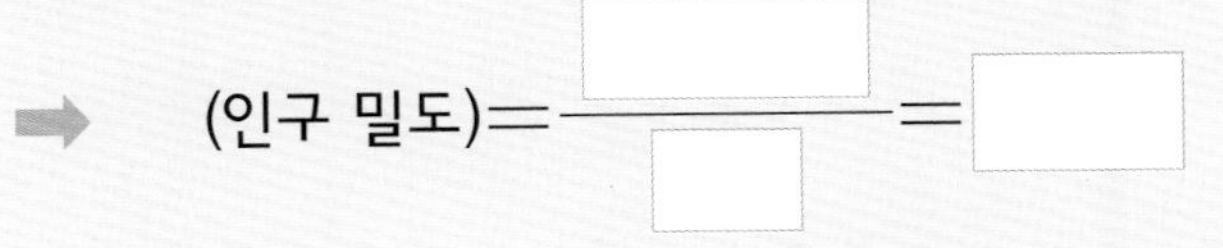

➡ 더 밀집한 곳: □ 마을

• 산 마을의 인구는 2600명이고 넓이는 20 km²입니다.

➡ (인구 밀도)= $\frac{\square}{\square}$ = □

• 들 마을의 인구는 4900명이고 넓이는 35 km²입니다.

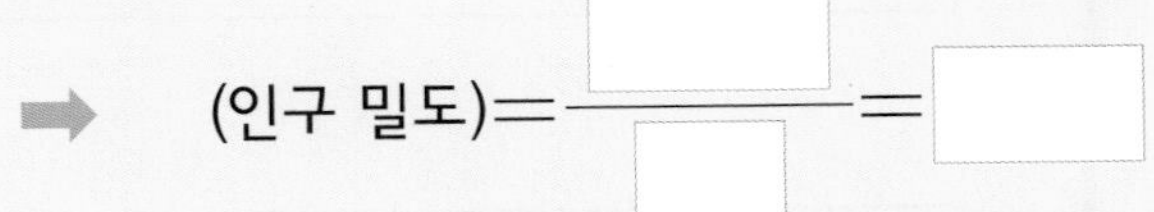

➡ 더 밀집한 곳: □ 마을

• A 도시의 인구는 22500명이고 넓이는 450 km²입니다.

➡ (인구 밀도)= $\frac{\square}{\square}$ = □

• B 도시의 인구는 9200명이고 넓이는 230 km²입니다.

➡ (인구 밀도)= $\frac{\square}{\square}$ = □

➡ 더 밀집한 곳: □ 도시

04 백분율 알아보기

정답 29쪽

● 백분율 알아보기

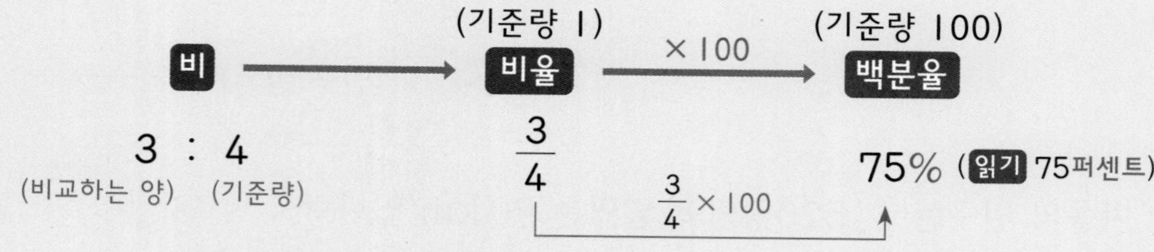

1 수직선을 보고 기준량을 100으로 했을 때 ☐ 안에 알맞은 수를 써넣으시오.

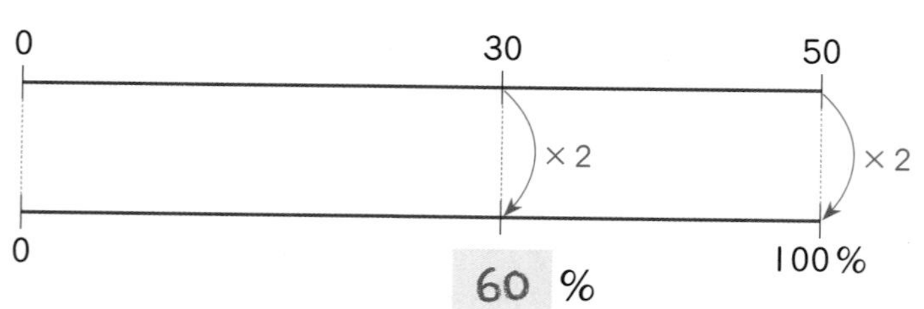

60 %

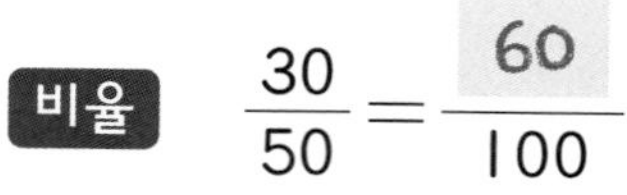
비율 $\frac{30}{50}=\frac{60}{100}$

백분율 ☐ %

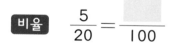

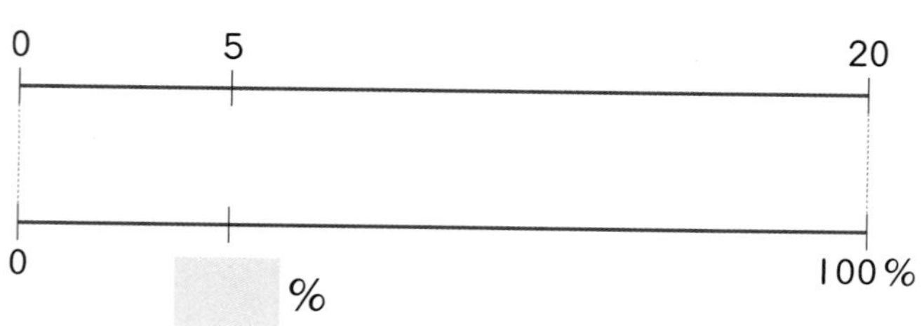

☐ %

비율 $\frac{5}{20}=\frac{\square}{100}$

백분율 ☐ %

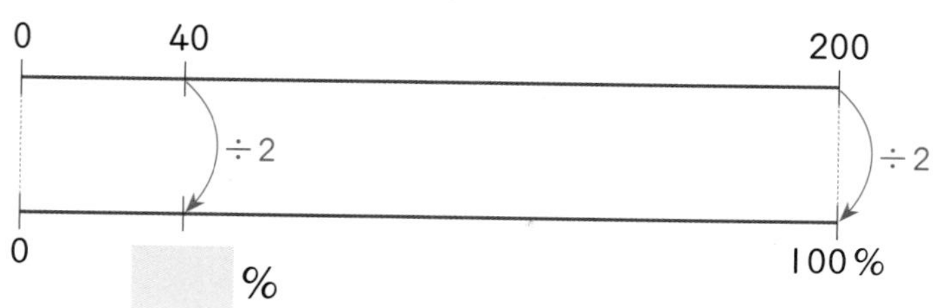

☐ %

비율 $\frac{40}{200}=\frac{\square}{100}$

백분율 ☐ %

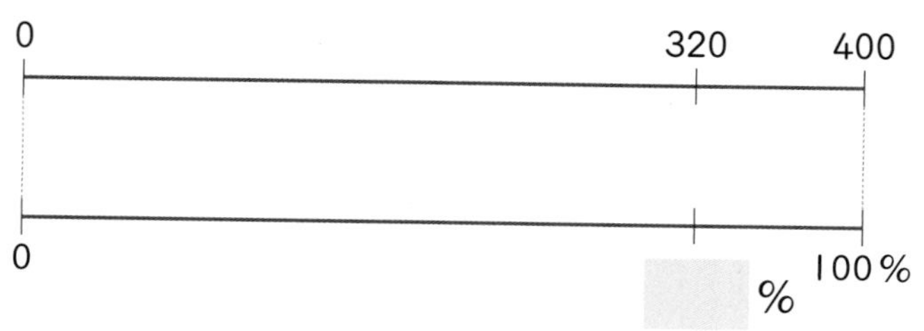

☐ %

비율 $\frac{320}{400}=\frac{\square}{100}$

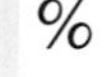
백분율 ☐ %

2 비율을 백분율로 나타내시오.

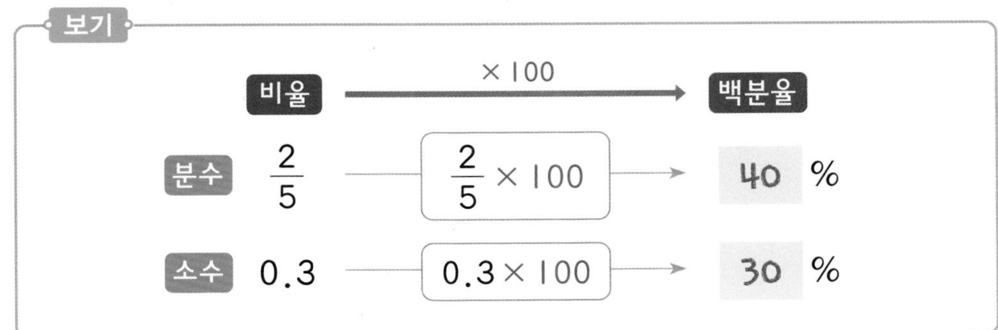

$\frac{3}{5}$ ➡ ☐ % (└ $\frac{3}{5}\times 100$)

$\frac{9}{50}$ ➡ ☐ %

$\frac{3}{20}$ ➡ ☐ %

$\frac{1}{2}$ ➡ ☐ %

$\frac{3}{10}$ ➡ ☐ %

$\frac{1}{5}$ ➡ ☐ %

$\frac{13}{50}$ ➡ ☐ %

$\frac{7}{20}$ ➡ ☐ %

$\frac{11}{25}$ ➡ ☐ %

0.4 ➡ ☐ % (└ 0.4 × 100)

0.6 ➡ ☐ %

0.9 ➡ ☐ %

0.12 ➡ ☐ %

0.15 ➡ ☐ %

0.21 ➡ ☐ %

0.25 ➡ ☐ %

0.29 ➡ ☐ %

0.32 ➡ ☐ %

3 백분율을 기약분수로 나타내시오.

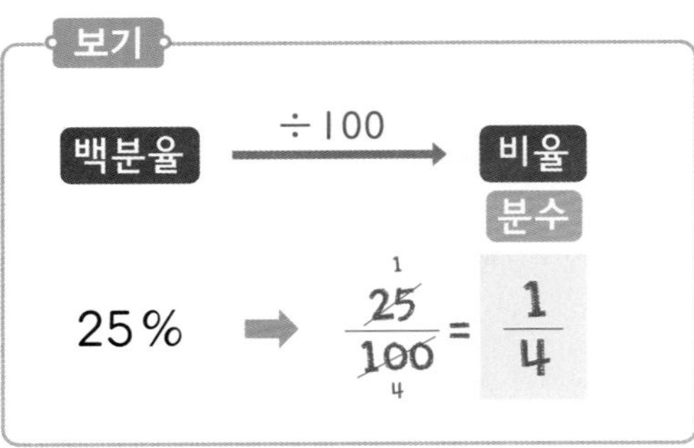

보기
백분율
÷100
비율
분수
25%
$\frac{\overset{1}{\cancel{25}}}{\underset{4}{\cancel{100}}}=\frac{1}{4}$

35% ➡ $\frac{\overset{7}{\cancel{35}}}{\underset{20}{\cancel{100}}}$ ☐

11% ➡ ☐

28% ➡ ☐

45% ➡ ☐

85% ➡ ☐

95% ➡ ☐

15% ➡ ☐

30% ➡ ☐

27% ➡ ☐

14% ➡ ☐

22% ➡ ☐

33% ➡ ☐

17% ➡ ☐

80% ➡ ☐

75% ➡ ☐

50% ➡ ☐

12% ➡ ☐

8% ➡ ☐

4% ➡ ☐

3% ➡ ☐

4 백분율을 소수로 나타내시오.

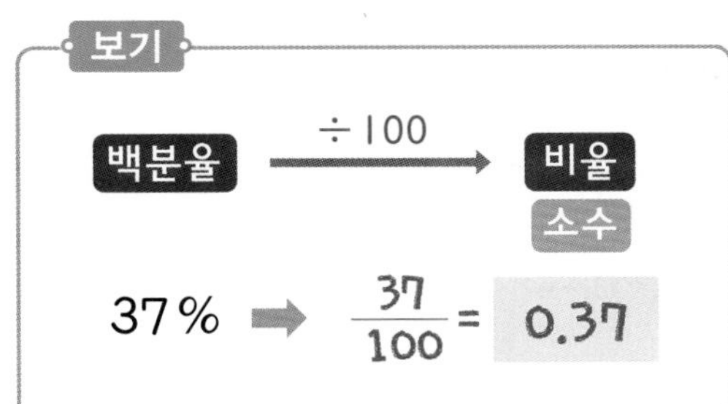

16% ➡ $\frac{16}{100}$ ☐ 21% ➡ ☐

32% ➡ ☐ 43% ➡ ☐ 55% ➡ ☐

61% ➡ ☐ 73% ➡ ☐ 88% ➡ ☐

93% ➡ ☐ 19% ➡ ☐ 7% ➡ ☐

36% ➡ ☐ 48% ➡ ☐ 63% ➡ ☐

7% ➡ ☐ 2% ➡ ☐ 26% ➡ ☐

90% ➡ ☐ 53% ➡ ☐ 9% ➡ ☐

05 백분율의 활용

정답 30쪽

- 소금물의 양에 대한 소금의 양의 비율을 백분율로 나타내기
  - → 진하기

$$(\text{진하기}) = \frac{(\text{소금의 양})}{(\text{소금물의 양})}$$

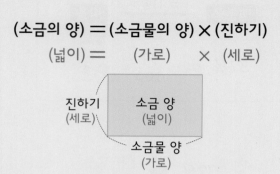

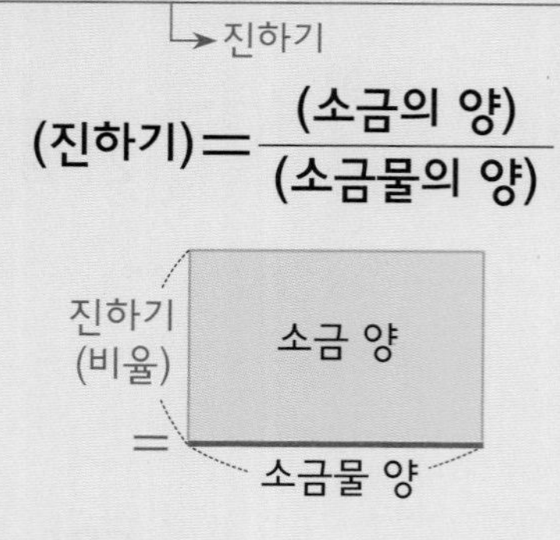

(소금의 양) = (소금물의 양) × (진하기)

(넓이) = (가로) × (세로)

진하기 (세로)
소금 양 (넓이)
소금물 양 (가로)

1 소금물의 양에 대한 소금의 양의 비율(진하기)을 백분율로 구해 보시오.

소금 18g을 녹여 소금물 150g을 만들었습니다.

(진하기) = 18 g (소금 양) / 150 g (소금물 양)

(진하기) = $\frac{\square}{\square}$ × 100 = ☐ (%)

↑ (소금 양) / (소금물 양)

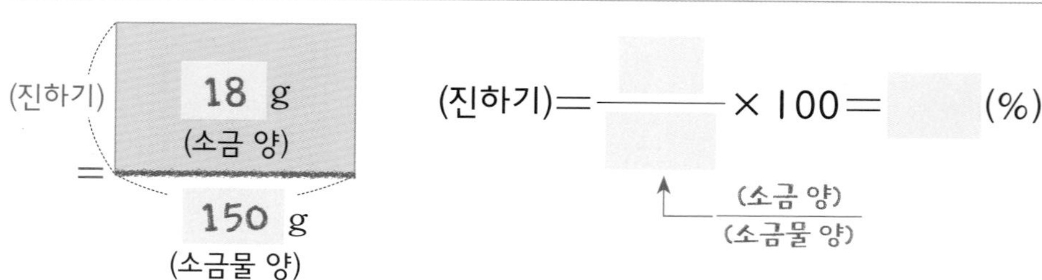

소금 48g을 녹여 소금물 200g을 만들었습니다.

(진하기) = ☐ g (소금 양) / ☐ g (소금물 양)

(진하기) = $\frac{\square}{\square}$ × 100 = ☐ (%)

소금 42g을 녹여 소금물 280g을 만들었습니다.

(진하기) = ☐ g (소금 양) / ☐ g (소금물 양)

(진하기) = $\frac{\square}{\square}$ × ☐ = ☐ (%)

2 소금물의 진하기를 백분율로 구하고, 비교해 보시오.

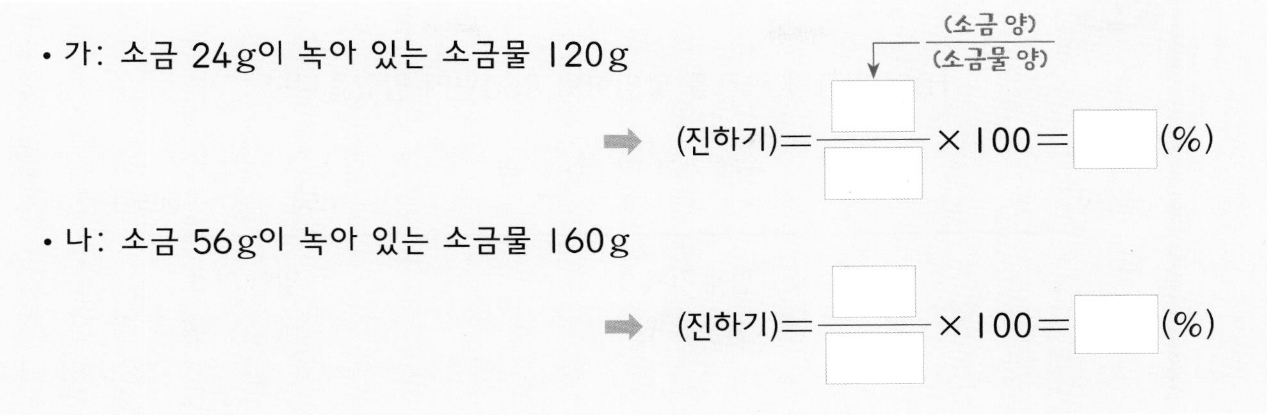

• 가: 소금 24g이 녹아 있는 소금물 120g

➡ (진하기)$=\dfrac{\square}{\square}\times 100=\square$(%)

• 나: 소금 56g이 녹아 있는 소금물 160g

➡ (진하기)$=\dfrac{\square}{\square}\times 100=\square$(%)

➡ 더 진한 소금물: □

• ㉠: 소금 30g이 녹아 있는 소금물 200g

➡ (진하기)$=\dfrac{\square}{\square}\times 100=\square$(%)

• ㉡: 소금 90g이 녹아 있는 소금물 225g

➡ (진하기)$=\dfrac{\square}{\square}\times 100=\square$(%)

➡ 더 진한 소금물: □

• A: 소금 135g이 녹아 있는 소금물 450g

➡ (진하기)$=\dfrac{\square}{\square}\times 100=\square$(%)

• B: 소금 60g이 녹아 있는 소금물 240g

➡ (진하기)$=\dfrac{\square}{\square}\times 100=\square$(%)

➡ 더 진한 소금물: □

3 수직선을 보고 ☐ 안에 알맞은 수를 써넣으시오.

보기

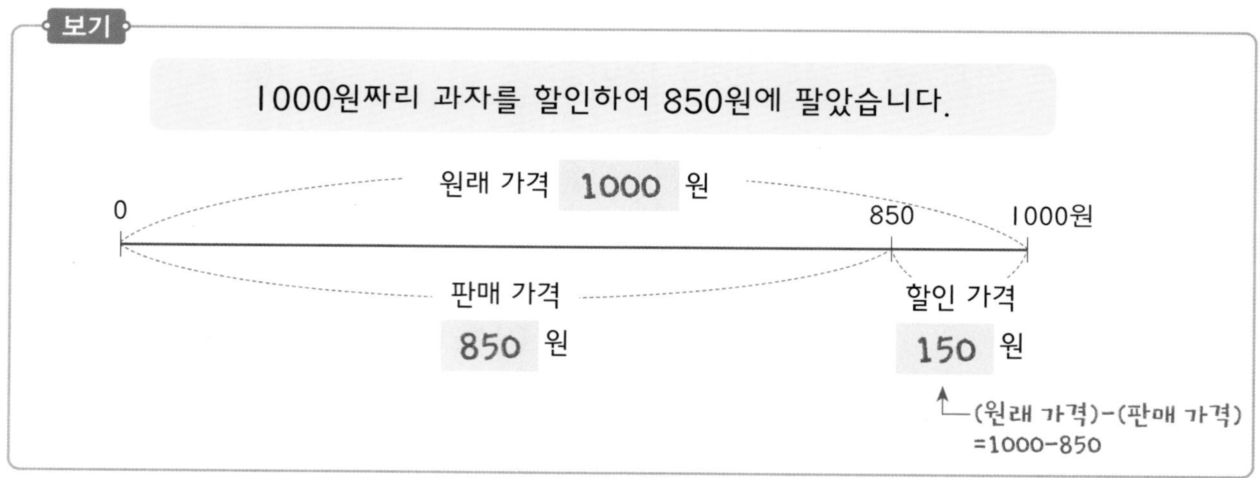

1000원짜리 과자를 할인하여 850원에 팔았습니다.
원래 가격 1000 원
0
850
1000원
판매 가격
850 원
할인 가격
150 원
(원래 가격)-(판매 가격)
=1000-850

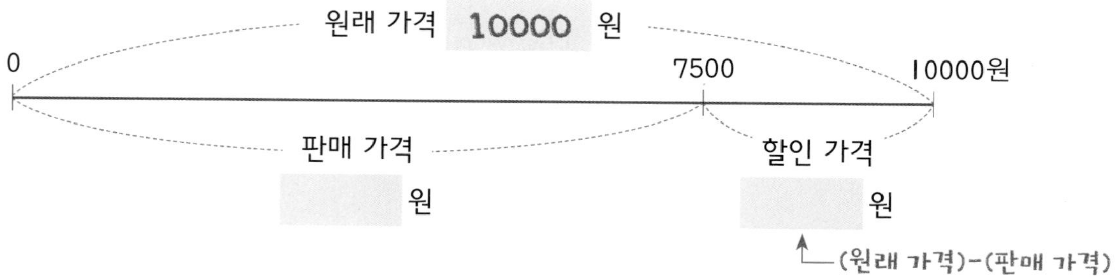

10000원짜리 필통을 할인하여 7500원에 팔았습니다.
원래 가격 10000 원
0
7500
10000원
판매 가격
원
할인 가격
원
(원래 가격)-(판매 가격)

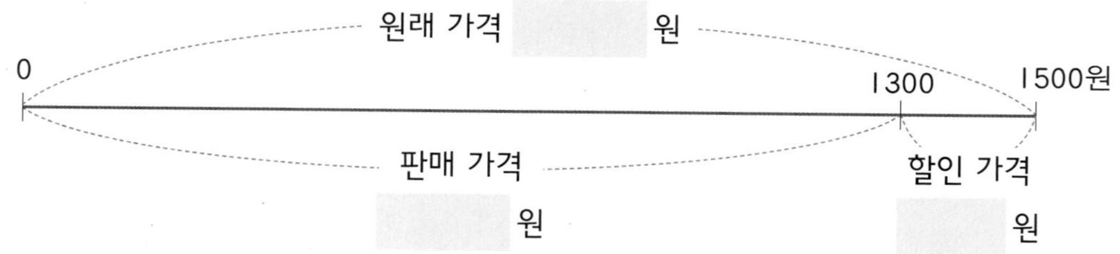

1500원짜리 과자를 할인하여 1300원에 팔았습니다.
원래 가격 원
0
1300
1500원
판매 가격
원
할인 가격
원

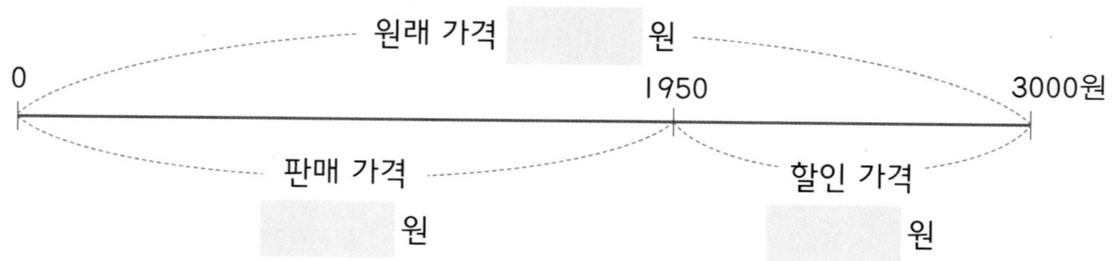

3000원짜리 공책을 할인하여 1950원에 팔았습니다.
원래 가격 원
0
1950
3000원
판매 가격
원
할인 가격
원

4 수직선을 보고 할인율을 구해 보시오.

2000원짜리 공책을 할인하여 1200원에 팔았습니다.

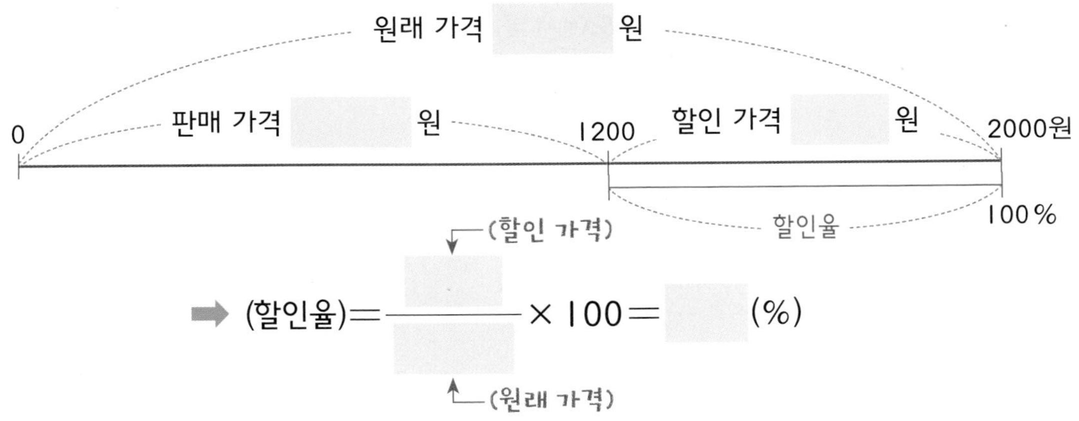

(할인 가격)

➡ (할인율)=$\frac{\square}{\square}$×100=□(%)

(원래 가격)

10000원짜리 과자를 할인하여 7000원에 팔았습니다.

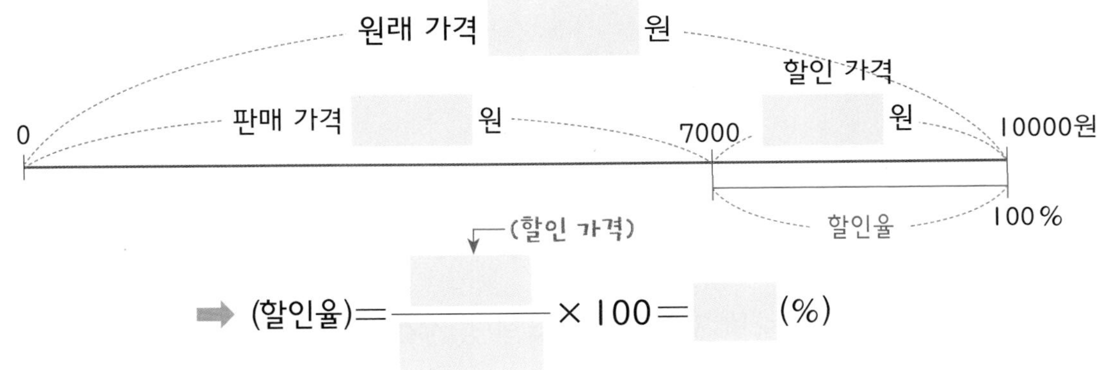

(할인 가격)

➡ (할인율)=$\frac{\square}{\square}$×100=□(%)

4000원짜리 스케치북을 할인하여 2600원에 팔았습니다.

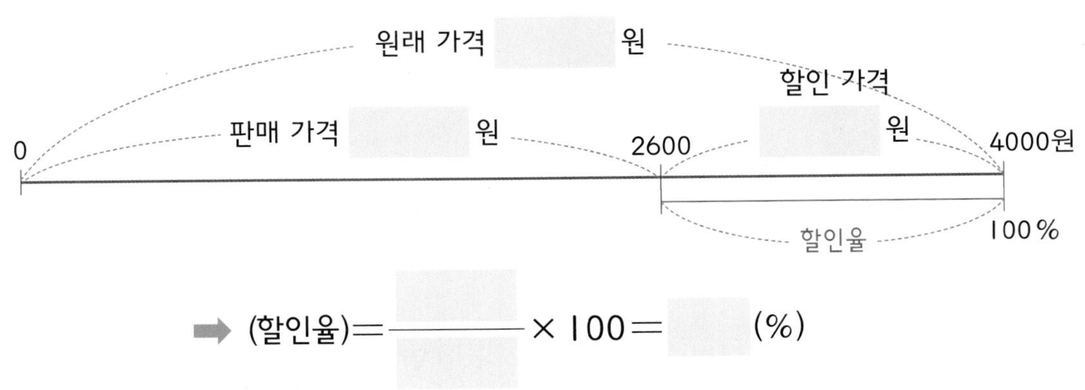

➡ (할인율)=$\frac{\square}{\square}$×100=□(%)

정답 31쪽

실제 거리가 40000 cm인 거리를 지도에서는 8 cm로 그렸습니다. 실제 거리에 대한 지도에서의 거리의 비율을 분수로 나타내시오.

주어진 수에 ○표 하고, 구하는 것에 밑줄 치기

실제 거리: ☐ cm, 지도에서의 거리 : ☐ cm

문제 해결하기

실제 거리는 (비교하는 양 , 기준량)이고, 지도에서의 거리는 (비교하는 양 , 기준량)입니다.

문제 풀기

$(\text{비율})=\frac{(\text{지도에서의 거리})}{(\text{실제 거리})}=\frac{\square}{\square}=\frac{\square}{\square}$

답 쓰기

실제 거리에 대한 지도에서의 거리의 비율은 $\frac{\square}{\square}$입니다.

재진이는 150 m를 달리는 데 30초가 걸렸습니다. 재진이가 달리는 데 걸린 시간에 대한 달린 거리의 비율을 구해 보시오.

주어진 수에 ○표 하고, 구하는 것에 밑줄 치기

달린 거리: ☐ m, 걸린 시간: ☐ 초

문제 해결하기

달린 거리는 (비교하는 양 , 기준량)이고, 걸린 시간은 (비교하는 양 , 기준량)입니다.

문제 풀기

$(\text{비율})=\frac{(\text{달린 거리})}{(\text{걸린 시간})}=\frac{\square}{\square}=\square$

답 쓰기

달리는 데 걸린 시간에 대한 달린 거리의 비율은 ☐ 입니다.

미소 마을의 인구는 모두 4500명이고, 미소 마을의 넓이는 30 km^2입니다. 미소 마을의 넓이에 대한 인구의 비율을 구해 보시오.

주어진 수에 ○표 하고, 구하는 것에 밑줄 치기

인구: ____ 명, 넓이: ____ km^2

문제 해결하기

인구는 (비교하는 양 , 기준량)이고, 마을의 넓이는 (비교하는 양 , 기준량)입니다.

문제 풀기

$(\text{비율})=\frac{(\text{인구})}{(\text{넓이})}=\frac{\square}{\square}=\square$

답 쓰기

넓이에 대한 인구의 비율은 ____ 입니다.

A 팀은 전체 80타수 중에서 안타를 16개 쳤습니다. A 팀의 전체 타수에 대한 안타 수의 비율을 소수로 나타내시오.

주어진 수에 ○표 하고, 구하는 것에 밑줄 치기

전체 타수: ____ 타수, 안타 수: ____ 개

문제 해결하기

전체 타수는 (비교하는 양 , 기준량)이고, 안타 수는 (비교하는 양 , 기준량) 입니다.

문제 풀기

$(\text{비율})=\frac{(\text{안타 수})}{(\text{전체 타수})}=\frac{\square}{\square}=\square$

답 쓰기

전체 타수에 대한 안타 수의 비율은 ____ 입니다.

● □ 안에 알맞은 수를 써넣고, 답을 구하시오.

1 Drill

착한 마트에서는 30000원짜리 과자를 할인해서 22500원에 판매하고 있습니다. 할인율은 몇 %입니까?

주어진 수에 ○표 하고, 구하는 것에 밑줄 쫙!

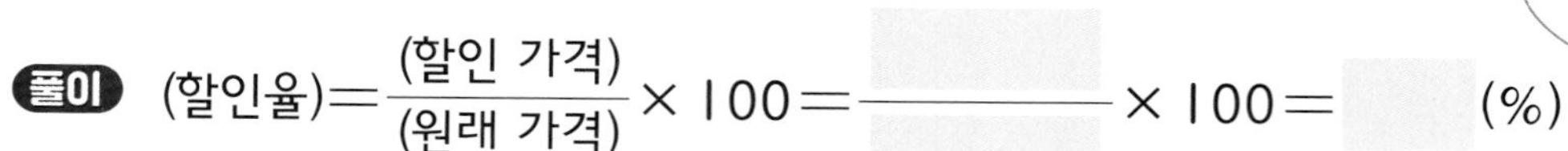

풀이 (할인율)$=\dfrac{(\text{할인 가격})}{(\text{원래 가격})}\times 100=\dfrac{\square}{\square}\times 100=\square$ (%)

답 %

2 Drill

재호네 반 회장 선거에서 재호는 25표 중 14표를 얻어 회장에 당선 되었습니다. 재호의 득표율은 몇 %입니까?

풀이 (득표율)$=\dfrac{(\text{득표 수})}{(\text{전체 표 수})}\times 100=\dfrac{\square}{\square}\times 100=\square$ (%)

답 %

3 Drill

공장에서 장난감을 만드는 데 250개를 만들면 불량품이 3개 나온다고 합니다. 만든 장난감 수에 대한 불량품 수의 비율은 몇 %입니까?

풀이 (불량률)$=\dfrac{(\text{불량품 수})}{(\text{만든 장난감 수})}\times 100=\dfrac{\square}{\square}\times 100=\square$ (%)

답 %

4 Drill

현정이는 물 120 g에 설탕 40 g을 넣어 설탕물을 만들었습니다. 설탕물의 진하기를 백분율로 구하시오.

풀이 (설탕물 양)=(설탕 양)+(물의 양)$=\square+\square=\square$ (g)

(진하기)$=\dfrac{(\text{설탕 양})}{(\text{설탕물 양})}\times 100=\dfrac{\square}{\square}\times 100=\square$ (%)

답 %

● 서술형 문제를 읽고 풀이 과정과 답을 쓰시오.

도전 1

선호가 농구 연습을 했습니다. 선호는 20번의 슛을 시도해서 14번 성공했습니다. 성공률은 몇 % 입니까?

풀이

답

도전 2

유라네 학교에서는 통학 버스 운영에 대한 투표를 실시한 결과 전체 380명 중에서 247명이 찬성하였습니다. 찬성률은 몇 %입니까?

풀이

답

도전 3

A 마트에서는 25000원짜리 수박을 할인해서 18750원에 판매합니다. A 마트의 할인율은 몇 % 입니까?

풀이

답

도전 4

포도 원액 80g에 물 170g을 넣어 포도주스를 만들었습니다. 포도주스의 진하기를 백분율로 구하시오.

풀이

답

형성평가

정답 32쪽 걸린 시간: 분 점 수: 점

01 두 수의 크기를 비교해 보시오.

뺄셈 비교

➡ 벌은 나비보다 ☐ 마리 더 많습니다.

나눗셈 비교

➡ 벌 수는 나비 수의 ☐ 배입니다.

02 두 양의 크기를 비교하려고 합니다. ☐ 안에 알맞은 수를 써넣으시오.

뺄셈 비교 바퀴 수는 자동차 수보다 ☐ 개, ☐ 개, ☐ 개 …… 더 많습니다.

나눗셈 비교 바퀴 수는 자동차 수의 ☐ 배입니다.

03 그림을 보고 ☐ 안에 알맞은 수를 써넣으시오.

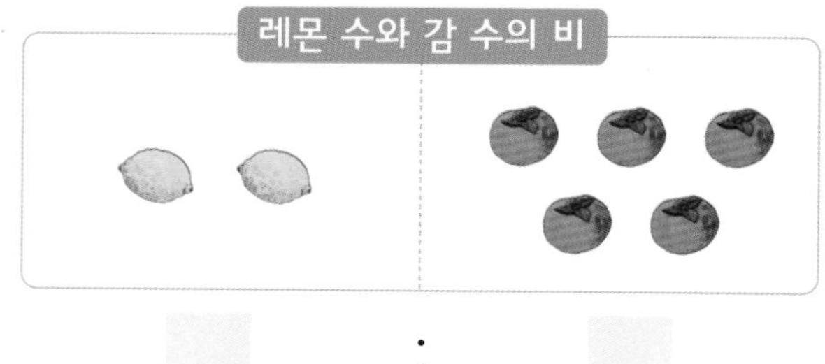

☐ : ☐

04 ☐ 안에 알맞은 수를 써넣으시오.

(1) 3 대 5 ➡ ☐ : ☐

(2) 7과 5의 비 ➡ ☐ : ☐

(3) 4의 1에 대한 비 ➡ ☐ : ☐

(4) 3에 대한 2의 비 ➡ ☐ : ☐

(5) 3의 7에 대한 비 ➡ ☐ : ☐

05 비를 보고 기준량과 비교하는 양을 찾아 쓰시오.

(1) 5의 9에 대한 비

기준량: ☐

비교하는 양: ☐

(2) 7에 대한 4의 비

기준량: ☐

비교하는 양: ☐

06 비와 비율로 나타내시오.

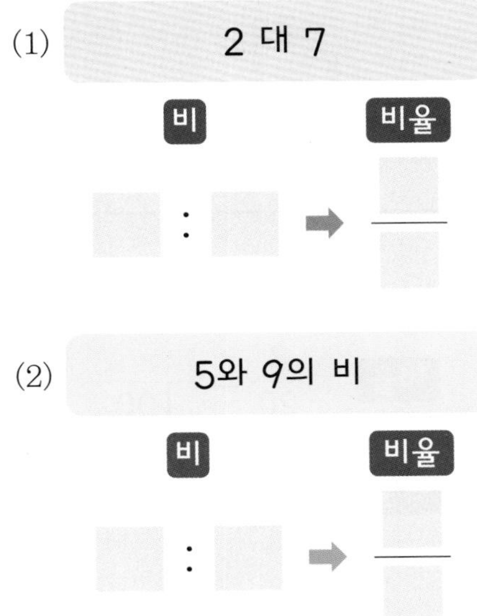

07 비를 쓰고 비율을 분수와 소수로 나타내시오.

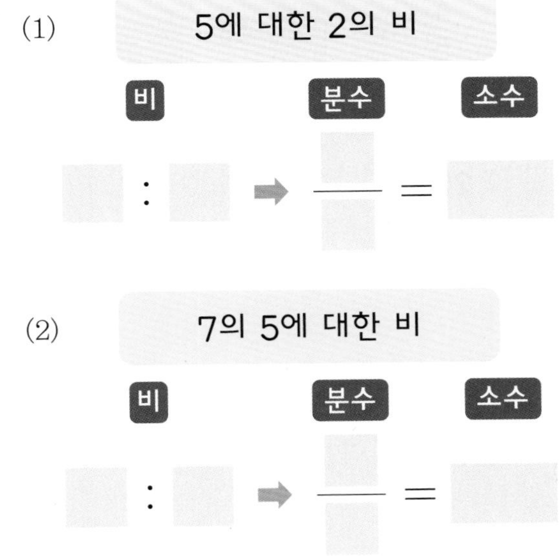

08 알맞은 말에 ○표 하시오.

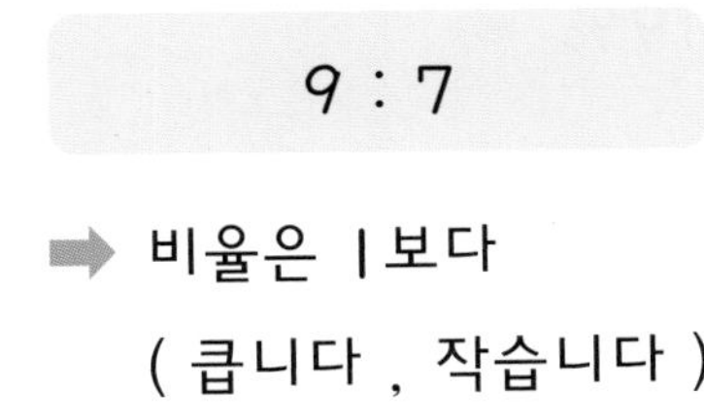

➡ 비율은 1보다
(큽니다 , 작습니다).

09 걸린 시간에 대한 간 거리의 비율(속력)을 구해 보시오.

4시간 동안 320 km를 달리는 자동차가 있습니다.

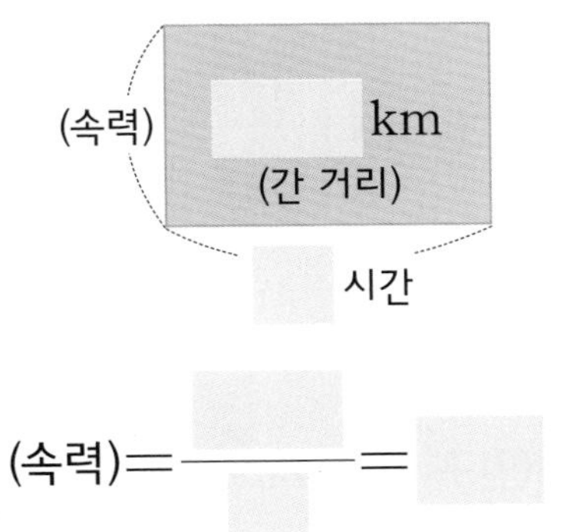

(속력)=$\frac{\square}{\square}$=$\square$

10 걸린 시간에 대한 간 거리의 비율(속력)을 구하고, 비교해 보시오.

• 가 기차는 180 km를 2시간에 달렸습니다.

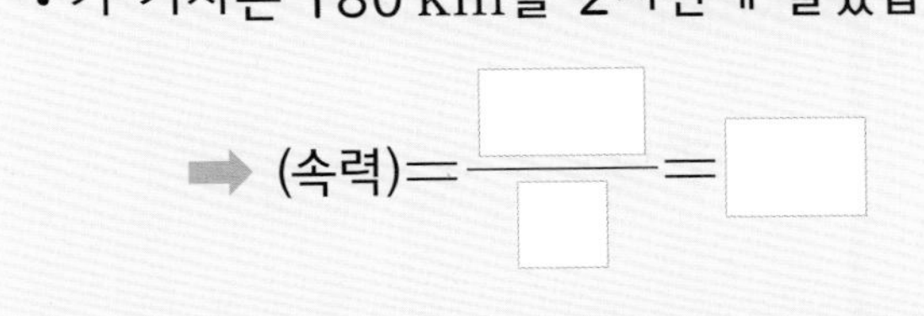

• 나 기차는 240 km를 3시간에 달렸습니다.

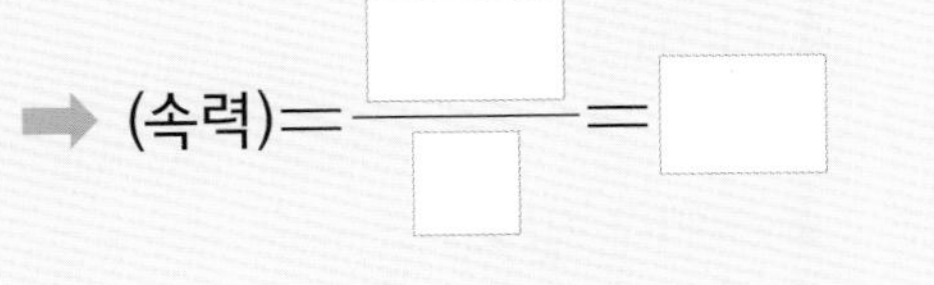

➡ 더 빨리 달린 기차: ☐ 기차

11 넓이에 대한 인구의 비율(인구 밀도)을 구해 보시오.

유자 마을의 인구는 1350명이고 땅 넓이는 3 km²입니다.

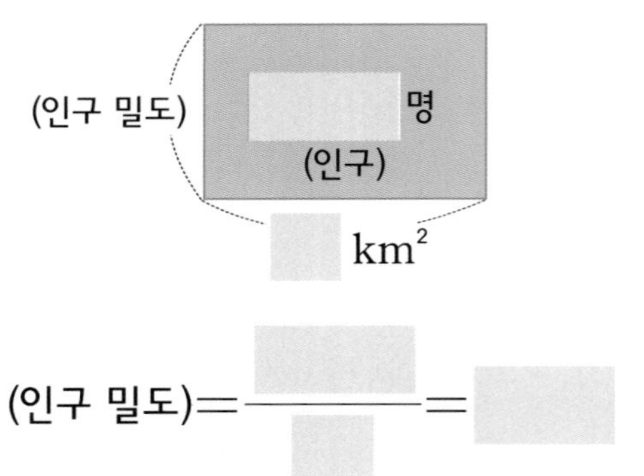

(인구 밀도)=$\frac{\square}{\square}$=$\square$

12 넓이에 대한 인구의 비율(인구 밀도)을 구하고, 비교해 보시오.

- A 마을의 인구는 4500명이고 넓이는 30 km²입니다.

➡ (인구 밀도)=$\frac{\square}{\square}$=$\square$

- B 마을의 인구는 7200명이고 넓이는 40 km²입니다.

➡ (인구 밀도)=$\frac{\square}{\square}$=$\square$

➡ 더 밀집한 곳: ☐ 마을

13 수직선을 보고 기준량을 100으로 했을 때 ☐ 안에 알맞은 수를 써넣으시오.

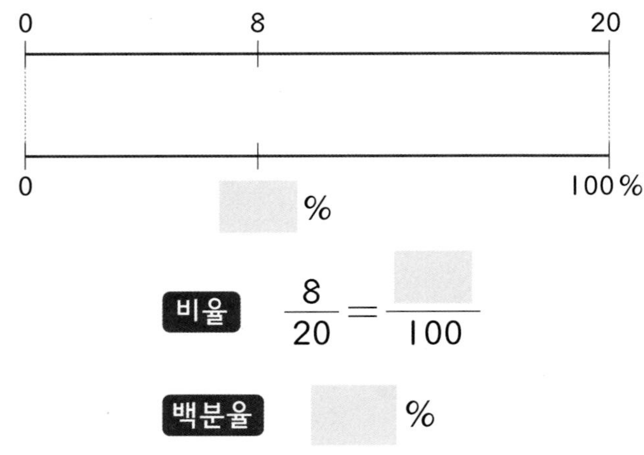

비율 $\frac{8}{20}=\frac{\square}{100}$

백분율 ☐ %

14 비율을 백분율로 나타내시오.

(1) $\frac{4}{5}$ ➡ ☐ %

(2) $\frac{13}{25}$ ➡ ☐ %

15 백분율을 기약분수로 나타내시오.

(1) 32 % ➡ ☐

(2) 19 % ➡ ☐

16 백분율을 소수로 나타내시오.

17 소금물 양에 대한 소금 양의 비율(진하기)을 구해 보시오.

소금 32 g을 녹여 소금물 200 g을 만들었습니다.

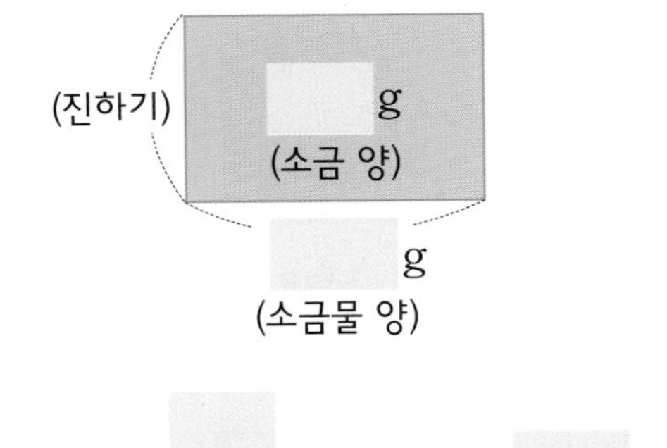

(진하기)$=\frac{\square}{\square}\times 100=\square$(%)

18 소금물의 진하기를 백분율로 구하고, 비교해 보시오.

• 가: 소금 45 g이 녹아 있는 소금물 150 g

➡ (진하기)$=\frac{\square}{\square}\times 100=\square$(%)

• 나: 소금 30 g이 녹아 있는 소금물 120 g

➡ (진하기)$=\frac{\square}{\square}\times 100=\square$(%)

➡ 더 진한 소금물: □

19 수직선을 보고 □ 안에 알맞은 수를 써넣으시오.

20000원짜리 공책을 할인하여 15000원에 팔았습니다.

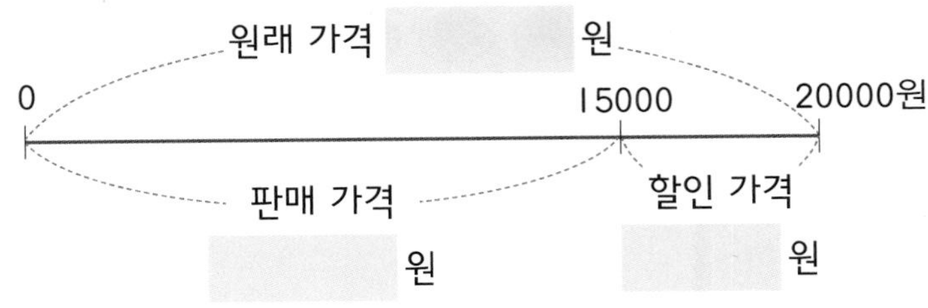

20 수직선을 보고 할인율을 구해 보시오.

5000원짜리 스케치북을 할인하여 3200원에 팔았습니다.

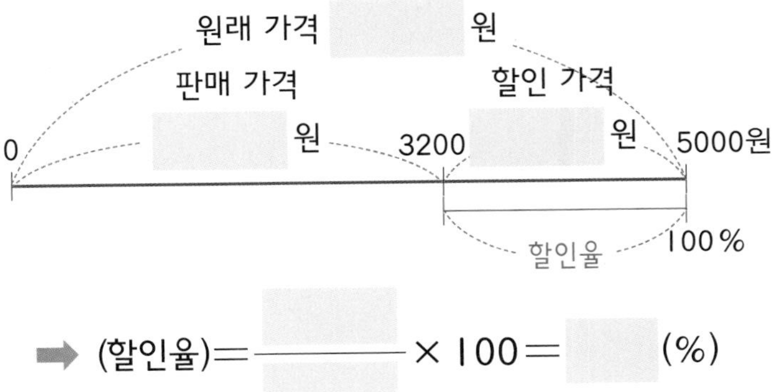

➡ (할인율)$=\frac{\square}{\square}\times 100=\square$(%)

단원 평가 4. 비와 비율

걸린 시간 분 점수 점

정답 33쪽

[1~2] 그림을 보고 물음에 답하시오.

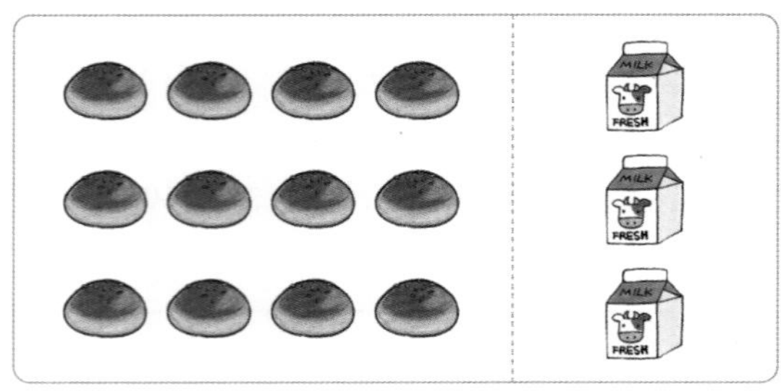

1 빵의 수와 우유의 수를 뺄셈으로 비교하시오.

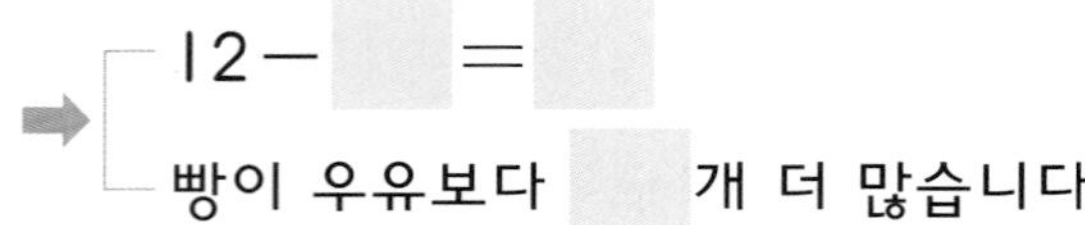

2 빵의 수와 우유의 수를 나눗셈으로 비교하시오.

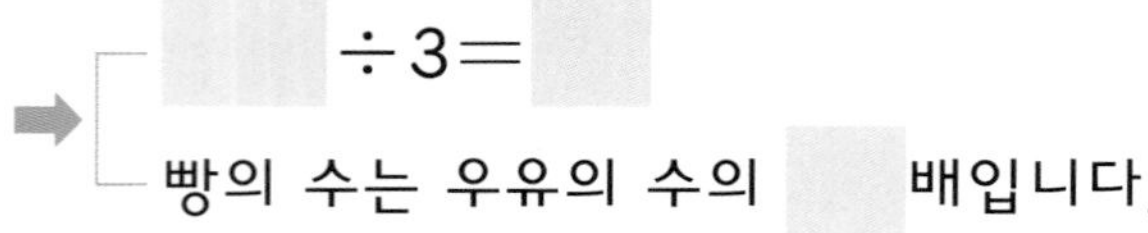

3 기준량과 비교하는 양을 각각 구하시오.

25 : 37

기준량 (   )

비교하는 양 (   )

4 다음 중 비를 잘못 읽은 것은 어느 것입니까? (   )

① 5 : 7 ➡ 5 대 7

② 6 : 11 ➡ 6과 11의 비

③ 2 : 5 ➡ 2의 5에 대한 비

④ 3 : 2 ➡ 3에 대한 2의 비

⑤ 9 : 7 ➡ 7에 대한 9의 비

5 그림을 보고 전체에 대한 색칠한 부분의 비를 구하시오.

(1)

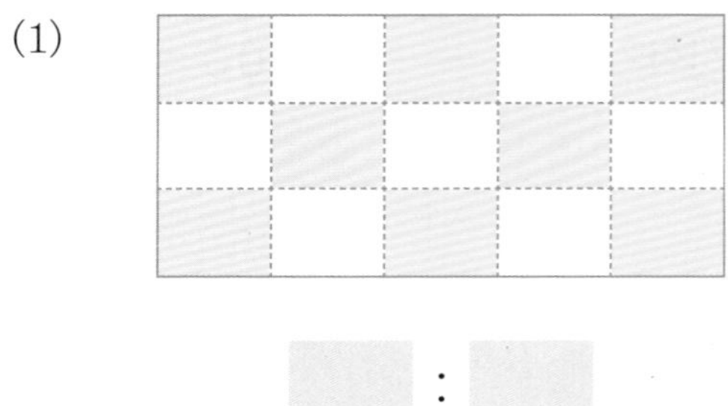

(2)

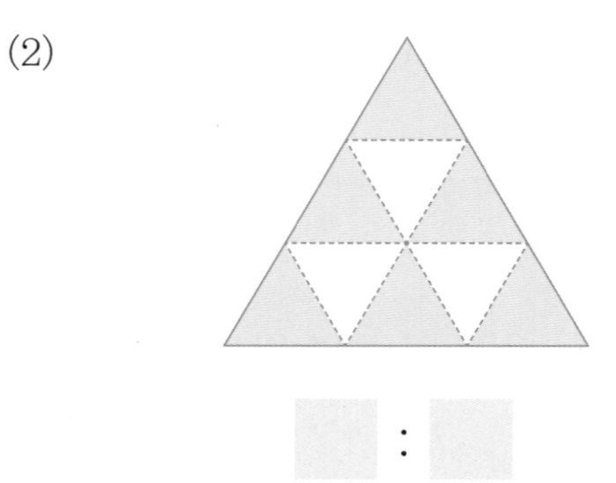

6 정환이네 반 학생 24명 중 11명이 남학생입니다. 정환이네 반 남학생 수와 전체 학생 수의 비를 구하시오.

( )

7 다음 중 기준량을 나타내는 수가 다른 것을 찾아 기호를 쓰시오.

㉠ 6 대 7
㉡ 6과 7의 비
㉢ 6에 대한 7의 비
㉣ 7에 대한 6의 비

( )

8 비율이 더 큰 것을 찾아 기호를 쓰시오.

㉠ 11과 25의 비
㉡ 20에 대한 11의 비

( )

9 빈칸에 알맞은 수를 써넣으시오.

비 \ 비율	분수	소수	백분율
7 : 10	$\frac{7}{10}$		
5에 대한 4의 비			

10 비율을 백분율로 잘못 나타낸 것은 어느 것입니까? ( )

① 0.47 ➡ 47%
② 0.7 ➡ 70%
③ 0.215 ➡ 215%
④ $\frac{17}{100}$ ➡ 17%
⑤ $\frac{17}{20}$ ➡ 85%

11 그림을 보고 전체에 대한 색칠한 부분의 비율을 백분율로 나타내시오.

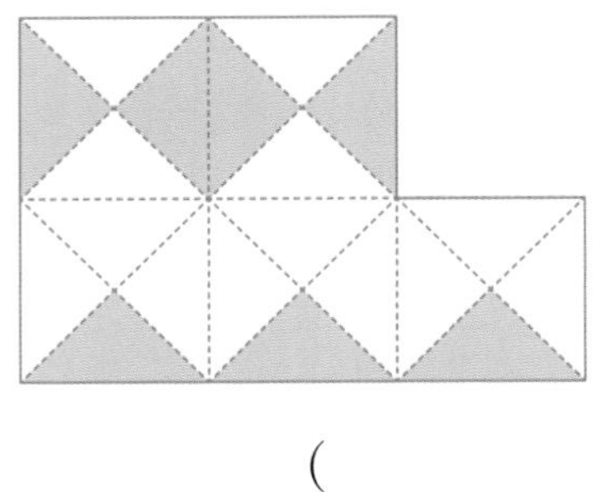

( )%

12 주어진 백분율만큼 색칠하시오.

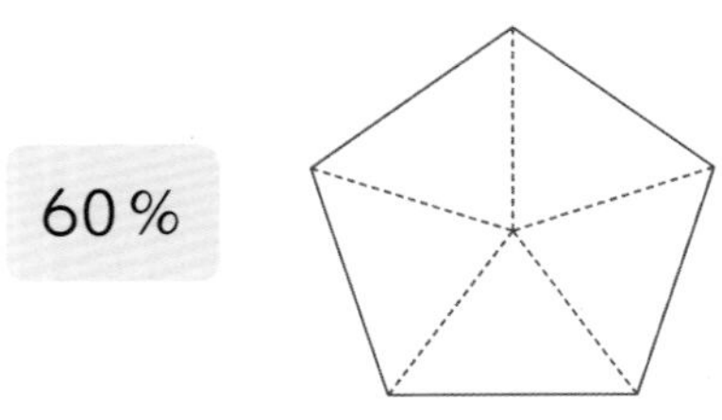

13 동진이는 빵을 만들려고 밀가루 4컵과 우유 3컵을 사용했습니다. 밀가루의 양에 대한 우유의 양의 비율을 백분율로 나타내시오.

( )%

14 두 비율의 크기를 비교하여 ○ 안에 >, =, <를 알맞게 써넣으시오.

(1) 

$\frac{7}{20}$ ○ 37%

(2) 150% ○ 1.2

15 어느 자동차가 340 km를 달리는 데 4시간 걸렸습니다. 이 자동차의 걸린 시간에 대한 간 거리의 비율을 구하려고 합니다. 풀이 과정을 쓰고 답을 구하시오.

풀이

답

16 재국이네 학교 야구부의 어느 선수는 올해 50타수 중에서 안타를 17개 쳤습니다. 이 선수의 타율을 소수로 나타내시오.

( )

17 두 마을의 인구와 넓이를 조사하여 나타낸 표입니다. 인구가 더 밀집한 곳은 어느 마을입니까?

마을	전원 마을	풍경 마을
인구(명)	5760	5075
넓이(km^2)	8	7

( ) 마을

18 한 변의 길이가 10 cm인 정사각형 모양의 사진을 한 변의 길이가 12 cm인 정사각형 모양이 되도록 확대하려고 합니다. 확대 비율은 몇 %로 해야 합니까?

( ) %

19 소금 150 g을 물 850 g에 섞어 소금물을 만들었습니다. 만든 소금물의 진하기는 몇 %인지 풀이 과정을 쓰고 답을 구하시오.

풀이

답

20 참 마트에서 오늘 하루 전품목을 30 % 할인하여 판매한다고 합니다. 2만 원짜리 수박은 얼마에 살 수 있습니까?

( ) 원

memo

논리적 사고력과 창의적 문제해결력을 키워 주는

매스티안 교재 활용법!

대상	창의사고력 교재 팩토			연산 교재 사고력을 키우는 팩토 연산	연산 교재 원리 연산 소마셈
5세~6세	킨더팩토 A, B, C, D				소마셈 K시리즈 K1~K8
7세~초1	키즈 원리A/탐구A	키즈 원리B/탐구B	키즈 원리C/탐구C	사고력을 키우는 팩토 연산 P01~P05	소마셈 P시리즈 P1~P8
초1~초2	Lv.1 원리A/탐구A	Lv.1 원리B/탐구B	Lv.1 원리C/탐구C	사고력을 키우는 팩토 연산 A01~A05	소마셈 A시리즈 A1~A8
초2~초3	Lv.2 원리A/탐구A	Lv.2 원리B/탐구B	Lv.2 원리C/탐구C	사고력을 키우는 팩토 연산 B01~B05	소마셈 B시리즈 B1~B8
초3~초4	Lv.3 원리A/탐구A	Lv.3 원리B/탐구B	Lv.3 원리C/탐구C	사고력을 키우는 팩토 연산 C01~C05	소마셈 D시리즈 D1~D6
초4~초5	Lv.4 기본A, 실전A	Lv.4 기본B, 실전B			소마셈 C시리즈 C1~C8
초5~초6	Lv.5 기본A, 실전A	Lv.5 기본B, 실전B			
초6~	Lv.6 기본A, 실전A	Lv.6 기본B, 실전B			

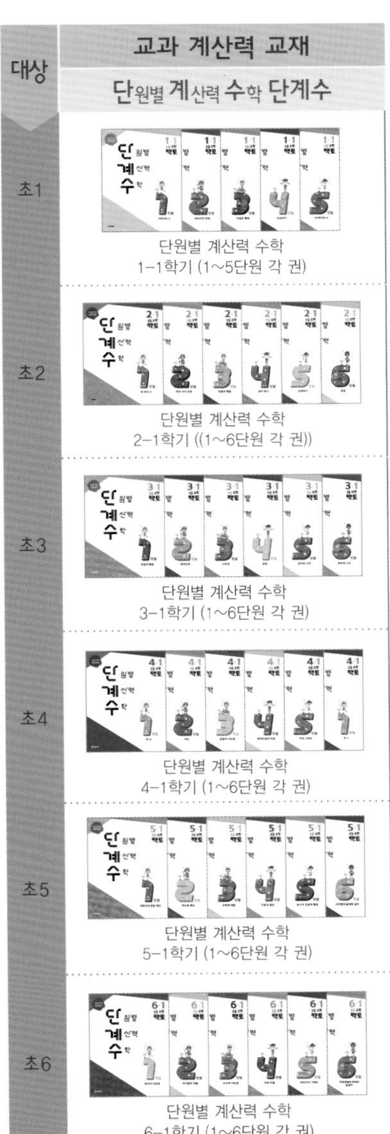

대상	교과 계산력 교재 단원별 계산력 수학 단계수
초1	단원별 계산력 수학 1-1학기 (1~5단원 각 권)
초2	단원별 계산력 수학 2-1학기 ((1~6단원 각 권))
초3	단원별 계산력 수학 3-1학기 (1~6단원 각 권)
초4	단원별 계산력 수학 4-1학기 (1~6단원 각 권)
초5	단원별 계산력 수학 5-1학기 (1~6단원 각 권)
초6	단원별 계산력 수학 6-1학기 (1~6단원 각 권)

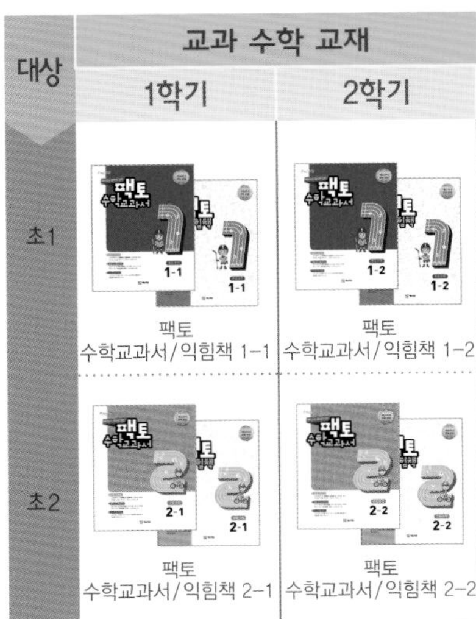

대상	교과 수학 교재 1학기	교과 수학 교재 2학기
초1	팩토 수학교과서/익힘책 1-1	팩토 수학교과서/익힘책 1-2
초2	팩토 수학교과서/익힘책 2-1	팩토 수학교과서/익힘책 2-2

단계수 학습 순서

매일 학습

단원별로 꼭 알아야 할 개념만 쏙쏙 학습하고 다양한 연산 문제를 통해 연산 과정을 숙달하여 계산력을 쑥쑥 키울 수 있습니다.

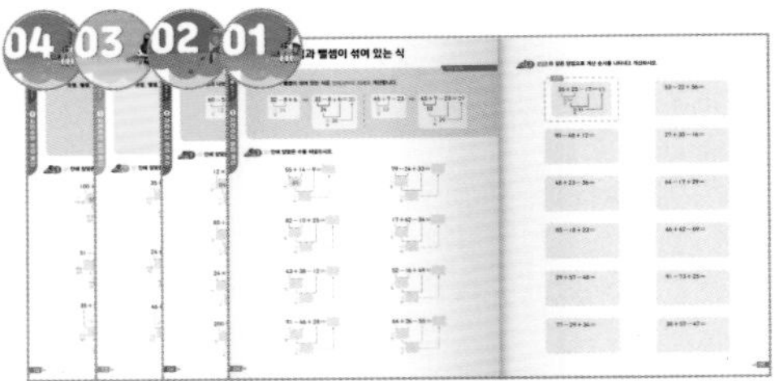

도전! 응용문제

응용 문제와 **서술형** 문제를 통해 사고력과 문제해결력을 기를 수 있습니다.

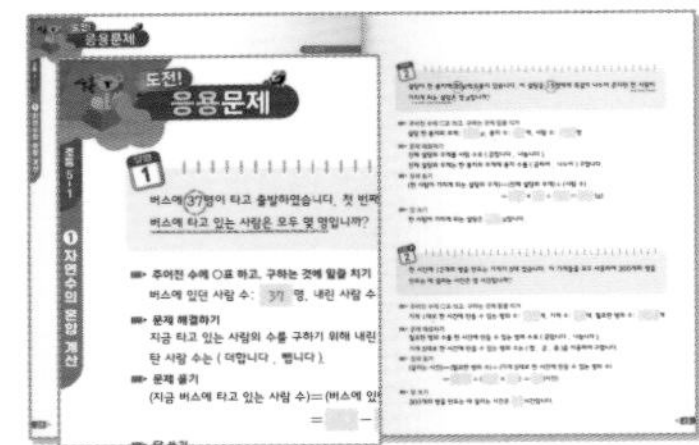

형성 평가

단원의 **복습 단계**로 문제를 풀면서 학습한 내용을 다시 한 번 확인할 수 있습니다.

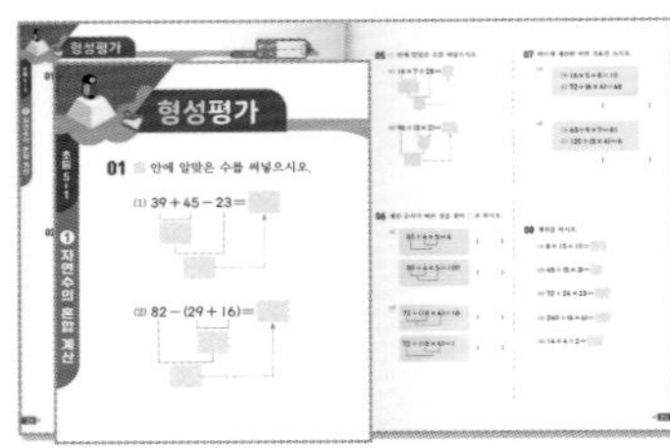

단원 평가

단원의 **마무리 학습**으로 학교 시험에 자주 나오는 문제를 통해 수시 평가 등 학교 시험에 대비할 수 있습니다.

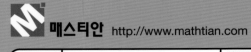

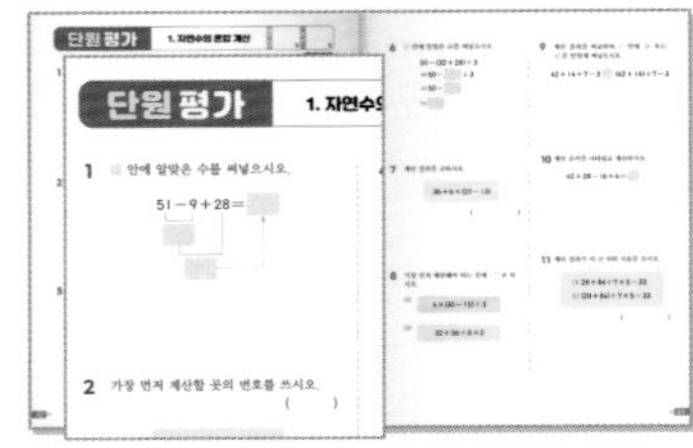

http://www.mathtian.com

자율안전확인신고필증번호 : B361H200-4001

1.주소 : 06153 서울특별시 강남구 봉은사로 442 (삼성동)
2.문의전화 : 1588-6066
3.제조국 : 대한민국
4.사용연령 : 13세 이상

※ KC마크는 이 제품이 공통안전기준에 적합하였음을 의미합니다.

⚠주의

종이, 모서리에 다칠 수 있으니 주의하세요!

초등학교	반 번
이름	

FACTO school

단원별 계산력 수학

5단원

여러 가지 그래프

매스티안

팩토는 자유롭게 자신감있게 창의적으로 생각하는 주니어수학자입니다.

단원별 계산력 수학

펴낸 곳 (주)타임교육C&P **펴낸이** 이길호 **지은이** 매스티안R&D센터
주소 06153 서울특별시 강남구 봉은사로 442 (삼성동) **문의전화** 1588.6066
팩토카페 http://cafe.naver.com/factos **홈페이지** http://www.mathtian.com

※ 정답과 풀이는 온라인 팩토카페(http://cafe.naver.com/factos)를 통해서도 확인할 수 있습니다.

GH2108

생각이 자유로운 사람들! 매스티안R&D센터

매스티안R&D센터의 논리적 사고력과 창의적 문제해결력을 키우는 수학 콘텐츠는 국내외 수많은 교육 현장에서 그 우수성을 높이 평가받고 있습니다.
매스티안R&D센터는 여기에 안주하지 않고 앞으로도 학생, 교사, 학부모 모두가 행복한 수학 시간을 만들 수 있도록 노력하겠습니다.

매스티안 공식 홈페이지 ··· (http://www.mathtian.com)

- 매스티안의 다양한 출간 교재 소개
- 출간 교재와 관련된 학습 자료(보충 학습지, 활동지 등) 제공
- 출간 교재와 관련된 평가 시험 및 분석 제공

매스티안 공식 카페 ··· 팩토 (http://cafe.naver.com/factos)

- 창의사고력 수학 팩토 무료 동영상 강의 제공
- 출간 교재에 관한 질문 및 답변
- 영재교육원 대비 자료(기출 문제, 예상 문제) 제공
- 초등 수학 비법 및 Q&A

FACTO school

6-1

초등 수학 팩토

단원별 계산력 수학

여러 가지 그래프

매스티안

5. 표와 그래프
· 표와 그래프 나타내기와 해석하기

5. 막대그래프
· 막대그래프 그리기
· 막대그래프 해석하기

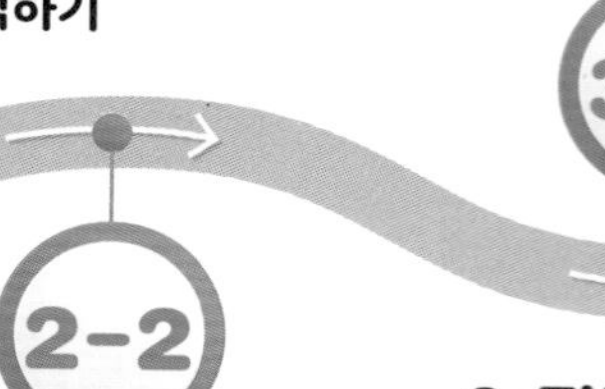

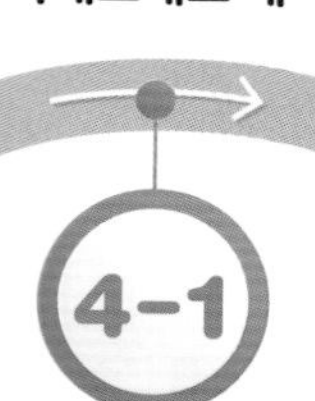

5. 분류하기
· 기준에 따라 분류하고 수 세기

6. 자료의 정리
· 표와 그림그래프

5. 꺾은선그래프
· 꺾은선그래프 그리기
· 꺾은선그래프 해석하기

5 여러 가지 그래프

Teaching Guide

초등학교에서 다루는 통계 영역의 내용은 자료를 수집하여 분류하고, 표로 정리한 다음 표의 내용을 직관적으로 알아볼 수 있도록 간단한 그림그래프, 막대그래프, 꺾은선그래프 등으로 나타내는 활동이 주를 이룹니다. 그래프에는 표에 나타난 절대적인 수치를 사용하는 것도 있지만 전체와 부분 사이의 관계를 비율로 나타내고 이 비율을 직관적으로 알아보는 띠그래프, 원그래프도 있습니다. 띠그래프는 전체에 대한 각 부분의 비율을 띠 모양으로 나타낸 것이고, 원그래프는 전체에 대한 각 부분의 비율을 원 모양으로 나타낸 것으로 띠그래프와 원그래프 모두 전체의 크기를 100%로 봅니다.

5. 여러 가지 그래프

· 그림그래프, 띠그래프, 원그래프 나타내기와 해석하기

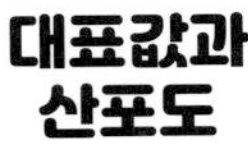

상관관계

중학 1-2

6. 평균과 가능성

· 평균
· 일이 일어날 가능성

경우의 수

확률

공부한 날짜

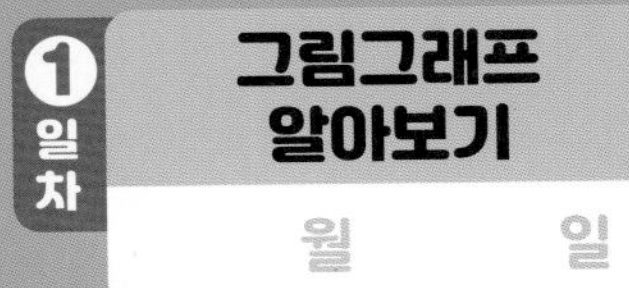

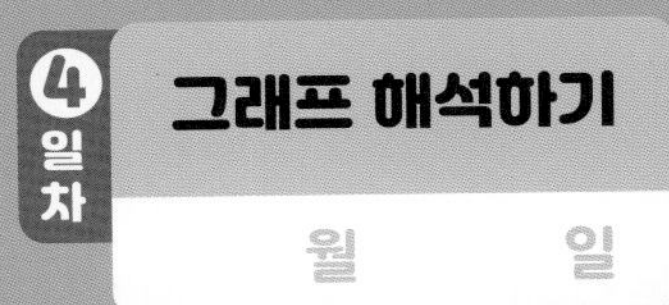

5 일차
응용 문제
월 일

01 그림그래프 알아보기

정답 34쪽

- **그림그래프**: 조사한 수량을 그림이나 기호를 사용하여 나타낸 그래프

지역별 감자 생산량

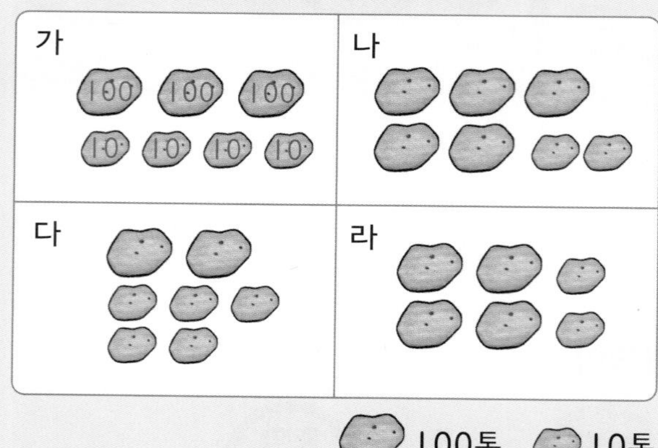

100톤 10톤

➡ 특징: 지역별로 조사한 **자료 수의 많고 적음**을 한눈에 알 수 있습니다.

1 농장별 키우는 돼지 수를 조사하여 나타낸 그림그래프입니다. ☐ 안에 알맞게 써넣으시오.

농장별 돼지 수

농장	돼지 수(마리)
가	10 1 1 1 1 1 1
나	10 10 10 10 1 1
다	
라	
마	

10마리 1마리

- 가 나타내는 돼지 수: ☐ 마리
- 가 나타내는 돼지 수: ☐ 마리
- 나 농장의 돼지 수: ☐ 마리
  10+10+10+10+1+1
- 다 농장의 돼지 수: ☐ 마리
- 마 농장의 돼지 수: ☐ 마리
- 다 농장과 마 농장의 돼지 수의 차: ☐ 마리
  (다 ← 34, 마 ← 25)
- 돼지가 가장 많은 농장: ☐ 농장
- 돼지가 가장 적은 농장: ☐ 농장

2 그림그래프를 보고 ☐ 안에 알맞게 써넣으시오.

- 각 그림이 나타내는 쌀 생산량

  (큰 그림): ☐ 만 톤, (작은 그림): ☐ 만 톤

- 경기 지역의 쌀 생산량: ☐ 만 톤

- 쌀 생산량이 가장 많은 지역: ☐

- 쌀 생산량이 가장 적은 지역의 쌀 생산량: ☐ 만 톤

- 경북과 경남 지역의 쌀 생산량의 차: ☐ 만 톤

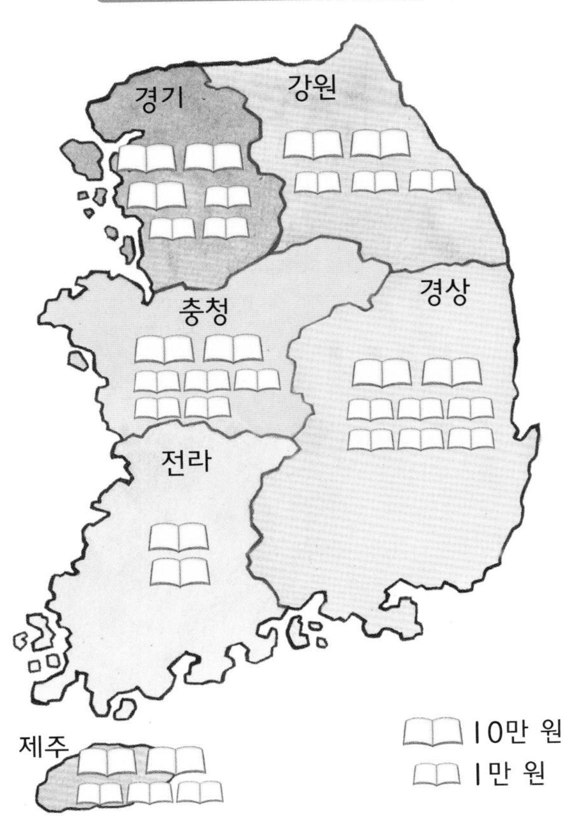

- 각 그림이 나타내는 금액

  (큰 그림): ☐ 만 원, (작은 그림): ☐ 만 원

- 제주 지역의 월평균 사교육비: ☐ 만 원

- 월평균 사교육비가 가장 많은 지역: ☐

- 월평균 사교육비가 가장 적은 지역: ☐

- 강원 지역과 경상 지역의 월평균 사교육비의 차: ☐ 만 원

● 표를 보고 그림그래프 그리기

지역별 초등학생 수

지역	가	나	다	라
학생 수(명)	349	513	437	324

STEP1 학생 수를 일의 자리에서 반올림하여 나타내기

어림값(명)	350	510	440	320

STEP2 그림이 나타내는 학생 수의 크기 정하기

➡ : 100명, : 10명

STEP3 그림그래프 그리기

지역별 초등학생 수

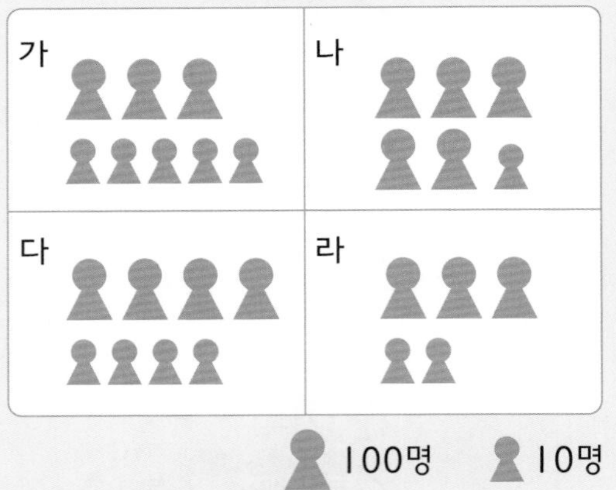

3 표를 보고 자료 값을 어림하여 나타내고 그림그래프를 그려 보시오.

마을별 자전거 수

마을	가	나	다	라
자전거 수(대)	138	207	221	152
어림값(대)	140	210		

↑ 일의 자리에서 반올림

지역별 편의점 수

지역	A	B	C	D
편의점 수(개)	2322	1683	2037	1358
어림값(개)	2300	1700		

↑ 십의 자리에서 반올림

마을별 자전거 수

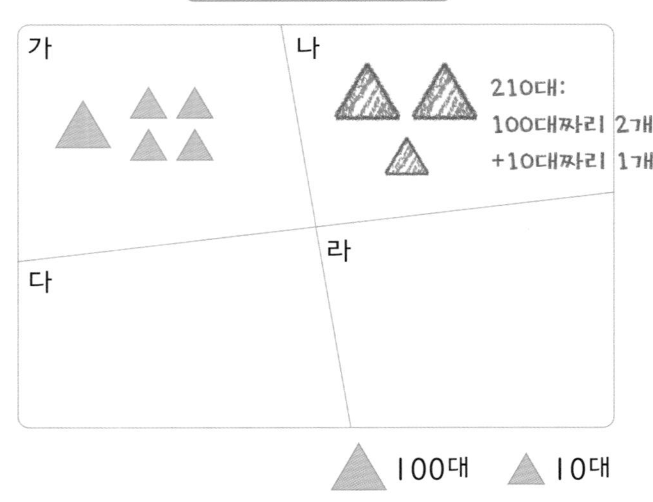

지역별 편의점 수

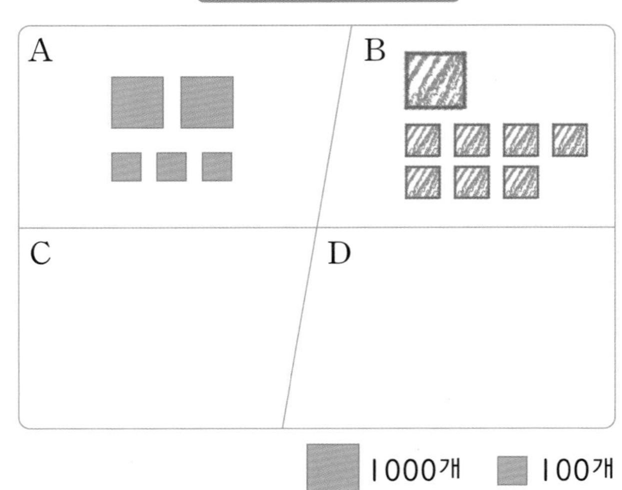

4 표를 보고 그림그래프로 나타내시오.

마을별 반려견 수

마을	가	나	다	라
반려견 수(마리)	253	291	314	326
어림값(마리)	250			

마을별 반려견 수

마을	반려견 수(마리)
가	◎◎●●●●●
나	
다	
라	

◎ ☐ 마리 ● ☐ 마리

농장별 닭 수

농장	마	바	사	아
닭 수(마리)	1192	2143	1285	1641
어림값(마리)	1200			

농장별 닭 수

농장	닭 수(마리)
☐	▲▲▲
☐	
☐	
☐	

▲ ☐ 마리 ▲ ☐ 마리

지역별 아동복지시설 수

지역	시설 수(개)	어림값(개)
경기	715	720
강원	119	
충청	294	
전라	434	
경상	391	
제주	80	

지역별 아동복지시설 수

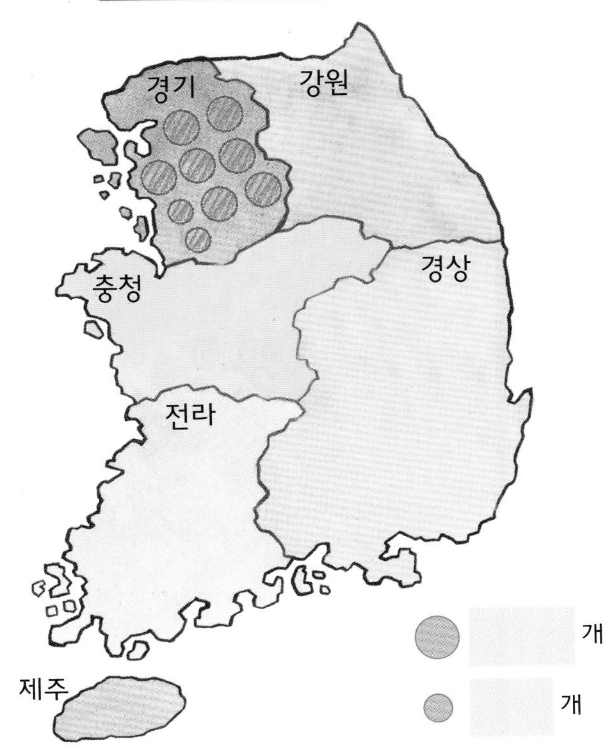

02 띠그래프 알아보기

정답 35쪽

● **띠그래프:** 전체에 대한 각 부분의 비율을 띠 모양에 나타낸 그래프

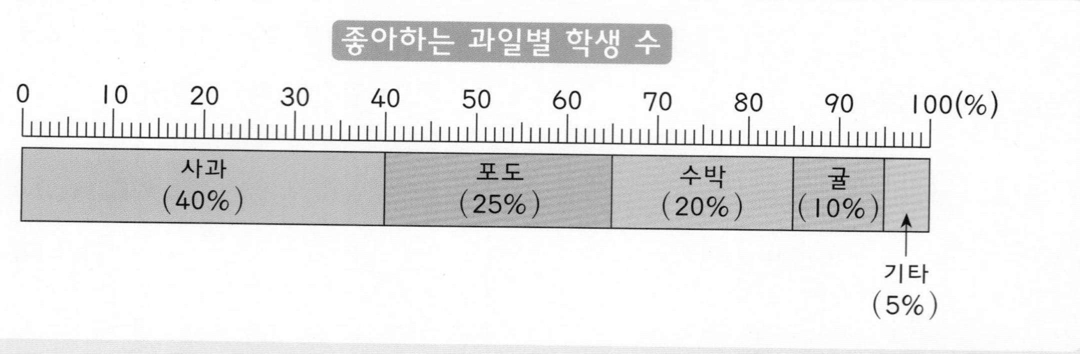

➡ 특징: ① **각 항목이 차지하는 비율**을 한눈에 알 수 있습니다.
② **각 항목끼리의 비율**을 쉽게 비교할 수 있습니다.

1 띠그래프를 보고 알맞게 답하시오.

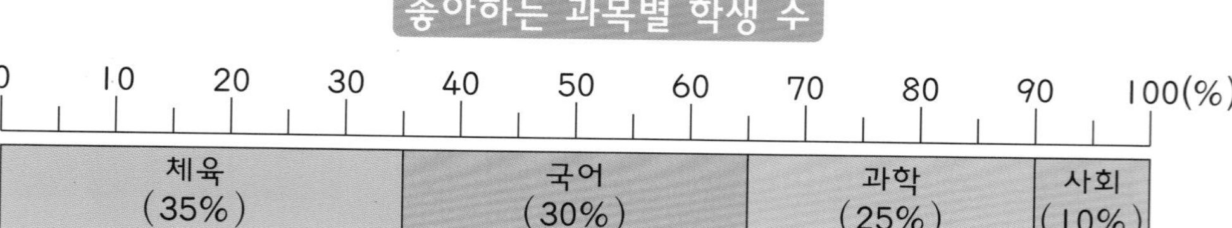

• 가장 많은 학생이 좋아하는 과목은 ☐ 입니다.

• 가장 적은 학생이 좋아하는 과목은 ☐ 입니다.

• 많은 학생이 좋아하는 과목부터 차례로 쓰면
☐, ☐, ☐, ☐ 입니다.

• 길이가 가장 긴 항목의 비율이 가장 (높고 , 낮고),
길이가 가장 짧은 항목의 비율이 가장 (높습니다 , 낮습니다).

2 표와 띠그래프를 보고 알맞게 답하시오.

학급 문고에 있는 종류별 책 수

종류	소설책	과학책	위인전	시집	만화책	합계
책 수(권)	75	65	50	35	25	250
백분율(%)	30	26	20	14	10	100

학급 문고에 있는 종류별 책 수

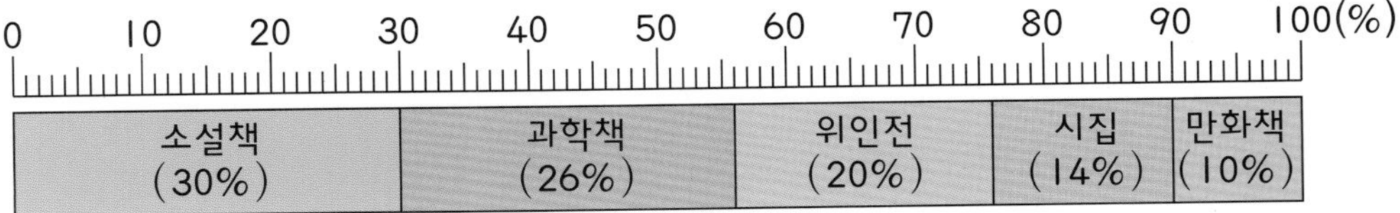

• 학급 문고의 책은 모두 ☐ 권입니다.

• 가장 많은 책은 전체의 ☐ %입니다.

• 가장 적은 책은 ☐ 이고 ☐ 권입니다.

용돈 쓰임새별 금액

용돈 쓰임새	학용품	군것질	저금	오락	기타	합계
금액(원)	7500	12000	6000	3000	1500	30000
백분율(%)	25	40	20	10	5	100

용돈 쓰임새별 금액

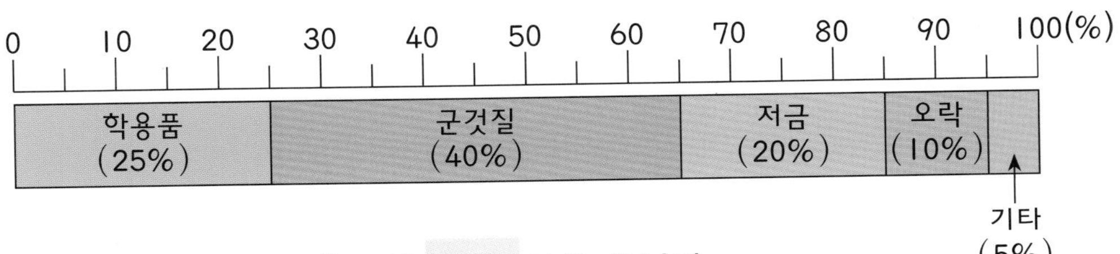

• 오락을 하는 데에 용돈의 ☐ %를 씁니다.

• 전체에 대한 각 부분의 비율을 쉽게 비교할 수 있는 것은 (표 , 띠그래프)입니다.

• 용돈을 많이 쓰는 항목부터 차례로 쓰면

☐, ☐, ☐, ☐, ☐ 입니다.

● 띠그래프 그리기

키우고 싶은 반려동물별 학생 수

동물	강아지	고양이	토끼	햄스터	기타	합계
학생 수(명)	90	70	20	14	6	200

STEP1 각 항목의 백분율 구하기

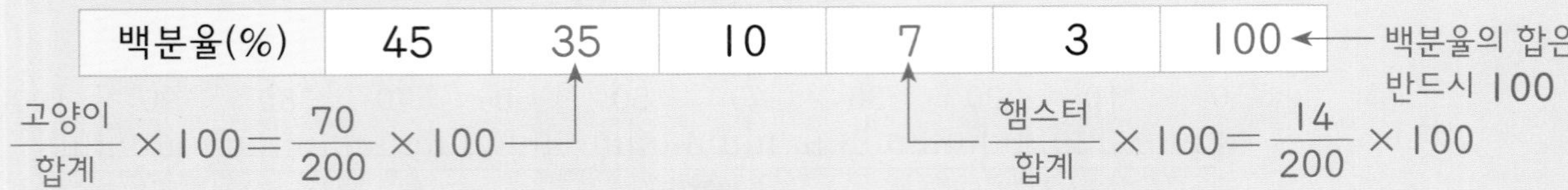

백분율(%)	45	35	10	7	3	100

← 백분율의 합은 반드시 100
$\frac{고양이}{합계} \times 100 = \frac{70}{200} \times 100$
$\frac{햄스터}{합계} \times 100 = \frac{14}{200} \times 100$

STEP2 각 항목의 백분율 크기만큼 선을 그어 띠그래프 그리기

키우고 싶은 반려동물별 학생 수

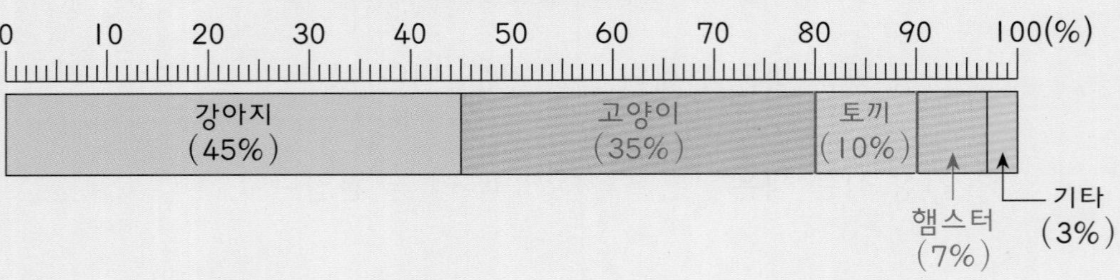

3 **표를 보고 각 항목의 백분율을 구해 보시오.**

좋아하는 간식별 학생 수

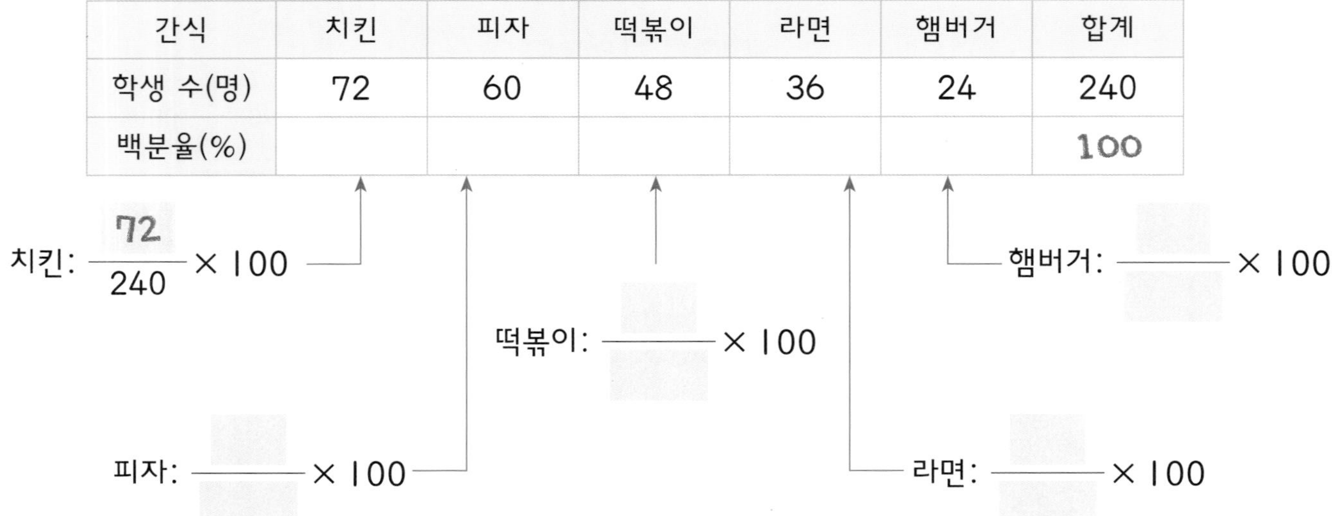

간식	치킨	피자	떡볶이	라면	햄버거	합계
학생 수(명)	72	60	48	36	24	240
백분율(%)						100

4 표를 보고 띠그래프를 그려 보시오.

장래 희망별 학생 수

장래 희망	연예인	운동 선수	선생님	의사	합계
학생 수 (명)	21	18	12	9	60
백분율 (%)	35			15	100

$\frac{18}{60} \times 100$

장래 희망별 학생 수

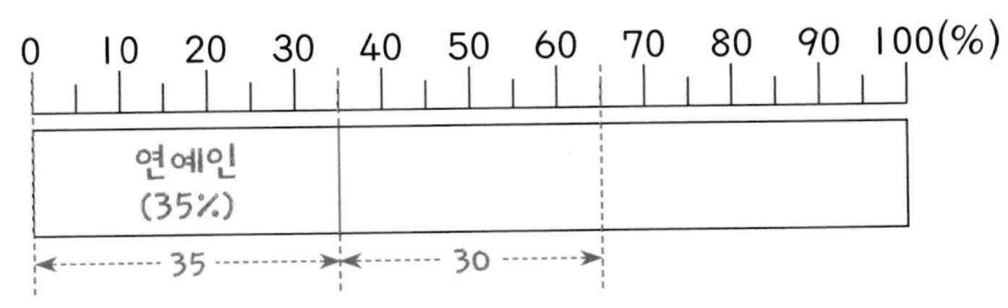

좋아하는 운동별 학생 수

운동	수영	축구	야구	농구	합계
학생 수 (명)	48	42	18	12	120
백분율 (%)	40				100

좋아하는 운동별 학생 수

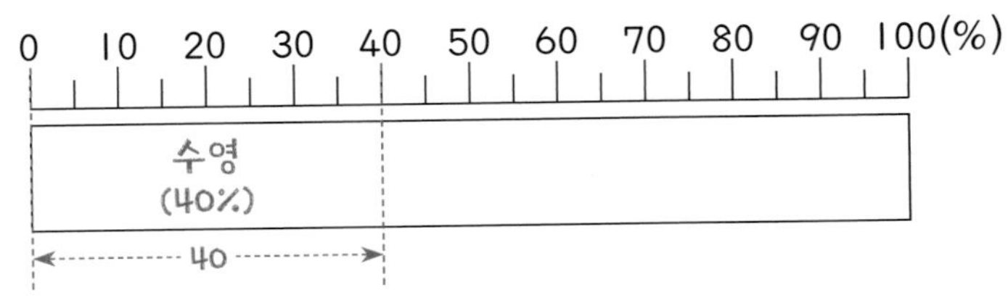

좋아하는 계절별 학생 수

계절	봄	여름	가을	겨울	합계
학생 수 (명)	36	96	24	84	240
백분율 (%)					

좋아하는 계절별 학생 수

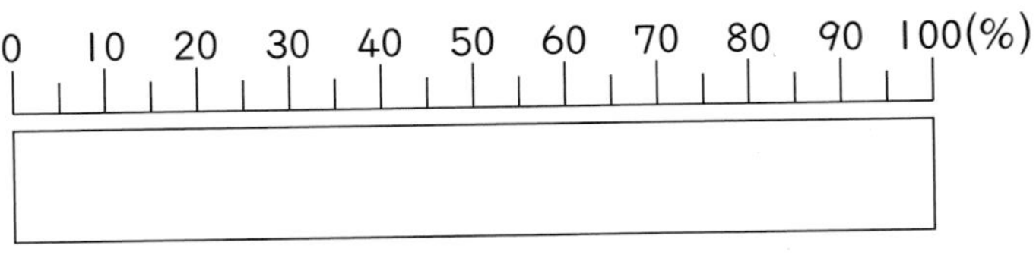

하고 싶은 일별 학생 수

하고 싶은 일	놀이 공원	영화 관람	캠핑	자전거 타기	합계
학생 수 (명)	12	9	6	3	
백분율 (%)					

하고 싶은 일별 학생 수

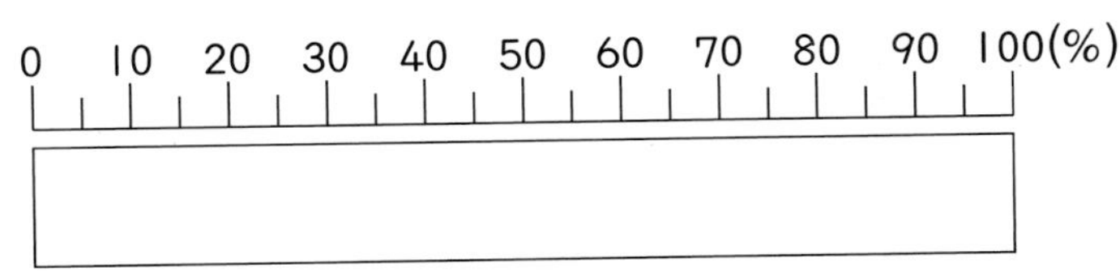

03 원그래프 알아보기

정답 36쪽

- **원그래프**: 전체에 대한 각 부분의 비율을 원 모양에 나타낸 그래프

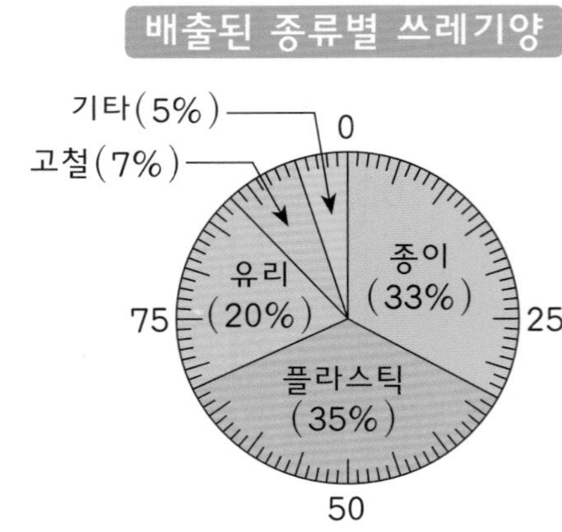

➡ 특징: ① **각 항목이 차지하는 비율**을 한눈에 알 수 있습니다.
② **각 항목끼리의 비율**을 쉽게 비교할 수 있습니다.

1 원그래프를 보고 ☐ 안에 알맞게 써넣으시오.

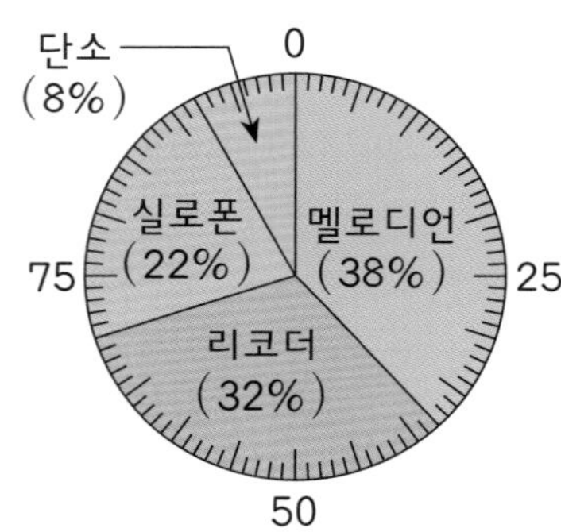

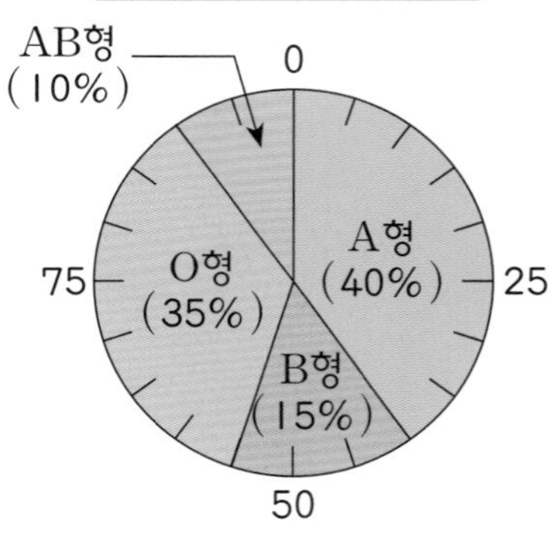

- 가장 많은 학생이 좋아하는 악기는 ☐ 입니다.
- 가장 적은 학생이 좋아하는 악기는 ☐ 입니다.
- 학생 수가 가장 적은 혈액형은 ☐ 형입니다.
- B형과 O형인 학생 수의 합은 전체의 ☐ %입니다.

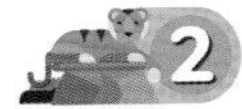

2 표와 원그래프를 보고 알맞게 답하시오.

받고 싶은 선물별 학생 수

선물	핸드폰	게임기	학용품	책	기타	합계
학생 수(명)	108	90	57	36	9	300
백분율(%)	36	30	19	12	3	100

받고 싶은 선물별 학생 수

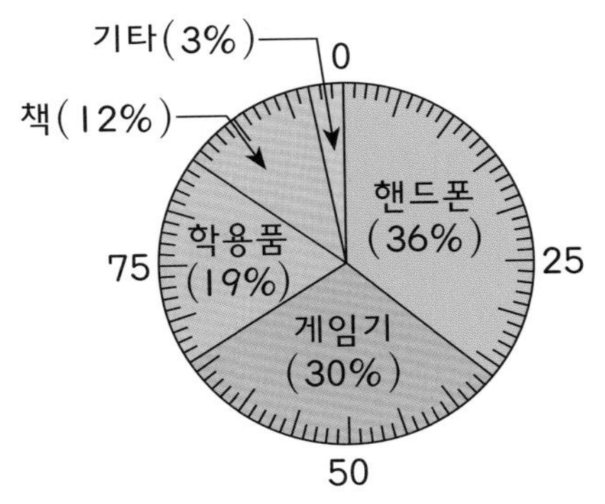

• 조사한 학생 수는 모두 ______ 명입니다.

• 가장 많은 학생이 받고 싶은 선물은 ______ 입니다.

• 조사한 학생의 12%가 받고 싶은 선물은 ______ 입니다.

여름 방학에 가고 싶은 장소별 학생 수

장소	바다	휴양림	계곡	수영장	기타	합계
학생 수(명)	175	125	100	75	25	500
백분율(%)	35	25	20	15	5	100

여름 방학에 가고 싶은 장소별 학생 수

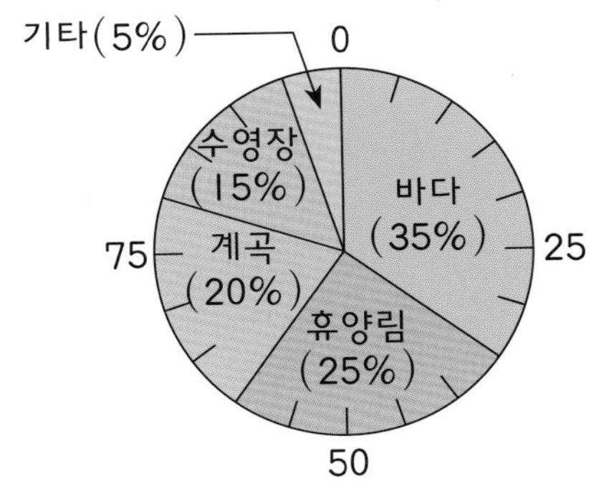

• 가장 많은 학생이 가고 싶은 곳은 ______ 입니다.

• 많은 학생이 가고 싶은 장소부터 차례로 쓰면
______, ______, ______, ______, ______
입니다.

• 전체에 대한 각 부분의 비율을 쉽게 비교할 수 있는 것은 (표 , 원그래프)입니다.

원그래프 그리기

가고 싶은 수학여행 장소별 학생 수

장소	제주	부산	경주	설악	합계
학생 수(명)	81	54	27	18	180

STEP1 각 항목의 백분율 구하기

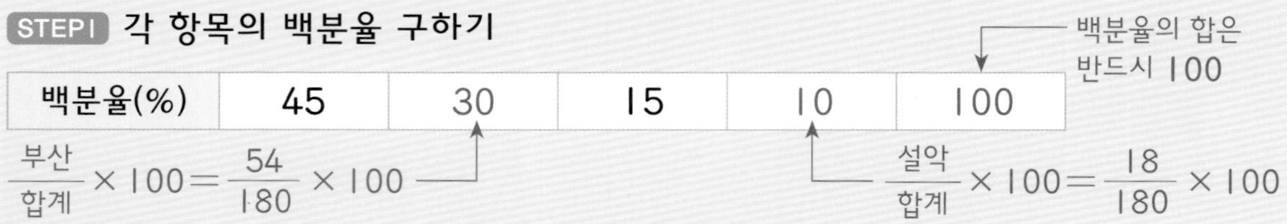

백분율(%)	45	30	15	10	100

백분율의 합은 반드시 100
$\frac{\text{부산}}{\text{합계}} \times 100 = \frac{54}{180} \times 100$
$\frac{\text{설악}}{\text{합계}} \times 100 = \frac{18}{180} \times 100$

STEP2 각 항목의 백분율 크기만큼 선을 그어 원그래프 그리기

가고 싶은 수학여행 장소별 학생 수

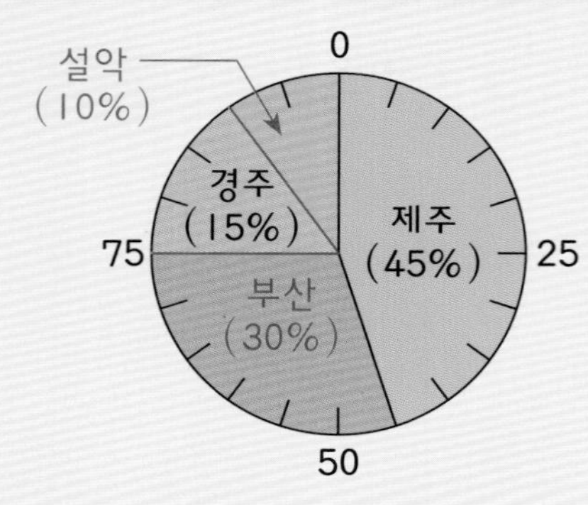

3 표를 보고 각 항목의 백분율을 구해 보시오.

좋아하는 채소별 학생 수

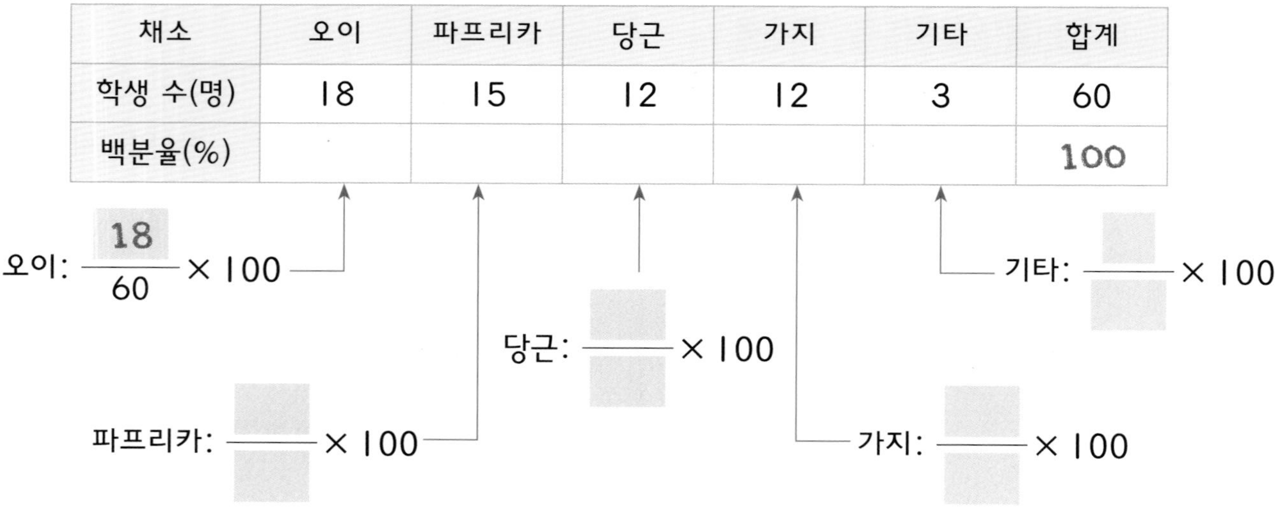

채소	오이	파프리카	당근	가지	기타	합계
학생 수(명)	18	15	12	12	3	60
백분율(%)						100

오이: $\frac{18}{60} \times 100$
파프리카: $\frac{\square}{\square} \times 100$
당근: $\frac{\square}{\square} \times 100$
가지: $\frac{\square}{\square} \times 100$
기타: $\frac{\square}{\square} \times 100$

4 표를 보고 원그래프를 그려 보시오.

좋아하는 프로그램별 학생 수

프로그램	만화	예능	교육	기타	합계
학생 수 (명)	16	14	8	2	40
백분율 (%)	40	35			100

$\frac{8}{40} \times 100$

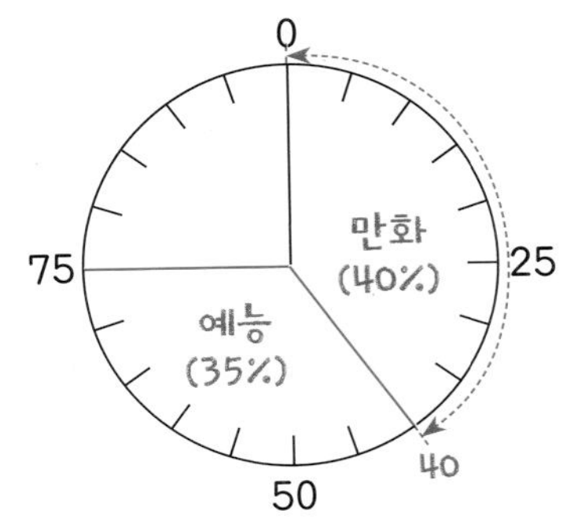

가고 싶은 체험학습 장소별 학생 수

장소	민속촌	수족관	박물관	미술관	합계
학생 수 (명)	20	15	10	5	50
백분율 (%)	40				100

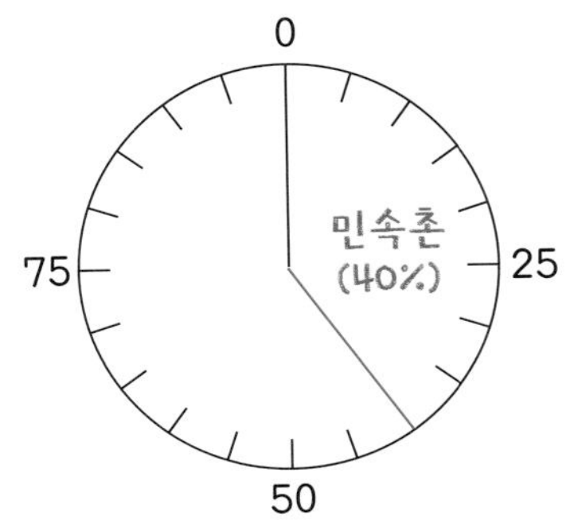

존경하는 위인별 학생 수

위인	세종대왕	이순신	유관순	안중근	합계
학생 수 (명)	56	49	28	7	140
백분율 (%)					

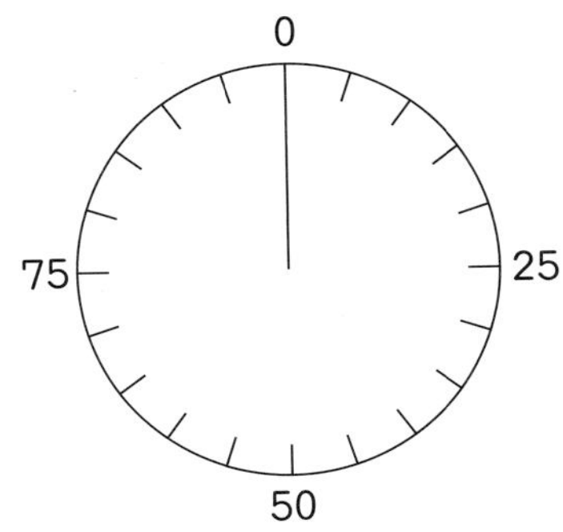

취미 활동별 학생 수

취미	노래	춤	운동	독서	합계
학생 수 (명)	70	60	50	20	
백분율 (%)					

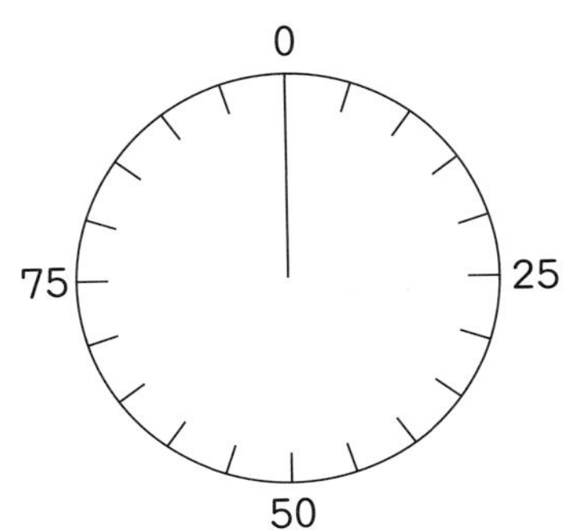

04 그래프 해석하기

정답 37쪽

좋아하는 꽃별 학생 수

0 10 20 30 40 50 60 70 80 90 100(%)

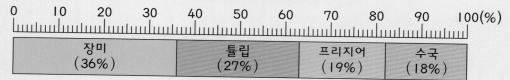

장미 (36%)	튤립 (27%)	프리지어 (19%)	수국 (18%)

• 장미를 좋아하는 학생 수는 수국을 좋아하는 학생 수의 2배입니다.
(비교하는 양) (기준량)

(비교하는 양)÷(기준량)=(장미)÷(수국)=(36%)÷(18%)=2(배)

1 그래프를 보고 물음에 답하시오.

가로수별 나무 수

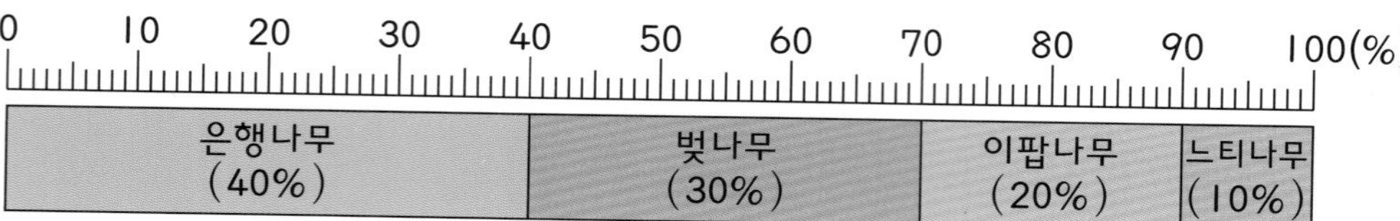

• 은행나무 수는 이팝나무 수의 몇 배입니까?
(비교하는 양) (기준량)

☐ ÷ ☐ = ☐ (배)
(비교하는 양)÷(기준량)

• 벚나무 수는 느티나무 수의 몇 배입니까?
(비교하는 양) (기준량)

☐ ÷ ☐ = ☐ (배)
(비교하는 양)÷(기준량)

좋아하는 색깔별 학생 수

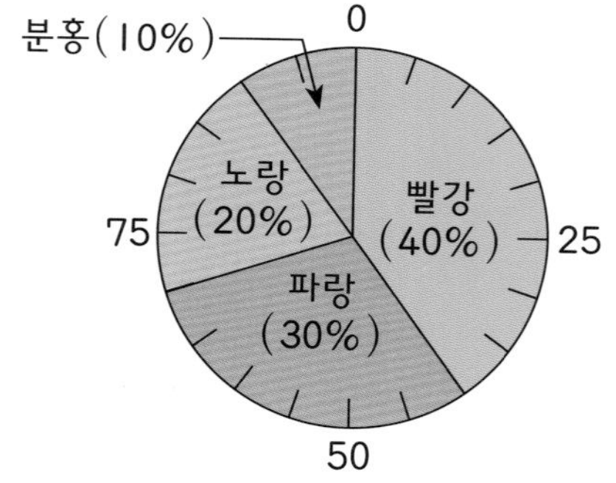

• 빨강을 좋아하는 학생 수는 분홍을 좋아하는 학생 수의 몇 배입니까?
(비교하는 양) (기준량)

☐ ÷ ☐ = ☐ (배)

• 파랑을 좋아하는 학생 수는 노랑을 좋아하는 학생 수의 몇 배입니까?

☐ ÷ ☐ = ☐ (배)

2 그래프를 보고 □ 안에 알맞은 수를 써넣으시오.

우리 동네 종류별 의원 수

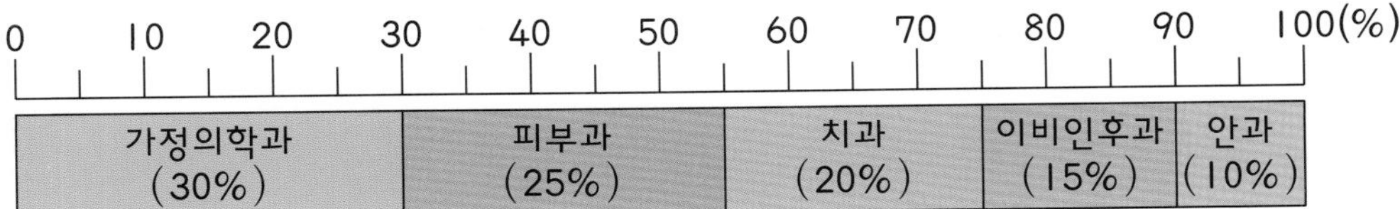

• 가정의학과 수는 이비인후과 수의 □ 배입니다.
(비교하는 양) (기준량)
(비교하는 양)÷(기준량)
=(30%)÷(15%)

• 피부과 수는 안과 수의 □ 배입니다.

고민별 학생 수

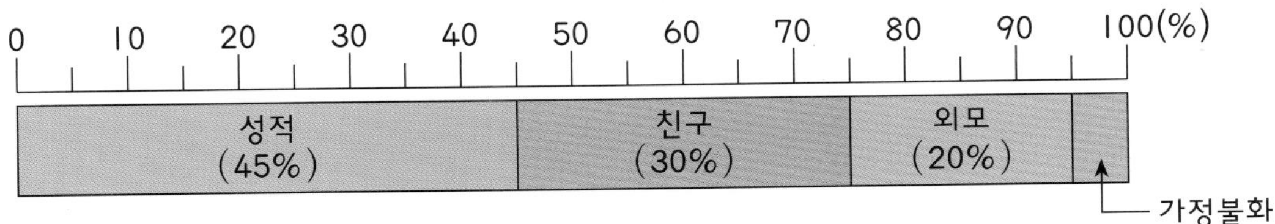

• 성적이 고민인 학생 수는 친구가 고민인 학생 수의 □ 배입니다.

• 외모가 고민인 학생 수는 가정불화가 고민인 학생 수의 □ 배입니다.

가족수별 학생 수

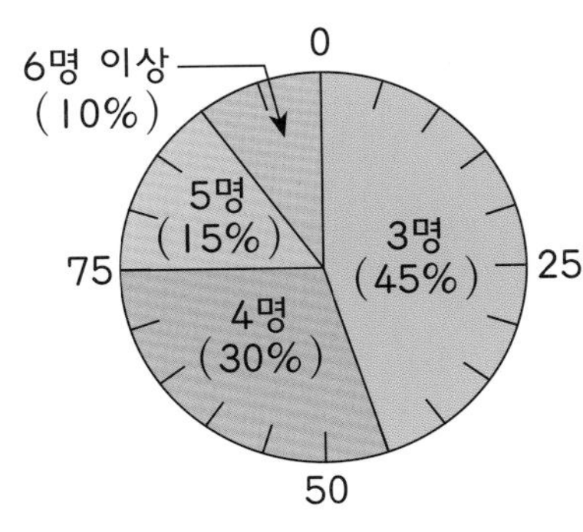

• 가족이 3명인 학생 수는 가족이 5명인 학생 수의 □ 배입니다.

• 가족이 4명인 학생 수는 가족이 6명 이상인 학생 수의 □ 배입니다.

종류별 장난감 수

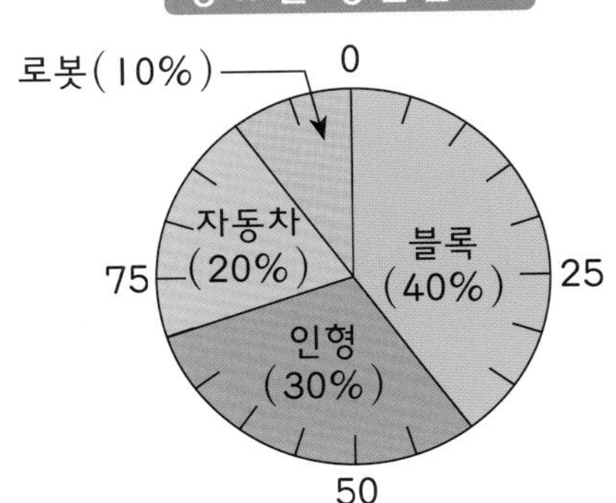

• 블록 수는 자동차 수의 □ 배입니다.

• 인형 수는 로봇 수의 □ 배입니다.

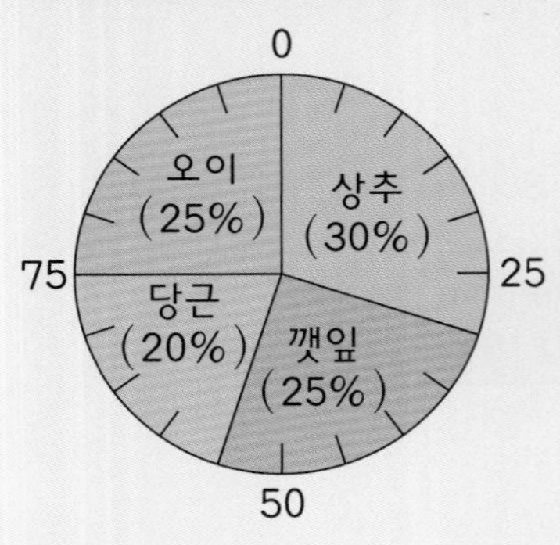

전체 밭의 넓이가 800 km^2일 때

• 상추 밭의 넓이: $800 \times \frac{30}{100} = 240(km^2)$

(전체 밭의 넓이) × (비율)

$30\% = \frac{30}{100}$

• 오이 밭의 넓이: $800 \times \frac{25}{100} = 200(km^2)$

$25\% = \frac{25}{100}$

3 그래프를 보고 물음에 답하시오.

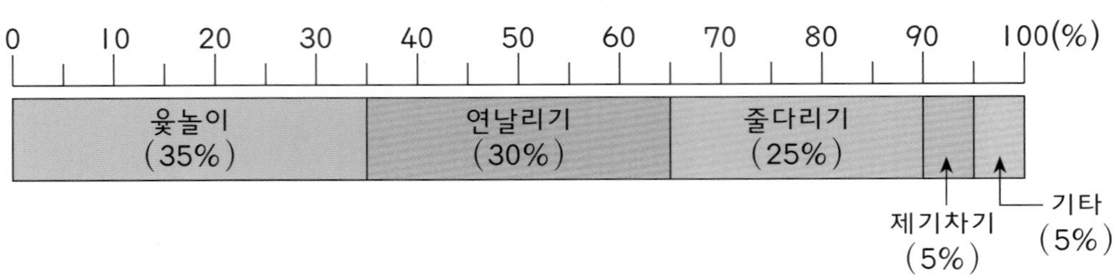

• 조사한 학생이 500명이라면 윷놀이를 좋아하는 학생은 몇 명입니까?

$500 \times \frac{35}{100} = \square$ (명)

전체 학생 수

윷놀이의 비율

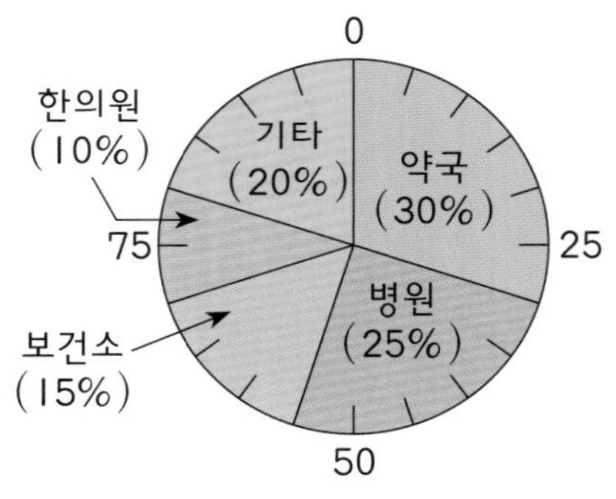

• 의료시설이 모두 180개일 때 약국은 몇 개입니까?

$180 \times \frac{\square}{\square} = \square$ (개)

약국의 비율

• 의료시설이 모두 180개일 때 보건소는 몇 개입니까?

$\square \times \frac{\square}{\square} = \square$ (개)

4 그래프를 보고 ☐ 안에 알맞은 수를 써넣으시오.

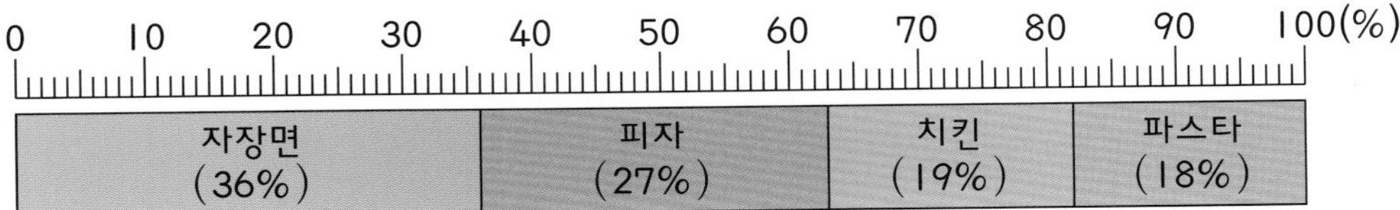

• 조사한 학생이 500명일 때 피자를 좋아하는 학생은 ☐ 명입니다.

전체 비율

(전체) × (비율) = $500 \times \frac{27}{100}$

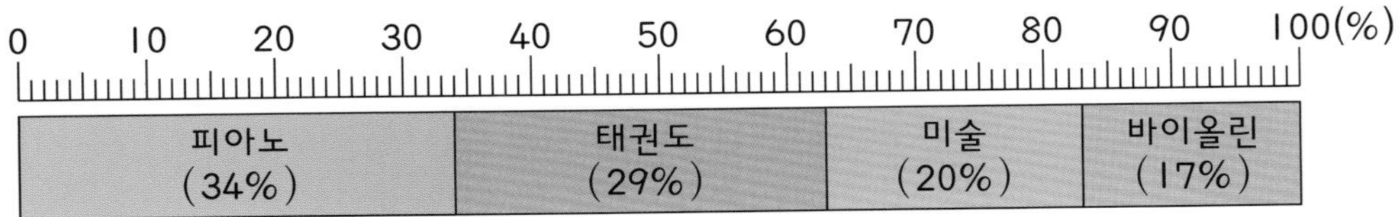

• 조사한 학생 수가 300명일 때 바이올린 연주가 취미인 학생은 ☐ 명입니다.

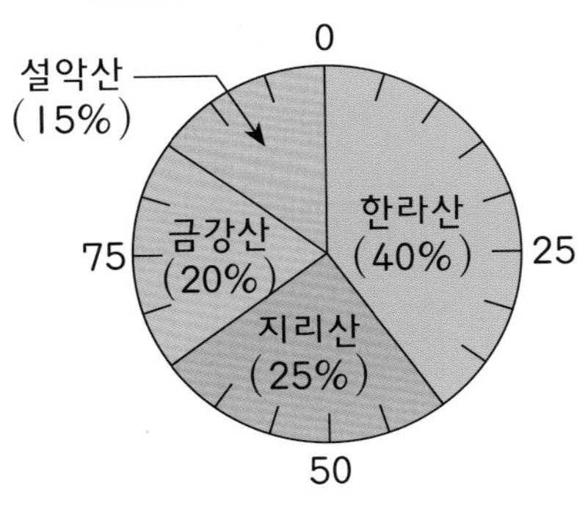

• 조사한 학생이 모두 120명이라면 지리산을 가고 싶은 학생은 ☐ 명입니다.

• 조사한 학생이 모두 240명이라면 설악산을 가고 싶은 학생은 ☐ 명입니다.

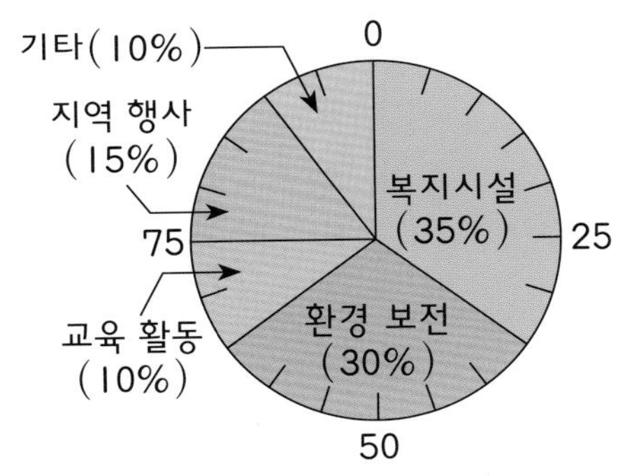

• 조사한 학생이 모두 220명이라면 교육 활동에 참여한 학생은 ☐ 명입니다.

• 조사한 학생이 모두 350명이라면 환경 보전 활동에 참여한 학생은 ☐ 명입니다.

정답 38쪽

응용 1 두 띠그래프를 비교해 보고 알맞게 답하시오.

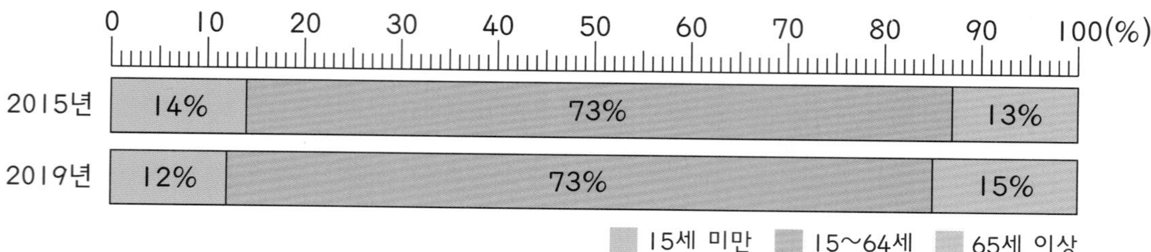

• 2019년 15세 미만 인구와 65세 이상 인구의 비율의 차는 ☐ %입니다.

• 65세 이상 인구의 비율은 2015년에 비해 2019년에 (감소 , 증가)했습니다.
기준량(13%) 비교하는 양(15%)

• 15세 미만 인구의 비율은 2015년에 비해 2019년에 (감소 , 증가)했습니다.
기준량(14%) 비교하는 양(12%)

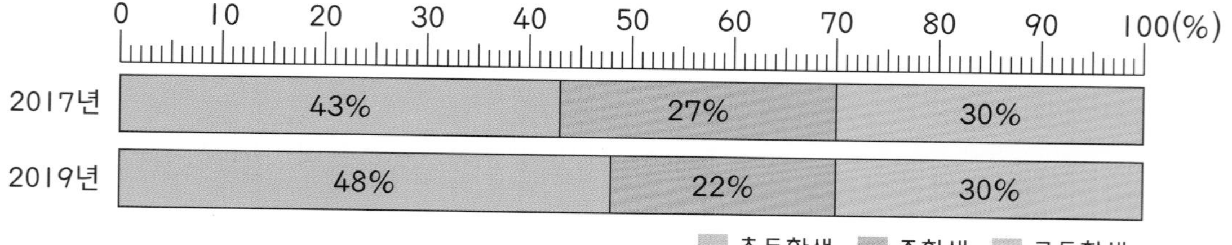

• 2017년 초등학생과 중학생의 사교육비 비율의 차는 ☐ %입니다.

• 2019년 초등학생과 중학생의 사교육비 비율의 차는 ☐ %입니다.

• 초등학생의 사교육비는 2017년에 비해 2019년에 (감소 , 증가)했습니다.

• 중학생의 사교육비는 2017년에 비해 2019년에 (감소 , 증가)했습니다.

응용 ② 띠그래프를 비교해 보고 알맞게 답하시오.

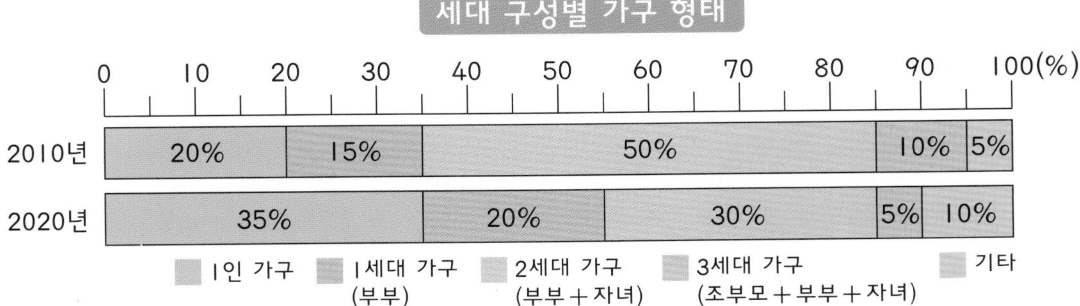

- 1인 가구의 비율은 2010년에 비해 2020년에 ☐배 증가했습니다.
  (2010년: 기준량, 2020년: 비교하는 양, ☐ ← (비교하는 양)÷(기준량))
- 2세대 가구의 비율은 2010년에 비해 2020년에 ☐배 감소했습니다.
  (2010년: 기준량, 2020년: 비교하는 양)
- 3세대 가구의 비율은 2010년에 비해 2020년에 ☐배 감소했습니다.

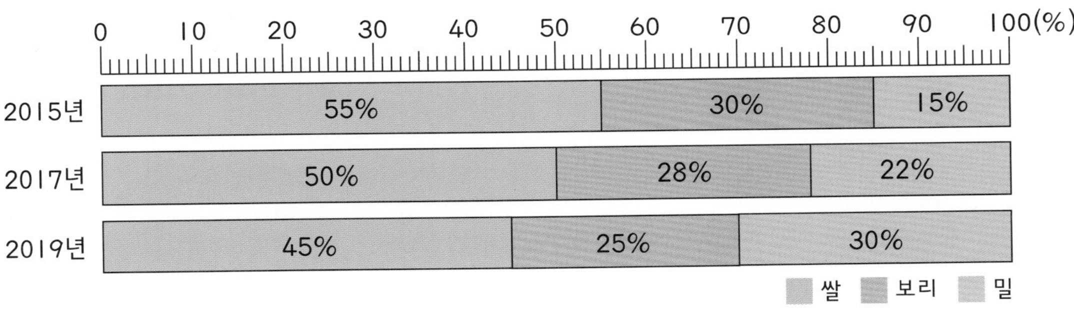

- 2017년 보리와 밀의 생산량의 합은 곡식 전체 생산량의 ☐%를 차지합니다.
- 밀 생산량의 비율은 2015년에 비해 2019년에 ☐배 증가했습니다.
- 쌀 생산량의 비율은 점점 (감소 , 증가)할 것으로 예상됩니다.
- 밀 생산량의 비율은 점점 (감소 , 증가)할 것으로 예상됩니다.

응용 ③ 두 원그래프를 비교해 보고 ☐ 안에 알맞은 수를 써넣으시오.

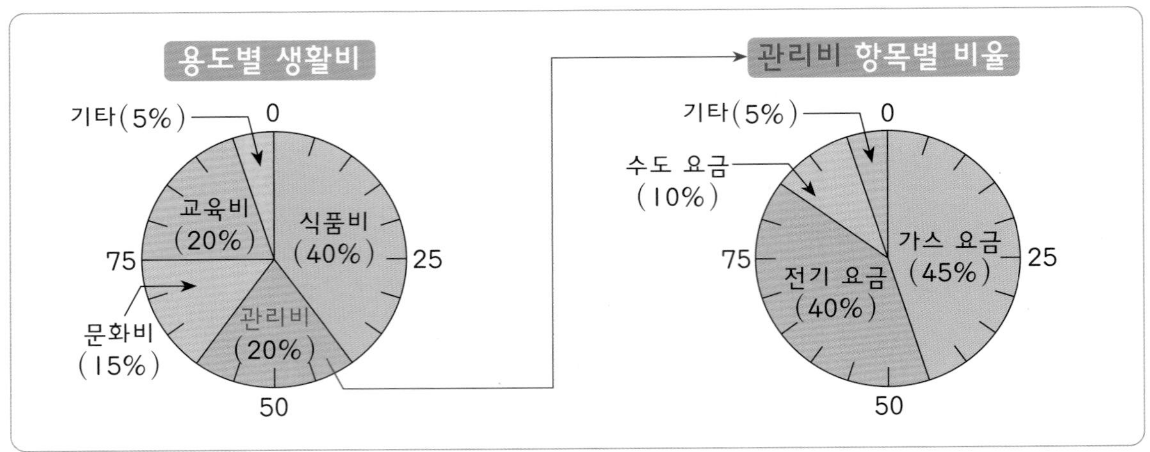

• 생활비가 300만 원일 때 가스 요금

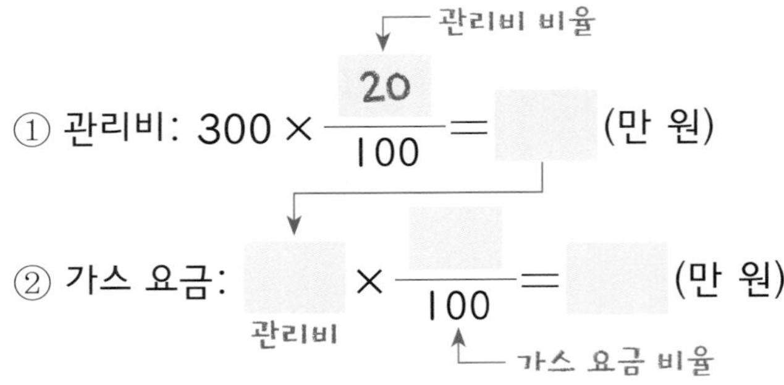

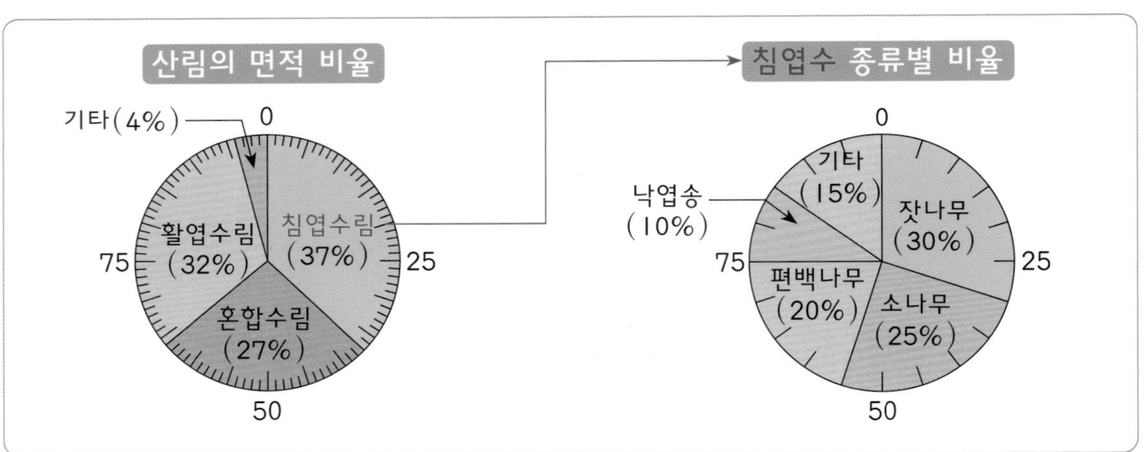

• 산림의 면적이 500 km^2일 때 잣나무 면적

① 침엽수림 면적: $500 \times \frac{\square}{100} = \square$ (km^2)

② 잣나무 면적: $\square \times \frac{\square}{\square} = \square$ (km^2)

침엽수림

잣나무 비율

응용 4 두 원그래프를 비교해 보고 ☐ 안에 알맞은 수를 써넣으시오.

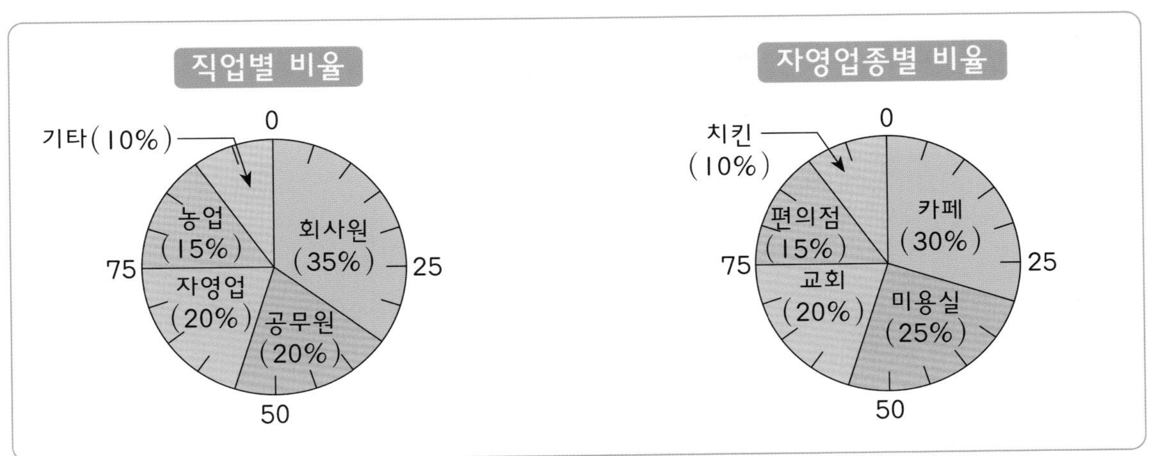

• 조사한 인원이 600명일 때 편의점을 하는 사람 수

① 자영업: 600 × $\frac{☐}{☐}$ = ☐ (명)

② 편의점: ☐ × $\frac{☐}{☐}$ = ☐ (명)

자영업　　편의점 비율

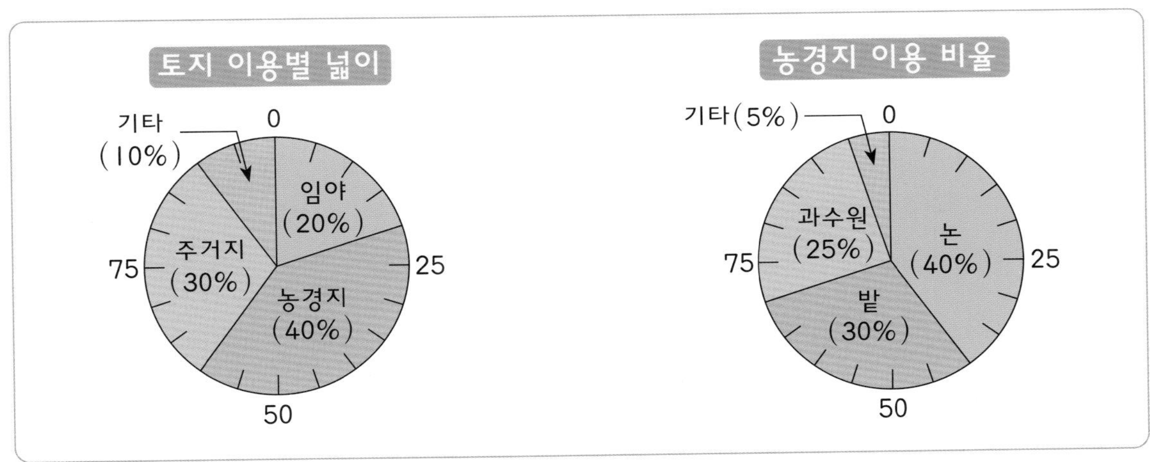

• 토지 넓이가 800 km^2일 때 밭의 넓이

① 농경지의 넓이: ☐ × $\frac{☐}{☐}$ = ☐ (km^2)

② 밭의 넓이: ☐ × $\frac{☐}{☐}$ = ☐ (km^2)

형성평가

정답 39쪽

걸린 시간: 분
점 수: 점

[01~03] 농장별 키우는 토끼 수를 조사하여 나타낸 그림그래프입니다. 물음에 답하시오.

농장별 토끼 수

농장	토끼 수(마리)
가	
나	
다	
라	

10마리 1마리

01 각 그림이 나타내는 토끼 수를 쓰시오.

: 마리, : 마리

02 나 농장과 라 농장의 토끼 수의 차는 몇 마리입니까?

( ) 마리

03 토끼 수가 가장 많은 농장과 가장 적은 농장을 각각 쓰시오.

가장 많은 농장: 농장

가장 적은 농장: 농장

[04~05] 지역별 유치원 수를 조사하여 나타낸 표입니다. 물음에 답하시오.

지역별 유치원 수

지역	가	나	다	라
유치원 수(개)	232	295	307	313

04 유치원 수를 일의 자리에서 반올림하여 어림값으로 나타내시오.

지역별 유치원 수

지역	가	나	다	라
어림값(개)				

05 위 **04**의 표를 보고 그림그래프로 나타내시오.

지역별 유치원 수

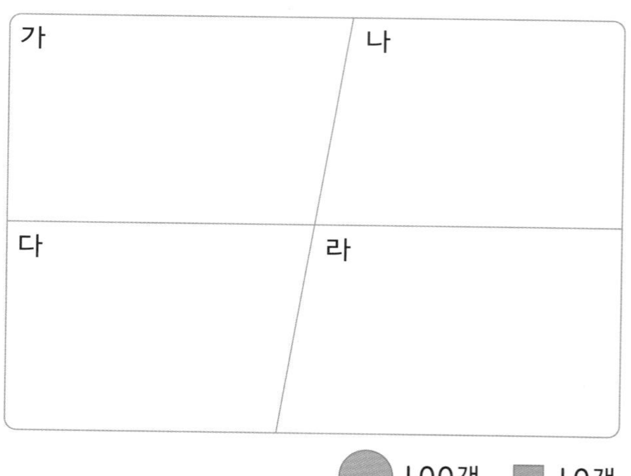

100개 10개

06 학생들이 좋아하는 간식을 조사하여 나타낸 띠그래프입니다. ☐ 안에 알맞게 답하시오.

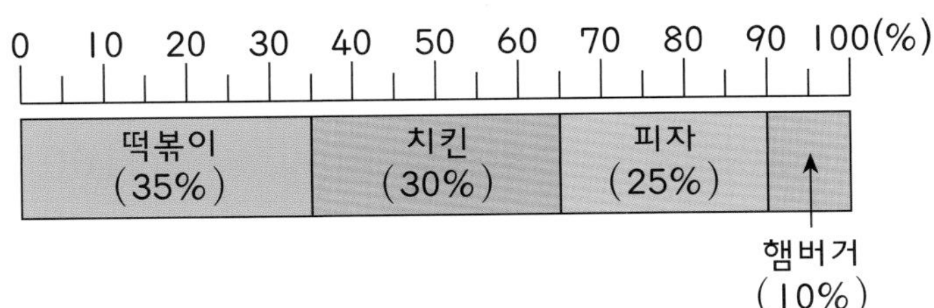

(1) 가장 많은 학생이 좋아하는 간식은 ☐ 입니다.

(2) 가장 적은 학생이 좋아하는 간식은 ☐ 입니다.

07 학급 문고에 있는 책의 종류를 조사하여 나타낸 띠그래프입니다. ☐ 안에 알맞게 답하시오.

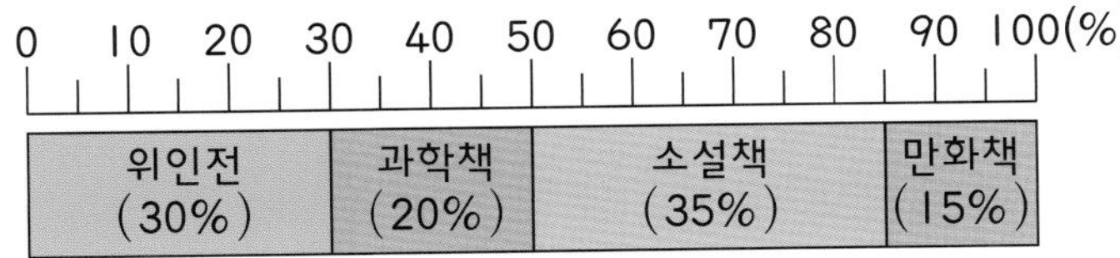

(1) 가장 많은 책은 전체의 ☐ %입니다.

(2) 가장 적은 책은 ☐ 입니다.

08 표를 보고 각 항목의 백분율을 구해 보시오.

좋아하는 계절별 학생 수

계절	봄	여름	가을	겨울	합계
학생 수(명)	48	84	36	72	240
백분율(%)					100

[09~10] 학생들이 좋아하는 운동을 조사하여 나타낸 표입니다. 물음에 답하시오.

좋아하는 운동별 학생 수

운동	수영	축구	야구	농구	합계
학생 수(명)	36	42	18	24	120

09 표를 보고 띠그래프를 그리려고 합니다. 백분율을 구해 보시오.

좋아하는 운동별 학생 수

운동	수영	축구	야구	농구	합계
백분율(%)					100

10 위 **09**의 백분율을 보고 띠그래프를 그려 보시오.

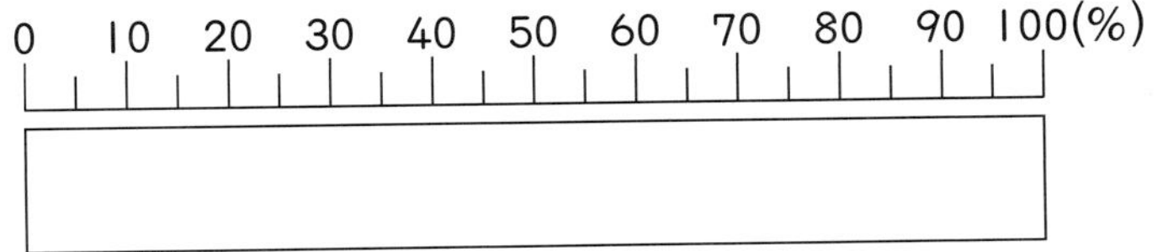

11 원그래프를 보고 ☐ 안에 알맞게 써넣으시오.

혈액형별 학생 수

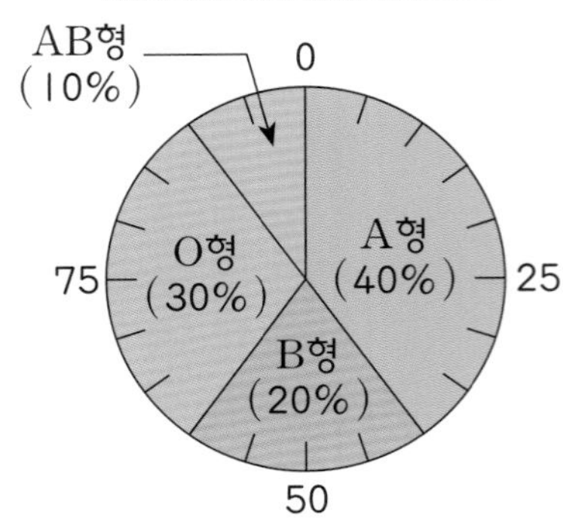

학생 수가 가장 많은 혈액형은 ☐ 형입니다.

12 원그래프를 보고 ☐ 안에 알맞게 써넣으시오.

겨울 방학에 가고 싶은 장소별 학생 수

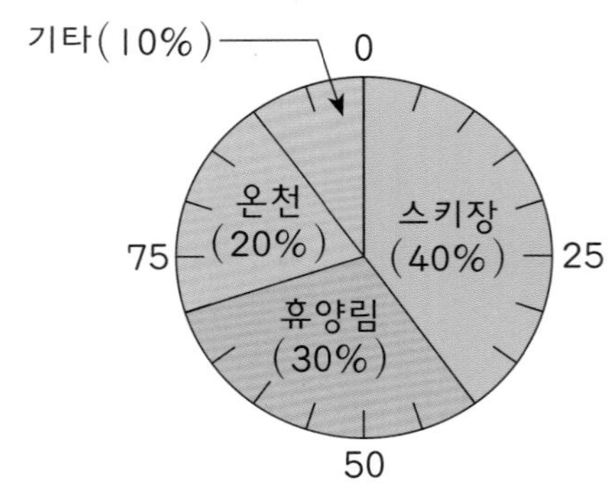

많은 학생이 가고 싶어 하는 장소부터 차례로 쓰면

☐, ☐, ☐, ☐

입니다.

13 표를 보고 각 항목의 백분율을 구해 보시오.

좋아하는 채소별 학생 수

채소	파프리카	오이	당근	가지	합계
학생 수(명)	20	28	24	8	80
백분율(%)					100

[14~15] 학생들이 존경하는 위인을 조사하여 나타낸 표입니다. 물음에 답하시오.

존경하는 위인별 학생 수

위인	유관순	이순신	김구	안중근	합계
학생 수(명)	45	60	15	30	150
백분율(%)					

14 표를 보고 원그래프를 그리려고 합니다. 백분율을 구해 보시오.

15 위 **14**의 백분율을 보고 원그래프를 그려 보시오.

존경하는 위인별 학생 수

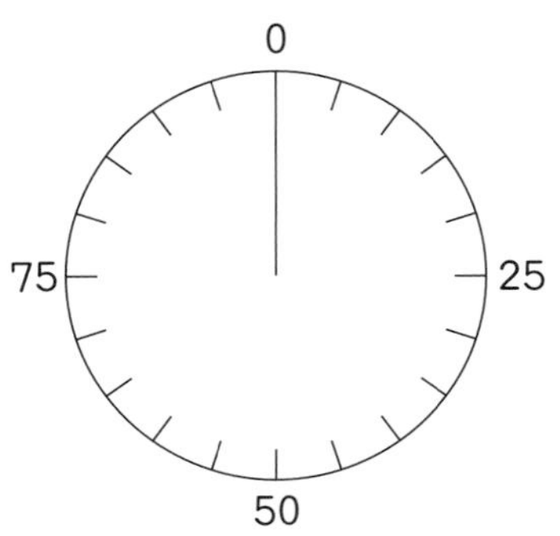

16 원그래프를 보고 물음에 답하시오.

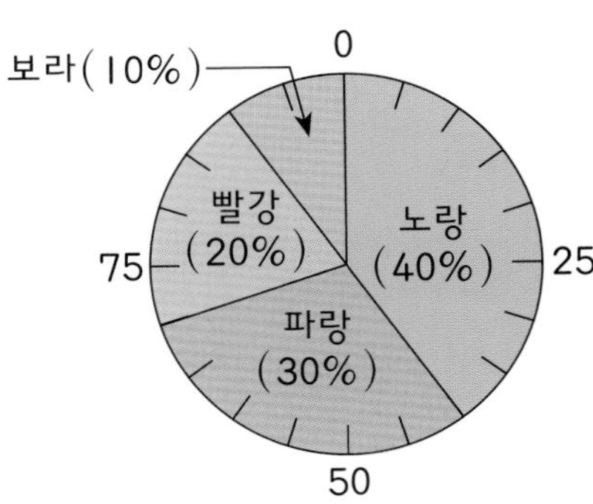

파랑을 좋아하는 학생 수는 보라를 좋아하는 학생 수의 몇 배입니까?

☐ ÷ ☐ = ☐ (배)

17 원그래프를 보고 ☐ 안에 알맞은 수를 써넣으시오.

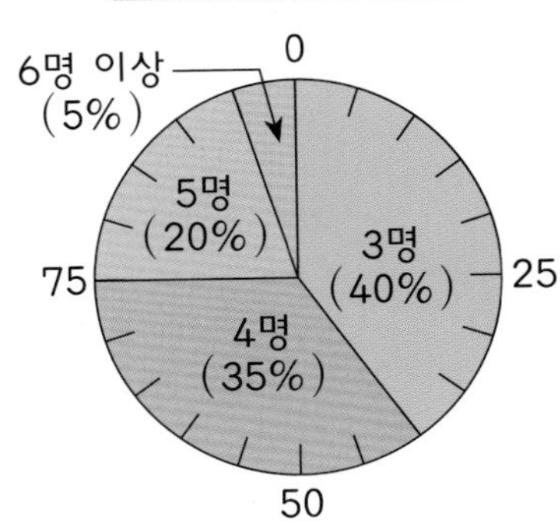

(1) 가족이 3명인 학생 수는 가족이 5명인 학생 수의 ☐ 배입니다.

(2) 가족이 4명인 학생 수는 가족이 6명 이상인 학생 수의 ☐ 배입니다.

18 학생들이 좋아하는 민속놀이를 조사하여 나타낸 띠그래프입니다. 조사한 학생이 300명일 때, 연날리기를 좋아하는 학생 수를 구하시오.

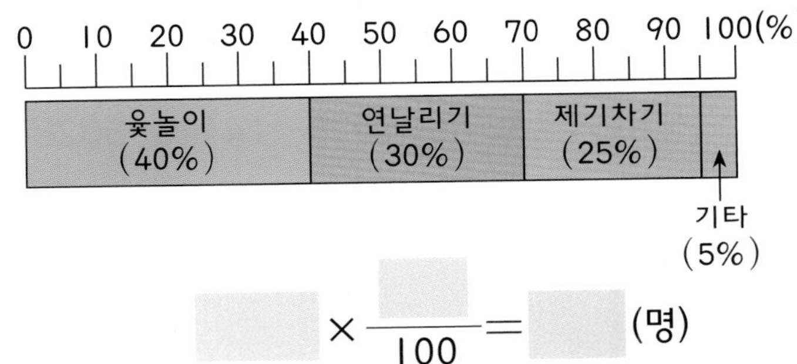

$☐ \times \frac{☐}{100} = ☐$ (명)

[19~20] 원그래프를 보고 물음에 답하시오.

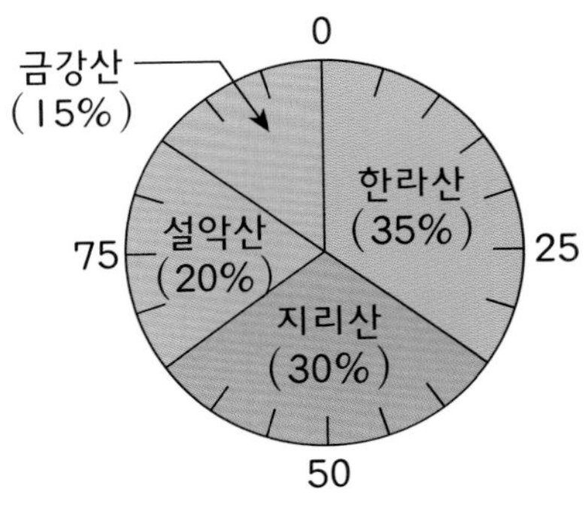

19 조사한 학생이 모두 150명이라면 지리산을 가고 싶은 학생은 몇 명입니까?

( )명

20 조사한 학생이 모두 260명이라면 한라산을 가고 싶은 학생은 몇 명입니까?

( )명

정답 40쪽

[1~2] 지역별 감자 생산량을 조사하여 나타낸 표입니다. 물음에 답하시오.

지역별 감자 생산량

지역	경기	충청	전라	강원
생산량(톤)	13572	8675	14498	50287

1 감자 생산량을 반올림하여 천의 자리까지 나타내시오.

지역별 감자 생산량

지역	경기	충청	전라	강원
어림값(톤)				

2 위 **1**의 표를 보고 그림그래프로 나타내시오.

지역별 감자 생산량

경기	충청
전라	강원

● 만 톤 ▲ 천 톤

[3~5] 지숙이네 반 학생들이 좋아하는 과목을 조사하여 나타낸 띠그래프입니다. 물음에 답하시오.

좋아하는 과목별 학생 수

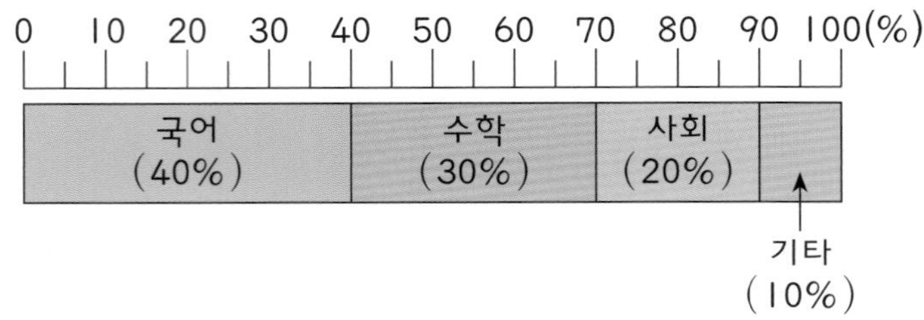

3 작은 눈금 한 칸의 크기는 몇 %를 나타냅니까?

( )%

4 가장 많은 학생이 좋아하는 과목은 무엇입니까?

( )

5 국어를 좋아하는 학생 수는 사회를 좋아하는 학생 수의 몇 배입니까?

( )배

[6~7] 6학년 학생 200명의 혈액형을 조사하여 나타낸 표입니다. 물음에 답하시오.

혈액형별 학생 수

혈액형	A형	B형	O형	AB형	합계
학생 수(명)	70	40	60	30	200

6 혈액형별 학생 수의 백분율을 구하여 표를 완성하시오.

혈액형별 학생 수

혈액형	A형	B형	O형	AB형	합계
백분율(%)					

7 위 **6**의 백분율을 보고 띠그래프로 나타내시오.

혈액형별 학생 수

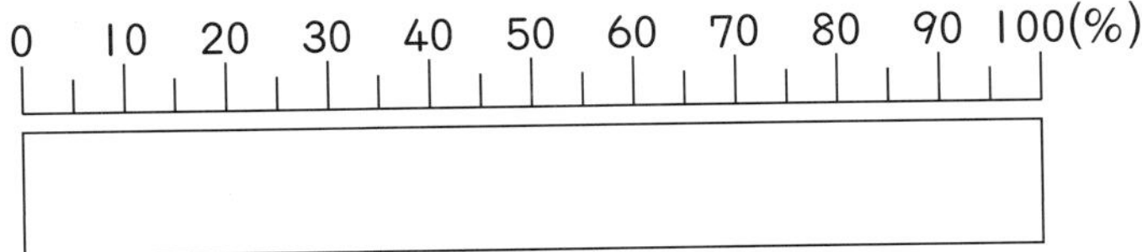

[8~10] 영철이네 집의 지난달 생활비를 조사하여 나타낸 띠그래프입니다. 생활비가 300만 원일 때, 물음에 답하시오.

지난달 생활비

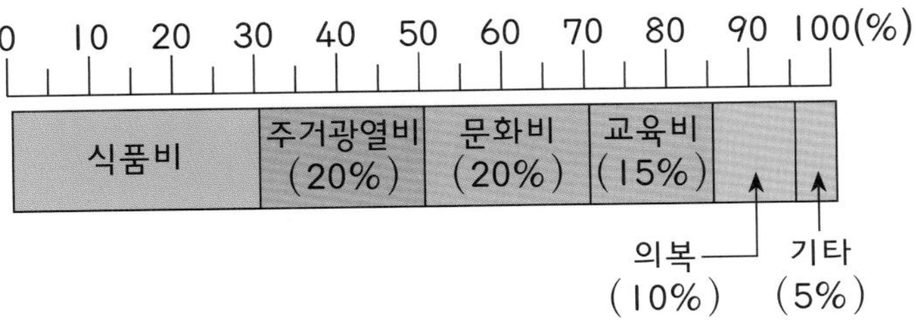

8 식품비의 비율은 전체의 몇 %입니까?

( )%

9 문화비로 지출한 금액은 얼마입니까?

( ) 만 원

10 지난달 생활비 중에서 30만 원을 지출한 항목은 무엇입니까?

( )

[11~13] 어느 마을의 종류별 농작물 생산량을 조사하여 나타낸 원그래프입니다. 물음에 답하시오.

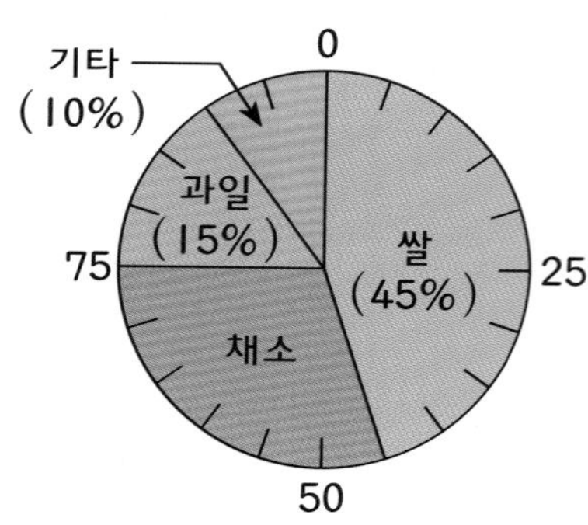

11 가장 많은 비율을 차지하는 농작물은 무엇입니까?

(　　　　　　　)

12 채소의 비율은 몇 %입니까?

(　　　　　　　)%

13 쌀 생산량은 과일 생산량의 몇 배입니까?

(　　　　　　　)배

[14~15] 성수네 반 학급 문고의 종류를 조사하여 나타낸 표입니다. 물음에 답하시오.

종류별 학급 문고 수

종류	동화책	위인전	소설책	기타	합계
책 수(권)	42	54	18	6	120

14 종류별 학급 문고 수의 백분율을 구하여 표를 완성하시오.

종류별 학급 문고 수

종류	동화책	위인전	소설책	기타	합계
백분율(%)	35				

15 종류별 학급 문고 수를 원그래프로 나타내시오.

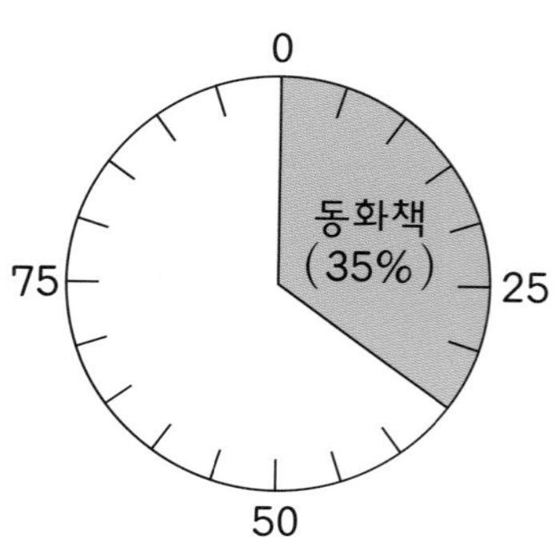

[16~18] 우리나라 산림의 면적 비율을 조사하여 나타낸 원그래프입니다. 물음에 답하시오.

산림의 면적 비율

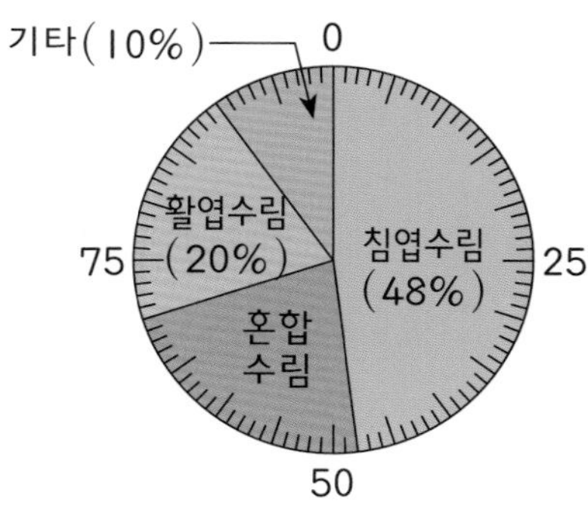

16 혼합수림은 우리나라 산림 면적의 몇 %를 차지합니까?

( )%

17 두 번째로 많은 비율을 차지하는 것은 무엇입니까?

( )

18 우리나라 산림 면적이 66000 km^2라면, 활엽수림이 차지하는 면적은 몇 km^2인지 풀이 과정을 쓰고 답을 구하시오.

풀이

답

[19~20] 성미네 아파트에서 일주일 동안 나온 쓰레기 종류를 나타낸 띠그래프와 재활용품의 종류를 나타낸 원그래프입니다. 일주일 동안 나온 쓰레기양이 500 kg일 때, 물음에 답하시오.

쓰레기의 종류

0 10 20 30 40 50 60 70 80 90 100(%)

일반 쓰레기 (32%)	재활용품 (42%)	음식물 쓰레기 (26%)

재활용품의 종류

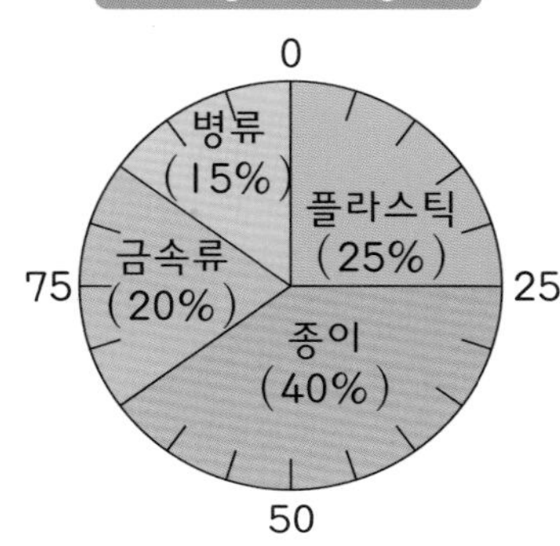

19 일주일 동안 나온 재활용품의 양은 몇 kg입니까?

( )kg

20 일주일 동안 나온 쓰레기 중 금속류의 양은 몇 kg인지 풀이 과정을 쓰고 답을 구하시오.

풀이

답

memo

논리적 사고력과 창의적 문제해결력을 키워 주는

매스티안 교재 활용법!

대상	창의사고력 교재 팩토	연산 교재 사고력을 키우는 팩토 연산	연산 교재 원리 연산 소마셈
5세~6세	 킨더팩토 A, B, C, D		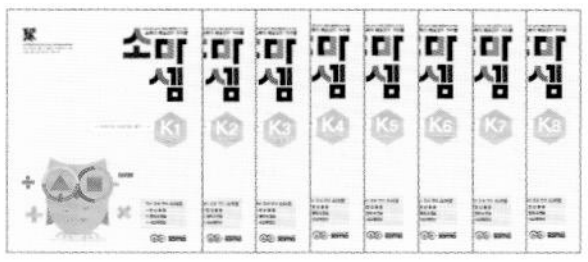 소마셈 K시리즈 K1~K8
7세~초1	   키즈 원리A/탐구A 키즈 원리B/탐구B 키즈 원리C/탐구C	 사고력을 키우는 팩토 연산 P01~P05	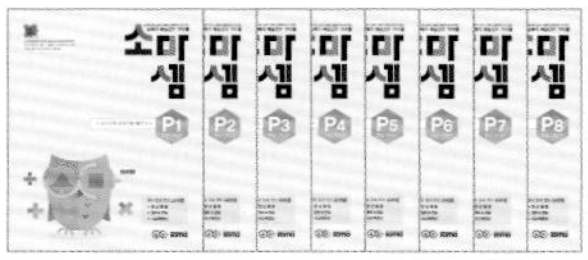 소마셈 P시리즈 P1~P8
초1~초2	   Lv.1 원리A/탐구A Lv.1 원리B/탐구B Lv.1 원리C/탐구C	 사고력을 키우는 팩토 연산 A01~A05	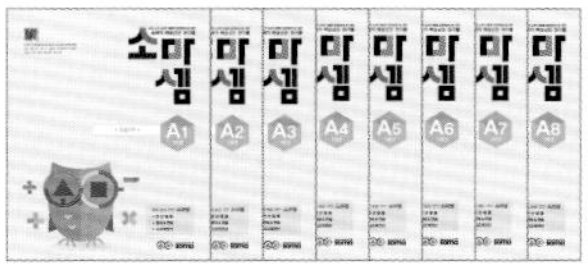 소마셈 A시리즈 A1~A8
초2~초3	   Lv.2 원리A/탐구A Lv.2 원리B/탐구B Lv.2 원리C/탐구C	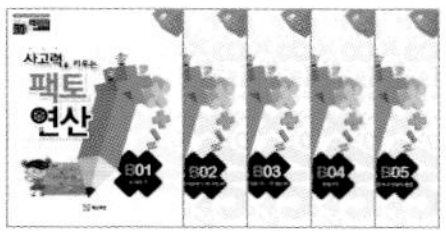 사고력을 키우는 팩토 연산 B01~B05	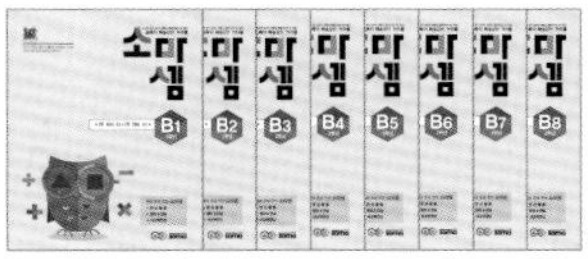 소마셈 B시리즈 B1~B8
초3~초4	   Lv.3 원리A/탐구A Lv.3 원리B/탐구B Lv.3 원리C/탐구C	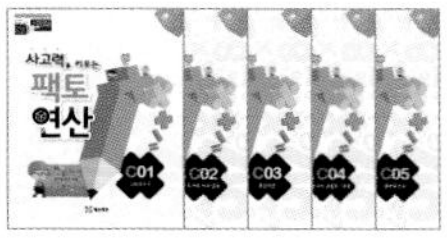 사고력을 키우는 팩토 연산 C01~C05	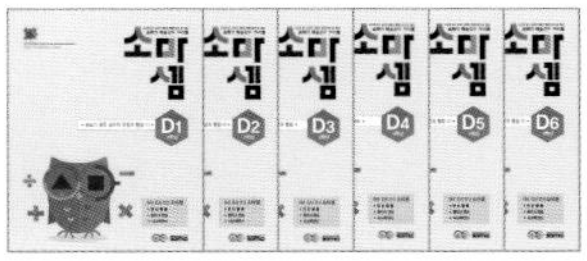 소마셈 D시리즈 D1~D6
초4~초5	  Lv.4 기본A, 실전A Lv.4 기본B, 실전B		 소마셈 C시리즈 C1~C8
초5~초6	  Lv.5 기본A, 실전A Lv.5 기본B, 실전B		
초6~	  Lv.6 기본A, 실전A Lv.6 기본B, 실전B		

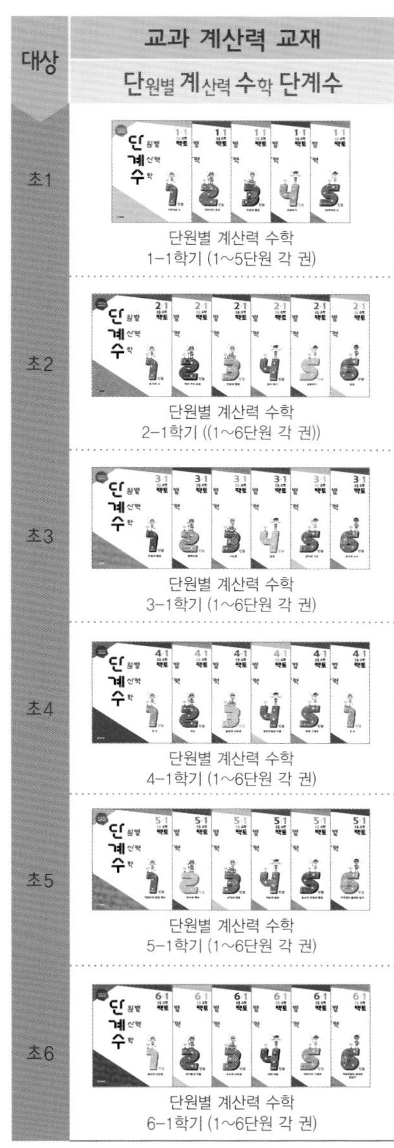

대상	교과 계산력 교재 단원별 계산력 수학 단계수
초1	단원별 계산력 수학 1-1학기 (1~5단원 각 권)
초2	단원별 계산력 수학 2-1학기 ((1~6단원 각 권))
초3	단원별 계산력 수학 3-1학기 (1~6단원 각 권)
초4	단원별 계산력 수학 4-1학기 (1~6단원 각 권)
초5	단원별 계산력 수학 5-1학기 (1~6단원 각 권)
초6	단원별 계산력 수학 6-1학기 (1~6단원 각 권)

대상	교과 수학 교재 1학기	교과 수학 교재 2학기
초1	팩토 수학교과서/익힘책 1-1	팩토 수학교과서/익힘책 1-2
초2	팩토 수학교과서/익힘책 2-1	팩토 수학교과서/익힘책 2-2

단계수 학습 순서

매일 학습

단원별로 꼭 알아야 할 개념만 쏙쏙 학습하고 다양한 연산 문제를 통해 연산 과정을 숙달하여 계산력을 쑥쑥 키울 수 있습니다.

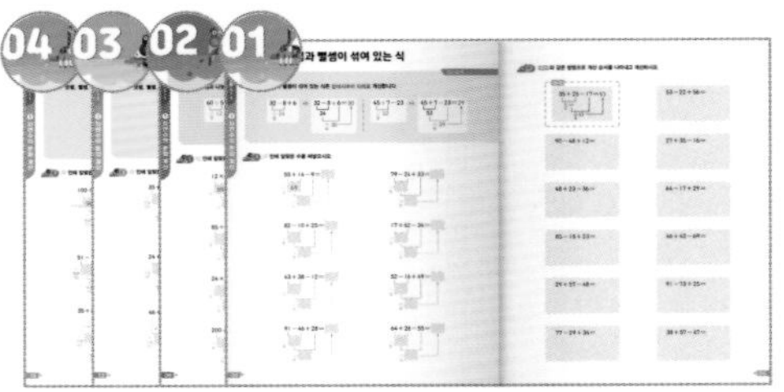

도전! 응용문제

응용 문제와 **서술형** 문제를 통해 사고력과 문제해결력을 기를 수 있습니다.

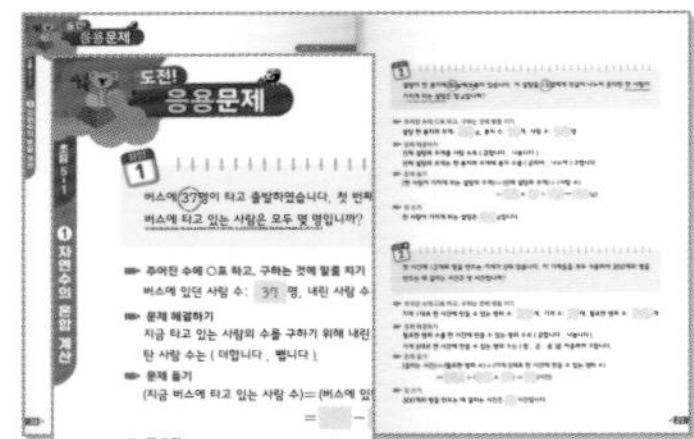

형성 평가

단원의 **복습 단계**로 문제를 풀면서 학습한 내용을 다시 한 번 확인할 수 있습니다.

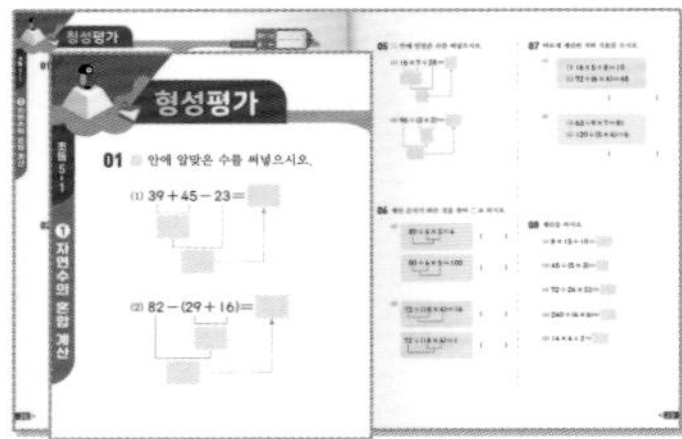

단원 평가

단원의 **마무리 학습**으로 학교 시험에 자주 나오는 문제를 통해 수시 평가 등 학교 시험에 대비할 수 있습니다.

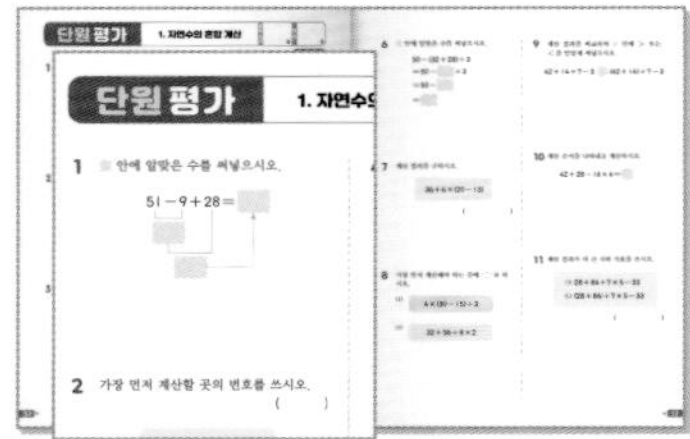

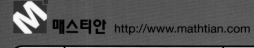

매스티안 http://www.mathtian.com

자율안전확인신고필증번호 : B361H200-4001
1. 주소 : 06153 서울특별시 강남구 봉은사로 442 (삼성동)
2. 문의전화 : 1588-6066
3. 제조국 : 대한민국
4. 사용연령 : 13세 이상
※ KC마크는 이 제품이 공통안전기준에 적합하였음을 의미합니다.

주의

종이, 모서리에 다칠 수 있으니 주의하세요!

초등학교	반 번
이름	

FACTO school

단원별 계산력 수학

6 단원

직육면체의 부피와 겉넓이

매스티안

1-1

2. 여러 가지 모양

· ▢, ▢, ◯ 모양

· ▢, ▢, ◯ 모양으로 만들기

5. 직육면체

· 직육면체와 정육면체

· 직육면체의 겨냥도와 전개도

5-2

2. 각기둥과 각뿔

· 각기둥과 각뿔

· 각기둥의 전개도

6-1

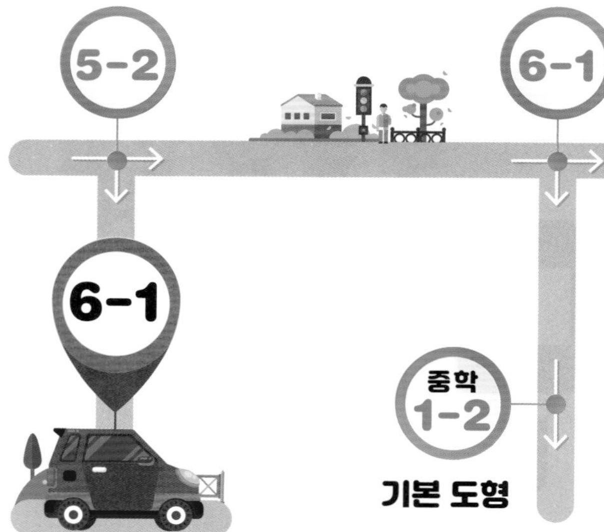

6-1

중학 1-2

기본 도형

6. 직육면체의 부피와 겉넓이

· 부피 비교하기

· 직육면체의 부피

· 직육면체의 겉넓이

6 직육면체의 부피와 겉넓이

Teaching Guide

예전에는 직육면체의 겉넓이 구하는 것을 공식화하여 지도하기도 하였습니다. 즉 전개도를 이용하여 옆면을 직사각형 형태로 펼친 후 밑면의 둘레에 높이를 곱하여 옆면의 넓이를 구한 후 두 밑면의 넓이를 더하는 방법으로 공식을 유도하였습니다. 하지만 밑면과 옆면을 이용한 겉넓이 공식을 아이들이 직접 사고하여 이끌어 내기에는 어려움이 있으며 왜 그렇게 되는지 이유도 모른 채 겉넓이 공식을 암기하는 좋지 않은 결과를 가져왔습니다. 따라서 겉넓이라는 용어에 충실하게 아이 나름의 수학적 사고로 방법을 이끌어 내는 것이 바람직하며 아이들의 사고 없이 일방적으로 공식화하여 암기시키는 것은 좋지 않습니다.

6. 원기둥, 원뿔, 구

- 원기둥, 원뿔, 구
- 원기둥의 전개도

다면체와 회전체

중학 1-2

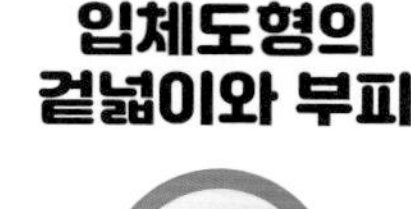

3. 공간과 입체

- 쌓은 모양과 쌓기나무의 개수
- 쌓기나무로 여러 가지 모양 만들기

공부한 날짜

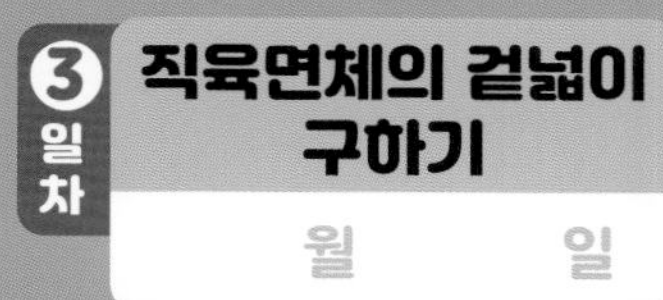

4 일차
정육면체의 부피와 겉넓이
월 일

5 일차
응용 문제
월 일

01 직육면체의 부피 구하기

정답 41쪽

- **부피의 단위 1 cm^3 알아보기**

한 모서리의 길이가 1 cm인 정육면체의 부피를 1 cm^3라고 합니다.

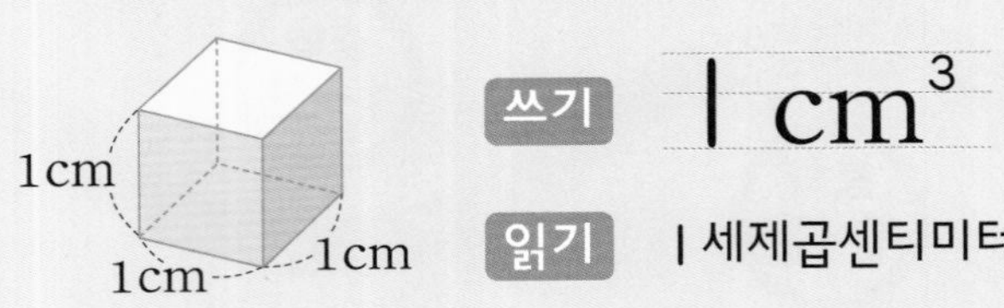

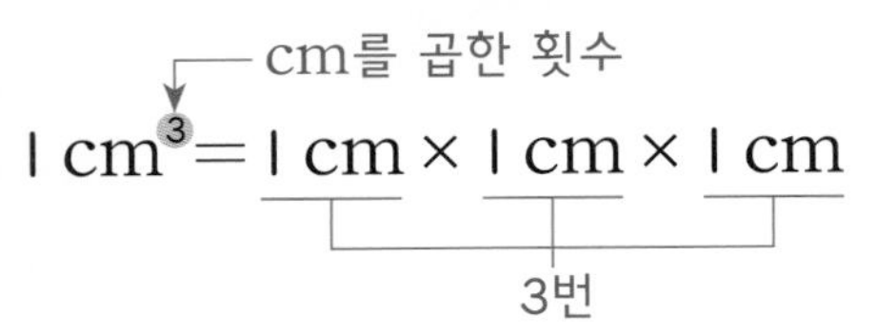

1 부피가 1 cm^3( )인 쌓기나무를 쌓아 직육면체를 만들었습니다. ☐ 안에 알맞은 수를 써넣어 쌓기나무의 수를 구하시오.

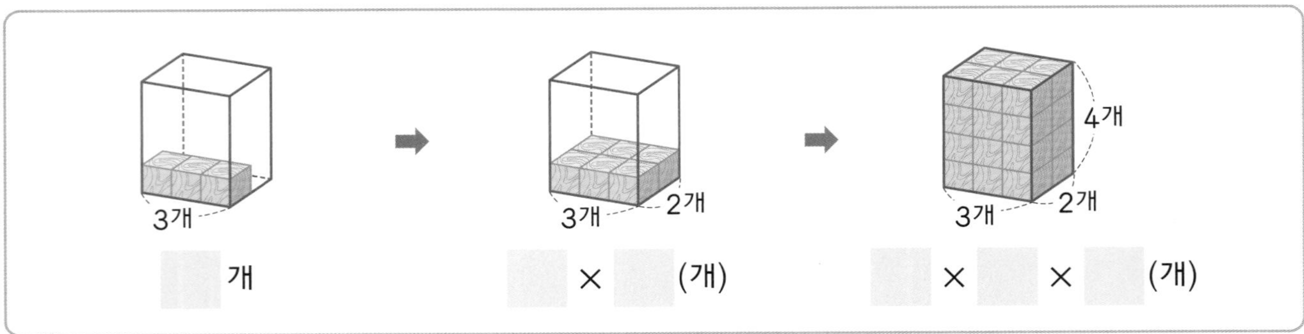

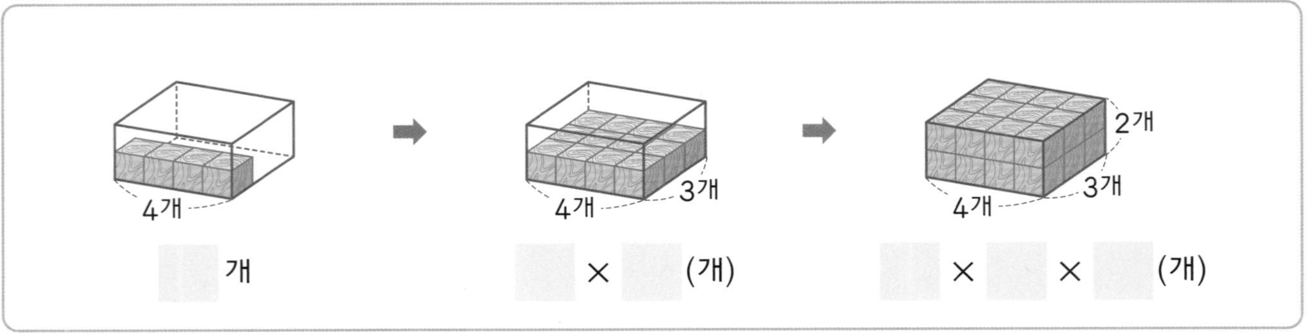

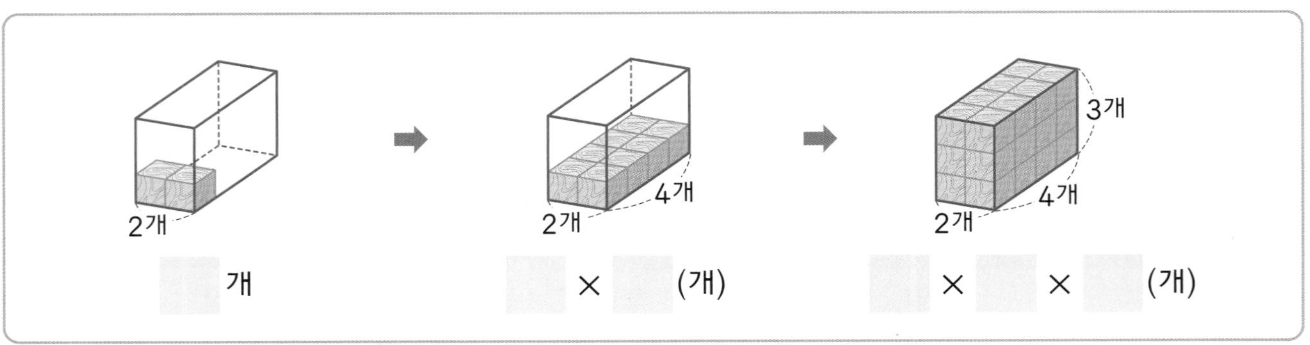

2 부피가 1 cm^3( )인 쌓기나무를 쌓아 만든 직육면체의 부피를 구하시오.

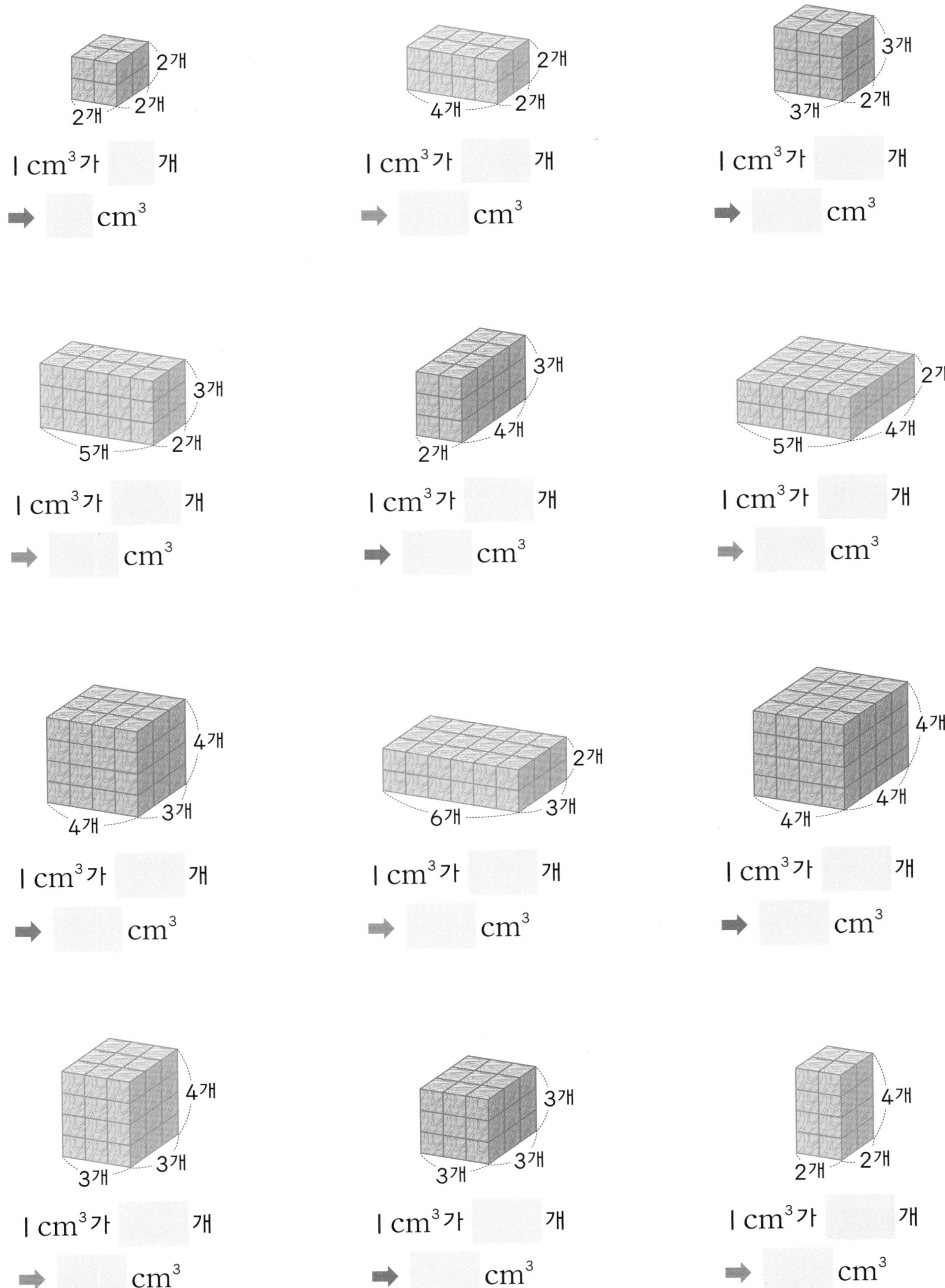

● 직육면체의 부피 구하기

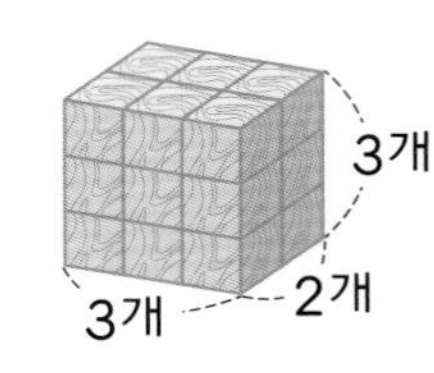

(쌓기나무 수)
$=3\times2\times3$
$=18$(개)

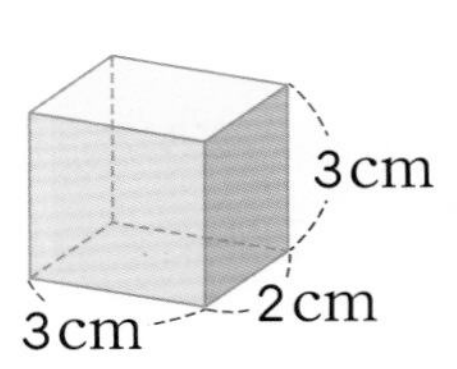

(직육면체의 부피)
$=3\times2\times3$
$=18(\mathrm{cm}^3)$

3 ▢ 안에 알맞은 수를 써넣어 직육면체의 부피를 구하시오.

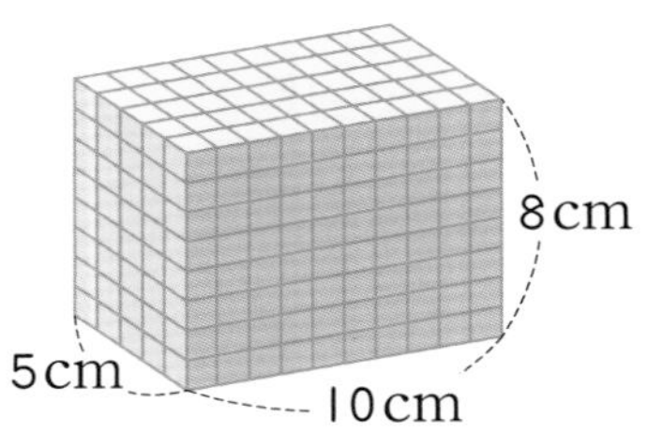

(직육면체의 부피)
$=\square\times\square\times\square$
$=\square(\mathrm{cm}^3)$

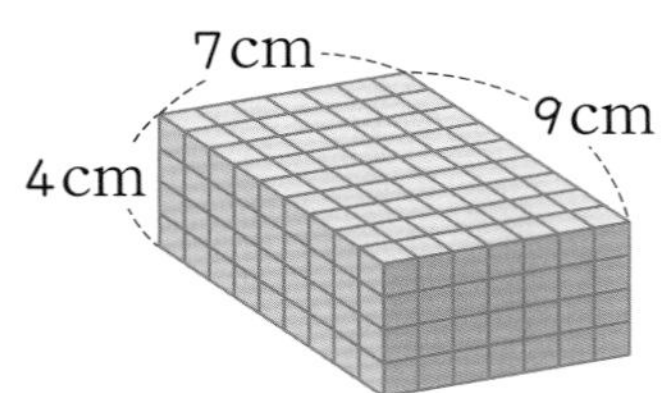

(직육면체의 부피)
$=\square\times\square\times\square$
$=\square(\mathrm{cm}^3)$

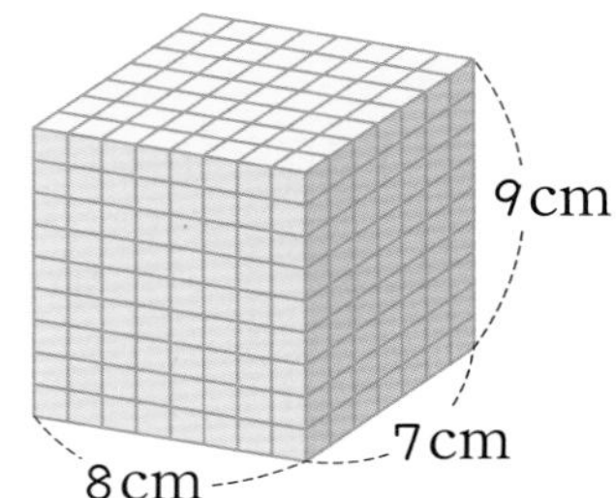

(직육면체의 부피)
$=\square\times\square\times\square$
$=\square(\mathrm{cm}^3)$

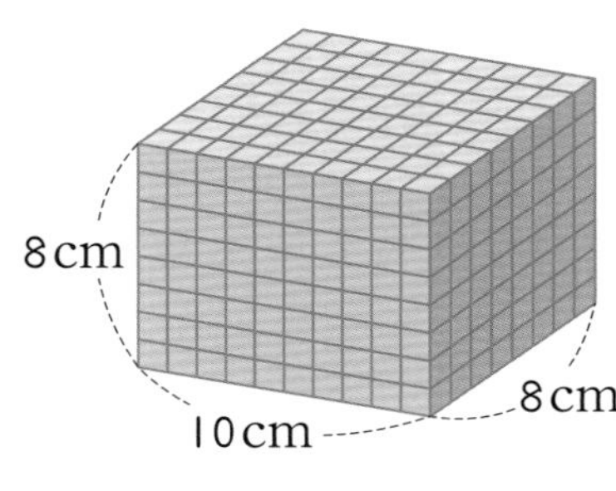

(직육면체의 부피)
$=\square\times\square\times\square$
$=\square(\mathrm{cm}^3)$

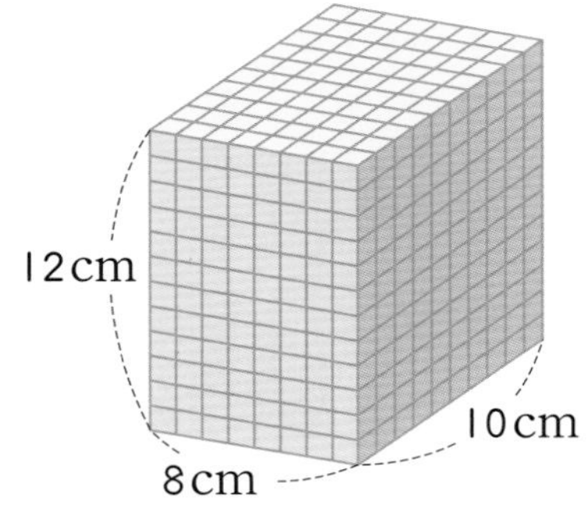

(직육면체의 부피)
$=\square\times\square\times\square$
$=\square(\mathrm{cm}^3)$

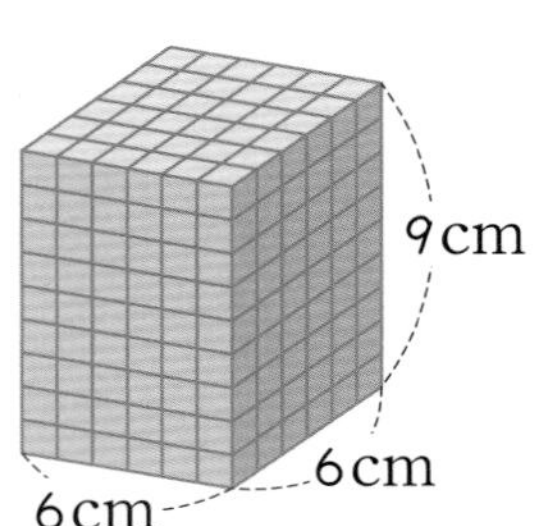

(직육면체의 부피)
$=\square\times\square\times\square$
$=\square(\mathrm{cm}^3)$

4 직육면체의 부피를 구하시오.

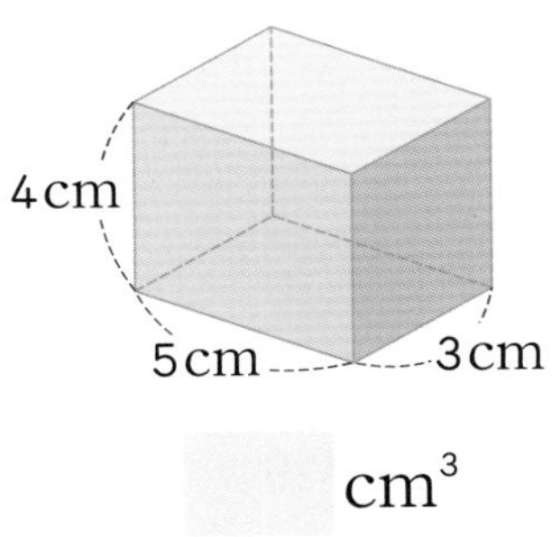

cm³

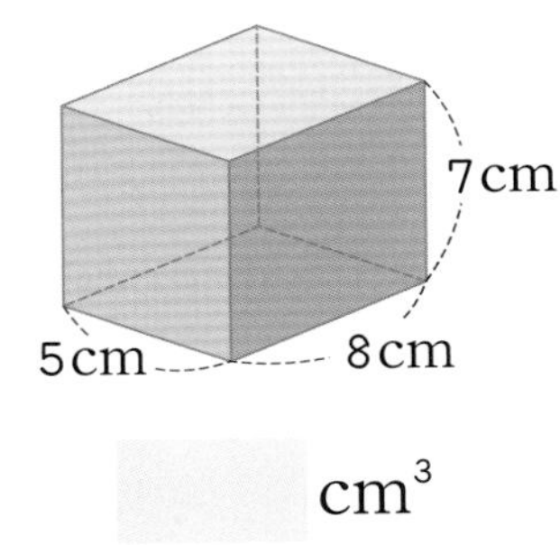

cm³

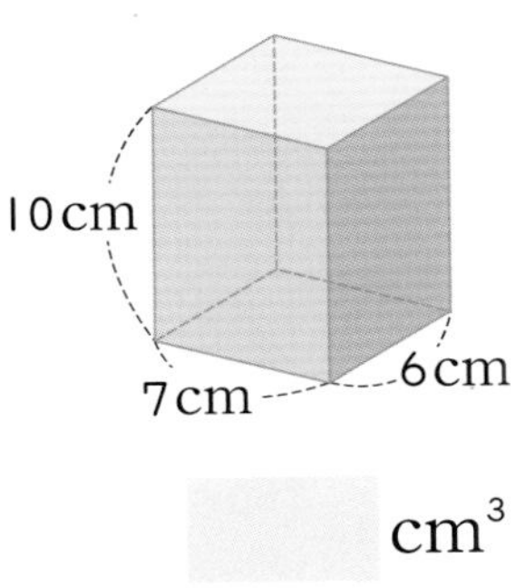

cm³

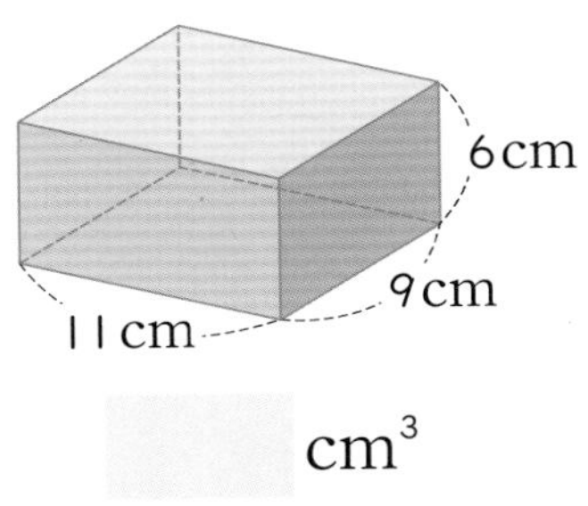

cm³

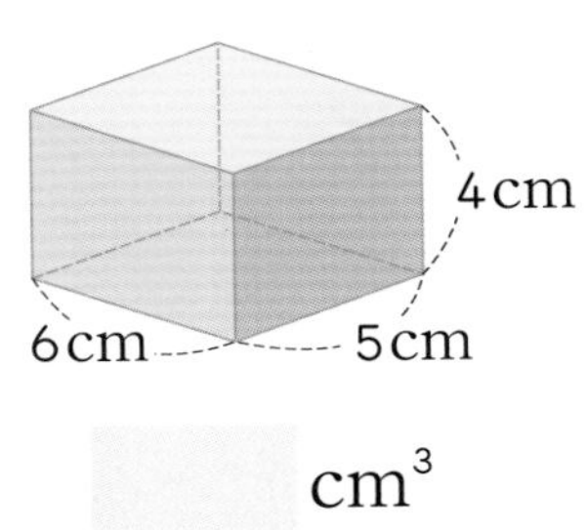

cm³

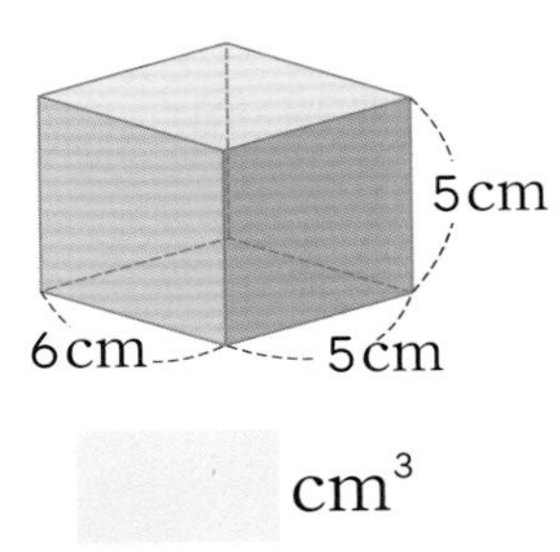

cm³

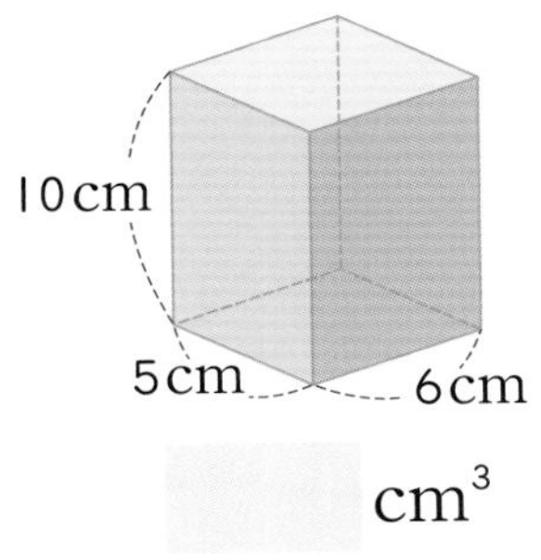

cm³

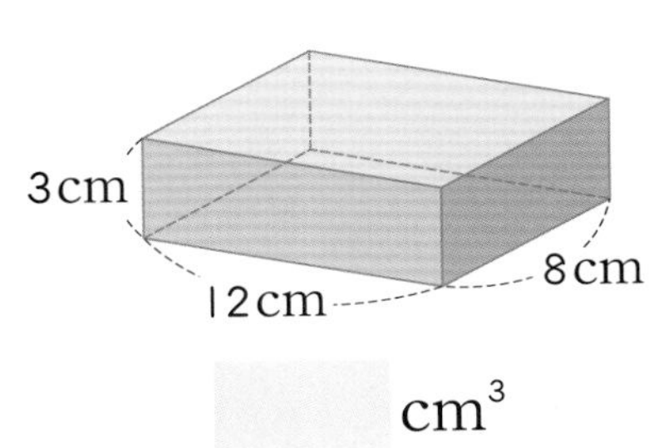

cm³

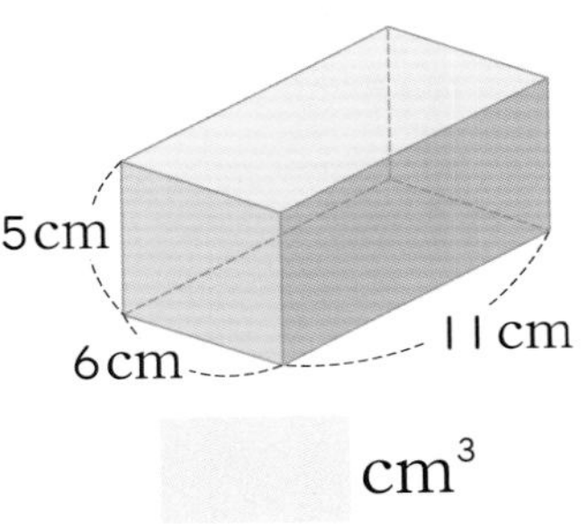

cm³

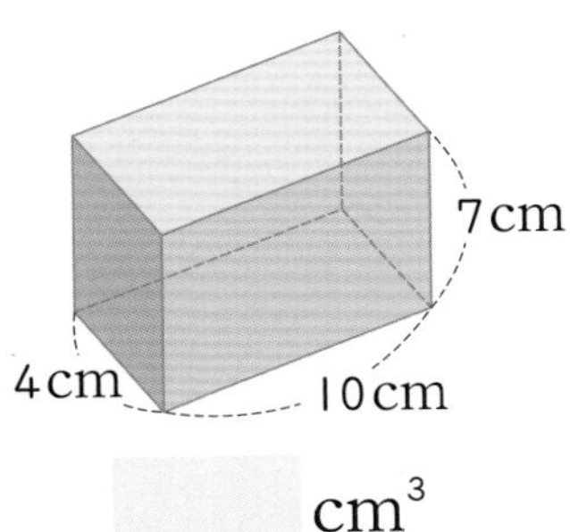

cm³

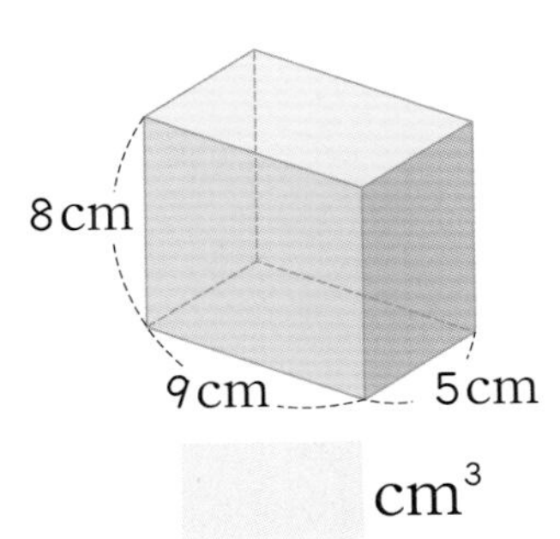

cm³

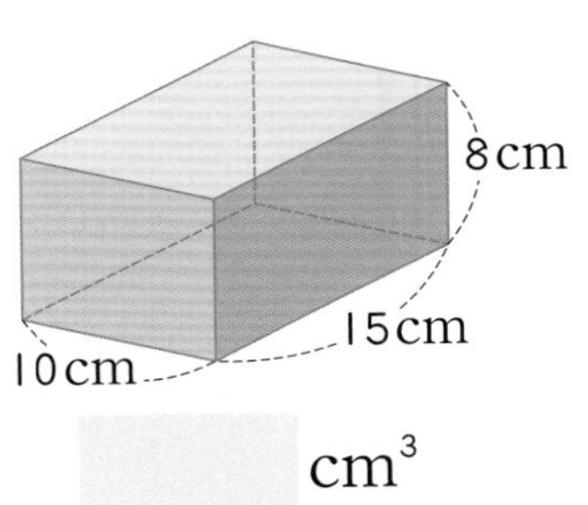

cm³

02 m³ 알아보기

정답 42쪽

$1000000\,cm^3 = 1\,m^3$

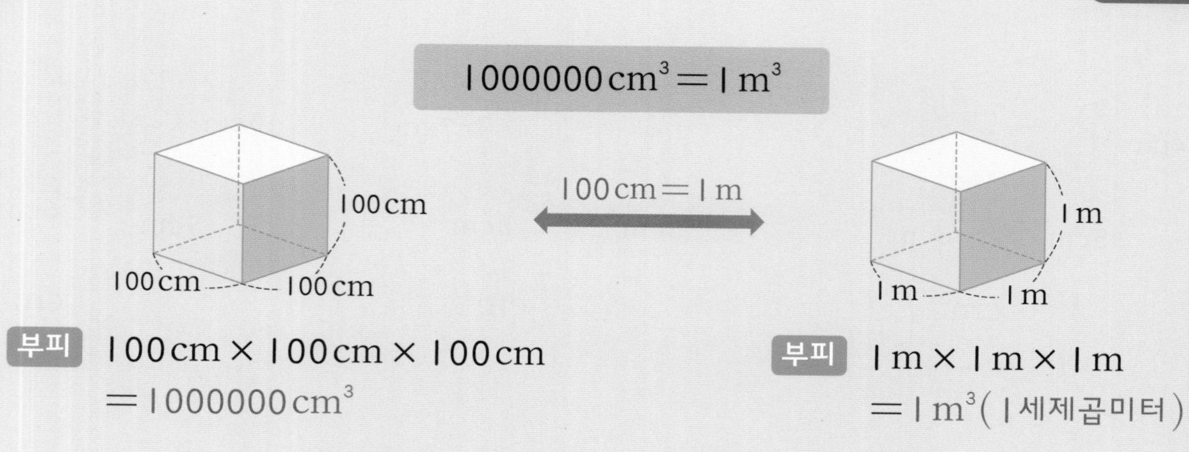

부피 $100\,cm \times 100\,cm \times 100\,cm = 1000000\,cm^3$

부피 $1\,m \times 1\,m \times 1\,m = 1\,m^3$ (1 세제곱미터)

1 직육면체의 부피를 cm^3 단위로 구하시오.

보기

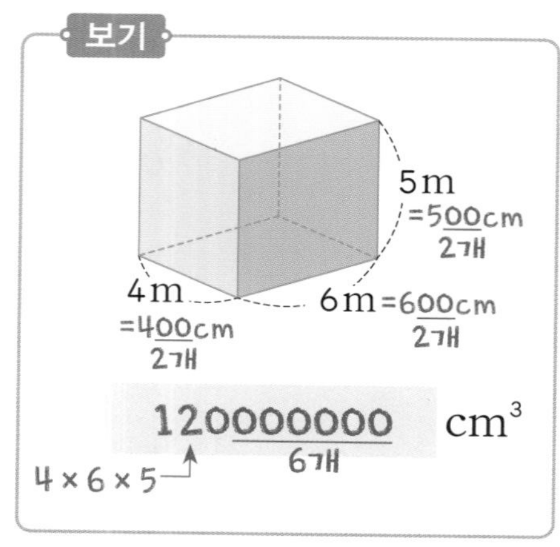

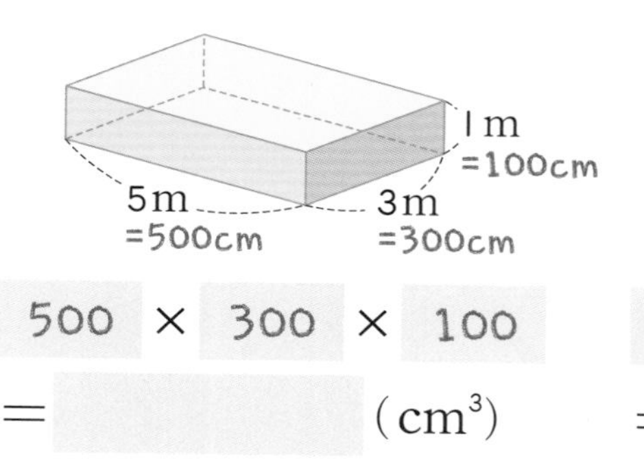

500 × 300 × 100
= (cm³)

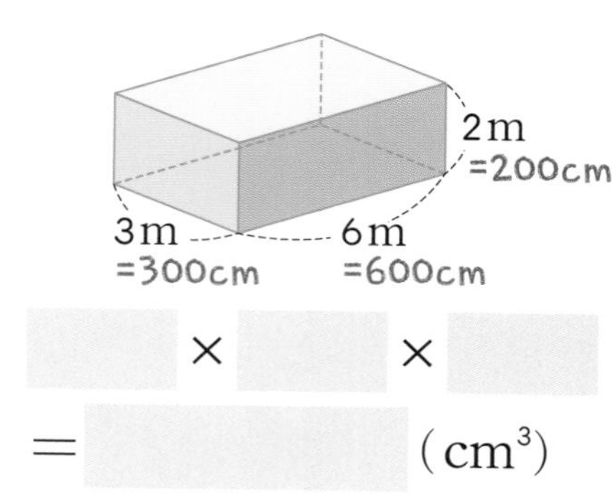

× ×
= (cm³)

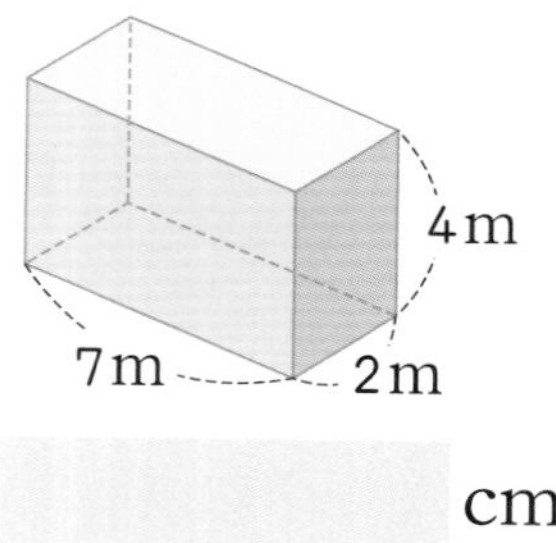

cm³

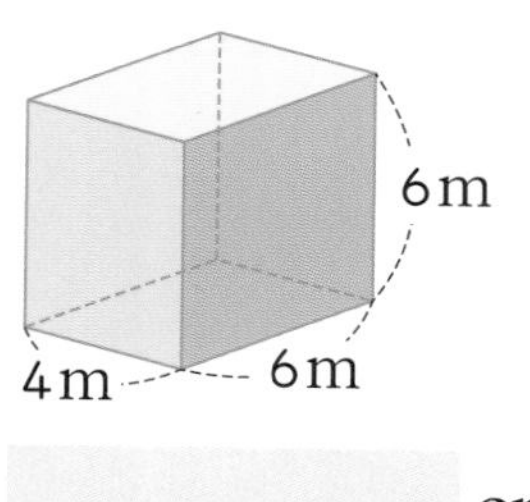

cm³

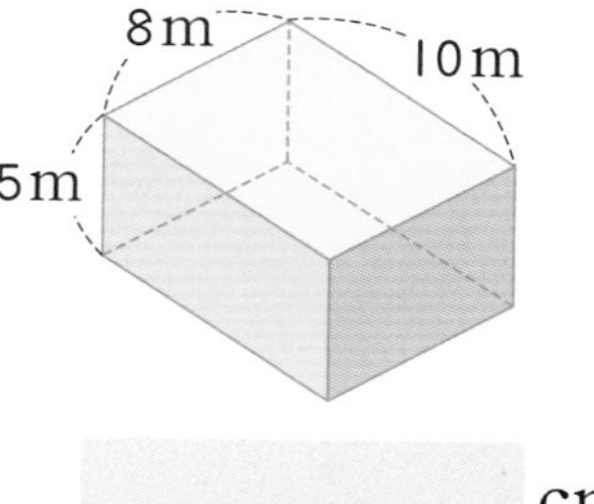

cm³

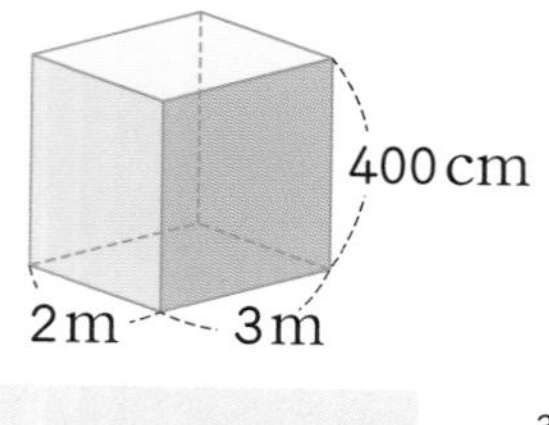

cm³

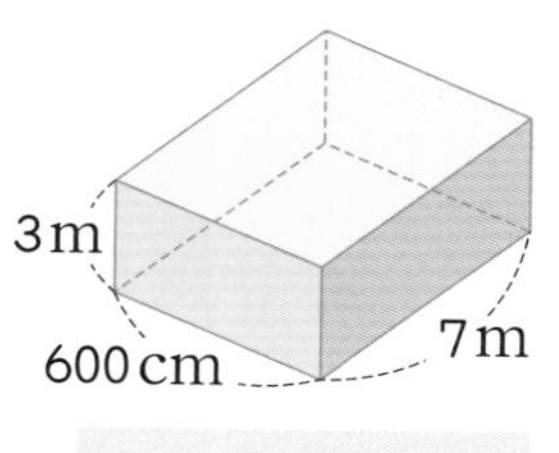

cm³

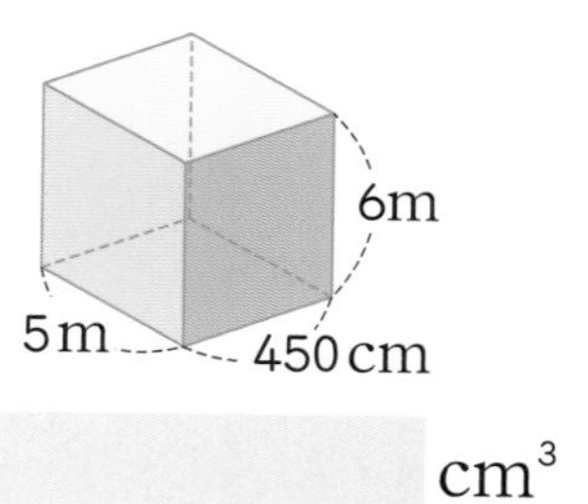

cm³

2 ☐ 안에 알맞은 수를 써넣으시오.

보기

$3m^3=$ 3000000 cm^3 (6개)　　$25.6m^3=$ 25600000 cm^3 (6개)

$5m^3=$ 5 ☐ cm^3 (6개)

$7m^3=$ ☐ cm^3

$9m^3=$ ☐ cm^3

$10m^3=$ ☐ cm^3

$11m^3=$ ☐ cm^3

$15m^3=$ ☐ cm^3

$23m^3=$ ☐ cm^3

$100m^3=$ ☐ cm^3

$7.2m^3=$ 72 ☐ cm^3 (6개)

$3.9m^3=$ ☐ cm^3

$14.7m^3=$ ☐ cm^3

$54.2m^3=$ ☐ cm^3

$0.8m^3=$ ☐ cm^3

$0.23m^3=$ ☐ cm^3

$1.25m^3=$ ☐ cm^3

$0.91m^3=$ ☐ cm^3

3 직육면체의 부피를 m^3 단위로 구하시오.

보기

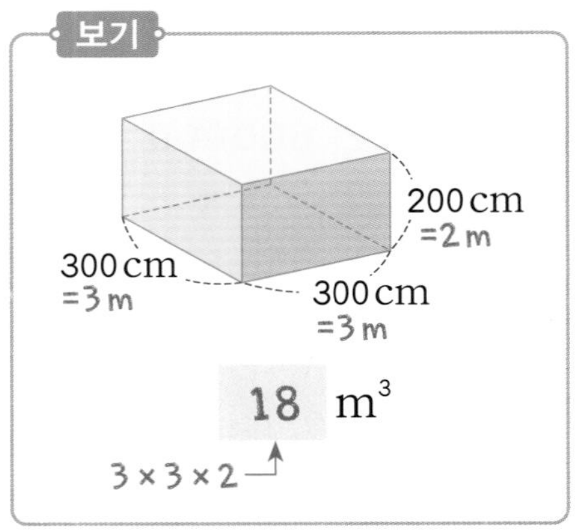

18 m^3

3×3×2

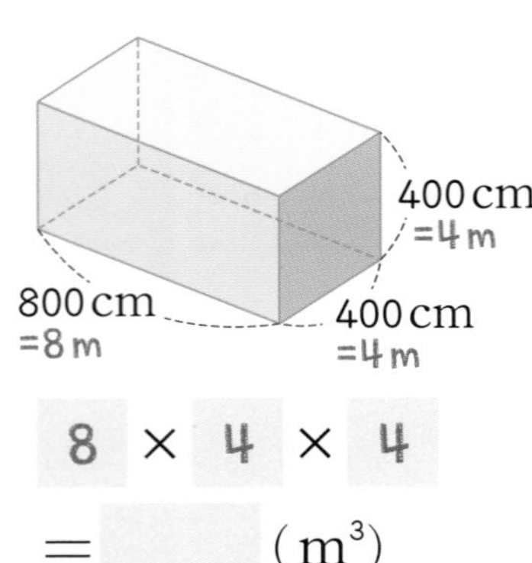

8 × 4 × 4

= (m³)

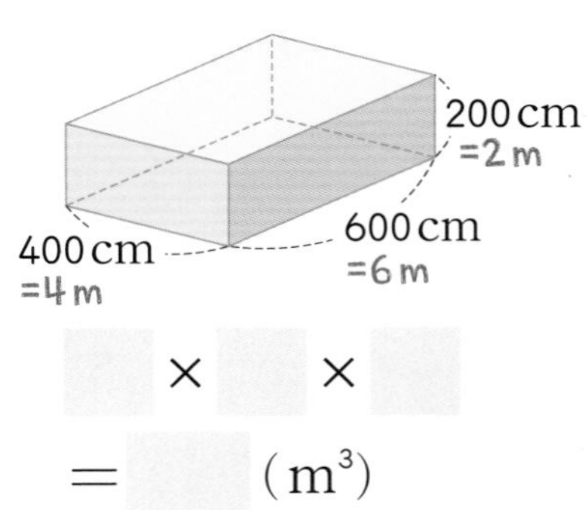

× ×

= (m³)

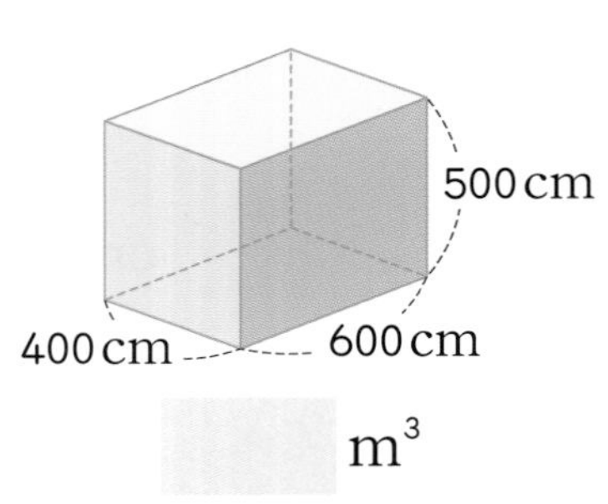

m^3

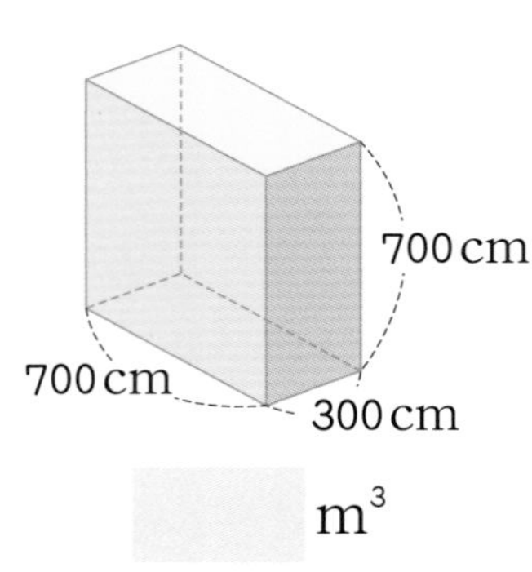

m^3

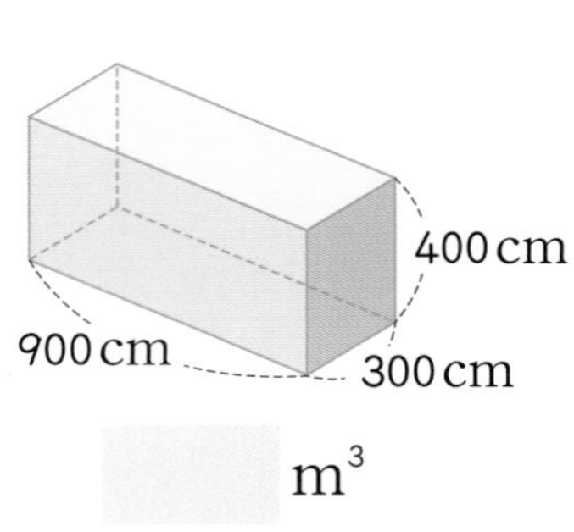

m^3

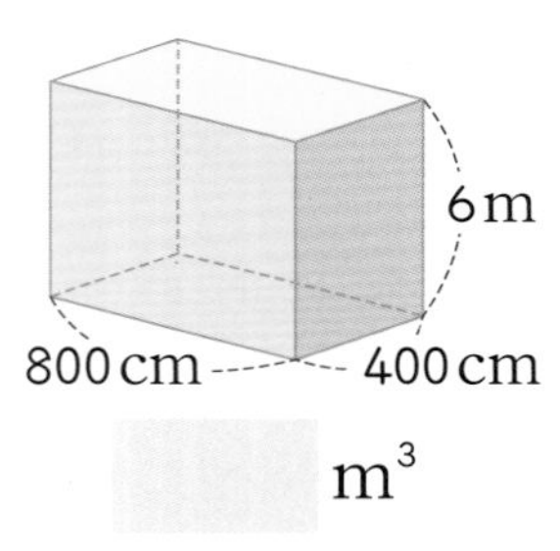

m^3

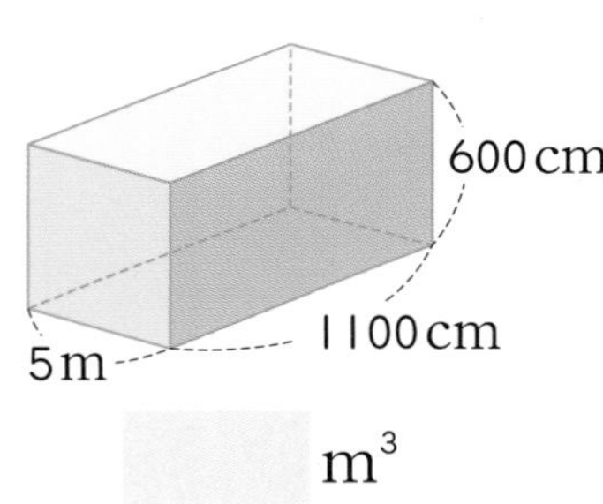

m^3

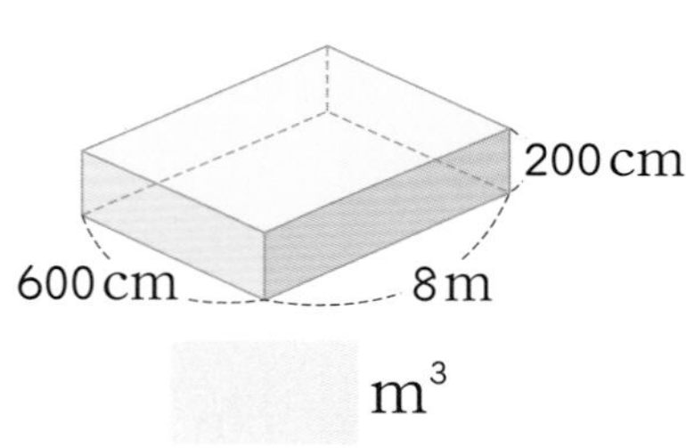

m^3

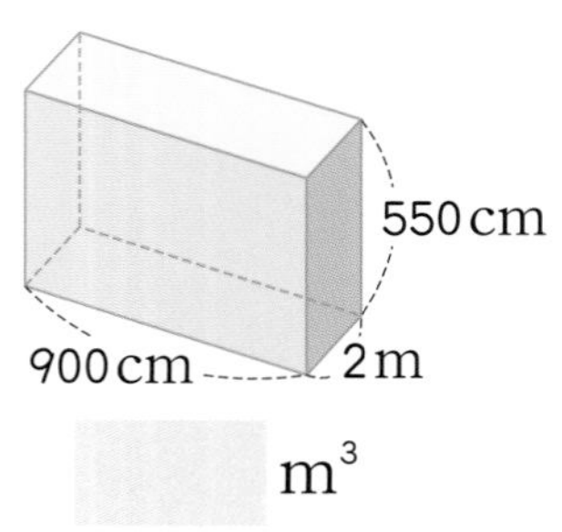

m^3

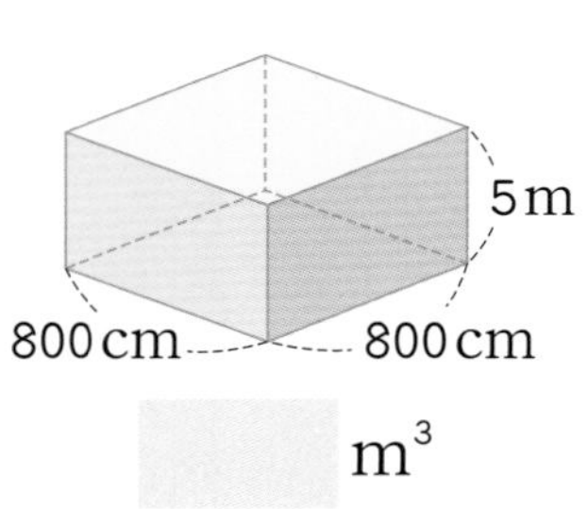

m^3

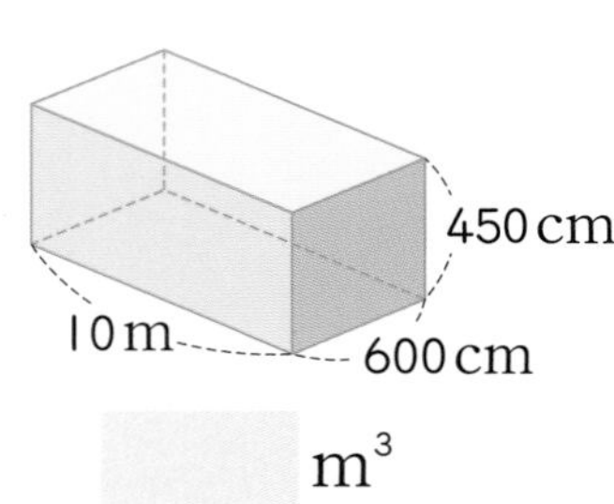

m^3

4 ☐ 안에 알맞은 수를 써넣으시오.

보기

$5000000\,cm^3 = \boxed{5}\,m^3$ (6개)

$2300000\,cm^3 = \boxed{2.3}\,m^3$ (6개)

$3000000\,cm^3 = \square\,m^3$

$4000000\,cm^3 = \square\,m^3$

$7000000\,cm^3 = \square\,m^3$

$9000000\,cm^3 = \square\,m^3$

$10000000\,cm^3 = \square\,m^3$

$15000000\,cm^3 = \square\,m^3$

$34000000\,cm^3 = \square\,m^3$

$53000000\,cm^3 = \square\,m^3$

$130000000\,cm^3 = \square\,m^3$

$273000000\,cm^3 = \square\,m^3$

$5900000\,cm^3 = \square\,m^3$

$1100000\,cm^3 = \square\,m^3$

$300000\,cm^3 = \square\,m^3$

$8800000\,cm^3 = \square\,m^3$

$210000\,cm^3 = \square\,m^3$

$320000\,cm^3 = \square\,m^3$

03 직육면체의 겉넓이 구하기

정답 43쪽

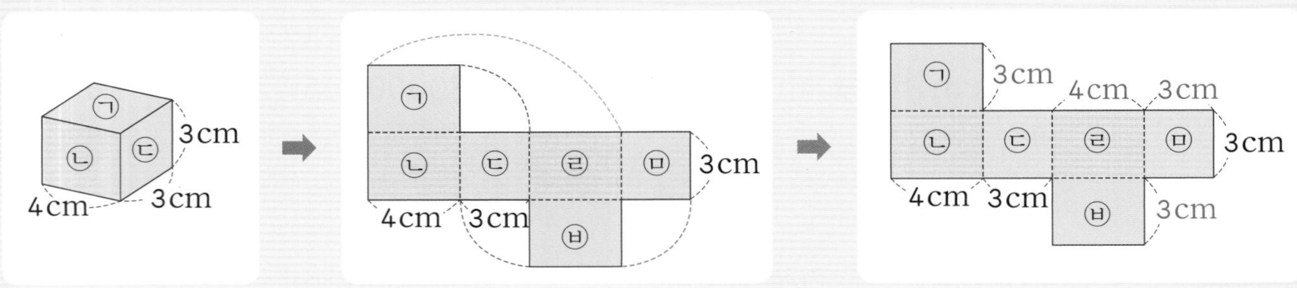

(직육면체의 겉넓이) = ㉠ + ㉡ + ㉢ + ㉣ + ㉤ + ㉥

= 12 + 12 + 9 + 12 + 9 + 12

= 66 (cm^2)

1 직육면체의 전개도를 보고 ☐ 안에 알맞은 수를 써넣으시오.

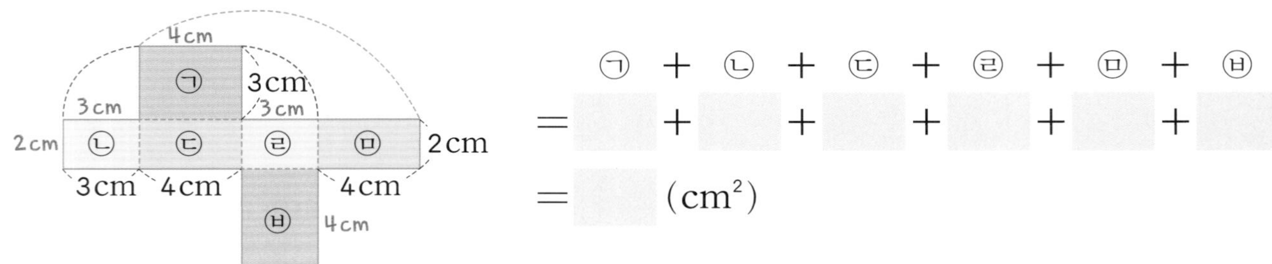

㉠ + ㉡ + ㉢ + ㉣ + ㉤ + ㉥

= ☐ + ☐ + ☐ + ☐ + ☐ + ☐

= ☐ (cm^2)

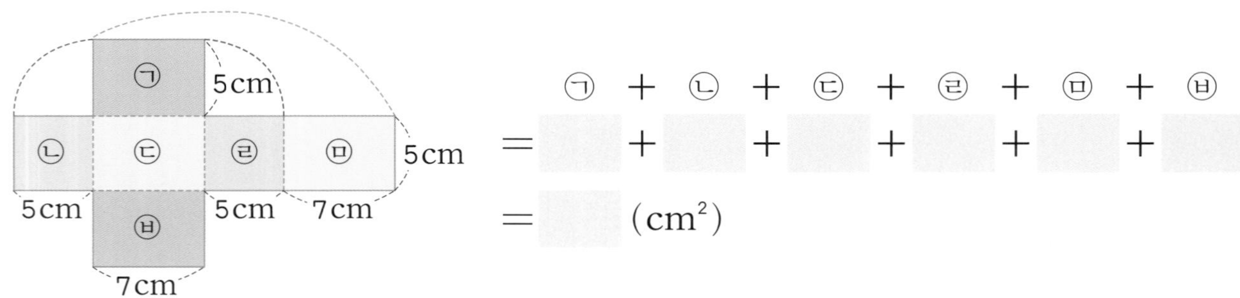

㉠ + ㉡ + ㉢ + ㉣ + ㉤ + ㉥

= ☐ + ☐ + ☐ + ☐ + ☐ + ☐

= ☐ (cm^2)

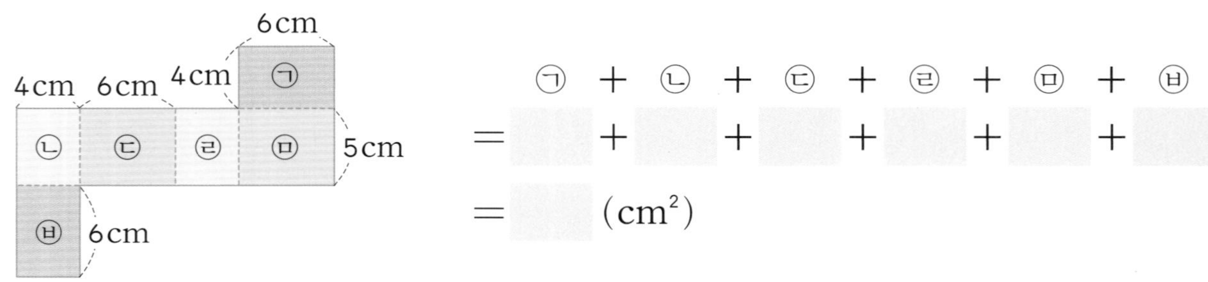

㉠ + ㉡ + ㉢ + ㉣ + ㉤ + ㉥

= ☐ + ☐ + ☐ + ☐ + ☐ + ☐

= ☐ (cm^2)

2 직육면체의 전개도를 보고 ☐ 안에 알맞은 수를 써넣으시오.

보기

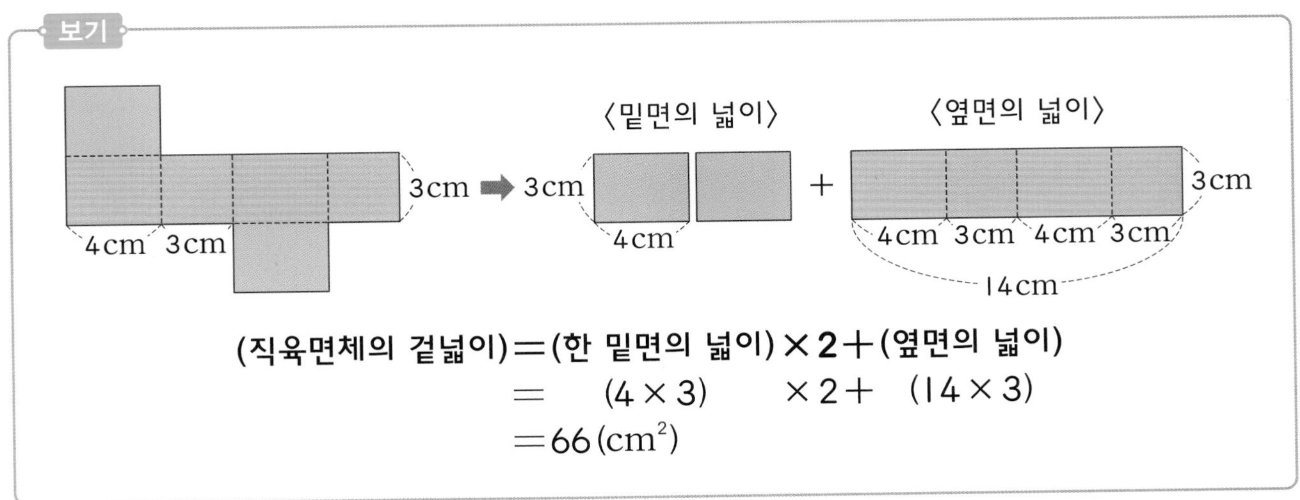

(직육면체의 겉넓이)＝(한 밑면의 넓이)×2＋(옆면의 넓이)

＝ (4×3) ×2＋ (14×3)

＝66(cm²)

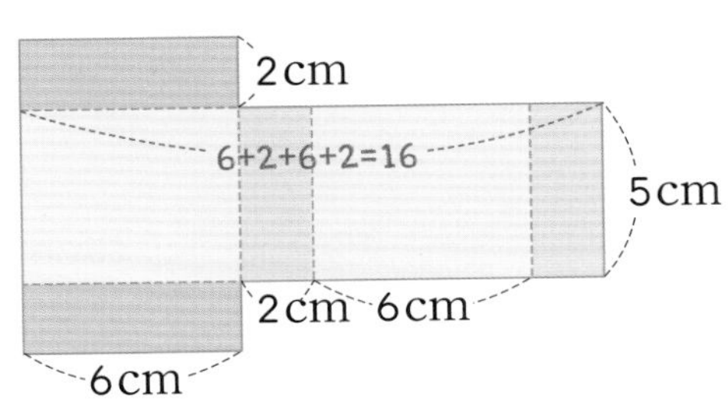

(한 밑면)×2＋(옆면)

＝☐×2＋☐×5

＝☐(cm²)

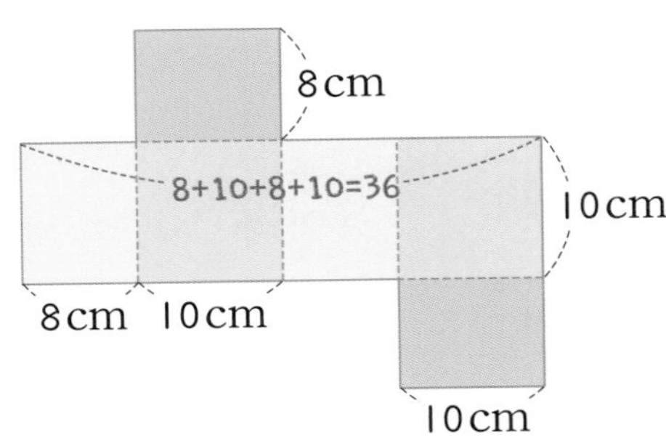

(한 밑면)×2＋(옆면)

＝☐×2＋☐×☐

＝☐(cm²)

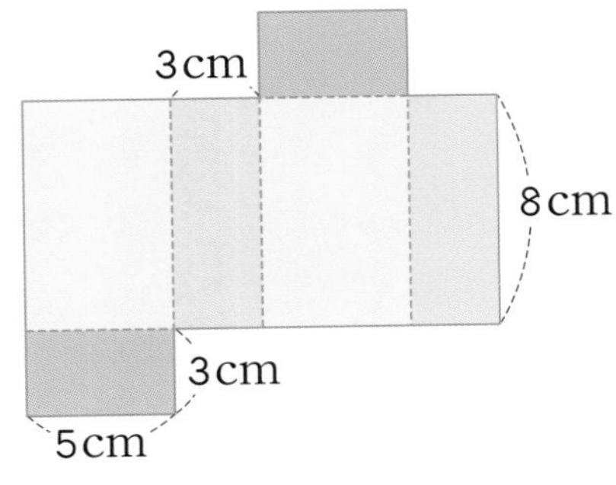

(한 밑면)×2＋(옆면)

＝☐×2＋☐×☐

＝☐(cm²)

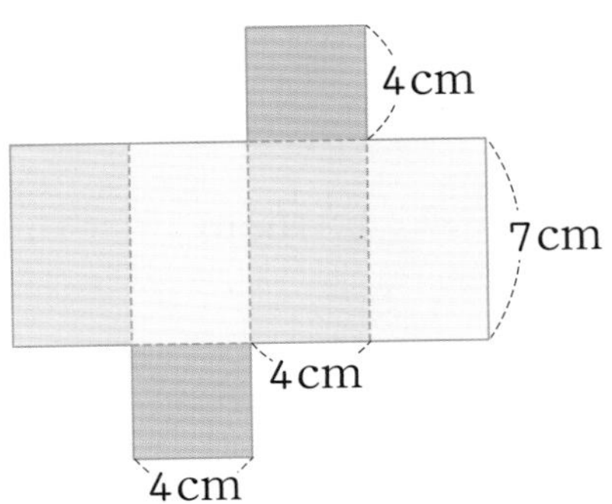

(한 밑면)×2＋(옆면)

＝☐×2＋☐×☐

＝☐(cm²)

3 직육면체를 보고 ☐ 안에 알맞은 수를 써넣어 직육면체의 겉넓이를 구하시오.

보기

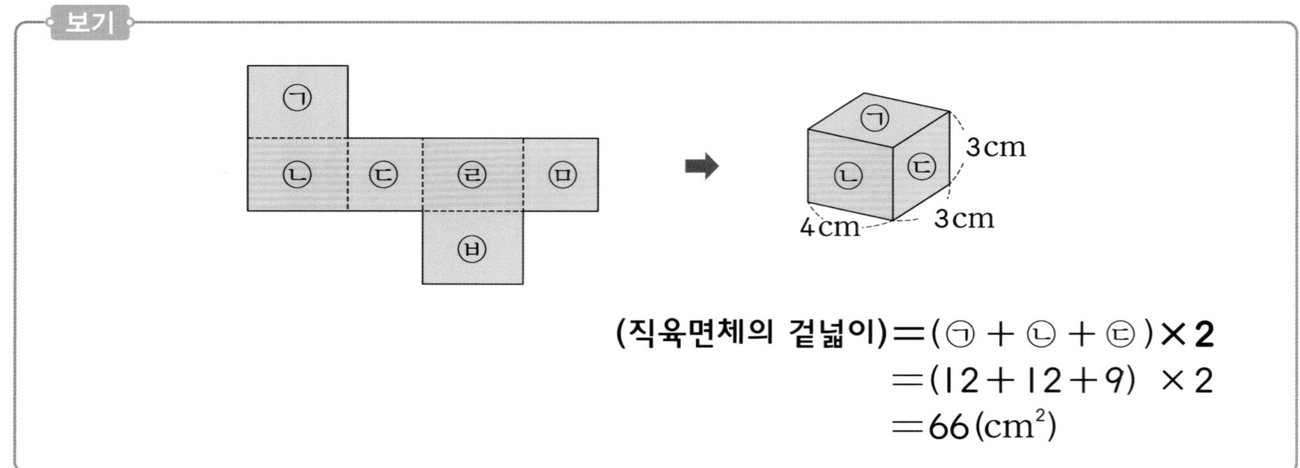

(직육면체의 겉넓이)=(㉠+㉡+㉢)×2
=(12+12+9)×2
=66(cm²)

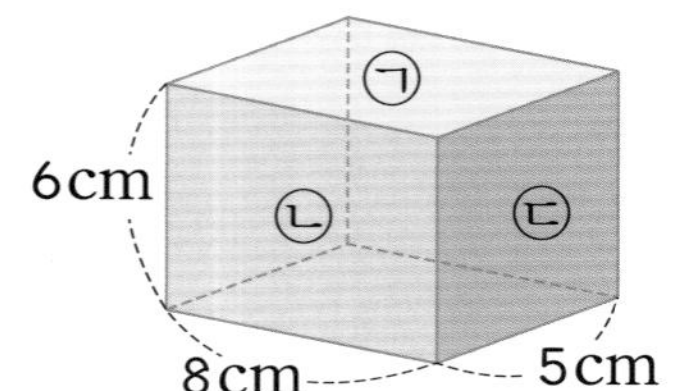

(㉠+㉡+㉢)×2
=(☐+☐+☐)×2
=☐(cm²)

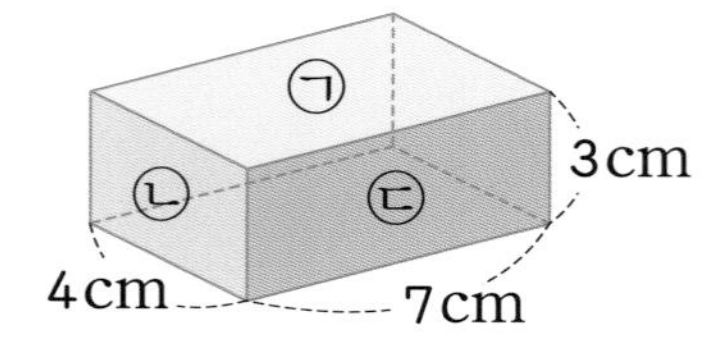

(㉠+㉡+㉢)×2
=(☐+☐+☐)×2
=☐(cm²)

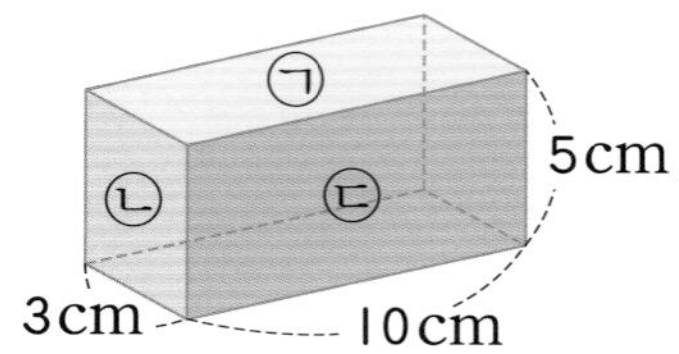

(㉠+㉡+㉢)×2
=(☐+☐+☐)×2
=☐(cm²)

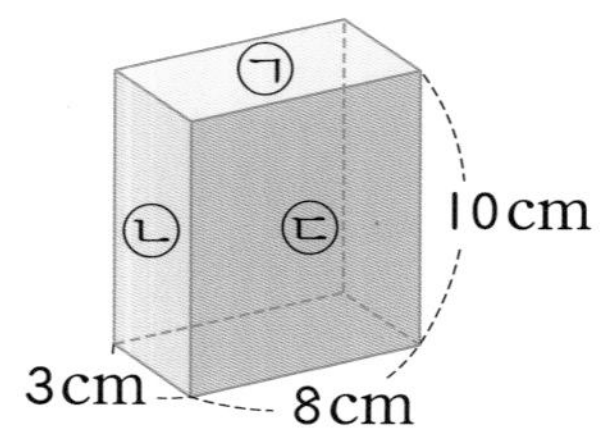

(㉠+㉡+㉢)×2
=(☐+☐+☐)×2
=☐(cm²)

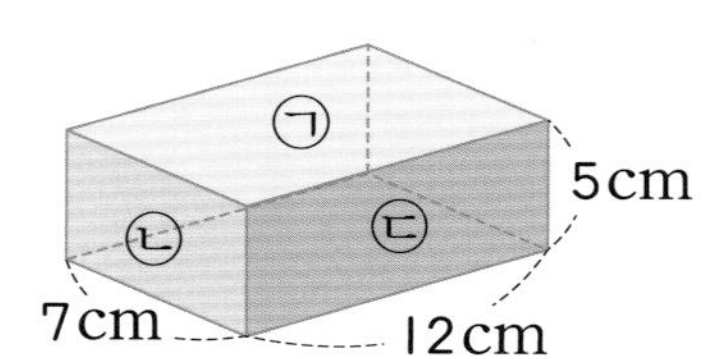

(㉠+㉡+㉢)×2
=(☐+☐+☐)×2
=☐(cm²)

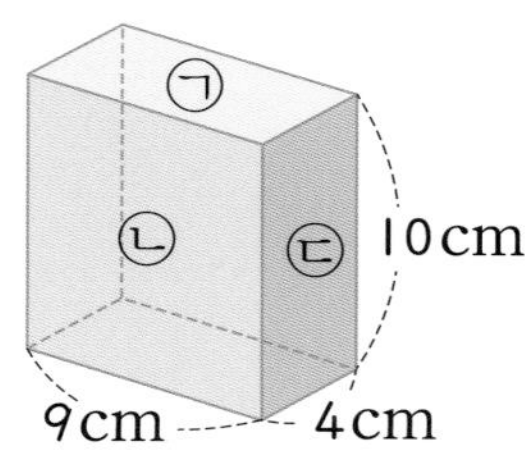

(㉠+㉡+㉢)×2
=(☐+☐+☐)×2
=☐(cm²)

4 직육면체의 겉넓이를 구하시오.

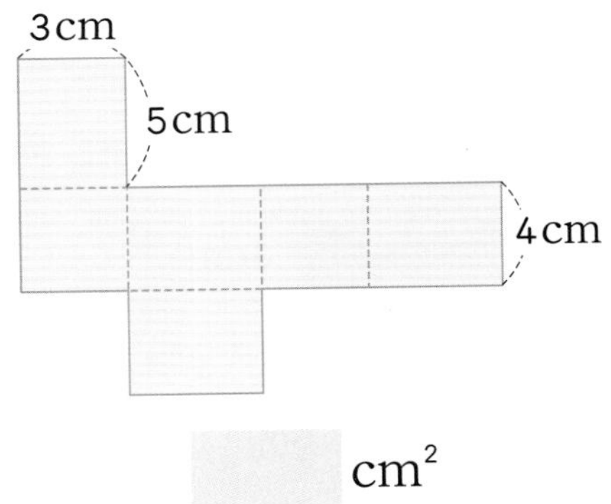

cm²

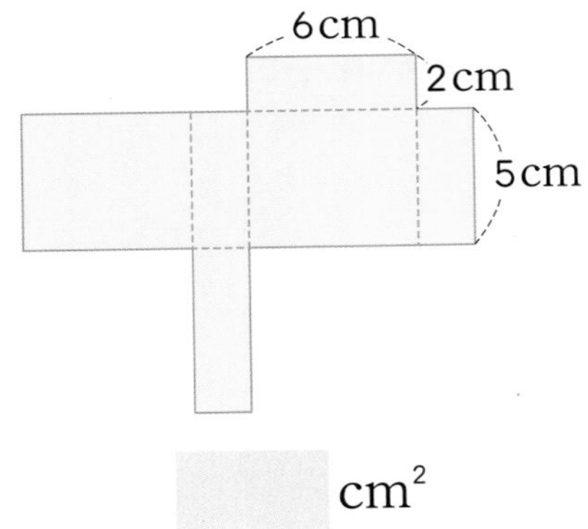

cm²

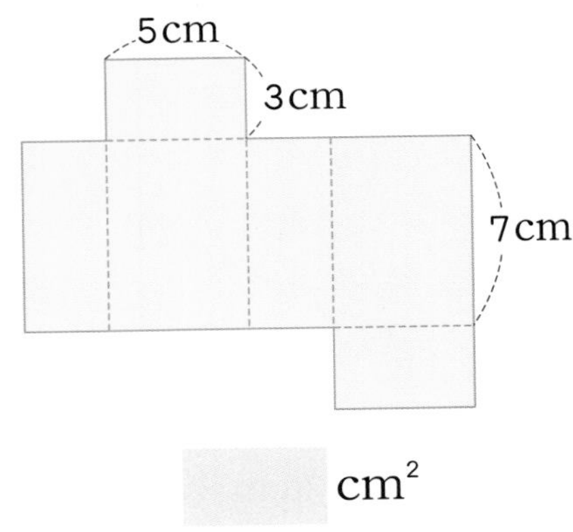

cm²

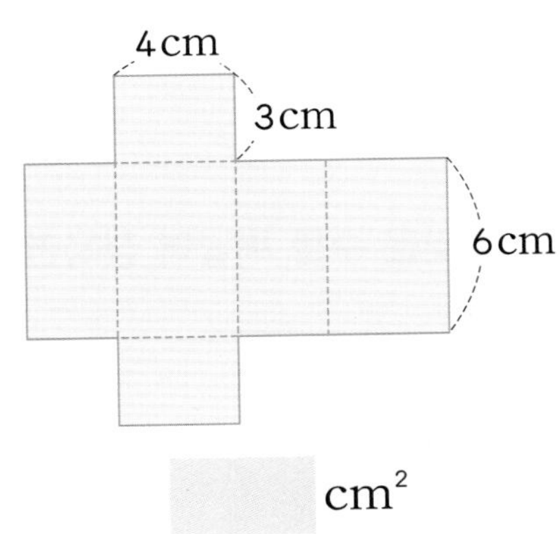

cm²

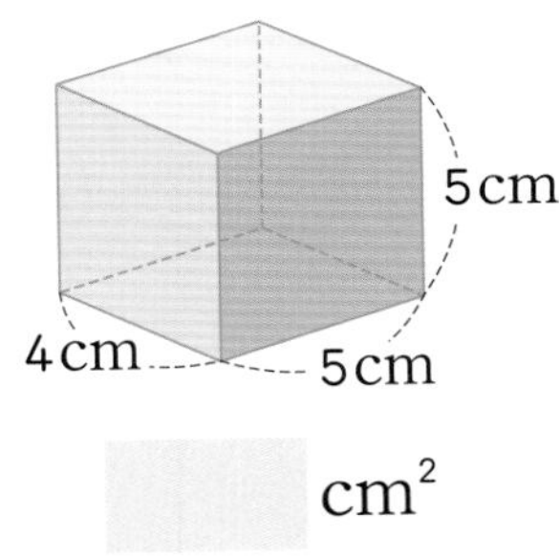

cm²

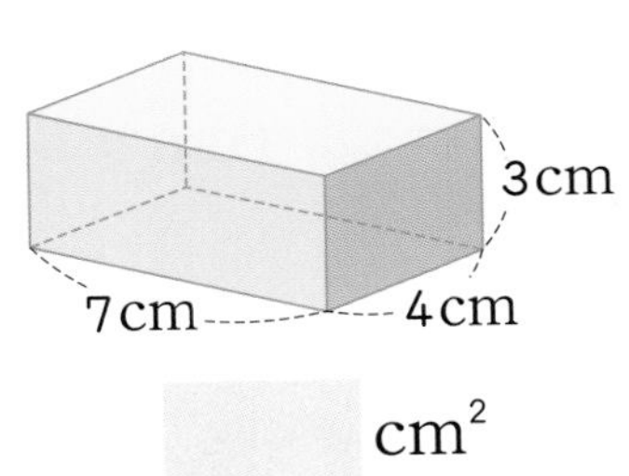

cm²

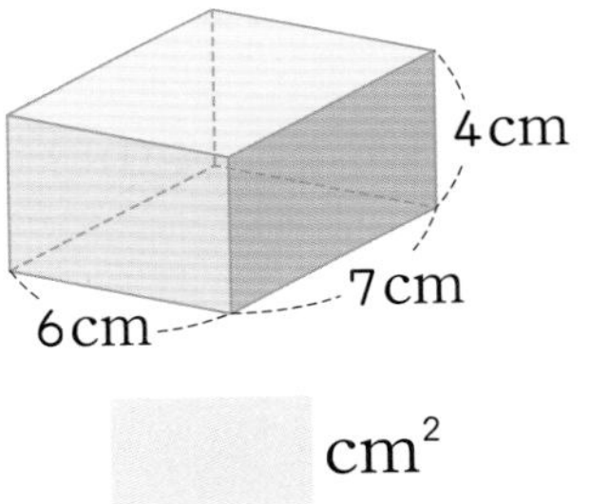

cm²

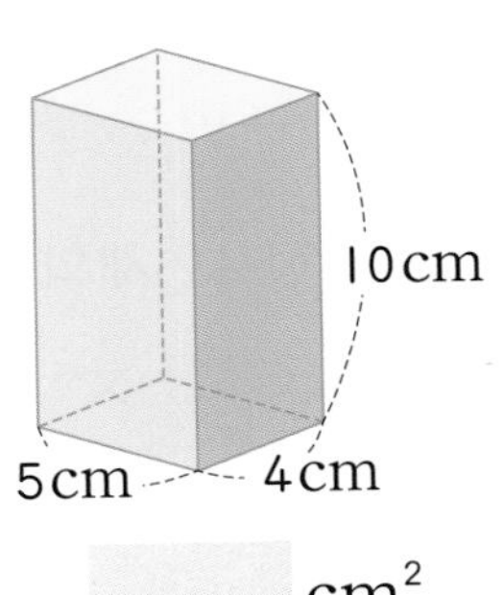

cm²

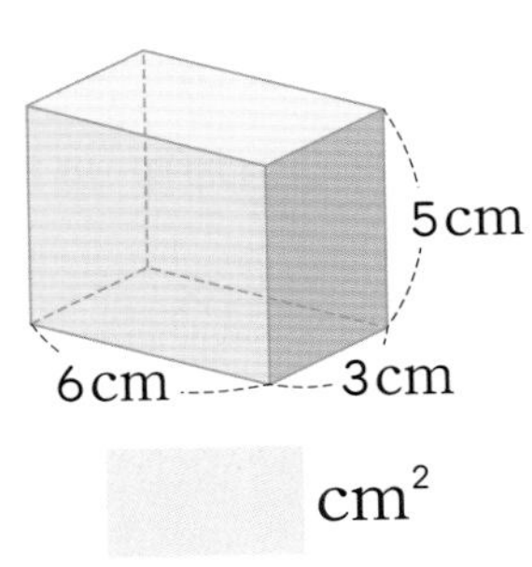

cm²

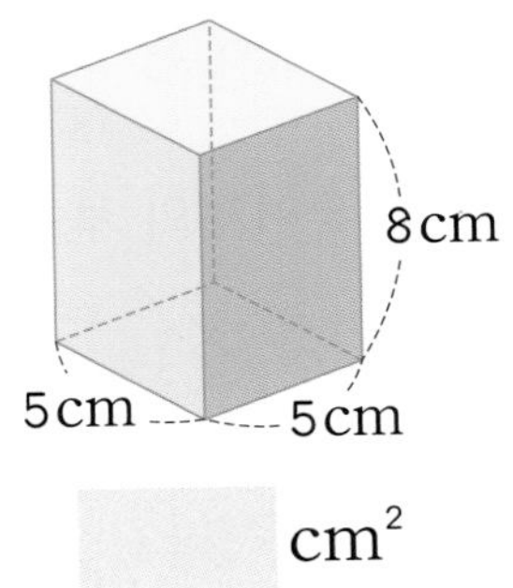

cm²

04 정육면체의 부피와 겉넓이

정답 44쪽

● 정육면체의 부피 구하기

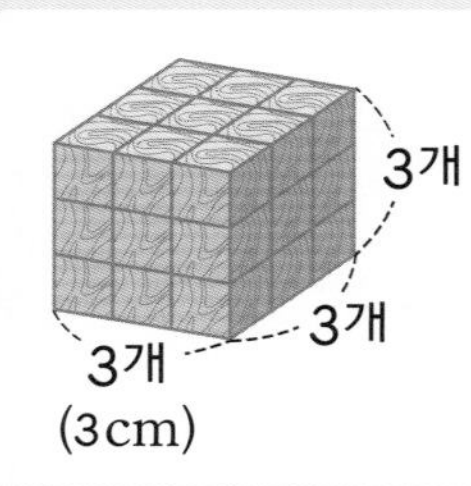

(쌓기나무 수)
$=3 \times 3 \times 3$
$=27$(개)

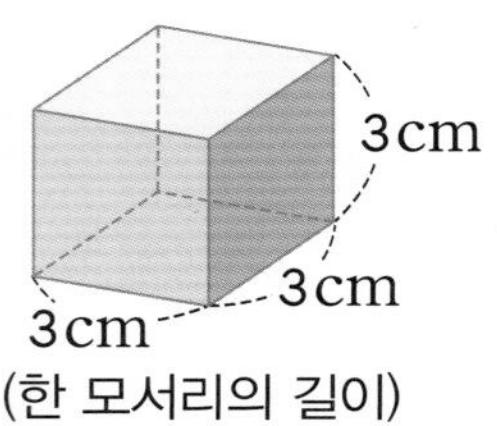

(정육면체의 부피)
$=3 \times 3 \times 3$
$=27(cm^3)$

1 ▢ 안에 알맞은 수를 써넣어 정육면체의 부피를 구하시오.

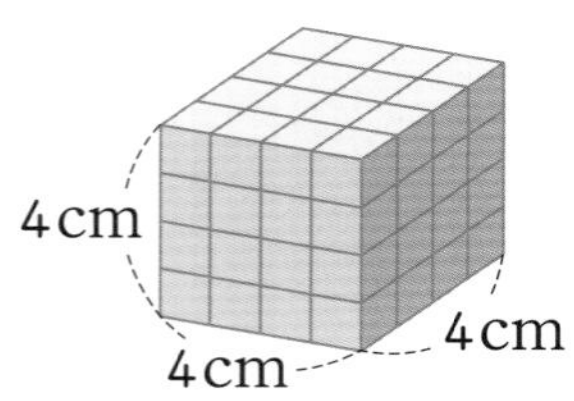

(정육면체의 부피)
$= \square \times \square \times \square$
$= \square (cm^3)$

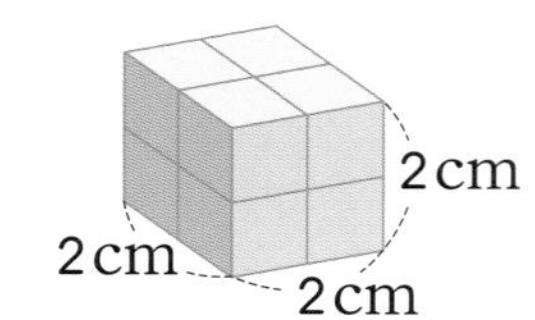

(정육면체의 부피)
$= \square \times \square \times \square$
$= \square (cm^3)$

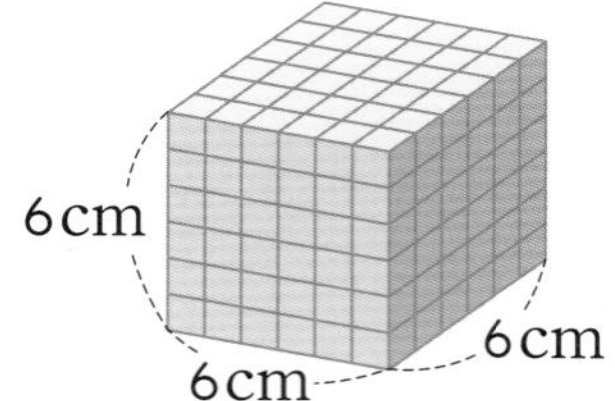

(정육면체의 부피)
$= \square \times \square \times \square$
$= \square (cm^3)$

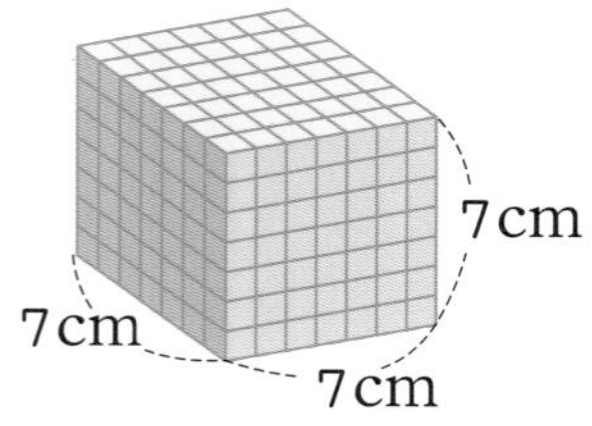

(정육면체의 부피)
$= \square \times \square \times \square$
$= \square (cm^3)$

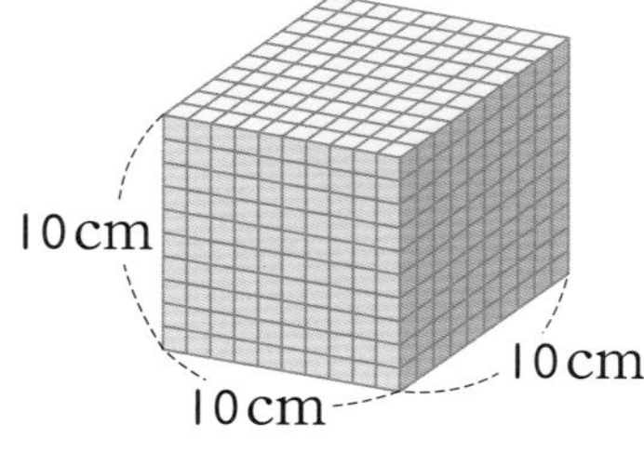

(정육면체의 부피)
$= \square \times \square \times \square$
$= \square (cm^3)$

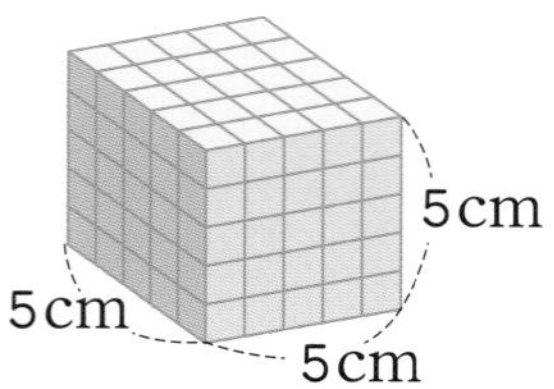

(정육면체의 부피)
$= \square \times \square \times \square$
$= \square (cm^3)$

2 정육면체의 부피를 구하시오.

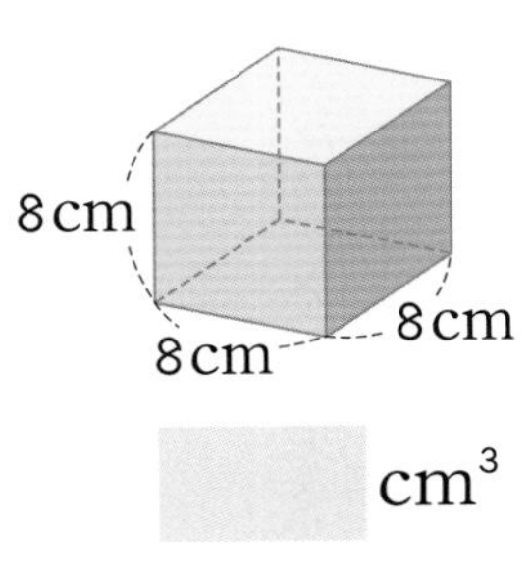

cm³

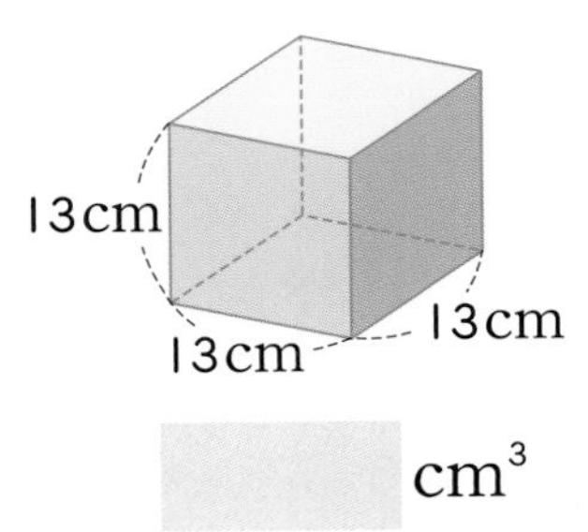

cm³

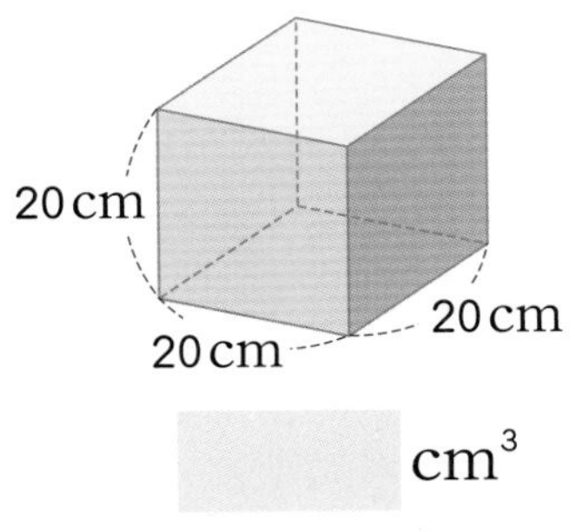

cm³

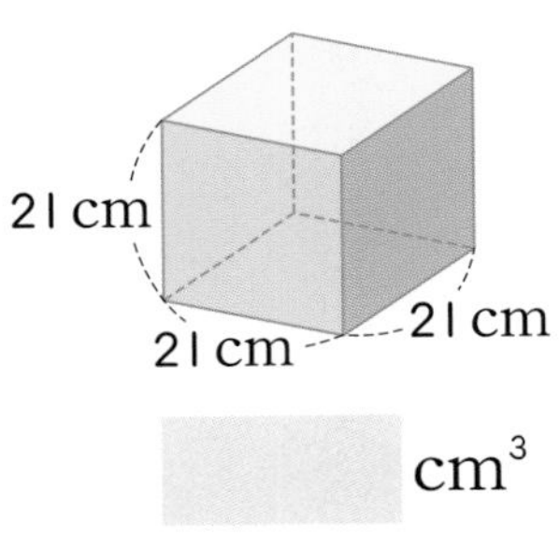

cm³

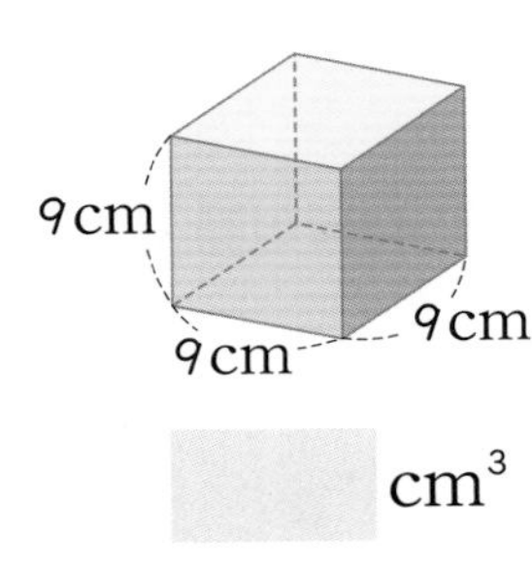

cm³

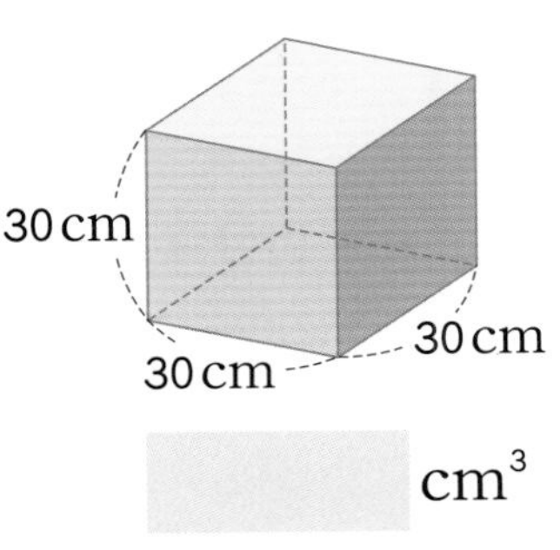

cm³

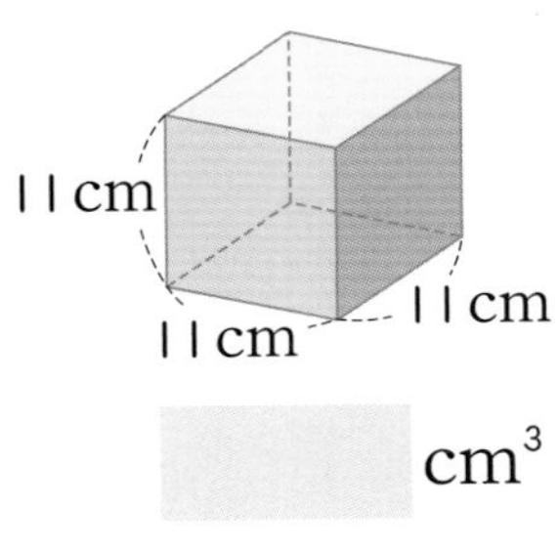

cm³

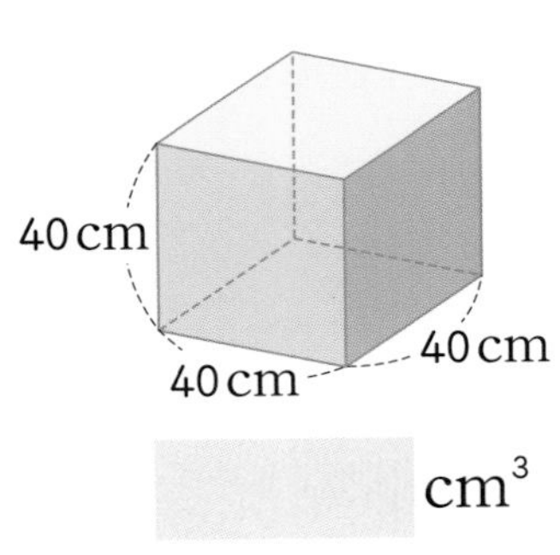

cm³

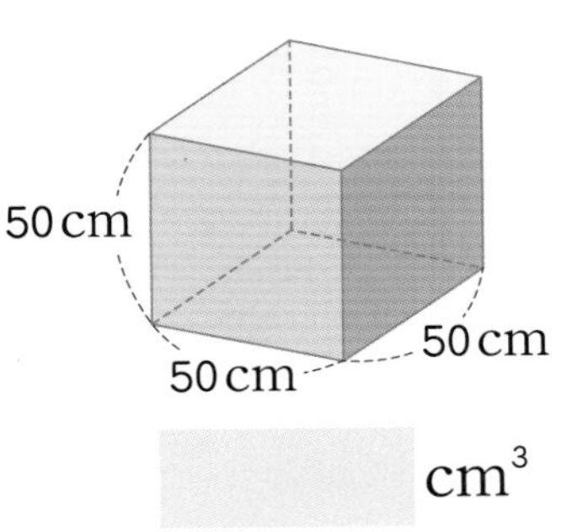

cm³

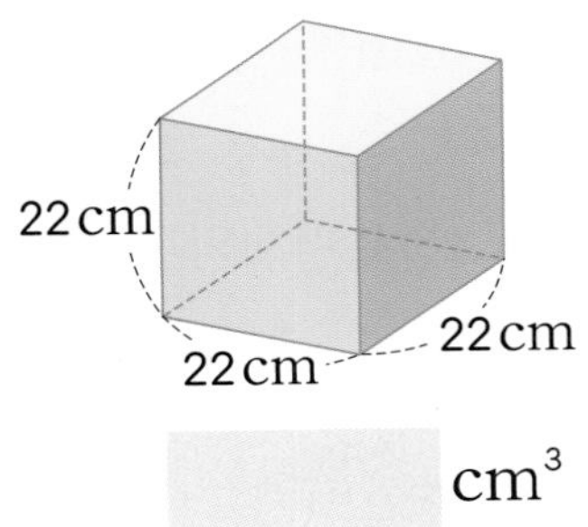

cm³

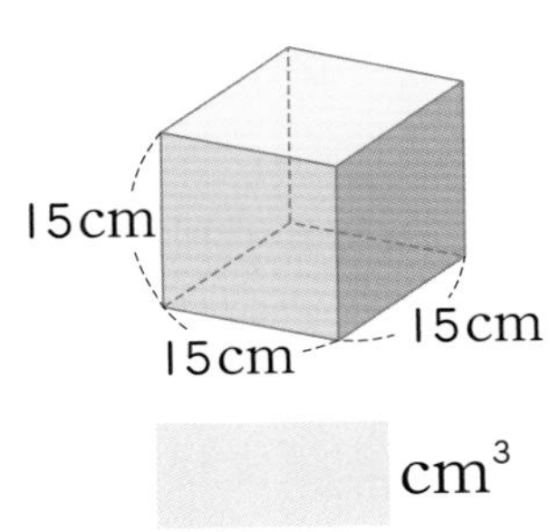

cm³

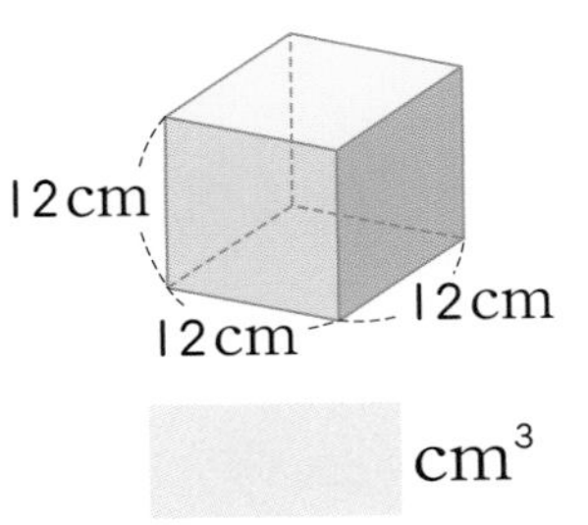

cm³

● 정육면체의 겉넓이 구하기

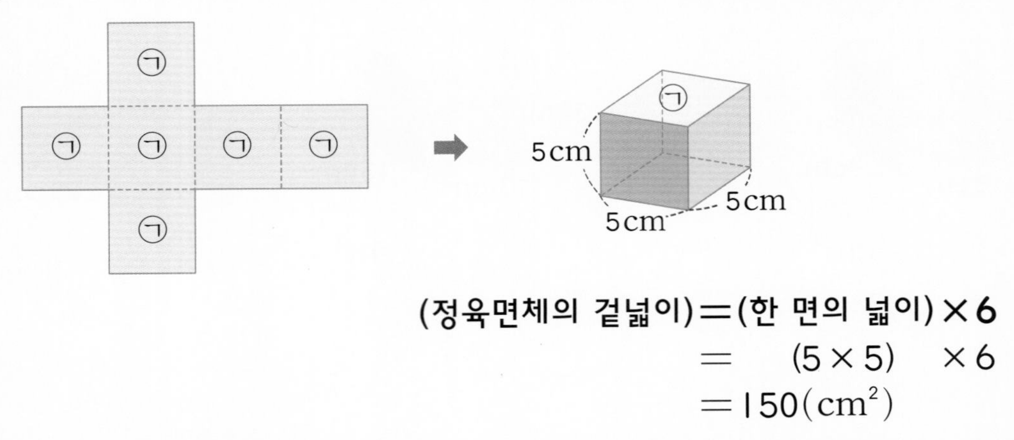

(정육면체의 겉넓이)=(한 면의 넓이)×6

= (5×5) ×6

=150(cm²)

3 안에 알맞은 수를 써넣어 정육면체의 겉넓이를 구하시오.

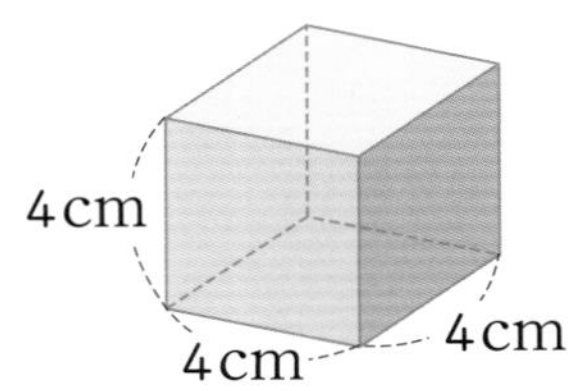

(정육면체의 겉넓이)

= ×6 ← 한 면의 넓이

= (cm²)

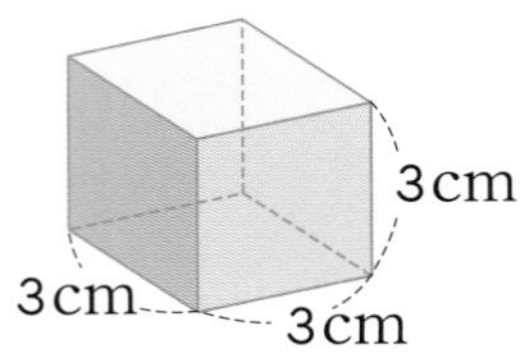

(정육면체의 겉넓이)

= ×6

= (cm²)

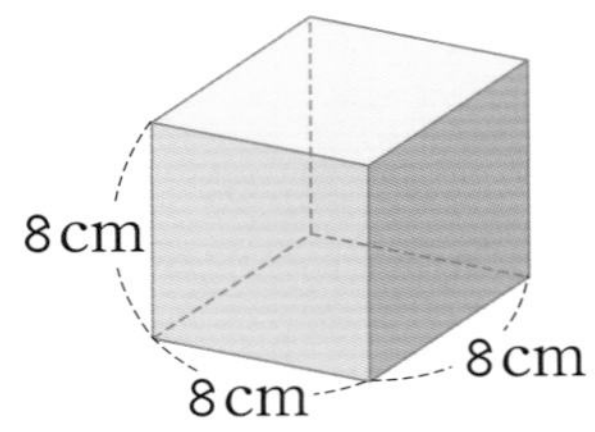

(정육면체의 겉넓이)

= ×6

= (cm²)

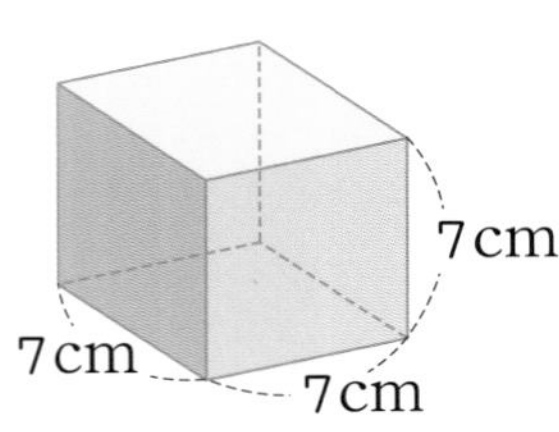

(정육면체의 겉넓이)

= ×6

= (cm²)

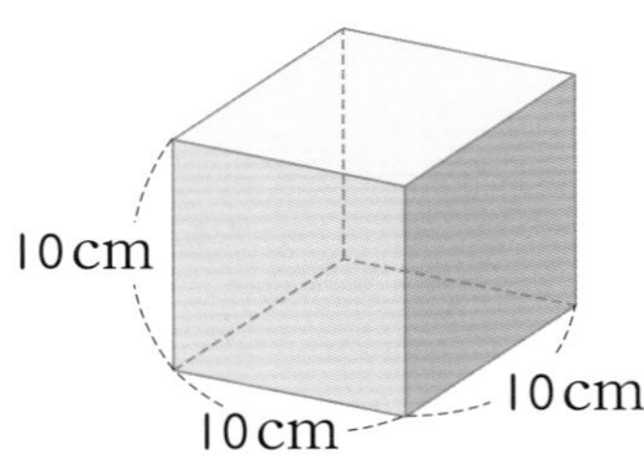

(정육면체의 겉넓이)

= ×6

= (cm²)

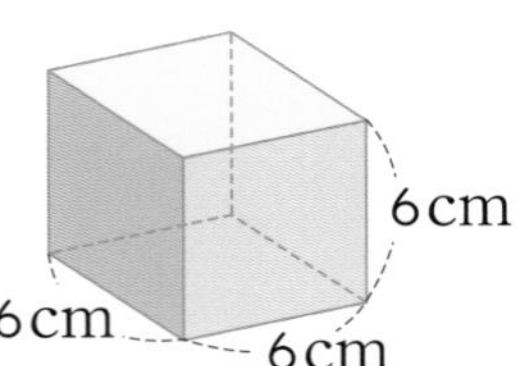

(정육면체의 겉넓이)

= ×6

= (cm²)

4 정육면체의 겉넓이를 구하시오.

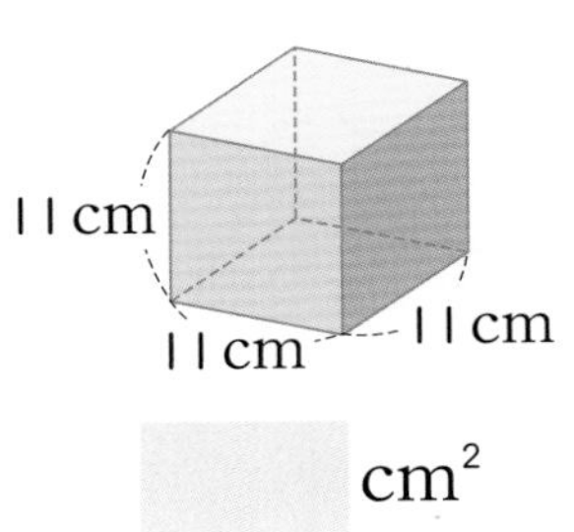

cm²

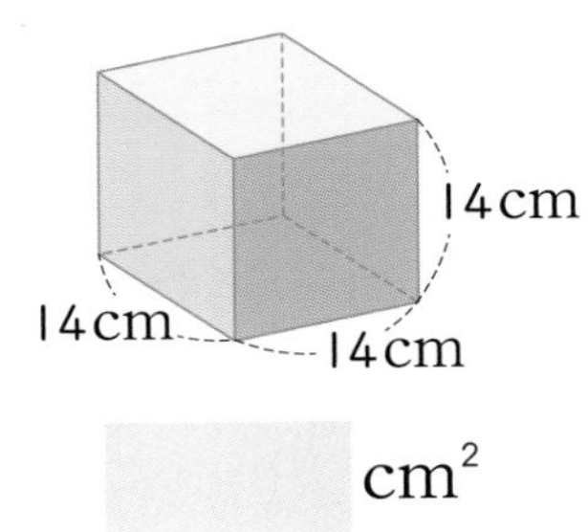

cm²

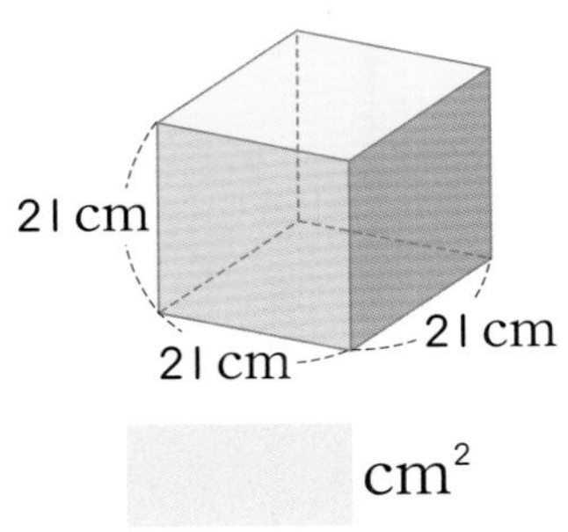

cm²

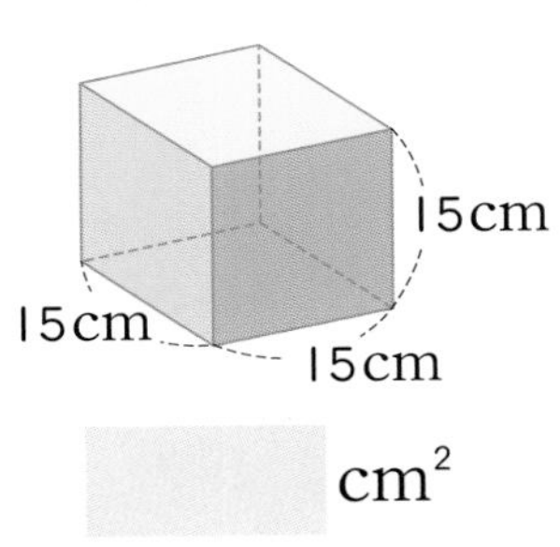

cm²

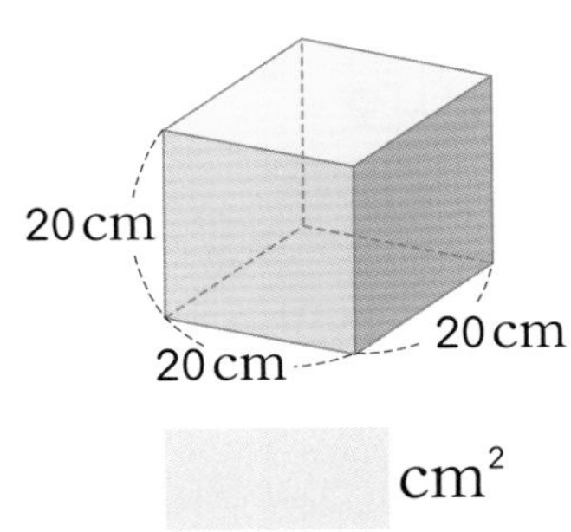

cm²

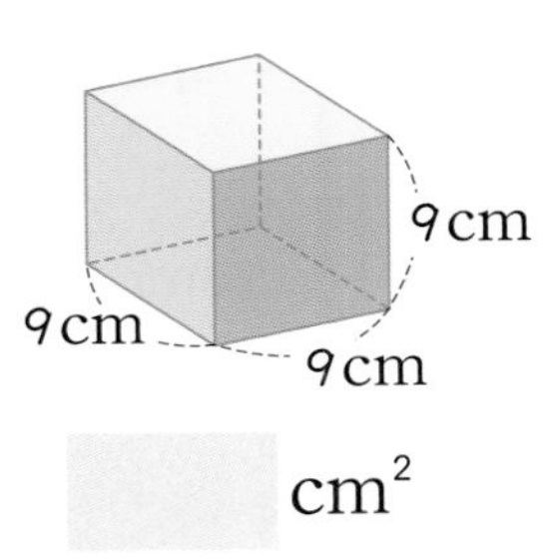

cm²

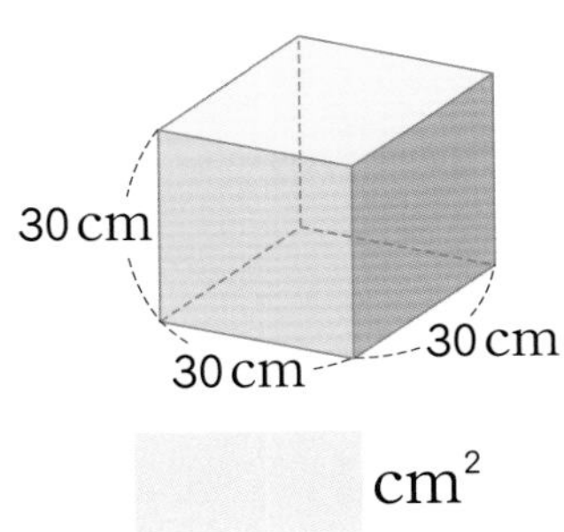

cm²

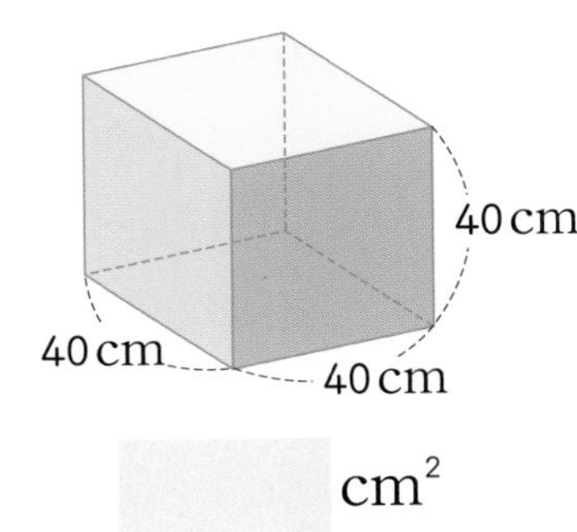

cm²

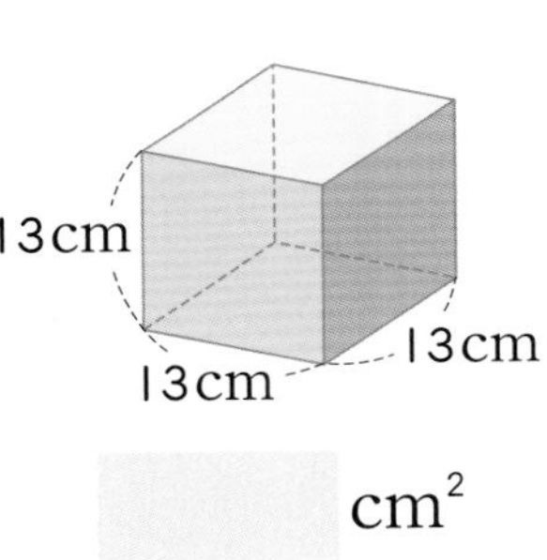

cm²

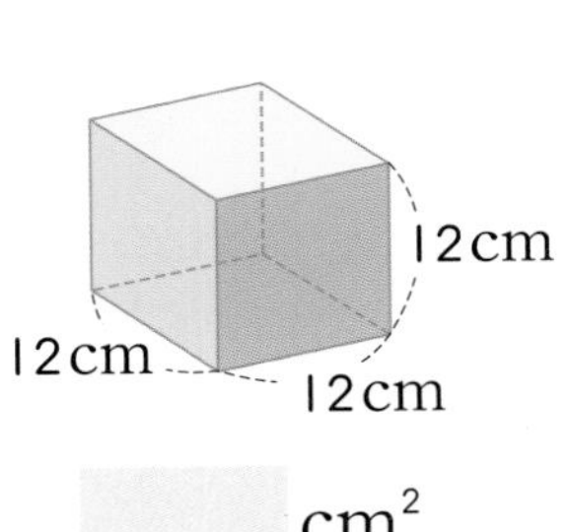

cm²

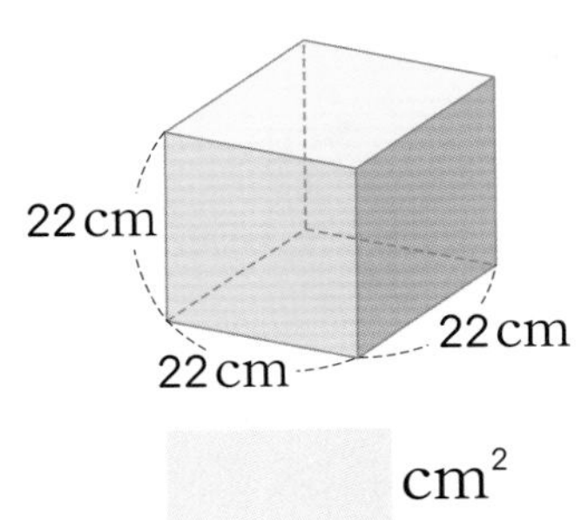

cm²

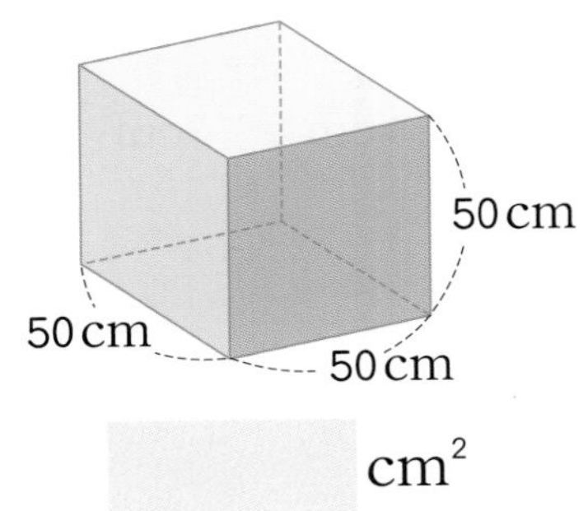

cm²

정답 45쪽

작은 직육면체로 나누어 부피 구하기

2 cm, 3 cm, 4 cm, 5 cm, 2 cm ➡ 3 cm, 2 cm, 2 cm + 5 cm, 2 cm, 2 cm

(입체도형의 부피) ➡ 12 cm³ + 20 cm³ = 32 cm³

3×2×2, 5×2×2

응용 1 작은 직육면체로 나누어 부피를 구하시오.

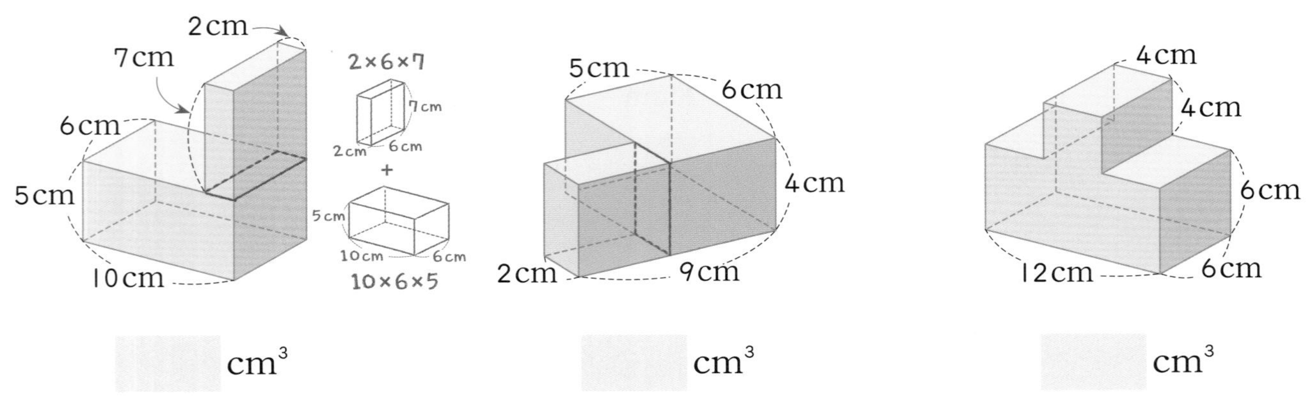

cm³   cm³   cm³

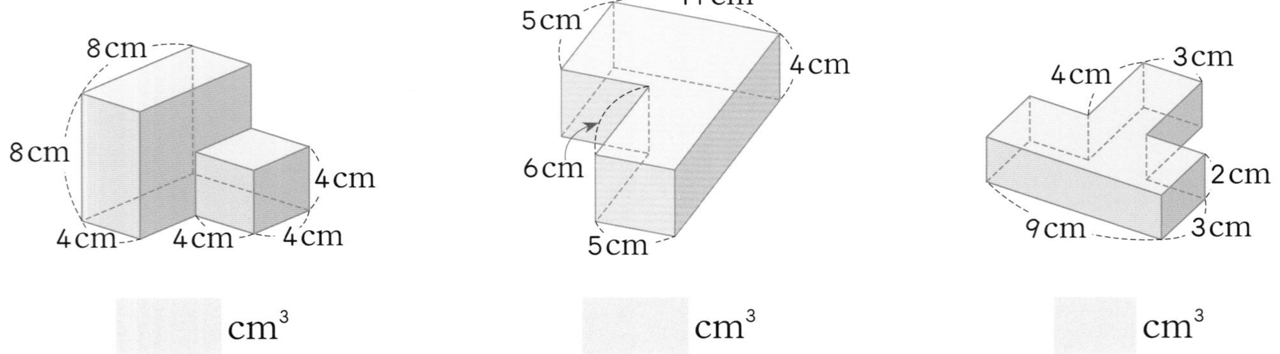

cm³   cm³   cm³

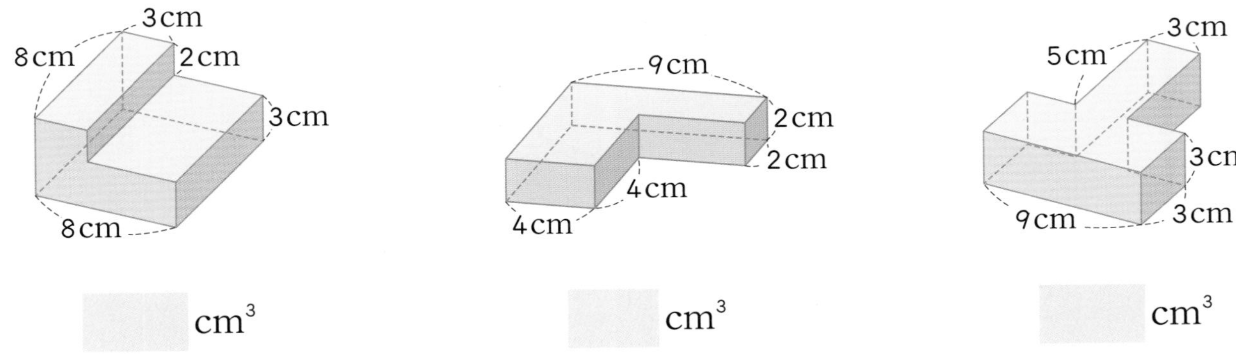
3cm
8cm
2cm
3cm
8cm
cm³
9cm
2cm
2cm
4cm
4cm
cm³
3cm
5cm
3cm
9cm
3cm
cm³

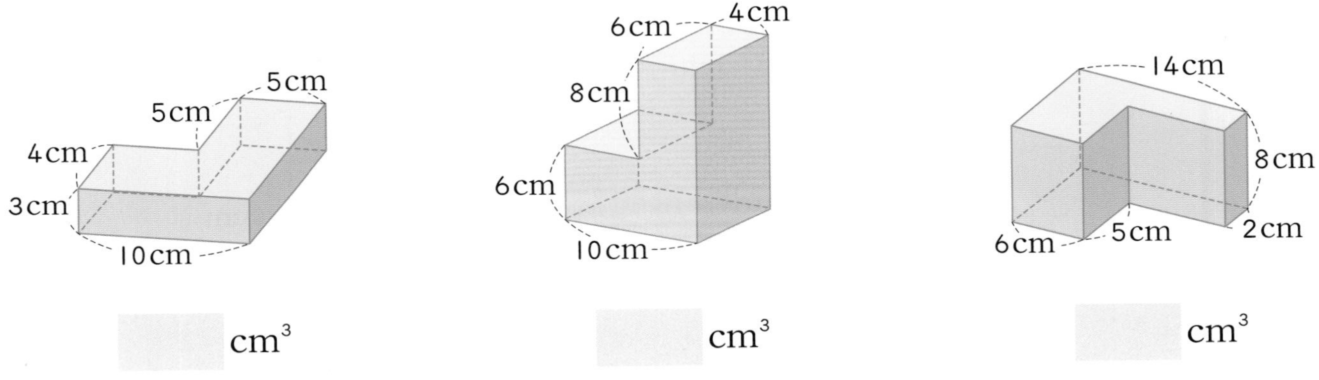
5cm
5cm
4cm
3cm
10cm
cm³
4cm
6cm
8cm
6cm
10cm
cm³
14cm
8cm
6cm
5cm
2cm
cm³

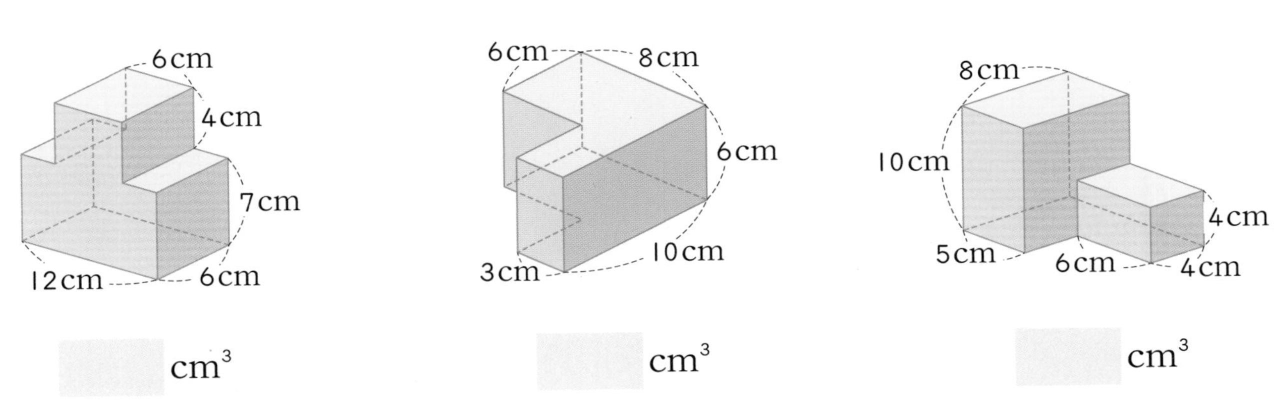
6cm
4cm
7cm
12cm
6cm
cm³
6cm
8cm
6cm
3cm
10cm
cm³
8cm
10cm
4cm
5cm
6cm
4cm
cm³

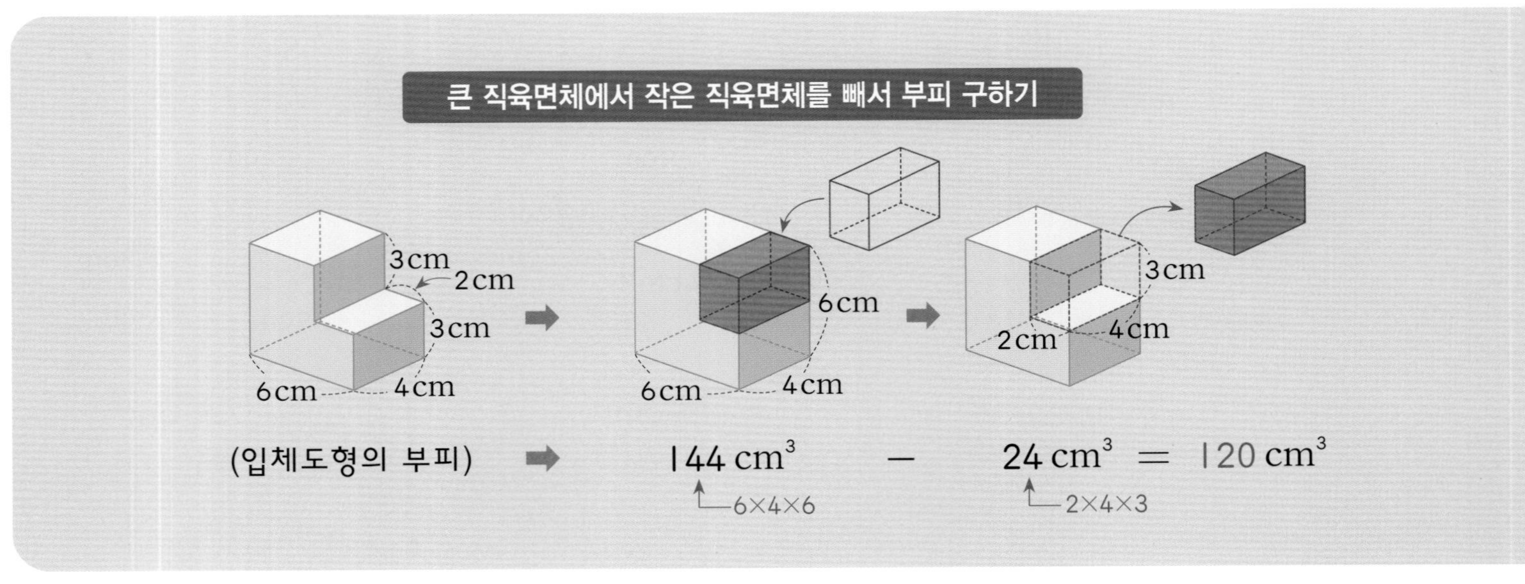

응용 ② 큰 직육면체에서 작은 직육면체를 빼서 부피를 구하시오.

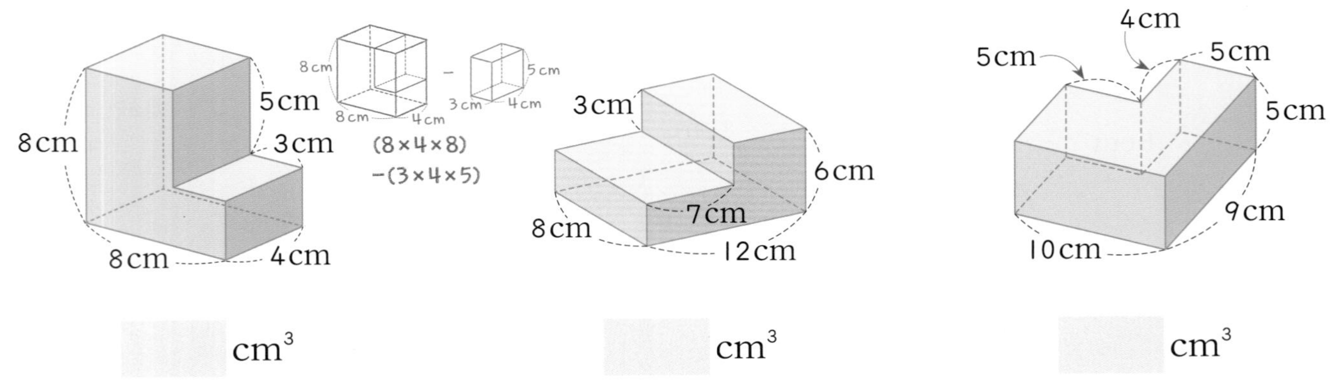

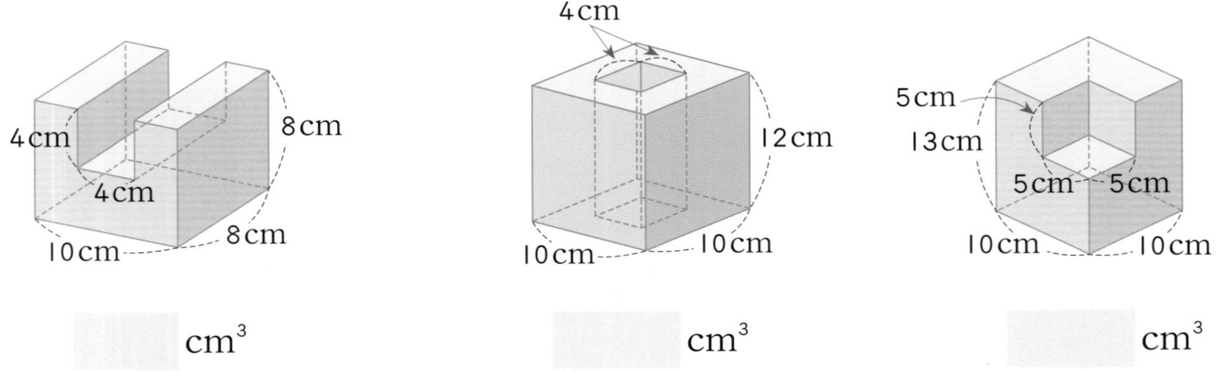

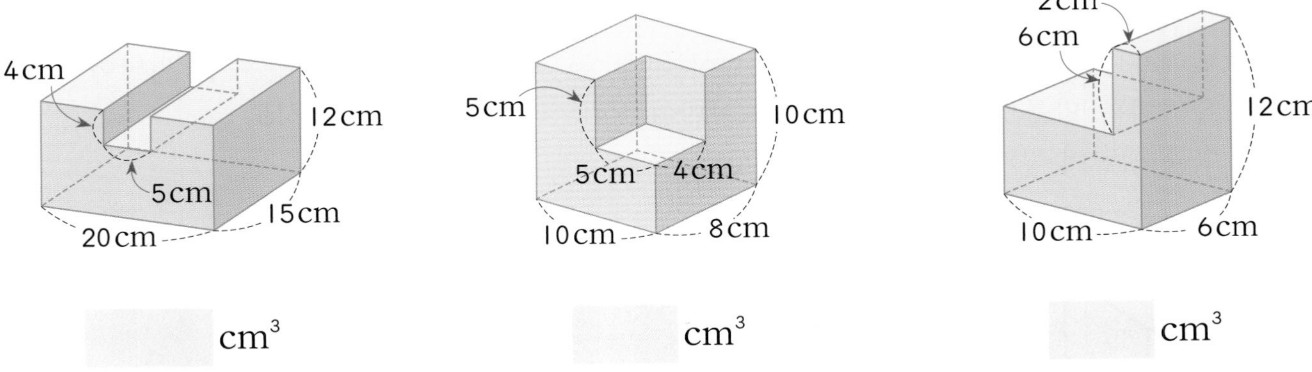
4cm
12cm
5cm
15cm
20cm
5cm
10cm
5cm
4cm
10cm
8cm
2cm
6cm
12cm
10cm
6cm
cm³
cm³
cm³

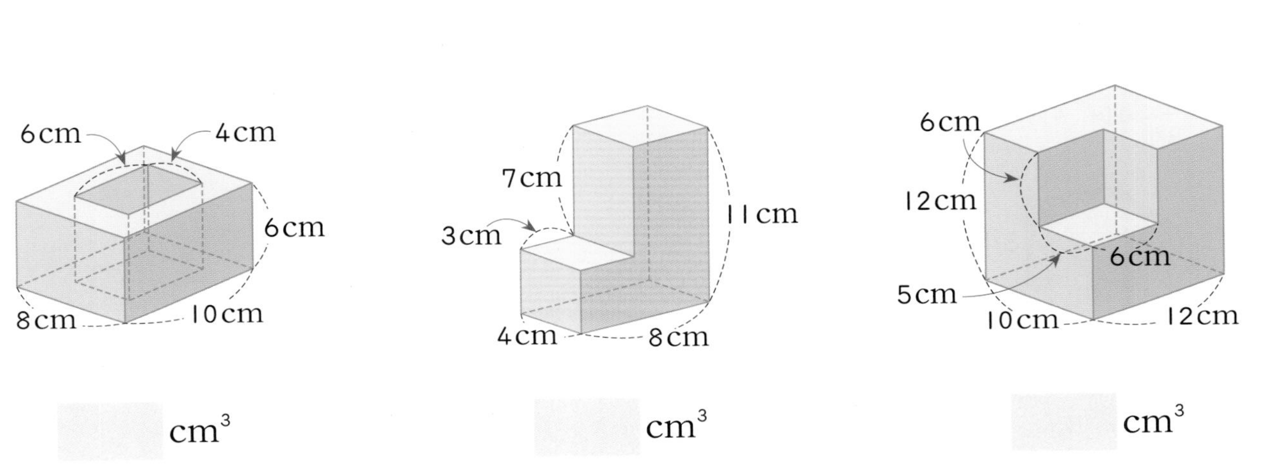
6cm
4cm
6cm
8cm
10cm
7cm
11cm
3cm
4cm
8cm
6cm
12cm
6cm
5cm
10cm
12cm
cm³
cm³
cm³

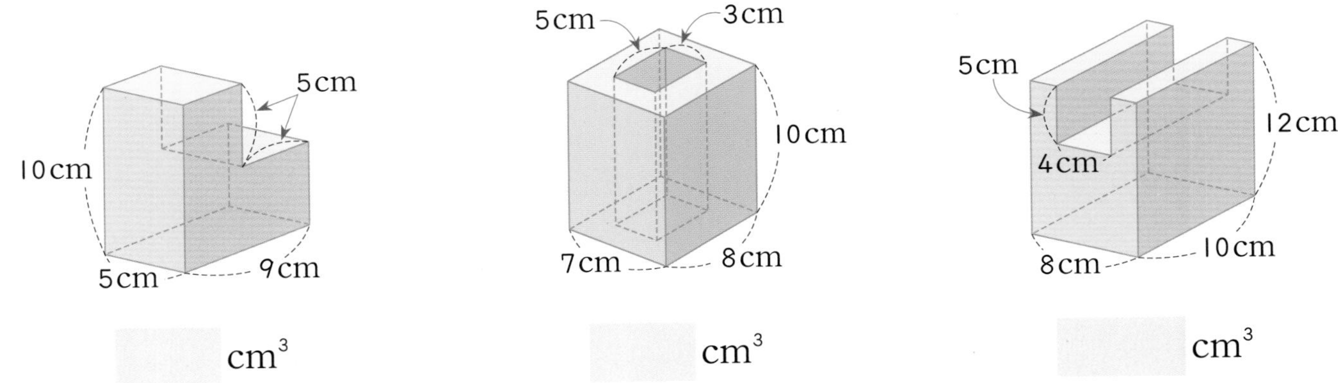
5cm
10cm
5cm
9cm
5cm
3cm
10cm
7cm
8cm
5cm
12cm
4cm
8cm
10cm
cm³
cm³
cm³

형성평가

정답 46쪽 걸린 시간: 분 점 수: 점

01 부피가 $1\,cm^3$( )인 쌓기나무를 쌓아 직육면체를 만들었습니다. ☐ 안에 알맞은 수를 써넣어 쌓기나무의 수를 구하시오.

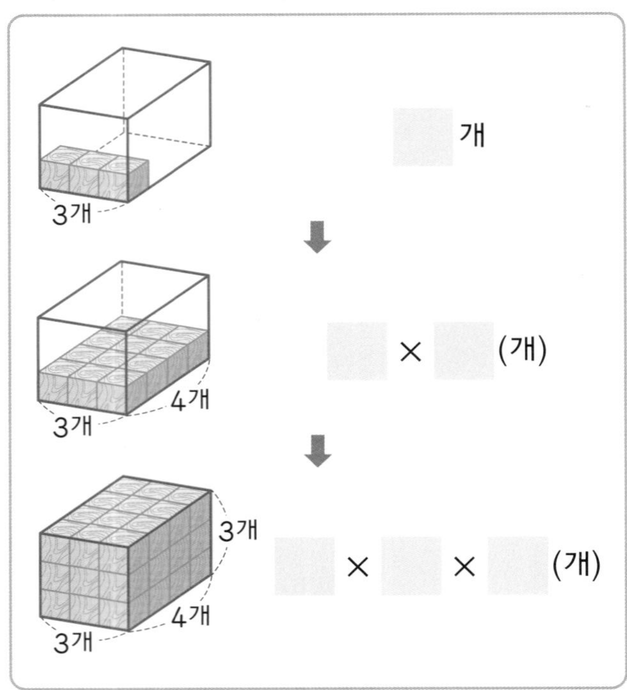

☐ 개

☐ × ☐ (개)

☐ × ☐ × ☐ (개)

02 부피가 $1\,cm^3$( )인 쌓기나무를 쌓아 만든 직육면체의 부피를 구하시오.

(1)

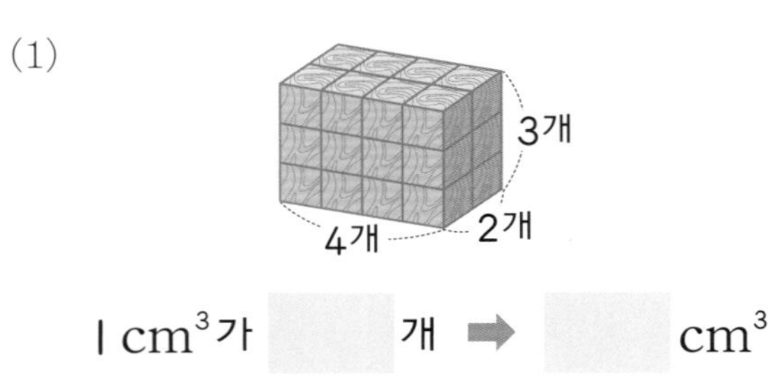

$1\,cm^3$가 ☐ 개 ➡ ☐ cm^3

(2)

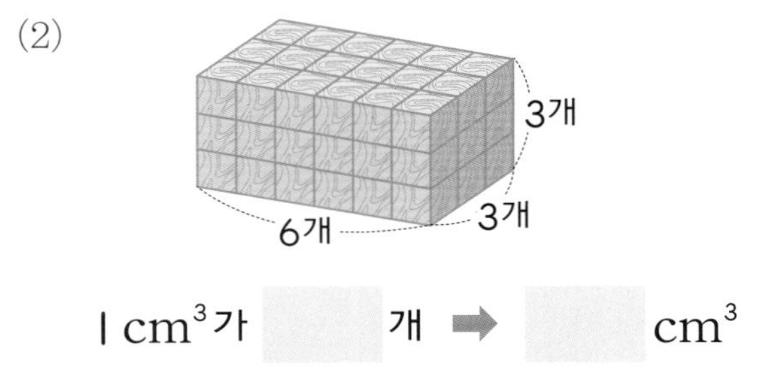

$1\,cm^3$가 ☐ 개 ➡ ☐ cm^3

03 ☐ 안에 알맞은 수를 써넣어 직육면체의 부피를 구하시오.

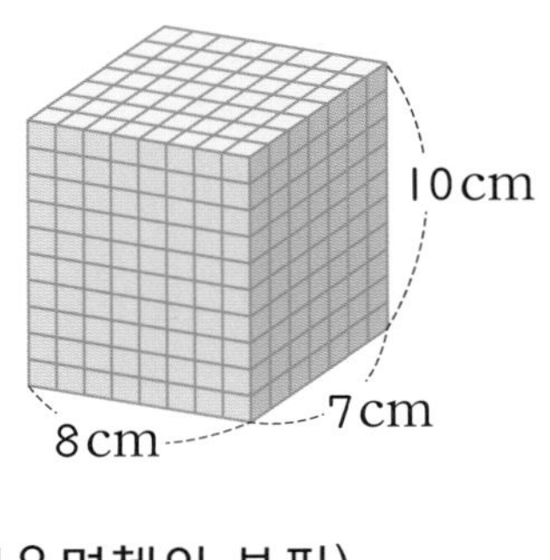

(직육면체의 부피)

= ☐ × ☐ × ☐

= ☐ (cm^3)

[04~05] 직육면체의 부피를 구하시오.

04

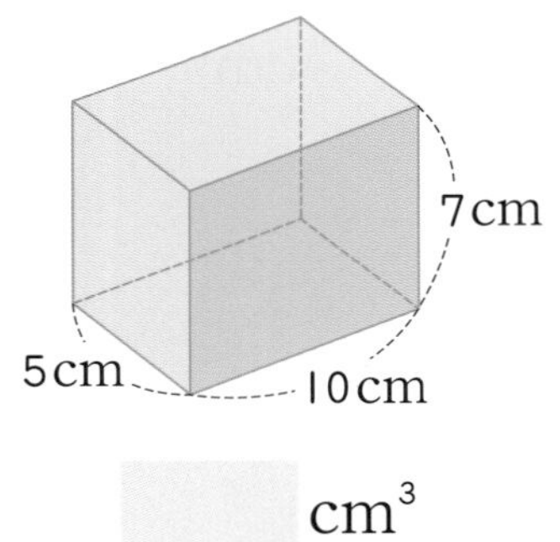

☐ cm^3

05

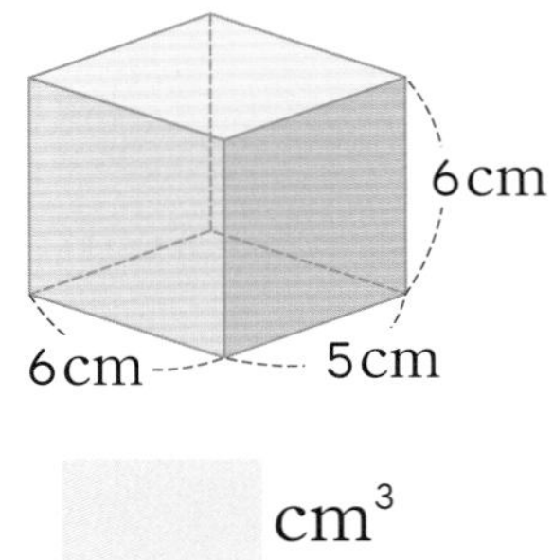

☐ cm^3

06 직육면체의 부피를 cm^3 단위로 구하시오.

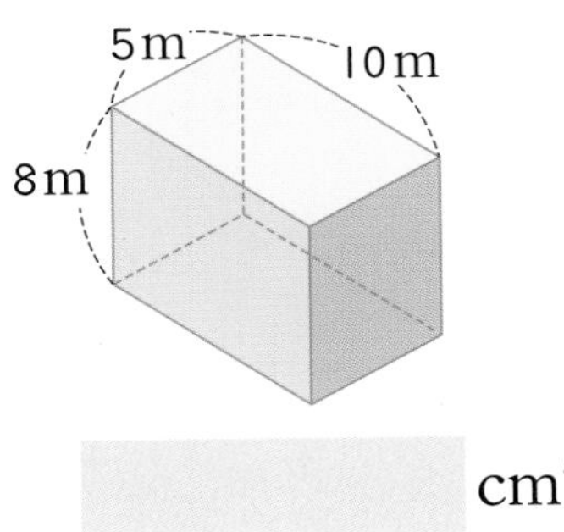

☐ cm^3

07 ☐ 안에 알맞은 수를 써넣으시오.

(1) $3m^3=$ ☐ cm^3

(2) $8m^3=$ ☐ cm^3

(3) $20m^3=$ ☐ cm^3

(4) $5.6m^3=$ ☐ cm^3

(5) $0.15m^3=$ ☐ cm^3

08 직육면체의 부피를 m^3 단위로 구하시오.

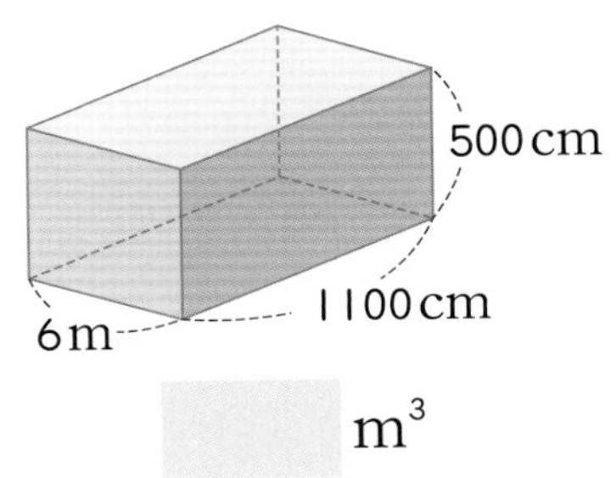

☐ m^3

09 ☐ 안에 알맞은 수를 써넣으시오.

(1) $5000000cm^3=$ ☐ m^3

(2) $30000000cm^3=$ ☐ m^3

(3) $4700000cm^3=$ ☐ m^3

(4) $600000cm^3=$ ☐ m^3

(5) $270000cm^3=$ ☐ m^3

10 직육면체의 전개도를 보고 ☐ 안에 알맞은 수를 써넣으시오.

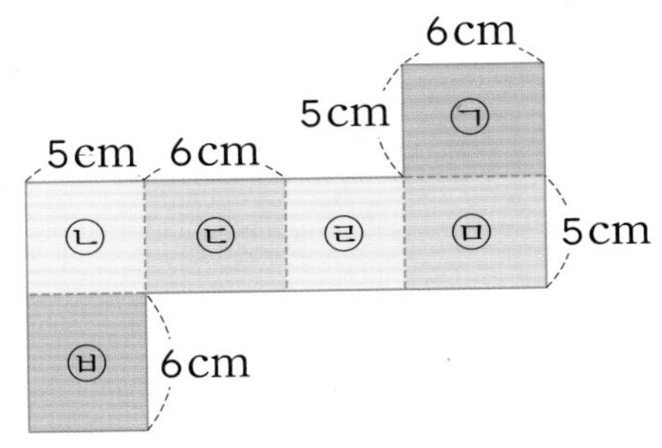

㉠ + ㉡ + ㉢ + ㉣ + ㉤ + ㉥

= ☐ + ☐ + ☐ + ☐ + ☐ + ☐

= ☐ (cm^2)

[11~12] 직육면체의 전개도를 보고 ☐ 안에 알맞은 수를 써넣으시오.

11

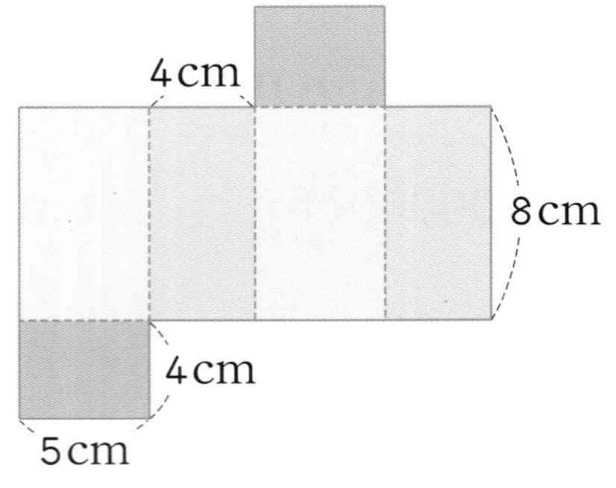

(한 밑면) × 2 + (옆면)

= ☐ × 2 + ☐ × ☐

= ☐ (cm²)

12

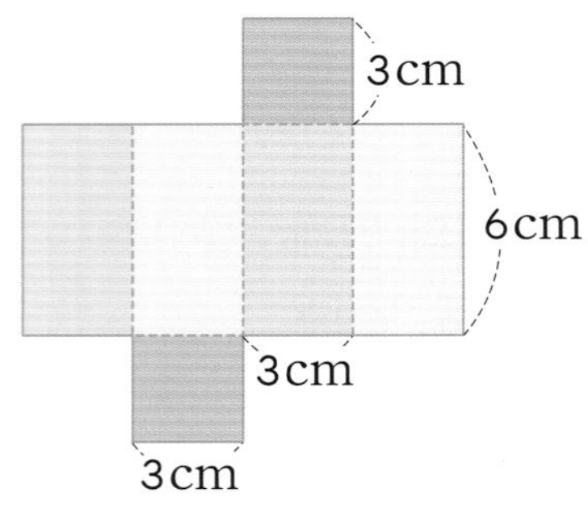

(한 밑면) × 2 + (옆면)

= ☐ × 2 + ☐ × ☐

= ☐ (cm²)

[13~14] 직육면체를 보고 ☐ 안에 알맞은 수를 써넣어 직육면체의 겉넓이를 구하시오.

13

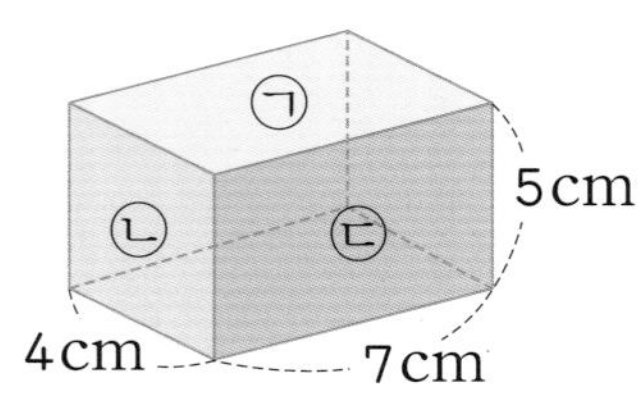

(㉠ + ㉡ + ㉢) × 2

= (☐ + ☐ + ☐) × 2

= ☐ (cm²)

14

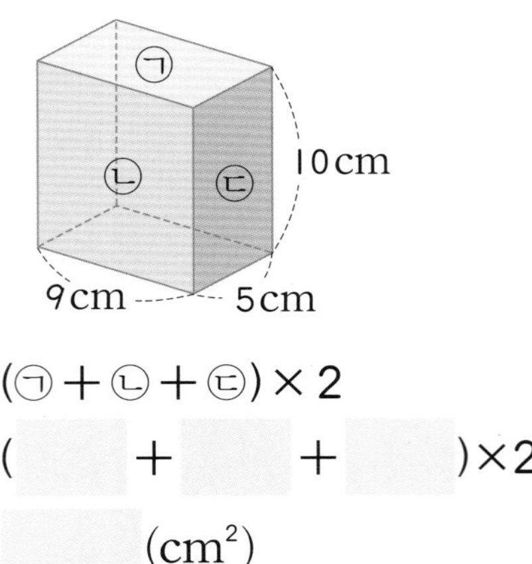

(㉠ + ㉡ + ㉢) × 2

= (☐ + ☐ + ☐) × 2

= ☐ (cm²)

[15~16] 직육면체의 겉넓이를 구하시오.

15

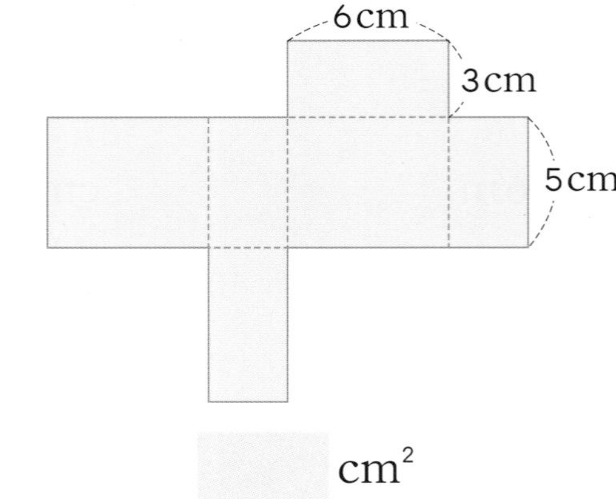

☐ cm²

16

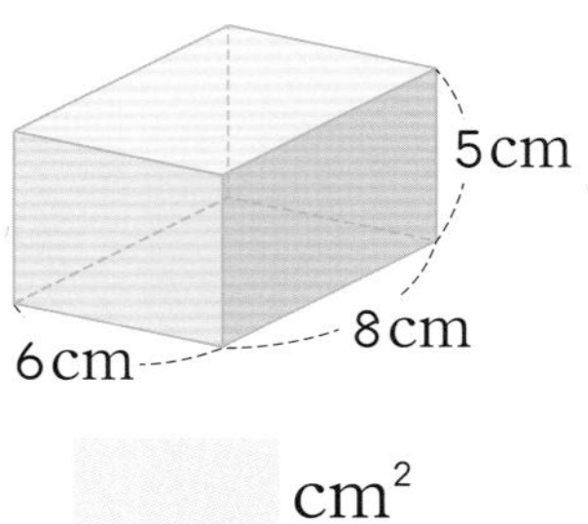

☐ cm²

17 □ 안에 알맞은 수를 써넣어 정육면체의 부피를 구하시오.

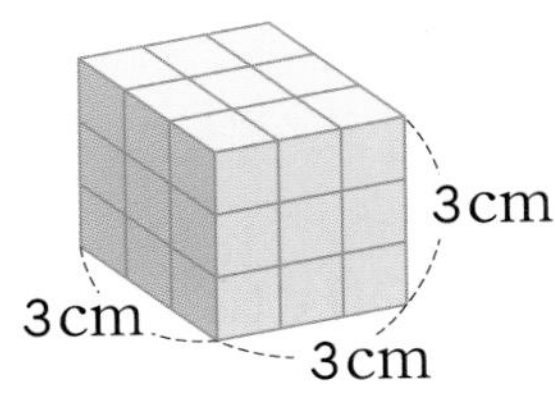

(정육면체의 부피)

= □ (cm^3)

18 정육면체의 부피를 구하시오.

(1)

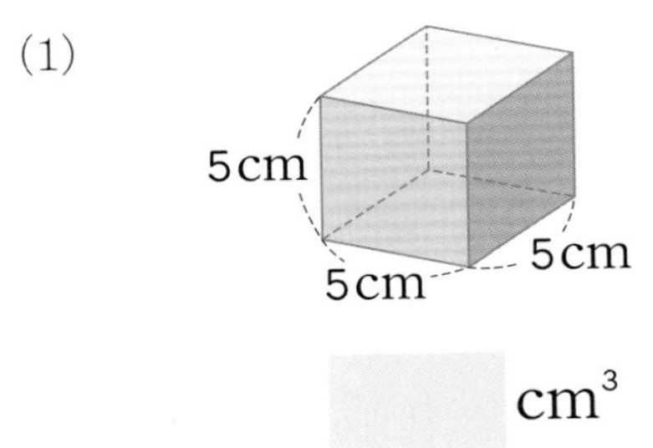

□ cm^3

(2)

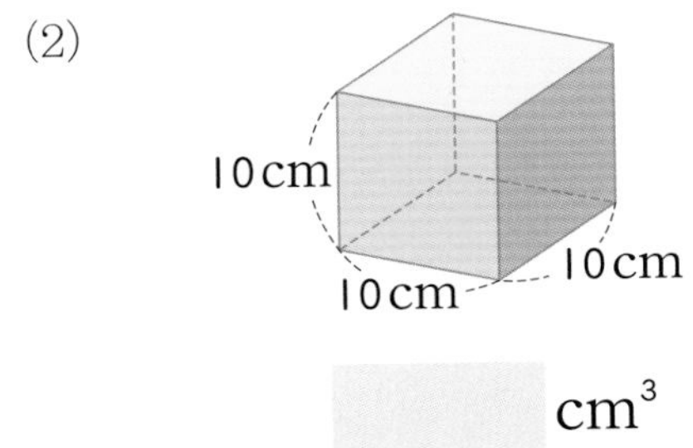

□ cm^3

19 □ 안에 알맞은 수를 써넣어 정육면체의 겉넓이를 구하시오.

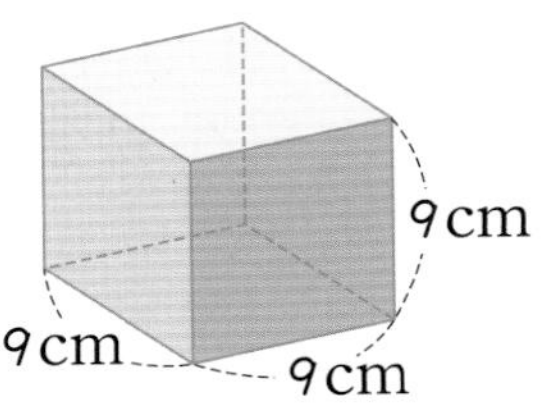

(정육면체의 겉넓이)

= □ × 6

= □ (cm^2)

20 정육면체의 겉넓이를 구하시오.

(1)

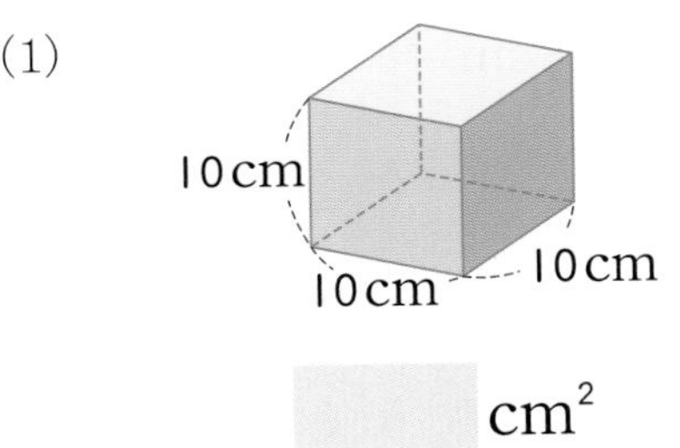

□ cm^2

(2)

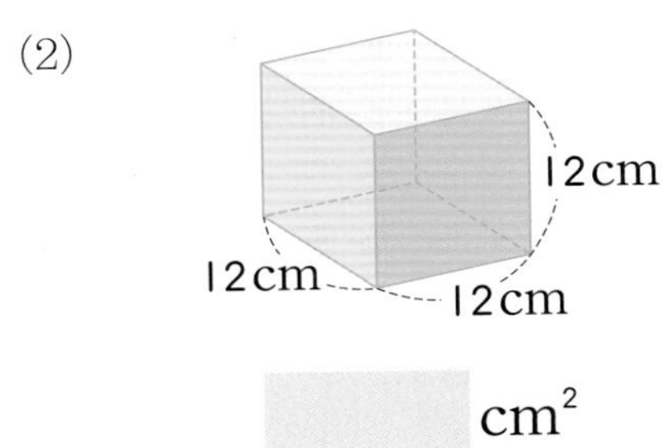

□ cm^2

단원 평가 6. 직육면체의 부피와 겉넓이

걸린 시간 분 점수 점

정답 47쪽

1 부피가 $1\,cm^3$인 쌓기나무를 쌓아 만든 모양입니다. 부피가 가장 큰 것은 어느 것입니까?

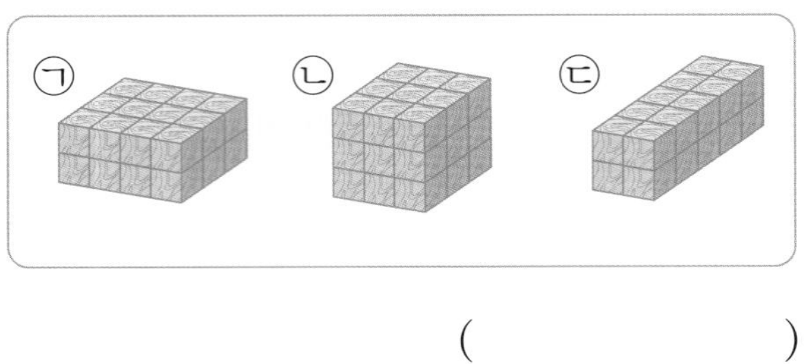

( )

2 직육면체의 부피를 구하시오.

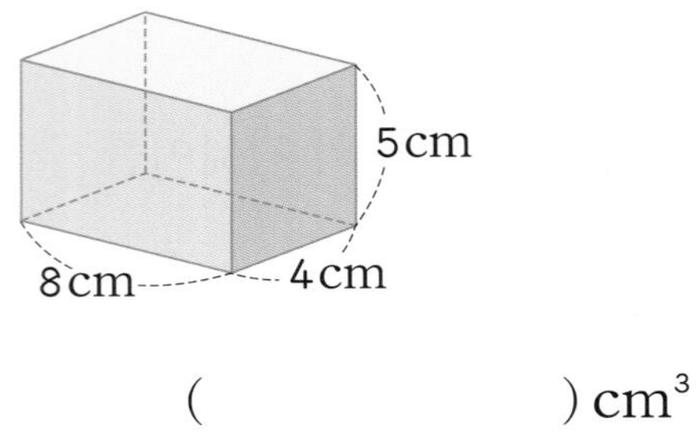

( ) cm^3

3 ☐ 안에 알맞은 수를 써넣으시오.

(1) $8\,m^3 =$ ☐ cm^3

(2) $50\,m^3 =$ ☐ cm^3

(3) $38000000\,cm^3 =$ ☐ m^3

(4) $430000000\,cm^3 =$ ☐ m^3

(5) $2500000\,cm^3 =$ ☐ m^3

4 크기를 비교하여 ○ 안에 >, =, <를 알맞게 써넣으시오.

(1) $4900000\,cm^3$ ○ $49\,m^3$

(2) $12000000\,cm^3$ ○ $2.4\,m^3$

5 직육면체의 부피를 주어진 단위에 맞게 구하시오.

(1)

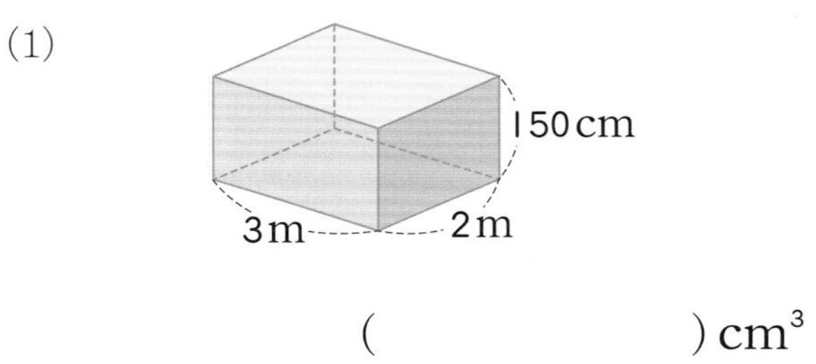

( ) cm^3

(2)

2 m
250 cm
80 cm

( ) m^3

6 부피가 큰 것부터 차례로 기호를 쓰시오.

㉠ $3.9\,m^3$
㉡ $500000\,cm^3$
㉢ $2500000\,cm^3$

(　　　　　　)

7 부피가 더 큰 도형의 기호를 쓰시오.

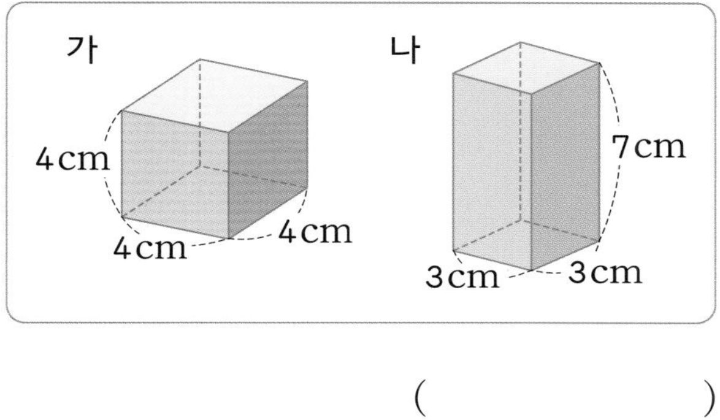

(　　　　　　)

8 정육면체의 부피와 겉넓이를 구하시오.

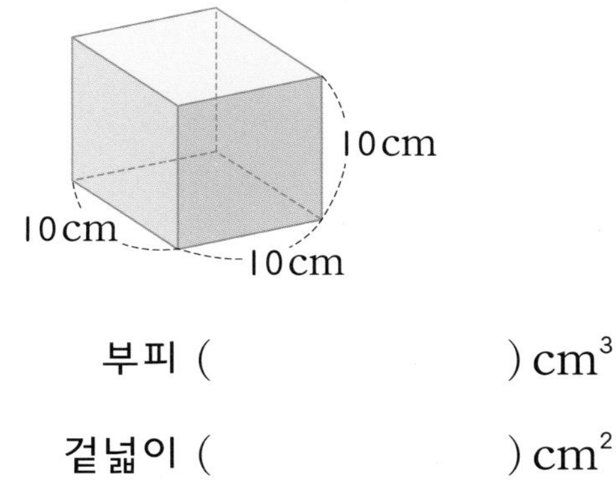

부피 (　　　　　　) cm^3

겉넓이 (　　　　　　) cm^2

9 직육면체의 겉넓이를 구하시오.

(1)

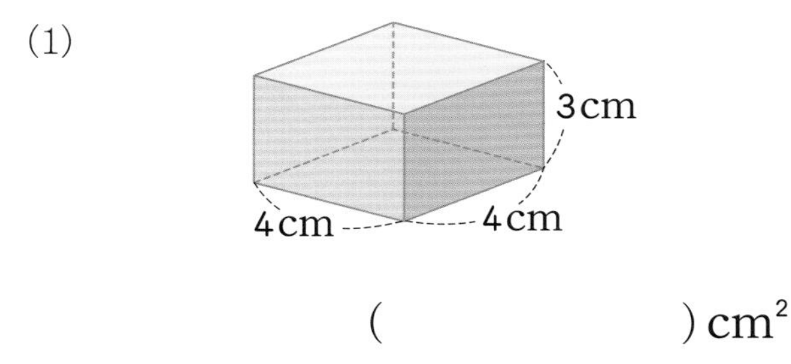

(　　　　　　) cm^2

(2)

5cm
3cm
4cm

(　　　　　　) cm^2

10 다음 전개도로 만들 수 있는 직육면체의 겉넓이를 구하시오.

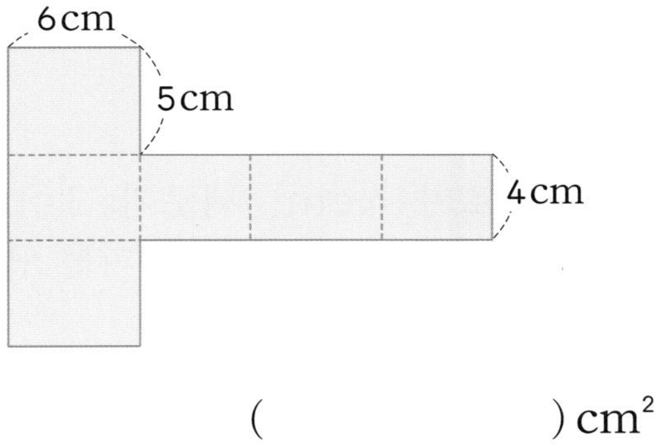

(　　　　　　) cm^2

11 다음 전개도를 이용하여 만든 정육면체의 부피를 구하시오.

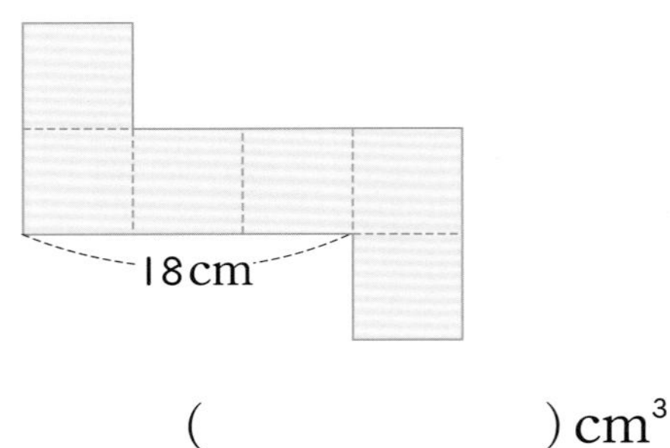

(　　　　　　) cm^3

12 겉넓이가 더 큰 도형의 기호를 쓰시오.

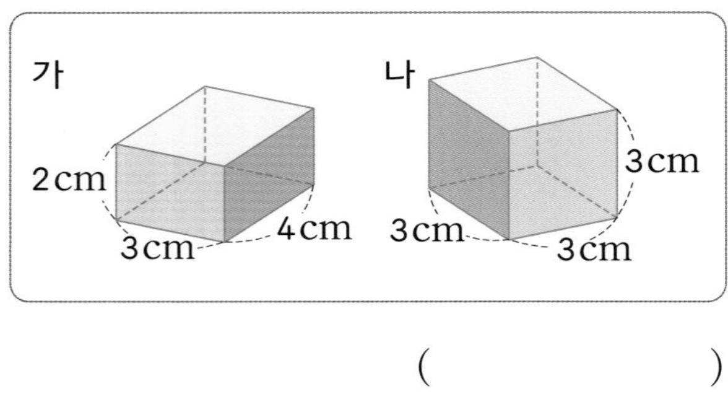

(　　　　　　)

13 가로가 4cm, 세로가 3cm, 높이가 5cm인 직육면체의 부피를 구하시오.

(　　　　　　) cm^3

14 작은 직육면체로 나누어 부피를 구하시오.

(1)

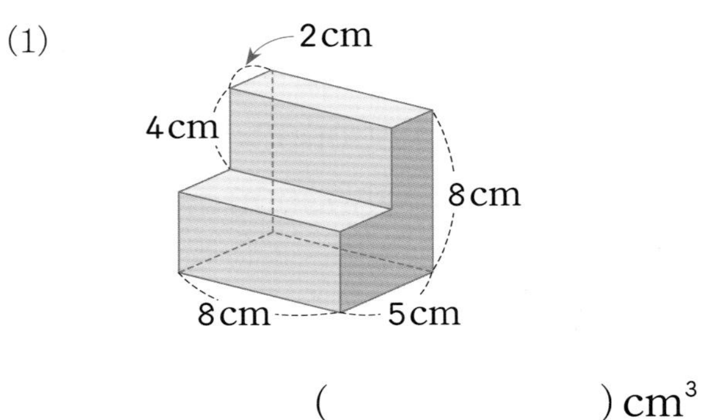

(　　　　　　) cm^3

(2)

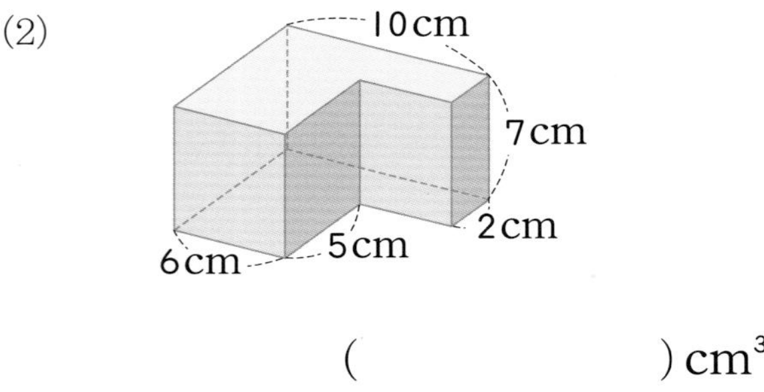

(　　　　　　) cm^3

15 큰 직육면체에서 작은 직육면체를 빼서 부피를 구하시오.

(1)

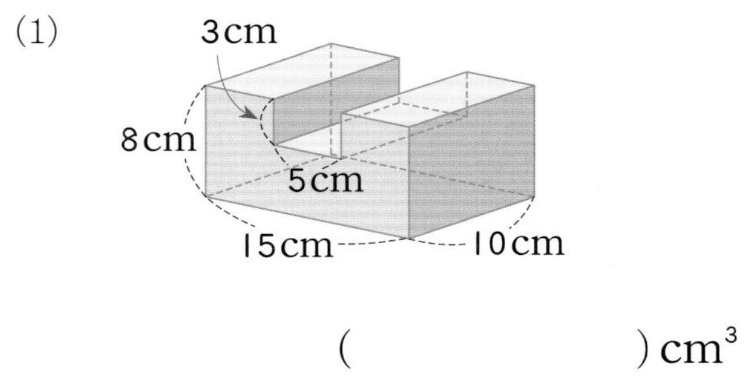

(　　　　　　) cm^3

(2)

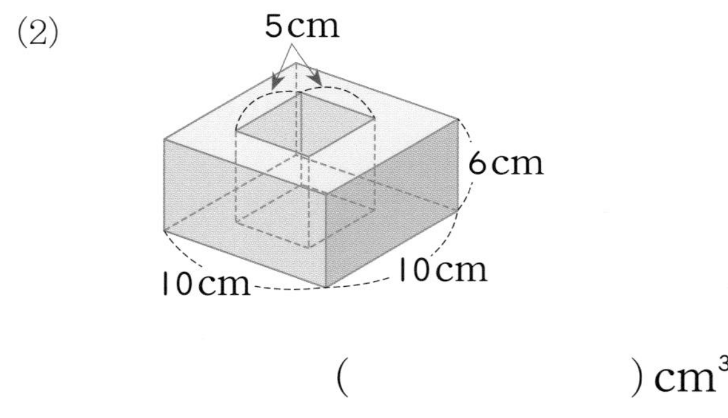

(　　　　　　) cm^3

16 다음 직육면체의 부피는 140 cm³입니다. 가로가 5 cm, 세로가 7 cm일 때, 높이는 몇 cm입니까?

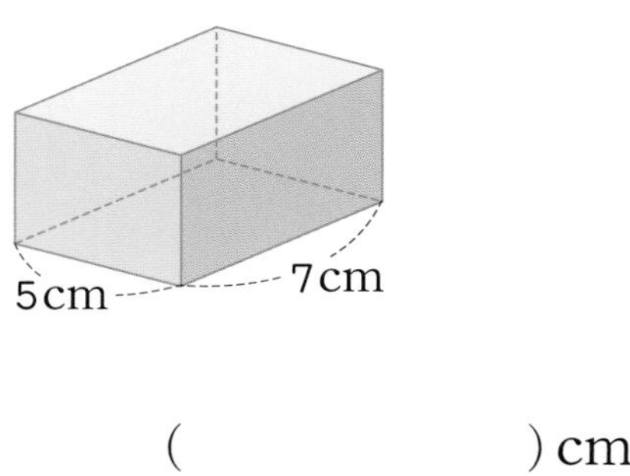

( ) cm

17 두 도형의 부피가 같을 때 ▢ 안에 알맞은 수를 구하시오.

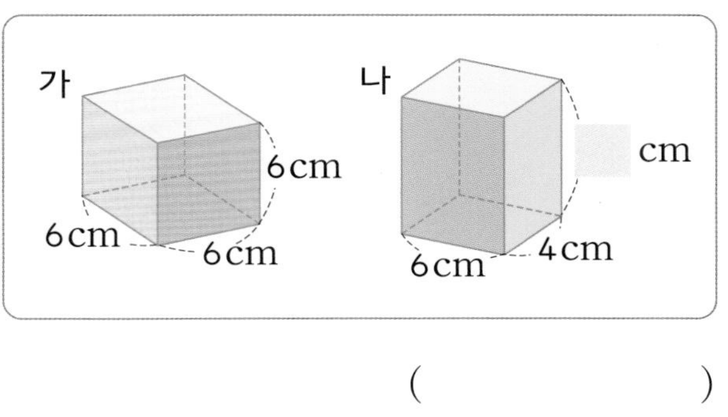

( )

18 다음과 같은 직육면체를 잘라서 정육면체를 만들려고 합니다. 만들 수 있는 가장 큰 정육면체의 부피를 구하시오.

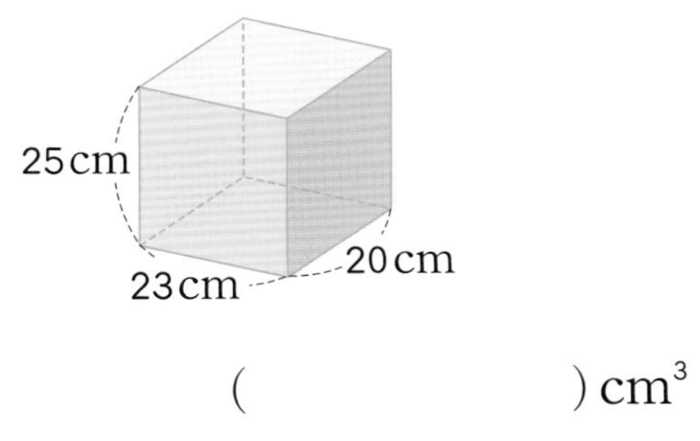

( ) cm³

19 다음 전개도를 접어서 만들 수 있는 직육면체의 겉넓이가 242 cm²일 때, ▢ 안에 알맞은 수를 구하시오.

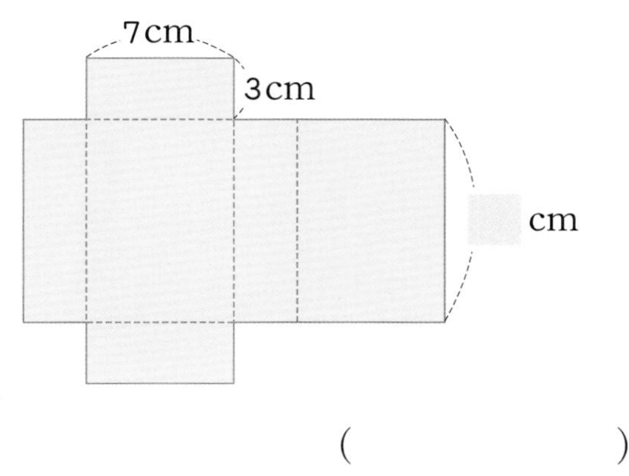

( )

20 겉넓이가 150 cm²인 정육면체의 부피를 구하려고 합니다. 풀이 과정을 쓰고 답을 구하시오.

논리적 사고력과 창의적 문제해결력을 키워 주는

매스티안 교재 활용법!

대상	창의사고력 교재	연산 교재	
	팩토	사고력을 키우는 팩토 연산	원리 연산 소마셈
5세~6세	 킨더팩토 A, B, C, D		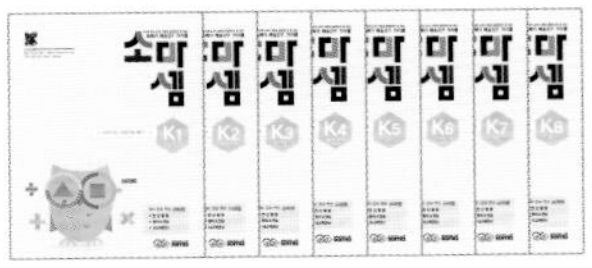 소마셈 K시리즈 K1~K8
7세~초1	 키즈 원리A/탐구A 키즈 원리B/탐구B 키즈 원리C/탐구C	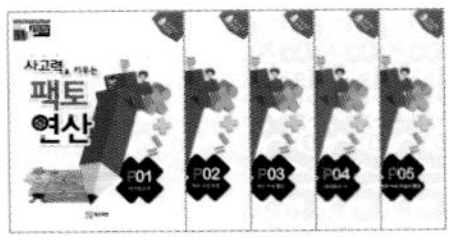 사고력을 키우는 팩토 연산 P01~P05	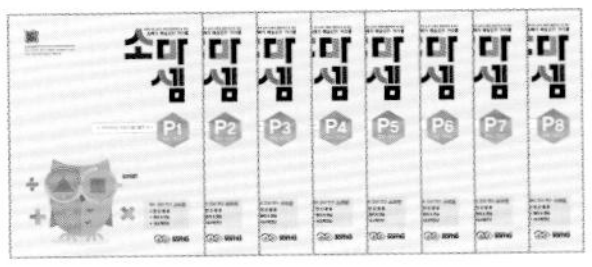 소마셈 P시리즈 P1~P8
초1~초2	 Lv.1 원리A/탐구A Lv.1 원리B/탐구B Lv.1 원리C/탐구C	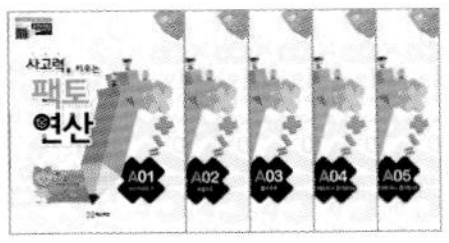 사고력을 키우는 팩토 연산 A01~A05	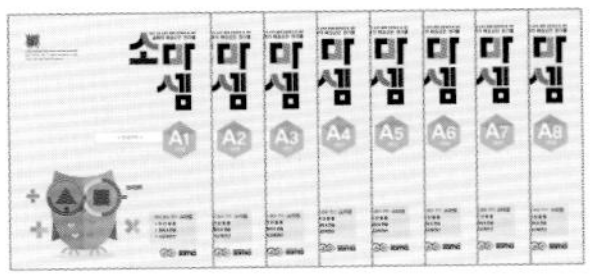 소마셈 A시리즈 A1~A8
초2~초3	 Lv.2 원리A/탐구A Lv.2 원리B/탐구B Lv.2 원리C/탐구C	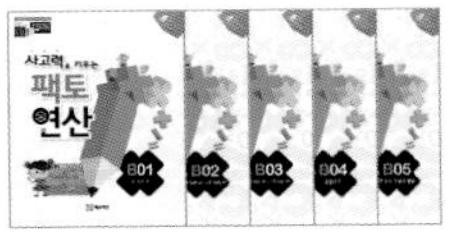 사고력을 키우는 팩토 연산 B01~B05	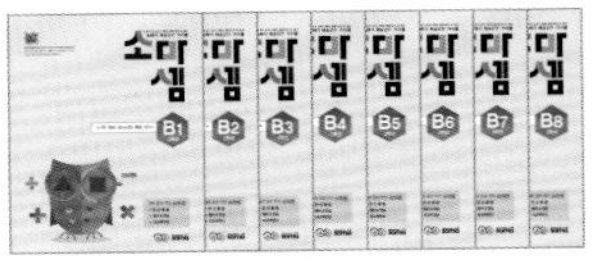 소마셈 B시리즈 B1~B8
초3~초4	 Lv.3 원리A/탐구A Lv.3 원리B/탐구B Lv.3 원리C/탐구C	 사고력을 키우는 팩토 연산 C01~C05	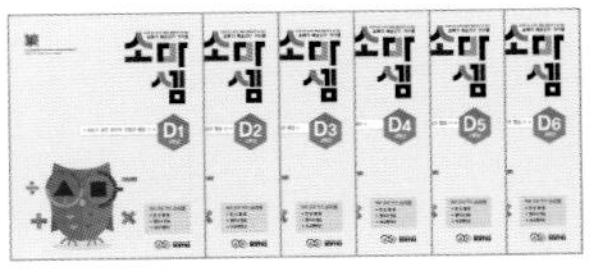 소마셈 D시리즈 D1~D6
초4~초5	 Lv.4 기본A, 실전A Lv.4 기본B, 실전B		 소마셈 C시리즈 C1~C8
초5~초6	 Lv.5 기본A, 실전A Lv.5 기본B, 실전B		
초6~	 Lv.6 기본A, 실전A Lv.6 기본B, 실전B		

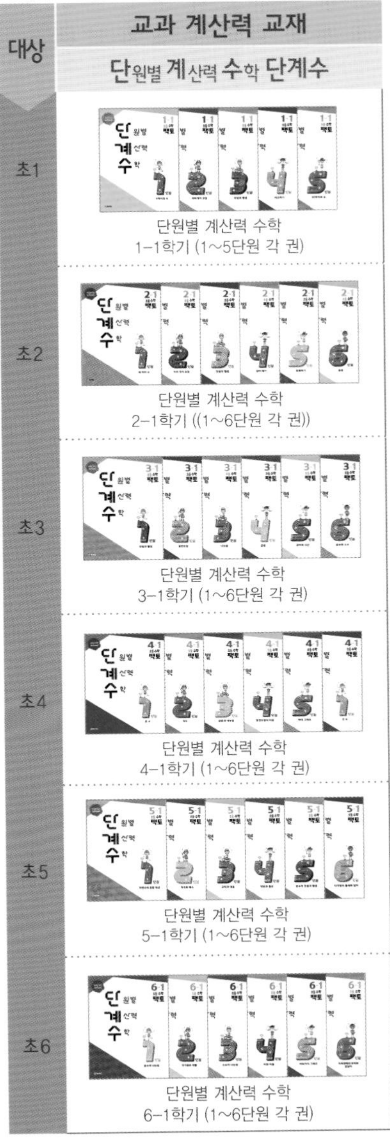

대상	교과 계산력 교재
	단원별 계산력 수학 단계수
초1	단원별 계산력 수학 1-1학기 (1~5단원 각 권)
초2	단원별 계산력 수학 2-1학기 ((1~6단원 각 권))
초3	단원별 계산력 수학 3-1학기 (1~6단원 각 권)
초4	단원별 계산력 수학 4-1학기 (1~6단원 각 권)
초5	단원별 계산력 수학 5-1학기 (1~6단원 각 권)
초6	단원별 계산력 수학 6-1학기 (1~6단원 각 권)

대상	교과 수학 교재	
	1학기	2학기
초1	팩토 수학교과서/익힘책 1-1	팩토 수학교과서/익힘책 1-2
초2	팩토 수학교과서/익힘책 2-1	팩토 수학교과서/익힘책 2-2

단계수 학습 순서

매일 학습

단원별로 꼭 알아야 할 개념만 쏙쏙 학습하고 다양한 연산 문제를 통해 연산 과정을 숙달하여 계산력을 쑥쑥 키울 수 있습니다.

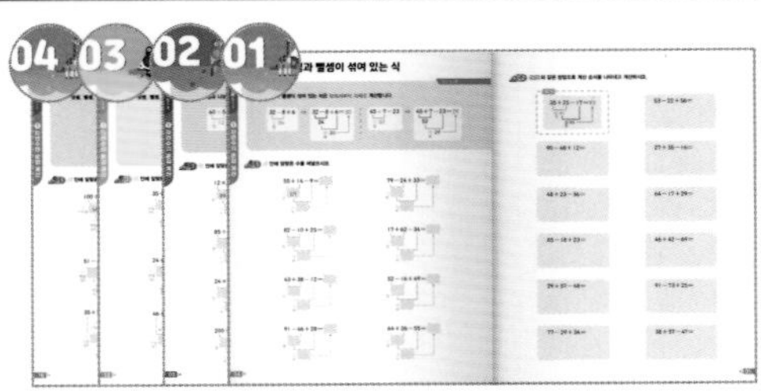

도전! 응용문제

응용 문제와 **서술형** 문제를 통해 사고력과 문제해결력을 기를 수 있습니다.

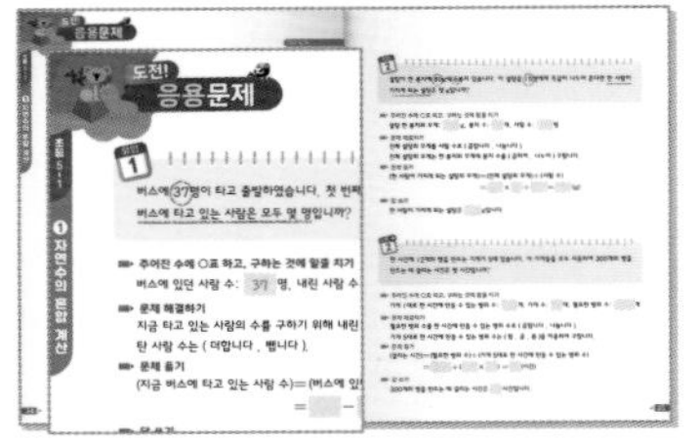

형성 평가

단원의 **복습 단계**로 문제를 풀면서 학습한 내용을 다시 한 번 확인할 수 있습니다.

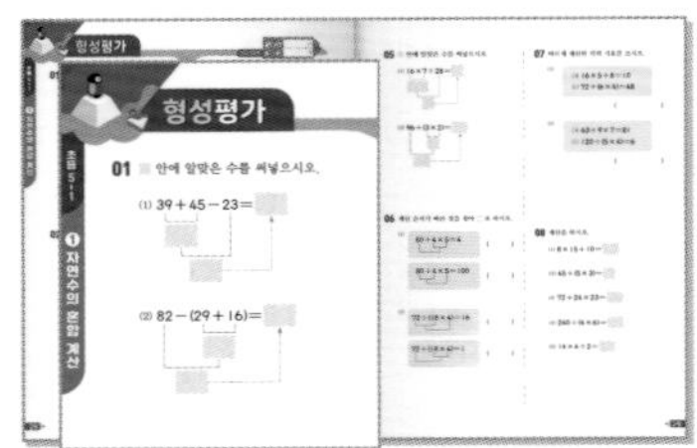

단원 평가

단원의 **마무리 학습**으로 학교 시험에 자주 나오는 문제를 통해 수시 평가 등 학교 시험에 대비할 수 있습니다.

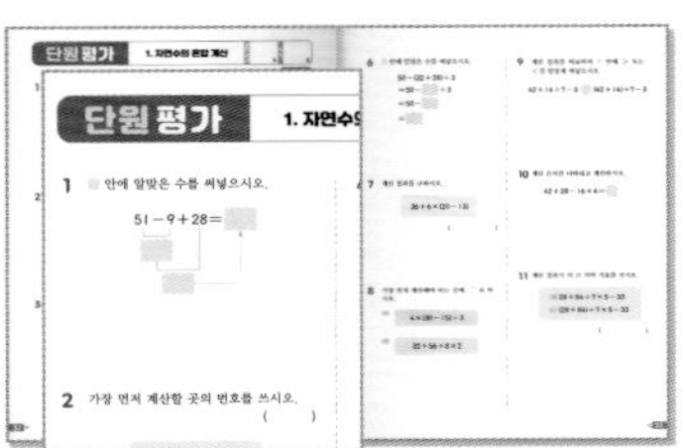

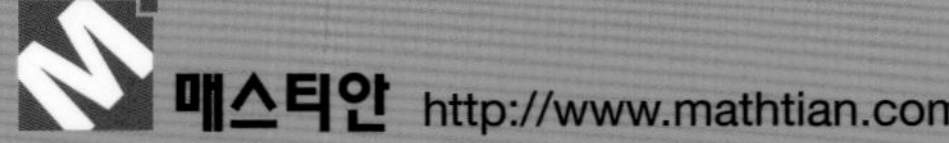

자율안전확인신고필증번호 : B361H200-4001
1.주소 : 06153 서울특별시 강남구 봉은사로 442 (삼성동)
2.문의전화 : 1588-6066
3.제조국 : 대한민국
4.사용연령 : 13세 이상
※ KC마크는 이 제품이 공통안전기준에 적합하였음을 의미합니다.

종이, 모서리에 다칠 수 있으니 주의하세요!

초등학교	반 번
이름	

FACTO school

6-1

초등 수학 팩토

단원별 계산력 수학

매스티안

팩토는 자유롭게 자신감있게 창의적으로 생각하는 주니어수학자입니다.

단원별 계산력 수학

펴낸 곳 (주)타임교육C&P **펴낸이** 이길호 **지은이** 매스티안R&D센터
주소 06153 서울특별시 강남구 봉은사로 442(삼성동) **문의전화** 1588.6066
팩토카페 http://cafe.naver.com/factos **홈페이지** http://www.mathtian.com

※ 정답과 풀이는 온라인 팩토카페(http://cafe.naver.com/factos)를 통해서도 확인할 수 있습니다.

GH2108

6-1

초등 수학 팩토

FACTO school

단계수학

원별 산력 학

매스티안

01 (자연수)÷(자연수)의 몫을 분수로 나타내기

정답 02쪽

● 2개를 3명에게 똑같이 나누어 줄 때 한 명은 $\frac{2}{3}$개씩 가집니다.

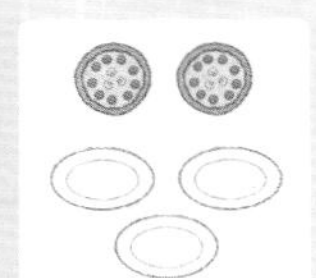
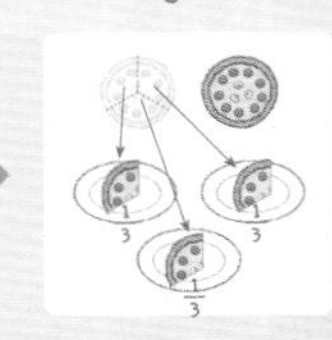
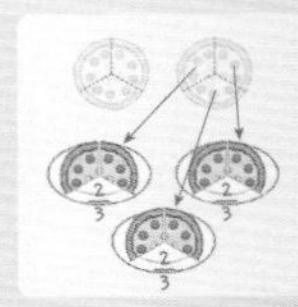

$2 \div 3 = \frac{2}{3}$

전체 피자 수, 나눌 사람 수, 한 명의 몫

1 그림을 보고 ☐ 안에 알맞은 수를 써넣으시오.

1÷4

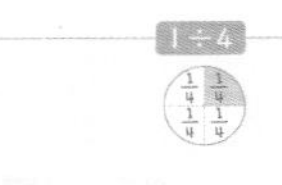

1 개를 4 명에게 똑같이 나누어 줄 때 한 명의 몫 ➡ $\frac{1}{4}$

2÷5

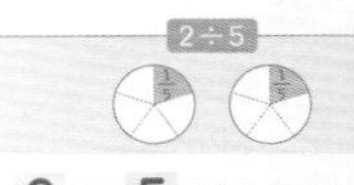

2 개를 5 명에게 똑같이 나누어 줄 때 한 명의 몫 ➡ $\frac{2}{5}$

3÷5

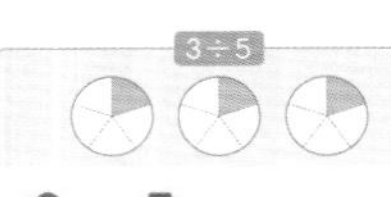

3 개를 5 명에게 똑같이 나누어 줄 때 한 명의 몫 ➡ $\frac{3}{5}$

5÷6

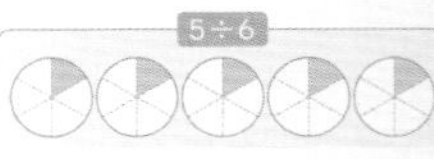

5 개를 6 명에게 똑같이 나누어 줄 때 한 명의 몫 ➡ $\frac{5}{6}$

2 나눗셈의 몫을 분수로 나타내시오.

보기

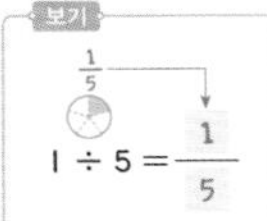

$1 \div 5 = \frac{1}{5}$

$2 \div 3 = \frac{2}{3}$ $3 \div 4 = \frac{3}{4}$

$1 \div 6 = \frac{1}{6}$ $4 \div 5 = \frac{4}{5}$ $2 \div 7 = \frac{2}{7}$

$5 \div 7 = \frac{5}{7}$ $7 \div 10 = \frac{7}{10}$ $5 \div 8 = \frac{5}{8}$

$3 \div 8 = \frac{3}{8}$ $5 \div 9 = \frac{5}{9}$ $1 \div 7 = \frac{1}{7}$

$6 \div 7 = \frac{6}{7}$ $2 \div 9 = \frac{2}{9}$ $5 \div 12 = \frac{5}{12}$

$9 \div 11 = \frac{9}{11}$ $15 \div 17 = \frac{15}{17}$ $11 \div 13 = \frac{11}{13}$

$13 \div 15 = \frac{13}{15}$ $12 \div 19 = \frac{12}{19}$ $15 \div 23 = \frac{15}{23}$

● 3개를 2명에게 똑같이 나누어 줄 때 한 명은 $1\frac{1}{2}$개씩 가집니다.

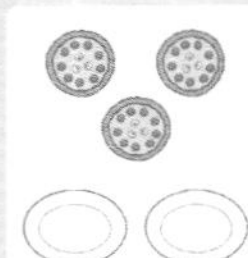
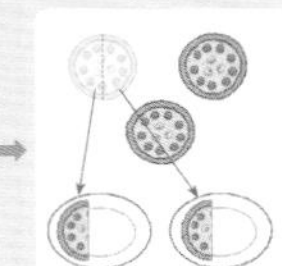
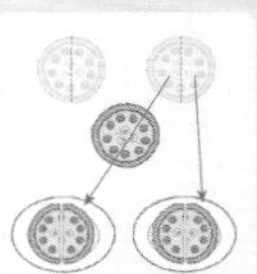
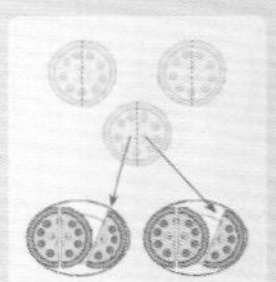

$3 \div 2 = \frac{3}{2} = 1\frac{1}{2}$

전체 피자 수, 나눌 사람 수, 한 명의 몫

3 나눗셈의 몫을 분수로 나타내시오.

보기

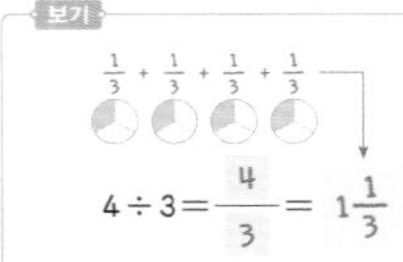

$4 \div 3 = \frac{4}{3} = 1\frac{1}{3}$

$5 \div 3 = \frac{5}{3} = 1\frac{2}{3}$

$5 \div 4 = \frac{5}{4} = 1\frac{1}{4}$ $6 \div 5 = \frac{6}{5} = 1\frac{1}{5}$

$7 \div 2 = \frac{7}{2} = 3\frac{1}{2}$ $9 \div 4 = \frac{9}{4} = 2\frac{1}{4}$

$8 \div 7 = \frac{8}{7} = 1\frac{1}{7}$ $20 \div 11 = \frac{20}{11} = 1\frac{9}{11}$

4 나눗셈의 몫을 분수로 나타내시오.

보기

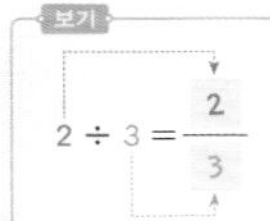

$2 \div 3 = \frac{2}{3}$

$1 \div 2 = \frac{1}{2}$ $3 \div 7 = \frac{3}{7}$

$1 \div 3 = \frac{1}{3}$ $7 \div 8 = \frac{7}{8}$ $4 \div 9 = \frac{4}{9}$

$5 \div 7 = \frac{5}{7}$ $3 \div 10 = \frac{3}{10}$ $9 \div 14 = \frac{9}{14}$

$7 \div 5 = \frac{7}{5} = 1\frac{2}{5}$ $7 \div 6 = \frac{7}{6} = 1\frac{1}{6}$ $10 \div 7 = \frac{10}{7} = 1\frac{3}{7}$

$8 \div 3 = \frac{8}{3} = 2\frac{2}{3}$ $9 \div 5 = \frac{9}{5} = 1\frac{4}{5}$ $11 \div 5 = \frac{11}{5} = 2\frac{1}{5}$

$12 \div 7 = \frac{12}{7} = 1\frac{5}{7}$ $14 \div 9 = \frac{14}{9} = 1\frac{5}{9}$ $13 \div 10 = \frac{13}{10} = 1\frac{3}{10}$

$16 \div 5 = \frac{16}{5} = 3\frac{1}{5}$ $23 \div 8 = \frac{23}{8} = 2\frac{7}{8}$ $25 \div 6 = \frac{25}{6} = 4\frac{1}{6}$

02 (분수)÷(자연수) 알아보기

정답 03쪽

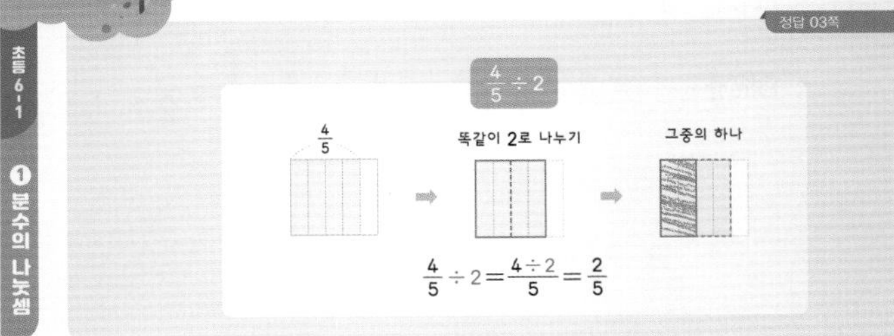

$\frac{4}{5}\div 2=\frac{4\div 2}{5}=\frac{2}{5}$

1 그림을 보고 □ 안에 알맞은 수를 써넣으시오.

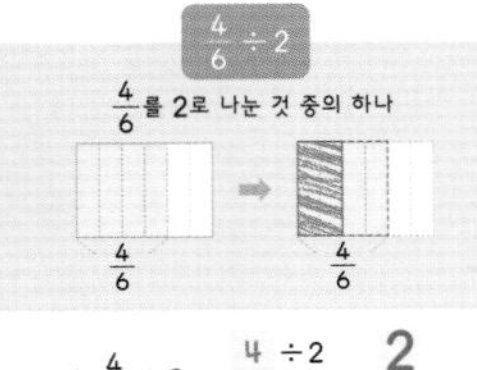

➡ $\frac{4}{6}\div 2=\frac{4\div 2}{6}=\frac{2}{6}$

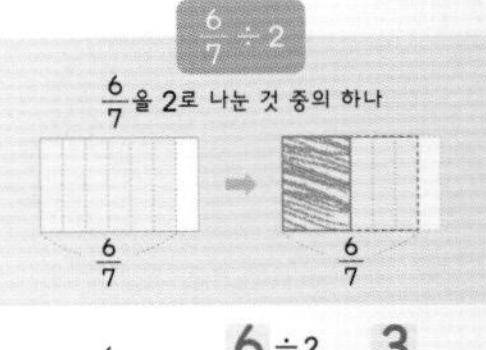

➡ $\frac{6}{7}\div 2=\frac{6\div 2}{7}=\frac{3}{7}$

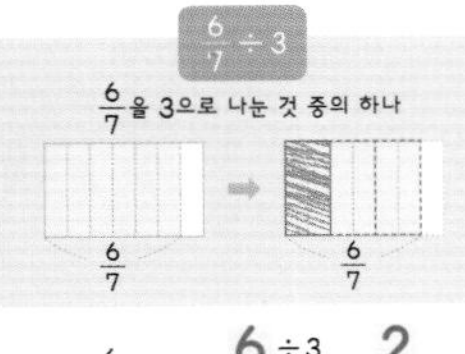

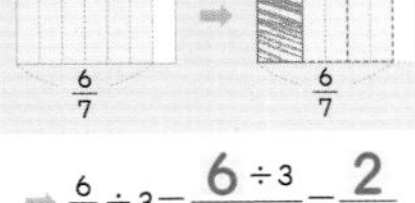

➡ $\frac{6}{7}\div 3=\frac{6\div 3}{7}=\frac{2}{7}$

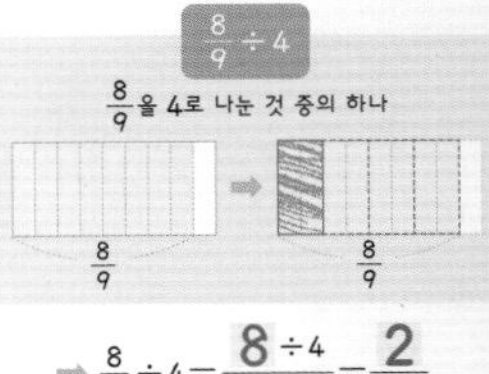

➡ $\frac{8}{9}\div 4=\frac{8\div 4}{9}=\frac{2}{9}$

2 분수의 나눗셈을 하시오.

보기: $\frac{4}{7}\div 2=\frac{2}{7}$, $\frac{4}{7}\div 2=\frac{4\div 2}{7}=\frac{2}{7}$

$\frac{3}{5}\div 3=\frac{1}{5}$ ($\frac{3}{5}\div 3=\frac{3\div 3}{5}$)

$\frac{10}{11}\div 5=\frac{2}{11}$ ($\frac{10}{11}\div 5=\frac{10\div 5}{11}$)

$\frac{8}{9}\div 2=\frac{4}{9}$　$\frac{4}{9}\div 4=\frac{1}{9}$　$\frac{9}{13}\div 3=\frac{3}{13}$

$\frac{9}{10}\div 3=\frac{3}{10}$　$\frac{8}{13}\div 4=\frac{2}{13}$　$\frac{15}{17}\div 5=\frac{3}{17}$

$\frac{8}{15}\div 4=\frac{2}{15}$　$\frac{18}{19}\div 9=\frac{2}{19}$　$\frac{12}{23}\div 6=\frac{2}{23}$

$\frac{6}{11}\div 2=\frac{3}{11}$　$\frac{5}{9}\div 5=\frac{1}{9}$　$\frac{14}{15}\div 7=\frac{2}{15}$

$\frac{18}{29}\div 6=\frac{3}{29}$　$\frac{10}{13}\div 2=\frac{5}{13}$　$\frac{16}{17}\div 8=\frac{2}{17}$

$\frac{6}{13}\div 3=\frac{2}{13}$　$\frac{10}{19}\div 5=\frac{2}{19}$　$\frac{27}{31}\div 9=\frac{3}{31}$

$\frac{3}{5}\div 2$

÷2이므로 $\frac{3}{5}$의 분자를 2의 배수로 바꾸기

$\frac{3}{5}\div 2=\frac{6}{10}\div 2=\frac{6\div 2}{10}=\frac{3}{10}$ (×2)

3 □ 안에 알맞은 수를 써넣으시오.

÷3이므로 $\frac{2}{3}$의 분자를 3의 배수로 바꾸기
$\frac{2}{3}\div 3=\frac{6}{9}\div 3=\frac{6\div 3}{9}=\frac{2}{9}$ (×3)

÷2이므로 $\frac{1}{2}$의 분자를 2의 배수로 바꾸기
$\frac{1}{2}\div 2=\frac{2}{4}\div 2=\frac{2\div 2}{4}=\frac{1}{4}$ (×2)

÷3이므로 $\frac{4}{5}$의 분자를 3의 배수로 바꾸기
$\frac{4}{5}\div 3=\frac{12}{15}\div 3=\frac{12\div 3}{15}=\frac{4}{15}$

÷4이므로 $\frac{3}{4}$의 분자를 4의 배수로 바꾸기
$\frac{3}{4}\div 4=\frac{12}{16}\div 4=\frac{12\div 4}{16}=\frac{3}{16}$

÷2이므로 $\frac{1}{6}$의 분자를 2의 배수로 바꾸기
$\frac{1}{6}\div 2=\frac{2}{12}\div 2=\frac{2\div 2}{12}=\frac{1}{12}$

÷5이므로 $\frac{3}{8}$의 분자를 5의 배수로 바꾸기
$\frac{3}{8}\div 5=\frac{15}{40}\div 5=\frac{15\div 5}{40}=\frac{3}{40}$

4 분수의 나눗셈을 하시오.

보기: $\frac{5}{7}\div 3=\frac{5}{21}$, $\frac{5}{7}\div 3=\frac{15}{21}\div 3=\frac{5}{21}$ (×3)

$\frac{5}{6}\div 6=\frac{5}{36}$ ($\frac{5}{6}\div 6=\frac{30}{36}\div 6$)

$\frac{3}{7}\div 5=\frac{3}{35}$ ($\frac{3}{7}\div 5=\frac{15}{35}\div 5$)

$\frac{3}{5}\div 4=\frac{3}{20}$　$\frac{2}{7}\div 3=\frac{2}{21}$　$\frac{1}{3}\div 8=\frac{1}{24}$

$\frac{4}{9}\div 7=\frac{4}{63}$　$\frac{7}{9}\div 2=\frac{7}{18}$　$\frac{5}{8}\div 4=\frac{5}{32}$

$\frac{9}{13}\div 2=\frac{9}{26}$　$\frac{2}{3}\div 5=\frac{2}{15}$　$\frac{5}{9}\div 6=\frac{5}{54}$

$\frac{7}{12}\div 4=\frac{7}{48}$　$\frac{9}{10}\div 2=\frac{9}{20}$　$\frac{10}{11}\div 9=\frac{10}{99}$

$\frac{3}{8}\div 8=\frac{3}{64}$　$\frac{1}{7}\div 4=\frac{1}{28}$　$\frac{5}{12}\div 2=\frac{5}{24}$

$\frac{8}{9}\div 3=\frac{8}{27}$　$\frac{5}{11}\div 6=\frac{5}{66}$　$\frac{7}{10}\div 5=\frac{7}{50}$

03 (분수)÷(자연수)를 분수의 곱셈으로 나타내어 계산하기

정답 04쪽

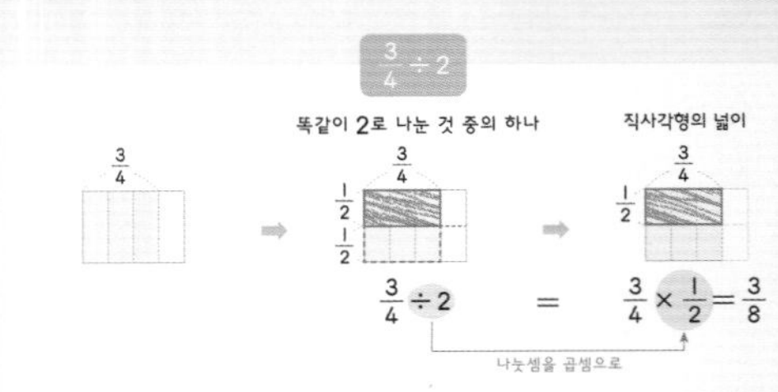

1 그림을 보고 전체와 빗금 친 부분의 수를 세어 안에 알맞은 수를 써넣으시오.

보기

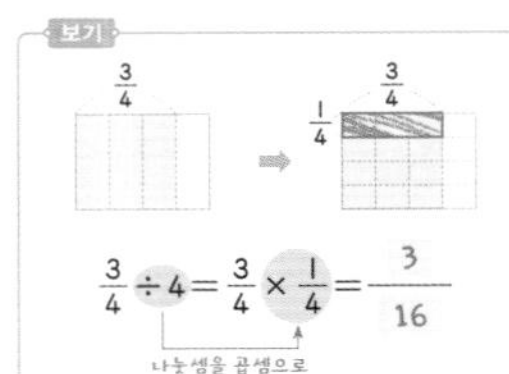

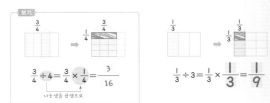

$\frac{3}{4}\div4=\frac{3}{4}\times\frac{1}{4}=\frac{3}{16}$ (나눗셈을 곱셈으로)

$\frac{1}{3}\div3=\frac{1}{3}\times\frac{1}{3}=\frac{1}{9}$

$\frac{3}{5}\div2=\frac{3}{5}\times\frac{1}{2}=\frac{3}{10}$

$\frac{2}{3}\div5=\frac{2}{3}\times\frac{1}{5}=\frac{2}{15}$

2 안에 알맞은 수를 써넣으시오.

$\frac{2}{3}\div3=\frac{2}{3}\times\frac{1}{3}=\frac{2}{9}$ (나눗셈을 곱셈으로)

$\frac{3}{4}\div5=\frac{3}{4}\times\frac{1}{5}=\frac{3}{20}$

$\frac{4}{5}\div3=\frac{4}{5}\times\frac{1}{3}=\frac{4}{15}$

$\frac{3}{5}\div4=\frac{3}{5}\times\frac{1}{4}=\frac{3}{20}$

$\frac{5}{6}\div2=\frac{5}{6}\times\frac{1}{2}=\frac{5}{12}$

$\frac{7}{8}\div9=\frac{7}{8}\times\frac{1}{9}=\frac{7}{72}$

$\frac{5}{7}\div4=\frac{5}{7}\times\frac{1}{4}=\frac{5}{28}$

$\frac{5}{8}\div6=\frac{5}{8}\times\frac{1}{6}=\frac{5}{48}$

$\frac{3}{7}\div5=\frac{3}{7}\times\frac{1}{5}=\frac{3}{35}$

$\frac{1}{5}\div4=\frac{1}{5}\times\frac{1}{4}=\frac{1}{20}$

$\frac{3}{8}\div7=\frac{3}{8}\times\frac{1}{7}=\frac{3}{56}$

$\frac{7}{9}\div2=\frac{7}{9}\times\frac{1}{2}=\frac{7}{18}$

$\frac{7}{11}\div6=\frac{7}{11}\times\frac{1}{6}=\frac{7}{66}$

$\frac{9}{10}\div8=\frac{9}{10}\times\frac{1}{8}=\frac{9}{80}$

3 나눗셈을 곱셈으로 바꾸어 계산해 보시오.

보기

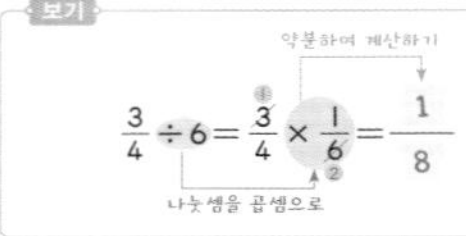

$\frac{3}{4}\div6=\frac{3}{4}\times\frac{1}{6}=\frac{1}{8}$

$\frac{2}{5}\div4=\frac{1}{10}$

$\frac{3}{4}\div3=\frac{1}{4}$

$\frac{4}{5}\div6=\frac{2}{15}$

$\frac{6}{13}\div2=\frac{3}{13}$

$\frac{4}{7}\div2=\frac{2}{7}$

$\frac{10}{17}\div5=\frac{2}{17}$

$\frac{3}{8}\div6=\frac{1}{16}$

$\frac{8}{15}\div4=\frac{2}{15}$

$\frac{6}{17}\div3=\frac{2}{17}$

$\frac{6}{11}\div4=\frac{3}{22}$

$\frac{8}{15}\div8=\frac{1}{15}$

$\frac{3}{13}\div9=\frac{1}{39}$

$\frac{14}{19}\div7=\frac{2}{19}$

$\frac{12}{13}\div6=\frac{2}{13}$

$\frac{15}{23}\div5=\frac{3}{23}$

$\frac{9}{10}\div3=\frac{3}{10}$

$\frac{21}{26}\div7=\frac{3}{26}$

$\frac{16}{19}\div8=\frac{2}{19}$

$\frac{27}{29}\div9=\frac{3}{29}$

4 분수의 나눗셈 실력을 점검해 보시오.

실력평가

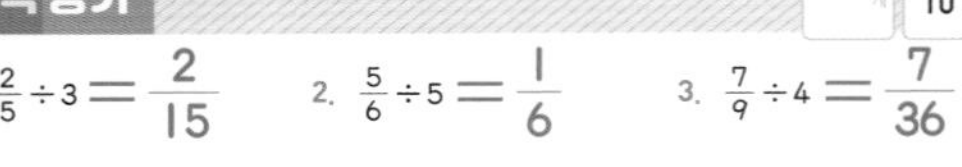

맞힌 개수 개 / 제한 시간 10 분

1. $\frac{2}{5}\div3=\frac{2}{15}$
2. $\frac{5}{6}\div5=\frac{1}{6}$
3. $\frac{7}{9}\div4=\frac{7}{36}$
4. $\frac{4}{5}\div2=\frac{2}{5}$
5. $\frac{5}{8}\div3=\frac{5}{24}$
6. $\frac{6}{19}\div6=\frac{1}{19}$
7. $\frac{4}{7}\div5=\frac{4}{35}$
8. $\frac{3}{10}\div2=\frac{3}{20}$
9. $\frac{4}{15}\div8=\frac{1}{30}$
10. $\frac{8}{11}\div4=\frac{2}{11}$
11. $\frac{10}{17}\div5=\frac{2}{17}$
12. $\frac{13}{14}\div2=\frac{13}{28}$
13. $\frac{6}{13}\div3=\frac{2}{13}$
14. $\frac{16}{21}\div8=\frac{2}{21}$
15. $\frac{8}{13}\div3=\frac{8}{39}$
16. $\frac{7}{17}\div7=\frac{1}{17}$
17. $\frac{7}{20}\div2=\frac{7}{40}$
18. $\frac{14}{29}\div7=\frac{2}{29}$
19. $\frac{12}{23}\div6=\frac{2}{23}$
20. $\frac{15}{16}\div9=\frac{5}{48}$

수고하셨습니다!

04 (가분수)÷(자연수), (대분수)÷(자연수)

정답 05쪽

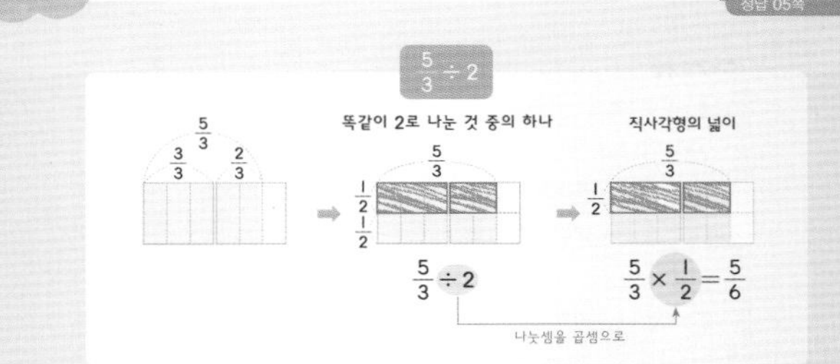

1 (가분수)÷(자연수)를 계산한 것입니다. □ 안에 알맞은 수를 써넣으시오.

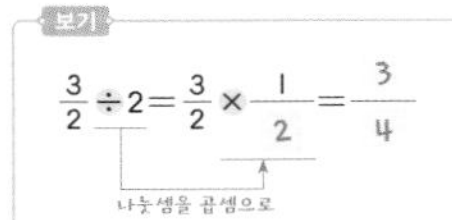

$\frac{4}{3}\div 3=\frac{4}{3}\times\frac{1}{3}=\frac{4}{9}$

$\frac{5}{2}\div 3=\frac{5}{2}\times\frac{1}{3}=\frac{5}{6}$ $\frac{5}{4}\div 2=\frac{5}{4}\times\frac{1}{2}=\frac{5}{8}$

$\frac{5}{3}\div 4=\frac{5}{3}\times\frac{1}{4}=\frac{5}{12}$ $\frac{7}{4}\div 6=\frac{7}{4}\times\frac{1}{6}=\frac{7}{24}$

$\frac{8}{3}\div 5=\frac{8}{3}\times\frac{1}{5}=\frac{8}{15}$ $\frac{9}{5}\div 7=\frac{9}{5}\times\frac{1}{7}=\frac{9}{35}$

2 (가분수)÷(자연수)를 계산해 보시오.

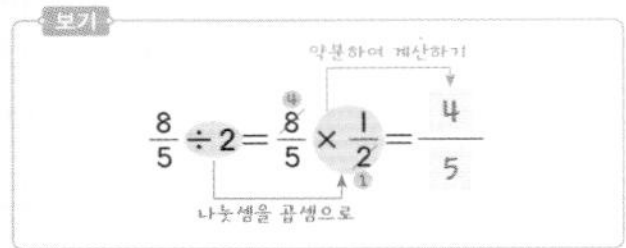

$\frac{8}{3}\div 6=\frac{4}{9}$

$\frac{9}{7}\div 3=\frac{3}{7}$ $\frac{15}{4}\div 5=\frac{3}{4}$ $\frac{5}{2}\div 8=\frac{5}{16}$

$\frac{11}{8}\div 4=\frac{11}{32}$ $\frac{15}{8}\div 6=\frac{5}{16}$ $\frac{7}{4}\div 2=\frac{7}{8}$

$\frac{7}{5}\div 5=\frac{7}{25}$ $\frac{8}{3}\div 7=\frac{8}{21}$ $\frac{10}{9}\div 4=\frac{5}{18}$

$\frac{9}{5}\div 9=\frac{1}{5}$ $\frac{6}{5}\div 4=\frac{3}{10}$ $\frac{7}{6}\div 5=\frac{7}{30}$

$\frac{4}{3}\div 8=\frac{1}{6}$ $\frac{5}{2}\div 6=\frac{5}{12}$ $\frac{12}{7}\div 3=\frac{4}{7}$

$\frac{12}{5}\div 8=\frac{3}{10}$ $\frac{14}{5}\div 7=\frac{2}{5}$ $\frac{5}{4}\div 9=\frac{5}{36}$

3 (대분수)÷(자연수)를 계산한 것입니다. □ 안에 알맞은 수를 써넣으시오.

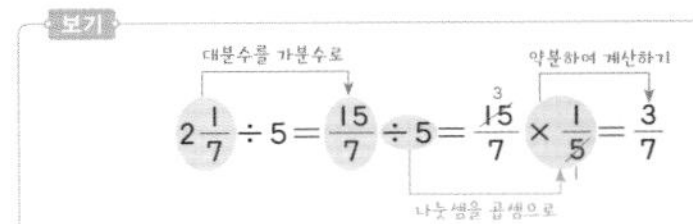

대분수를 가분수로 / 약분하여 계산하기 / 나눗셈을 곱셈으로

$2\frac{1}{4}\div 3=\frac{9}{4}\div 3=\frac{9}{4}\times\frac{1}{3}=\frac{3}{4}$

대분수를 가분수로 / 나눗셈을 곱셈으로

$1\frac{2}{5}\div 4=\frac{7}{5}\div 4=\frac{7}{5}\times\frac{1}{4}=\frac{7}{20}$

$1\frac{2}{3}\div 2=\frac{5}{3}\div 2=\frac{5}{3}\times\frac{1}{2}=\frac{5}{6}$ $2\frac{2}{5}\div 3=\frac{12}{5}\div 3=\frac{12}{5}\times\frac{1}{3}=\frac{4}{5}$

$1\frac{5}{6}\div 4=\frac{11}{6}\div 4=\frac{11}{6}\times\frac{1}{4}=\frac{11}{24}$ $1\frac{1}{3}\div 2=\frac{4}{3}\div 2=\frac{4}{3}\times\frac{1}{2}=\frac{2}{3}$

$3\frac{1}{3}\div 5=\frac{10}{3}\div 5=\frac{10}{3}\times\frac{1}{5}=\frac{2}{3}$ $2\frac{1}{4}\div 6=\frac{9}{4}\div 6=\frac{9}{4}\times\frac{1}{6}=\frac{3}{8}$

$1\frac{5}{9}\div 7=\frac{14}{9}\div 7=\frac{14}{9}\times\frac{1}{7}=\frac{2}{9}$ $2\frac{1}{7}\div 5=\frac{15}{7}\div 5=\frac{15}{7}\times\frac{1}{5}=\frac{3}{7}$

$2\frac{4}{7}\div 9=\frac{18}{7}\div 9=\frac{18}{7}\times\frac{1}{9}=\frac{2}{7}$ $1\frac{3}{5}\div 8=\frac{8}{5}\div 8=\frac{8}{5}\times\frac{1}{8}=\frac{1}{5}$

4 (대분수)÷(자연수)를 계산해 보시오.

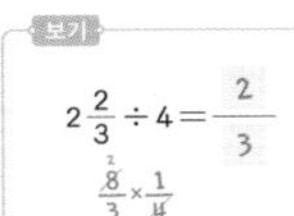

$1\frac{4}{5}\div 3=\frac{3}{5}$ $3\frac{1}{3}\div 2=\frac{5}{3}=1\frac{2}{3}$

$2\frac{1}{6}\div 6=\frac{13}{36}$ $1\frac{7}{9}\div 4=\frac{4}{9}$ $4\frac{1}{2}\div 3=\frac{3}{2}=1\frac{1}{2}$

$2\frac{4}{7}\div 9=\frac{2}{7}$ $3\frac{1}{5}\div 8=\frac{2}{5}$ $2\frac{2}{5}\div 2=\frac{6}{5}=1\frac{1}{5}$

$1\frac{2}{7}\div 3=\frac{3}{7}$ $1\frac{5}{6}\div 2=\frac{11}{12}$ $6\frac{2}{3}\div 5=\frac{4}{3}=1\frac{1}{3}$

$3\frac{1}{3}\div 4=\frac{5}{6}$ $1\frac{1}{8}\div 6=\frac{3}{16}$ $4\frac{2}{5}\div 4=\frac{11}{10}=1\frac{1}{10}$

$3\frac{3}{7}\div 8=\frac{3}{7}$ $2\frac{1}{6}\div 5=\frac{13}{30}$ $5\frac{1}{4}\div 3=\frac{7}{4}=1\frac{3}{4}$

$5\frac{2}{5}\div 9=\frac{3}{5}$ $1\frac{7}{8}\div 3=\frac{5}{8}$ $4\frac{4}{7}\div 4=\frac{8}{7}=1\frac{1}{7}$

정답 06쪽

유형 1

모양과 크기가 같은 도넛 3개를 5명이 똑같이 나누어 먹으려고 합니다. 한 명이 먹게 되는 도넛의 양을 분수로 나타내시오.

- 주어진 수에 ○표 하고, 구하는 것에 밑줄 치기
  도넛 수: 3 개, 사람 수: 5 명
- 문제 해결하기
  도넛 3개를 5명이 나누어 먹어야 하므로 3을 5로 (곱합니다 , 나눕니다).
- 문제 풀기
  (한 명이 먹게 되는 도넛의 양)=(전체 도넛 수)÷(사람 수)
  $=3\div5=\frac{3}{5}$(개)
- 답 쓰기
  한 명이 먹게 되는 도넛의 양은 $\frac{3}{5}$ 개입니다.

유형+ 1

우유 $\frac{4}{5}$L를 2일 동안 똑같이 나누어 마셨습니다. 하루에 마신 우유의 양은 몇 L입니까?

- 주어진 수에 ○표 하고, 구하는 것에 밑줄 치기
  우유의 양: $\frac{4}{5}$ L, 마신 날수: 2 일
- 문제 해결하기
  우유 $\frac{4}{5}$L를 2일 동안 똑같이 나누어 마셨으므로 $\frac{4}{5}$를 2로 (곱합니다 , 나눕니다).
- 문제 풀기
  (하루에 마신 우유의 양)=(전체 우유의 양)÷(마신 날수)
  $=\frac{4}{5}\div2=\frac{4\div2}{5}=\frac{2}{5}$(L)
- 답 쓰기
  하루에 마신 우유의 양은 $\frac{2}{5}$ L입니다.

유형 2

끈 $\frac{5}{8}$m를 6도막으로 똑같이 나누어 잘랐습니다. 끈 한 도막의 길이는 몇 m입니까?

- 주어진 수에 ○표 하고, 구하는 것에 밑줄 치기
  끈의 길이: $\frac{5}{8}$ m, 도막 수: 6 도막
- 문제 해결하기
  끈 $\frac{5}{8}$m를 6도막으로 똑같이 나누어 잘라야 하므로 $\frac{5}{8}$를 6으로 (곱합니다 , 나눕니다).
- 문제 풀기
  (끈 한 도막의 길이)=(전체 끈의 길이)÷(도막 수)
  $=\frac{5}{8}\div6=\frac{5}{8}\times\frac{1}{6}=\frac{5}{48}$(m)
- 답 쓰기
  끈 한 도막의 길이는 $\frac{5}{48}$ m입니다.

유형+ 2

길이가 $2\frac{1}{7}$m인 철사를 모두 사용하여 정삼각형을 만들었습니다. 이 정삼각형의 한 변의 길이는 몇 m입니까?

- 주어진 수에 ○표 하고, 구하는 것에 밑줄 치기
  철사의 길이: $2\frac{1}{7}$ m, 정삼각형의 변의 수: 3 개
- 문제 해결하기
  철사 $2\frac{1}{7}$m로 정삼각형을 만들었으므로 $2\frac{1}{7}$을 정삼각형의 변의 수로 (곱합니다 , 나눕니다).
- 문제 풀기
  (정삼각형의 한 변의 길이)=(전체 철사의 길이)÷(변의 수)
  $=2\frac{1}{7}\div3=\frac{15}{7}\times\frac{1}{3}=\frac{5}{7}$ (m)
- 답 쓰기
  정삼각형의 한 변의 길이는 $\frac{5}{7}$ m입니다.

● 안에 알맞은 수를 써넣고, 답을 구하시오.

1 Drill

길이가 5m인 리본을 8명이 똑같이 나누어 가졌습니다. 한 명이 가진 리본은 몇 m입니까?

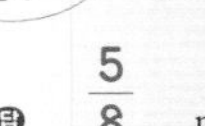

풀이 (한 명이 가진 리본의 길이)=(전체 리본의 길이)÷(사람 수)
$=5\div8=\frac{5}{8}$ (m)

답 $\frac{5}{8}$ m

2 Drill

주스 $\frac{9}{10}$L를 3명이 똑같이 나누어 마셨습니다. 한 명이 마신 주스의 양은 몇 L입니까?

풀이 (한 명이 마신 주스의 양)=(전체 주스의 양)÷(사람 수)
$=\frac{9}{10}\div3=\frac{3}{10}$ (L)

답 $\frac{3}{10}$ L

3 Drill

밀가루 $\frac{3}{4}$kg을 4봉지에 똑같이 나누어 담았습니다. 한 봉지에 담은 밀가루는 몇 kg입니까?

풀이 (한 봉지에 담은 밀가루의 양)=(전체 밀가루의 양)÷(봉지 수)
$=\frac{3}{4}\div4=\frac{3}{16}$ (kg)

답 $\frac{3}{16}$ kg

4 Drill

재하네 집에서는 쌀 $5\frac{5}{6}$ kg을 일주일 동안 똑같이 나누어 먹었습니다. 하루에 먹은 쌀은 몇 kg입니까?

풀이 (하루에 먹은 쌀의 양)=(전체 쌀의 양)÷(먹은 날수)
$=5\frac{5}{6}\div7=\frac{5}{6}$ (kg)

답 $\frac{5}{6}$ kg

● 서술형 문제를 읽고 풀이 과정과 답을 쓰시오.

도전 1

방앗간에서 참기름 19L를 크기가 같은 병 6개에 남김없이 똑같이 나누어 담으려고 합니다. 한 개의 병에 몇 L씩 담으면 되는지 분수로 나타내시오.

풀이 (한 개의 병에 담을 수 있는 참기름의 양)
$=19\div6=\frac{19}{6}=3\frac{1}{6}$ (L)

답 $3\frac{1}{6}$ L

도전 2

유정이는 자전거를 타고 $\frac{3}{4}$km를 달리는 데 4분이 걸렸습니다. 유정이는 1분에 몇 km를 달린 셈입니까?

풀이 (유정이가 1분 동안 달린 거리)
$=\frac{3}{4}\div4=\frac{3}{16}$ (km)

답 $\frac{3}{16}$ km

도전 3

넓이가 $1\frac{3}{5}m^2$인 직사각형 모양의 벽이 있습니다. 이 벽의 세로가 4m일 때 가로는 몇 m입니까?

풀이 (벽의 가로 길이)$=1\frac{3}{5}\div4=\frac{2}{5}$ (m)

답 $\frac{2}{5}$ m

도전 4

둘레가 $6\frac{2}{7}$km인 원 모양의 호수 둘레에 같은 간격으로 나무 8그루를 심으려고 합니다. 나무와 나무 사이의 간격은 몇 km로 해야 합니까? (단, 나무의 두께는 생각하지 않습니다.)

풀이 (나무 사이의 간격)$=6\frac{2}{7}\div8=\frac{11}{14}$ (km)

답 $\frac{11}{14}$ km

형성평가

정답 07쪽 걸린 시간: 분 결 수: 점

01 그림을 보고 ☐ 안에 알맞은 수를 써넣으시오.

$3 \div 4$

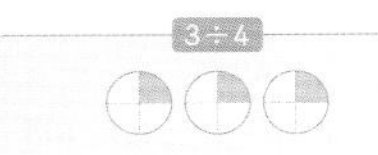

3 개를 4 명에게 똑같이 나누어 줄 때 한 명의 몫 ➡ $\frac{3}{4}$

02 나눗셈의 몫을 분수로 나타내시오.

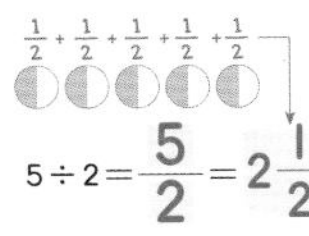

$5 \div 2 = \frac{5}{2} = 2\frac{1}{2}$

03 나눗셈의 몫을 분수로 나타내시오.

(1) $4 \div 7 = \frac{4}{7}$

(2) $11 \div 3 = \frac{11}{3} = 3\frac{2}{3}$

04 그림을 보고 ☐ 안에 알맞은 수를 써넣으시오.

(1) $\frac{4}{7} \div 2$

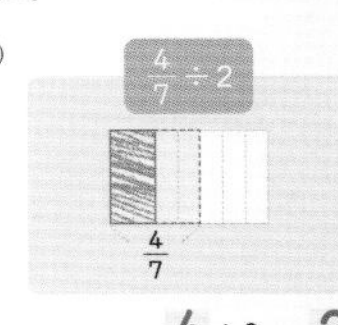

➡ $\frac{4}{7} \div 2 = \frac{4 \div 2}{7} = \frac{2}{7}$

(2) $\frac{3}{5} \div 3$

➡ $\frac{3}{5} \div 3 = \frac{3 \div 3}{5} = \frac{1}{5}$

05 ☐ 안에 알맞은 수를 써넣으시오.

(1) $\frac{4}{9} \div 2 = \frac{4 \div 2}{9} = \frac{2}{9}$

(2) $\frac{8}{11} \div 4 = \frac{8 \div 4}{11} = \frac{2}{11}$

06 분수의 나눗셈을 하시오.

(1) $\frac{10}{13} \div 5 = \frac{2}{13}$

(2) $\frac{12}{17} \div 6 = \frac{2}{17}$

07 ☐ 안에 알맞은 수를 써넣으시오.

÷3이므로 $\frac{1}{5}$의 분자를 3 의 배수로 바꾸기

$\frac{1}{5} \div 3 = \frac{3}{15} \div 3 = \frac{3 \div 3}{15} = \frac{1}{15}$

08 분수의 나눗셈을 하시오.

(1) $\frac{5}{7} \div 4 = \frac{5}{28}$

(2) $\frac{4}{9} \div 5 = \frac{4}{45}$

09 그림을 보고 ☐ 안에 알맞은 수를 써넣으시오.

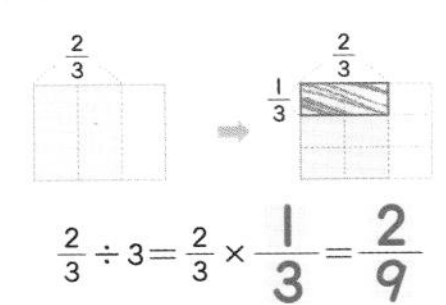

$\frac{2}{3} \div 3 = \frac{2}{3} \times \frac{1}{3} = \frac{2}{9}$

10 ☐ 안에 알맞은 수를 써넣으시오.

(1) $\frac{1}{4} \div 2 = \frac{1}{4} \times \frac{1}{2} = \frac{1}{8}$

(2) $\frac{5}{6} \div 4 = \frac{5}{6} \times \frac{1}{4} = \frac{5}{24}$

(3) $\frac{2}{5} \div 3 = \frac{2}{5} \times \frac{1}{3} = \frac{2}{15}$

(4) $\frac{1}{2} \div 5 = \frac{1}{2} \times \frac{1}{5} = \frac{1}{10}$

(5) $\frac{3}{4} \div 7 = \frac{3}{4} \times \frac{1}{7} = \frac{3}{28}$

11 ☐ 안에 알맞은 수를 써넣으시오.

(1) $\frac{8}{9}$ ➡ ÷2 ➡ $\frac{4}{9}$

(2) $\frac{5}{7}$ ➡ ÷5 ➡ $\frac{1}{7}$

12 ☐ 안에 알맞은 수를 써넣으시오.

(1) $\frac{7}{3} \div 3 = \frac{7}{3} \times \frac{1}{3} = \frac{7}{9}$

(2) $\frac{11}{5} \div 4 = \frac{11}{5} \times \frac{1}{4} = \frac{11}{20}$

13 (가분수)÷(자연수)를 계산하시오.

(1) $\frac{15}{8} \div 9 = \frac{5}{24}$

(2) $\frac{10}{7} \div 5 = \frac{2}{7}$

14 ☐ 안에 알맞은 수를 써넣으시오.

(1) $2\frac{2}{3} \div 4 = \frac{8}{3} \div 4 = \frac{8}{3} \times \frac{1}{4} = \frac{2}{3}$

(2) $3\frac{3}{4} \div 5 = \frac{15}{4} \div 5 = \frac{15}{4} \times \frac{1}{5} = \frac{3}{4}$

15 (대분수)÷(자연수)를 계산하시오.

(1) $1\frac{5}{7} \div 6 = \frac{2}{7}$

(2) $2\frac{4}{5} \div 7 = \frac{2}{5}$

(3) $2\frac{1}{4} \div 3 = \frac{3}{4}$

(4) $3\frac{1}{3} \div 5 = \frac{2}{3}$

(5) $3\frac{3}{8} \div 6 = \frac{9}{16}$

16 빈 곳에 알맞은 수를 써넣으시오.

(1)

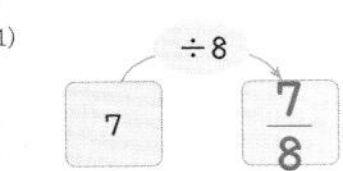

(2)

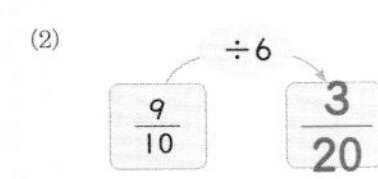

17 관계있는 것끼리 선으로 이어 보시오.

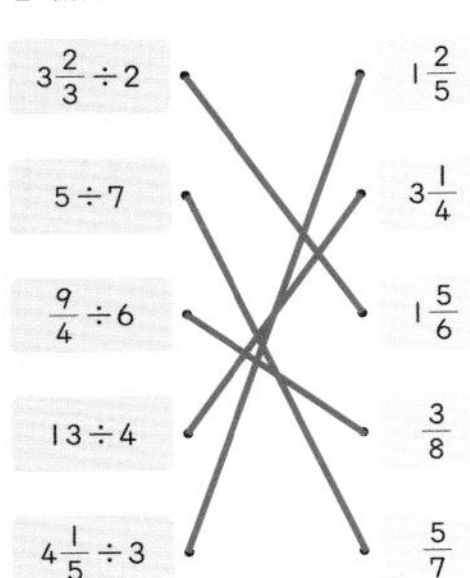

18 몫이 가장 큰 것을 찾아 기호를 쓰시오.

㉠ $2\frac{1}{4} \div 9 = \frac{1}{4}$

㉡ $2\frac{1}{2} \div 5 = \frac{1}{2}$

㉢ $2\frac{1}{3} \div 7 = \frac{1}{3}$

(㉡)

[19~20] 빈칸에 알맞은 수를 써넣으시오.

19

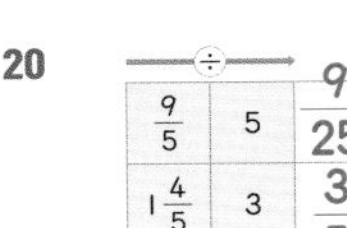

÷		
$\frac{8}{15}$	6	$\frac{4}{45}$
$\frac{2}{9}$	4	$\frac{1}{18}$

20

÷		
$\frac{9}{5}$	5	$\frac{9}{25}$
$1\frac{4}{5}$	3	$\frac{3}{5}$

단원 평가 1. 분수의 나눗셈

정답 08쪽

1 나눗셈의 몫을 분수로 나타내시오.

(1) $2\div5=\frac{2}{5}$

(2) $12\div19=\frac{12}{19}$

2 나눗셈을 하시오.

(1) $\frac{9}{11}\div3=\frac{3}{11}$

(2) $\frac{5}{6}\div7=\frac{5}{42}$

3 길이가 $\frac{8}{15}$ m인 끈을 모두 사용하여 정사각형을 만들었습니다. 이 정사각형의 한 변의 길이는 몇 m인지 구하시오.

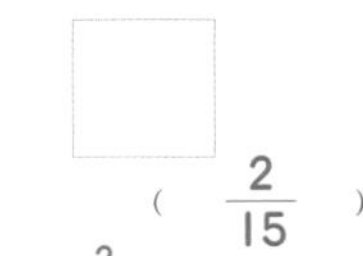

($\frac{2}{15}$)m

$\frac{8}{15}\div4=\frac{2}{15}$(m)

4 보기 와 같이 계산하시오.

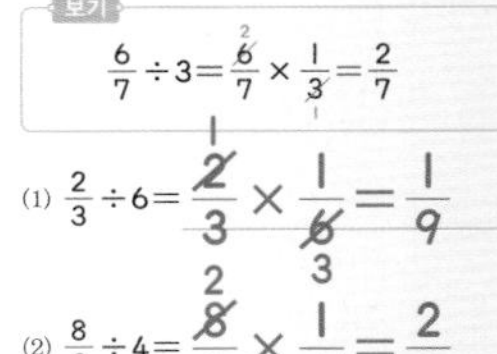

보기 $\frac{6}{7}\div3=\frac{6}{7}\times\frac{1}{3}=\frac{2}{7}$

(1) $\frac{2}{3}\div6=\frac{2}{3}\times\frac{1}{6}=\frac{1}{9}$

(2) $\frac{8}{9}\div4=\frac{8}{9}\times\frac{1}{4}=\frac{2}{9}$

5 몫을 기약분수로 나타내시오.

(1) $\frac{5}{7}\div5=\frac{1}{7}$

(2) $\frac{3}{4}\div6=\frac{1}{8}$

(3) $\frac{4}{5}\div2=\frac{2}{5}$

(4) $\frac{8}{9}\div10=\frac{4}{45}$

(5) $\frac{9}{10}\div3=\frac{3}{10}$

6 빈 곳에 알맞은 수를 써넣으시오.

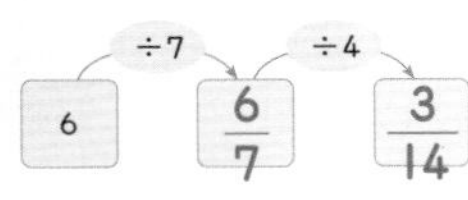

$\frac{6}{7}$, $\frac{3}{14}$

7 나눗셈을 하시오.

(1) $2\frac{6}{7}\div5=\frac{4}{7}$

(2) $5\frac{1}{4}\div7=\frac{3}{4}$

8 몫의 크기를 비교하여 ○ 안에 >, =, <를 알맞게 써넣으시오.

$5\frac{1}{4}\div6$ > $3\frac{3}{4}\div5$

$=\frac{7}{8}$ $=\frac{3}{4}=\frac{6}{8}$

9 평행사변형의 넓이가 $37\frac{1}{3}$ cm^2이고 높이가 7 cm일 때, 이 평행사변형의 밑변의 길이를 구하시오.

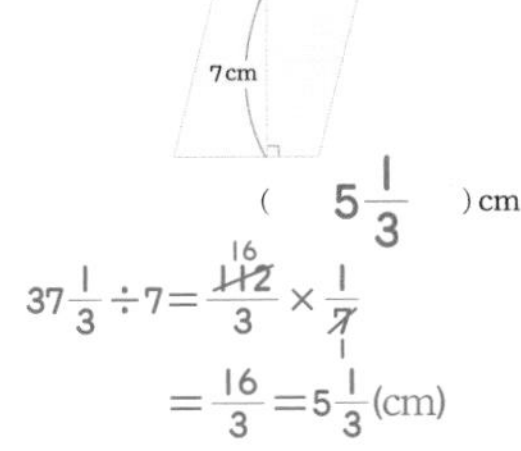

($5\frac{1}{3}$)cm

$37\frac{1}{3}\div7=\frac{112}{3}\times\frac{1}{7}$

$=\frac{16}{3}=5\frac{1}{3}$(cm)

10 빈 곳에 (분수)÷(자연수)의 몫을 써넣으시오.

(1) $\frac{11}{8}$, 3 → $\frac{11}{24}$

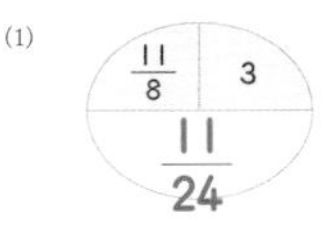

(2) $4\frac{2}{7}$, 6 → $\frac{5}{7}$

11 몫이 다른 하나를 찾아 기호를 쓰시오.

㉠ $3\frac{1}{3}\div4$ ㉡ $6\div5$
㉢ $7\frac{1}{2}\div9$ ㉣ $2\frac{1}{2}\div3$

(㉡)

㉠ $\frac{5}{6}$ ㉡ $\frac{6}{5}$ ㉢ $\frac{5}{6}$ ㉣ $\frac{5}{6}$

12 □ 안에 들어갈 수 있는 자연수 중 가장 큰 수를 구하시오.

5÷□>1

(4)

□=1, 2, 3, 4

13 꿀 $6\frac{3}{4}$ L를 똑같은 병 9개에 나누어 담아 그중의 한 병을 6일 동안 먹으려고 합니다. 매일 같은 양을 먹는다면 하루에 몇 L씩 먹을 수 있습니까?

($\frac{1}{8}$)L

$6\frac{3}{4}\div9=\frac{3}{4}$

$\rightarrow\frac{3}{4}\div6=\frac{1}{8}$(L)

14 빈칸에 알맞은 수를 써넣으시오.

÷		
$\frac{2}{7}$	4	$\frac{1}{14}$
$\frac{8}{3}$	5	$\frac{8}{15}$

15 몫이 큰 것부터 차례로 기호를 쓰시오.

㉠ $4\frac{2}{5}\div11$ ㉡ $\frac{4}{7}\div2$
㉢ $4\frac{2}{3}\div7$ ㉣ $1\frac{7}{9}\div8$

(㉢, ㉠, ㉡, ㉣)

㉠ $\frac{2}{5}$ ㉡ $\frac{2}{7}$ ㉢ $\frac{2}{3}$ ㉣ $\frac{2}{9}$

16 □ 안에 알맞은 대분수를 써넣으시오.

$2\frac{3}{4}\times3=8\frac{1}{4}$

$8\frac{1}{4}\div3=\frac{33}{4}\times\frac{1}{3}$

$=\frac{11}{4}=2\frac{3}{4}$

17 □ 안에 들어갈 수 있는 자연수를 모두 쓰시오.

$2\frac{2}{7}\div4>\frac{□}{7}$

(1, 2, 3)

$\frac{16}{7}\div4=\frac{4}{7}$

$\rightarrow\frac{4}{7}>\frac{□}{7}$, □=1, 2, 3

18 슬기는 우유 4L를 일주일 동안 똑같이 나누어 마셨습니다. 슬기가 하루에 마신 우유는 몇 L인지 풀이 과정을 쓰고 답을 구하시오.

풀이 예 (하루에 마신 우유의 양)

$=4\div7=\frac{4}{7}$(L)

답 $\frac{4}{7}$ L

19 넓이가 $9\frac{3}{8}$ m^2인 벽을 똑같이 나누어 5가지 색을 칠하려고 합니다. 한 가지 색을 칠하는 부분은 몇 m^2인지 풀이 과정을 쓰고 답을 구하시오.

풀이 예 (한 가지 색을 칠하는 부분)

$=9\frac{3}{8}\div5=\frac{75}{8}\times\frac{1}{5}$

$=\frac{15}{8}=1\frac{7}{8}$($m^2$)

답 $1\frac{7}{8}$ m^2

20 둘레가 $3\frac{6}{7}$ km인 원 모양의 호수 둘레에 일정한 간격으로 가로수 6그루를 심으려고 합니다. 가로수 사이의 간격은 몇 km로 해야 합니까? (단, 가로수의 두께는 생각하지 않습니다.)

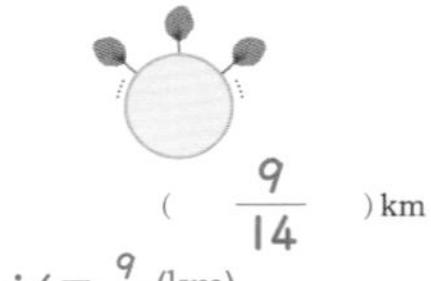

($\frac{9}{14}$)km

$3\frac{6}{7}\div6=\frac{9}{14}$(km)

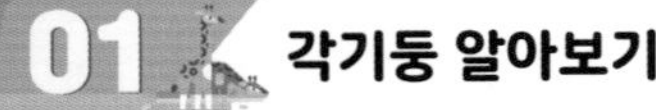

01 각기둥 알아보기

정답 09쪽

초등 6-1 ❷ 각기둥과 각뿔

그림과 같은 입체도형을 각기둥이라고 합니다.

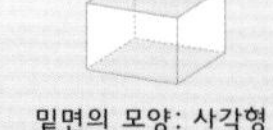

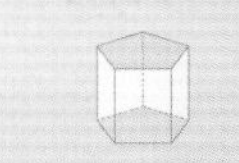

밑면의 모양: 삼각형	밑면의 모양: 사각형	밑면의 모양: 오각형
각기둥의 이름: 삼각기둥	각기둥의 이름: 사각기둥	각기둥의 이름: 오각기둥

1 각기둥의 두 밑면을 찾아 색칠하고, 밑면의 모양과 각기둥의 이름을 쓰시오.

밑면의 모양: 삼각형
각기둥의 이름: 삼각기둥

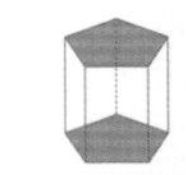

밑면의 모양: 오각형
각기둥의 이름: 오각기둥

예 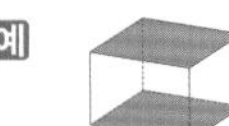

밑면의 모양: 사각형
각기둥의 이름: 사각기둥

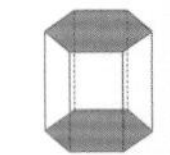

밑면의 모양: 육각형
각기둥의 이름: 육각기둥

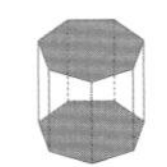

밑면의 모양: 칠각형
각기둥의 이름: 칠각기둥

밑면의 모양: 팔각형
각기둥의 이름: 팔각기둥

● 각기둥의 밑면과 옆면

각기둥의 두 밑면은 서로 평행하고 합동인 다각형입니다.

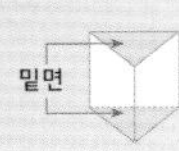

각기둥의 옆면은 모두 직사각형입니다.

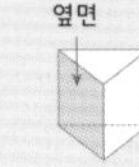

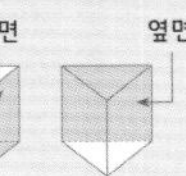

2 각기둥인 것에 ○표, 각기둥이 아닌 것에 ×표 하시오.

보기

각기둥

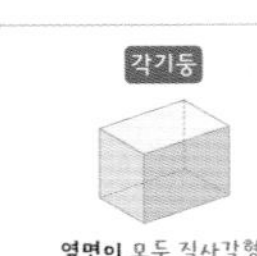

옆면이 모두 직사각형

각기둥이 아닌 것

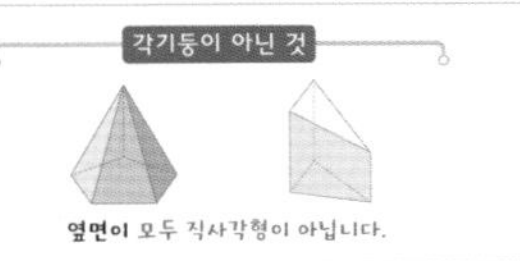

옆면이 모두 직사각형이 아닙니다.

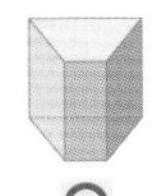 ○	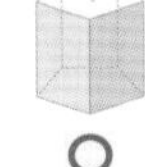 ○	 ×
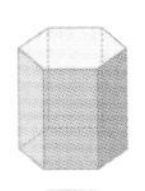 ○	 ×	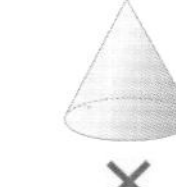 ×
 ○	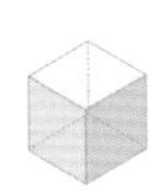 ○	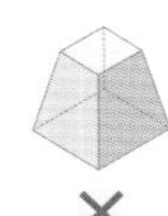 ×

● 각기둥의 구성 요소

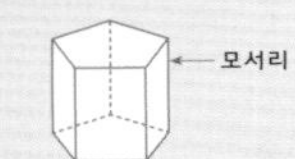

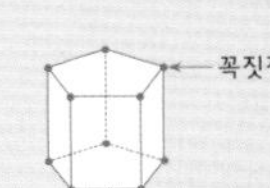

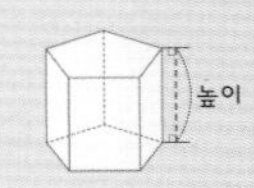

3 각기둥을 보고 ☐ 안에 모서리, 꼭짓점, 높이 중 알맞은 말을 써넣으시오.

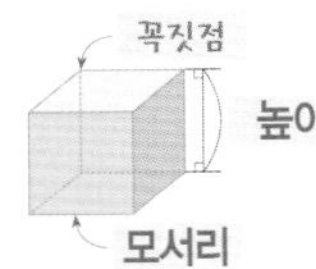

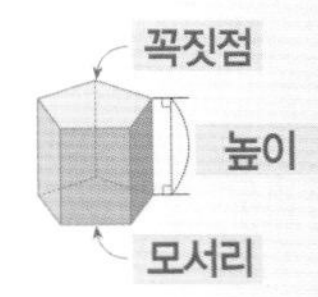

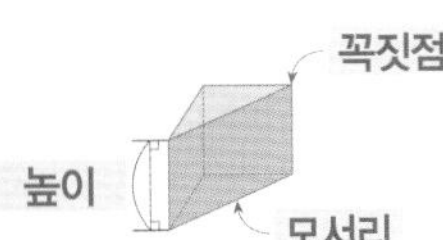

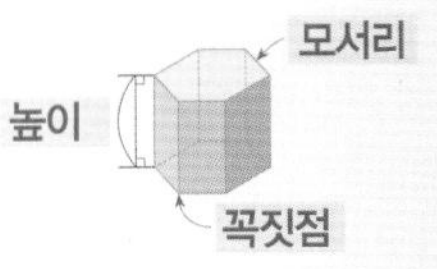

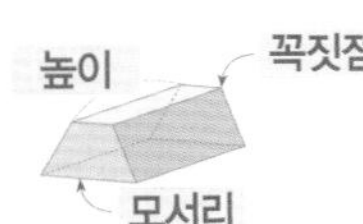

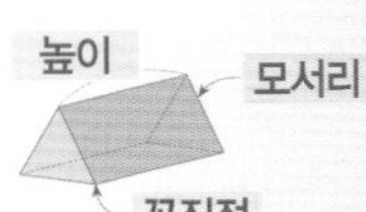

4 각기둥을 보고 한 밑면의 변의 수, 면, 꼭짓점, 모서리의 수를 구하시오.

	한 밑면의 변의 수	면의 수	꼭짓점의 수	모서리의 수
삼각기둥	3 개 (삼각형)	5 개 (밑면+옆면)	6 개	9 개
사각기둥	4 개 (사각형)	6 개 (밑면+옆면)	8 개	12 개
오각기둥	5 개	7 개	10 개	15 개
육각기둥	6 개	8 개	12 개	18 개
칠각기둥	7 개	9 개	14 개	21 개
★각기둥	★개	(★+2)개	(★×2)개	(★×3)개

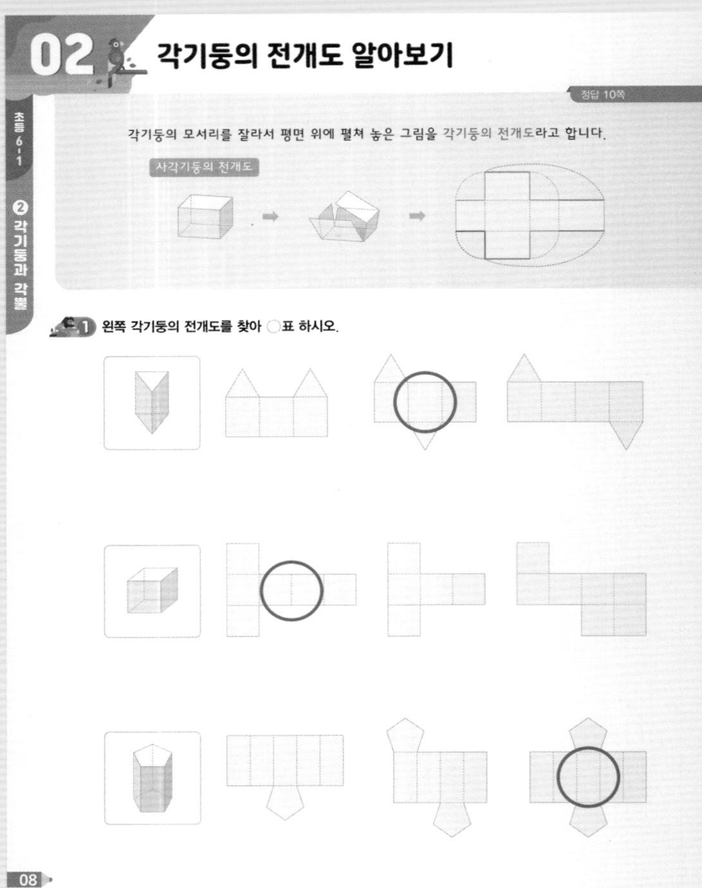
02 각기둥의 전개도 알아보기
정답 10쪽
각기둥의 모서리를 잘라서 평면 위에 펼쳐 놓은 그림을 각기둥의 전개도라고 합니다.
사각기둥의 전개도
1 왼쪽 각기둥의 전개도를 찾아 ○표 하시오.
08

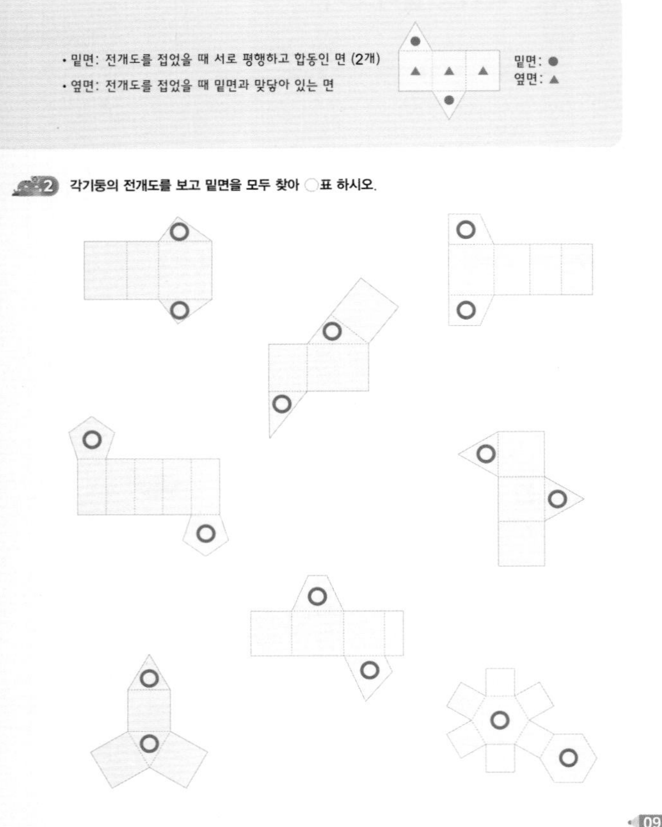
• 밑면: 전개도를 접었을 때 서로 평행하고 합동인 면 (2개)
• 옆면: 전개도를 접었을 때 밑면과 맞닿아 있는 면
밑면: ●
옆면: ▲
2 각기둥의 전개도를 보고 밑면을 모두 찾아 ○표 하시오.
09

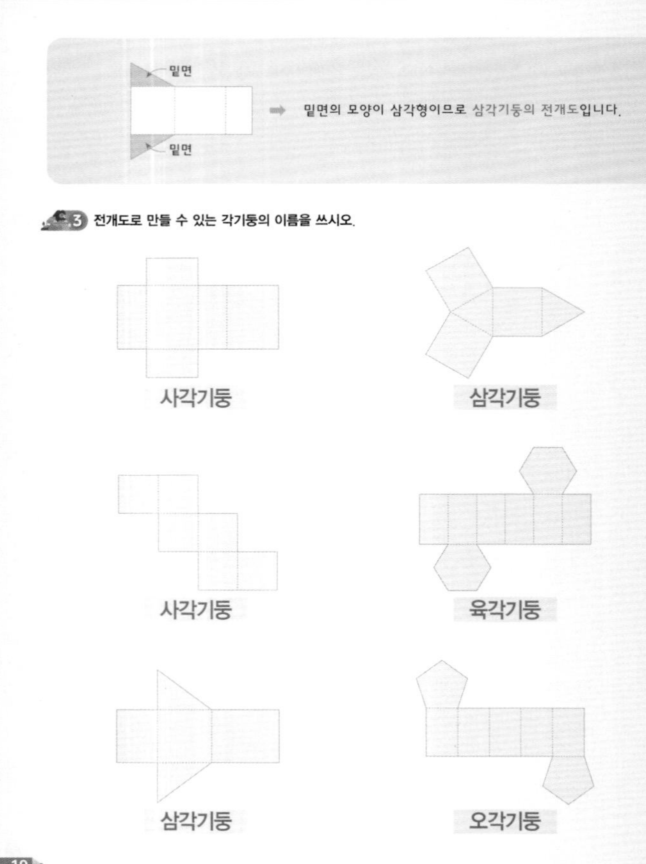
밑면
밑면
밑면의 모양이 삼각형이므로 삼각기둥의 전개도입니다.
3 전개도로 만들 수 있는 각기둥의 이름을 쓰시오.
사각기둥
삼각기둥
사각기둥
육각기둥
삼각기둥
오각기둥
10

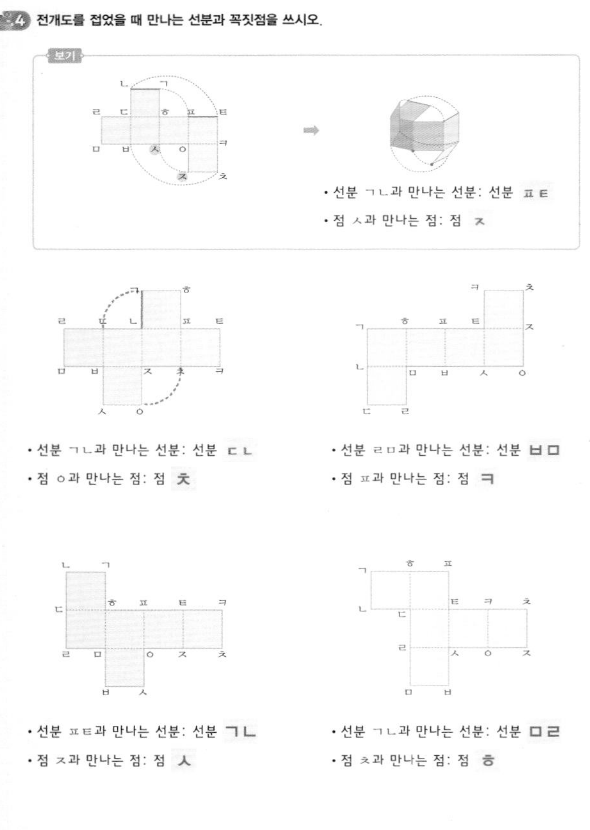
4 전개도를 접었을 때 만나는 선분과 꼭짓점을 쓰시오.
보기
• 선분 ㄱㄴ과 만나는 선분: 선분 ㅍㅌ
• 점 ㅅ과 만나는 점: 점 ㅈ
• 선분 ㄱㄴ과 만나는 선분: 선분 ㄷㄴ
• 점 ㅇ과 만나는 점: 점 ㅊ
• 선분 ㄹㅁ과 만나는 선분: 선분 ㅂㅁ
• 점 ㅍ과 만나는 점: 점 ㅋ
• 선분 ㅍㅌ과 만나는 선분: 선분 ㄱㄴ
• 점 ㅈ과 만나는 점: 점 ㅅ
• 선분 ㄱㄴ과 만나는 선분: 선분 ㅁㄹ
• 점 ㅊ과 만나는 점: 점 ㅎ
11

03 각기둥의 전개도 그리기

정답 11쪽

초등 6-1 ❷ 각기둥과 각뿔

● 전개도에서 각기둥의 모서리 길이 구하기

전개도를 접었을 때 만나는 선분의 길이는 같습니다.

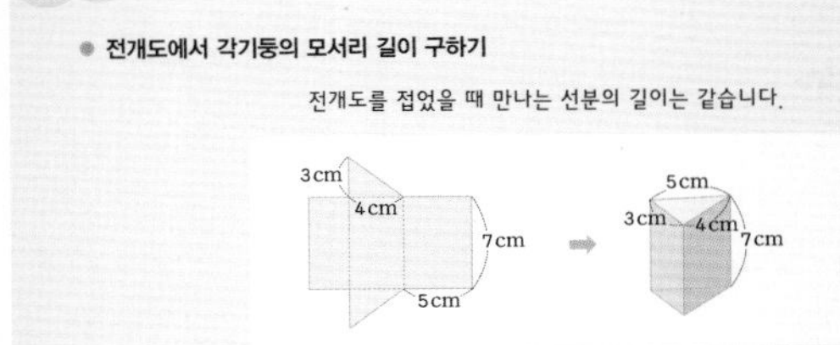

1 전개도를 접어서 각기둥을 만들었습니다. 안에 알맞은 수를 써넣으시오.

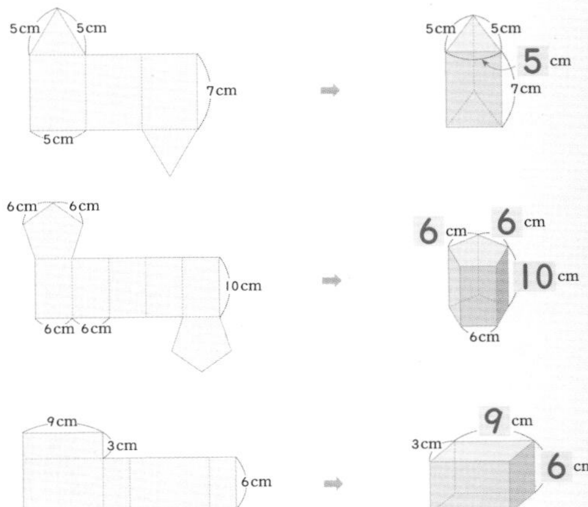

● 각기둥의 전개도 그리기

1 옆면 그리기 2 밑면 그리기 3 나머지 옆면 그리기

2 각기둥의 전개도를 그려 보시오.

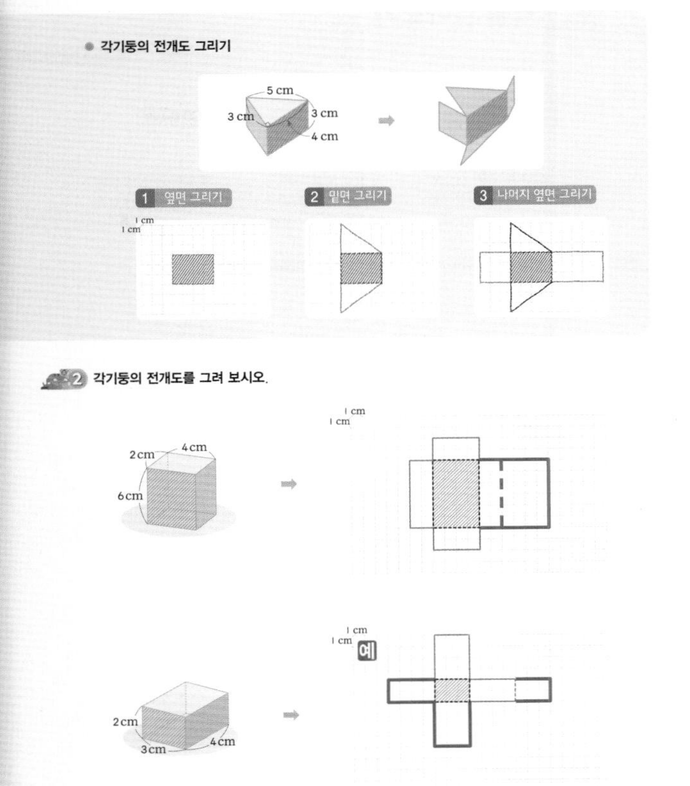

3 각기둥의 전개도를 그려 보시오.

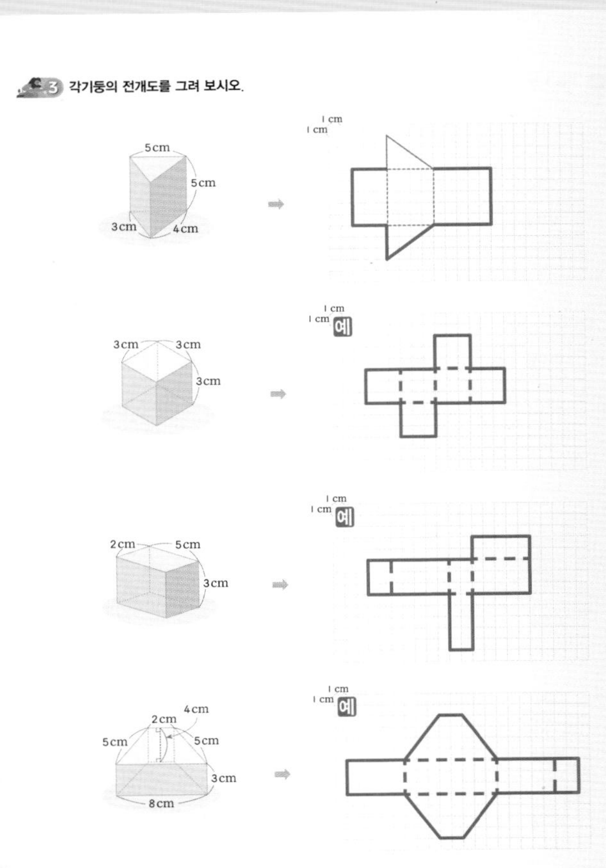

4 각기둥의 겨냥도를 완성하시오.

보기

틀린 예 → 바른 예

보이지 않는 모서리는 점선으로 나타냅니다.

틀린 예 → 바른 예

보이지 않는 면도 나타내야 합니다.

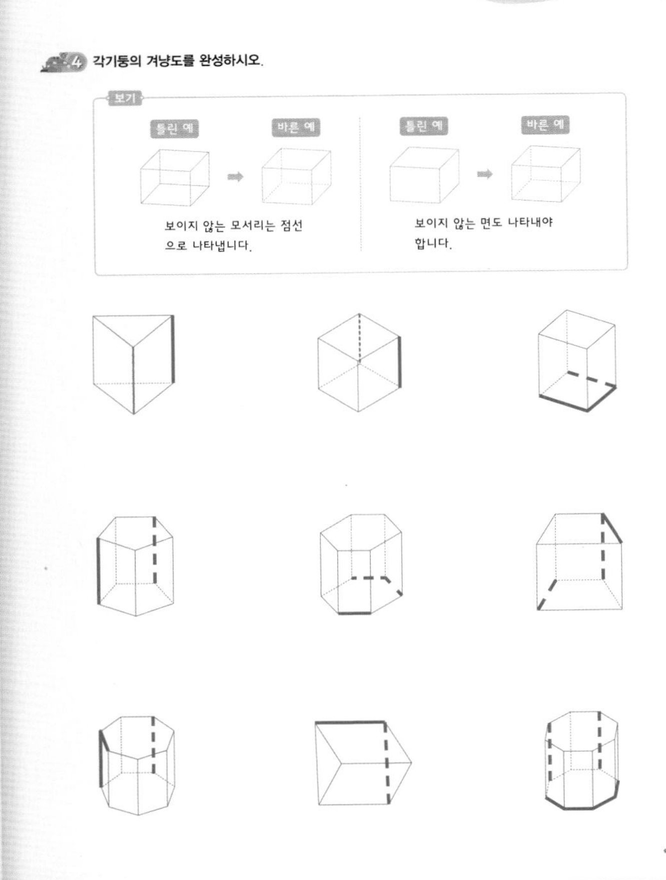

04 각뿔 알아보기

정답 12쪽

그림과 같은 입체도형을 각뿔이라고 합니다.

밑면의 모양: 삼각형 / 각뿔의 이름: 삼각뿔
밑면의 모양: 사각형 / 각뿔의 이름: 사각뿔
밑면의 모양: 오각형 / 각뿔의 이름: 오각뿔

1 각뿔의 밑면을 찾아 색칠하고, 밑면의 모양과 각뿔의 이름을 쓰시오.

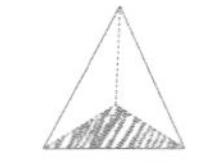
밑면의 모양: 삼각형
각뿔의 이름: 삼각뿔

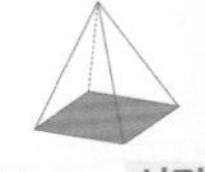
밑면의 모양: 사각형
각뿔의 이름: 사각뿔

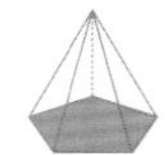
밑면의 모양: 오각형
각뿔의 이름: 오각뿔

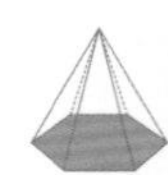
밑면의 모양: 육각형
각뿔의 이름: 육각뿔

밑면의 모양: 사각형
각뿔의 이름: 사각뿔

밑면의 모양: 칠각형
각뿔의 이름: 칠각뿔

• 각뿔의 밑면과 옆면

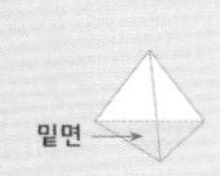

각뿔의 옆면은 모두 삼각형입니다.

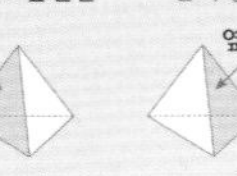
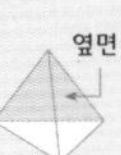

2 각뿔인 것에 ○표, 각뿔이 아닌 것에 ×표 하시오.

보기

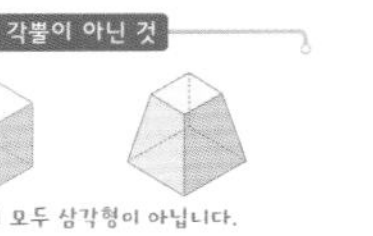

○

×

×

×

○

○

×

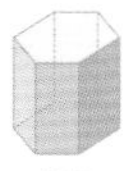
×

○

• 각뿔의 구성 요소

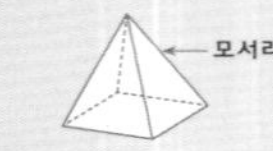

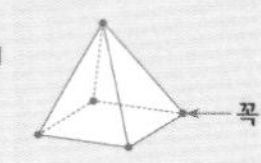

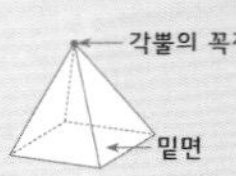

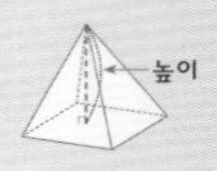

3 각뿔을 보고 ☐ 안에 알맞게 써넣으시오.

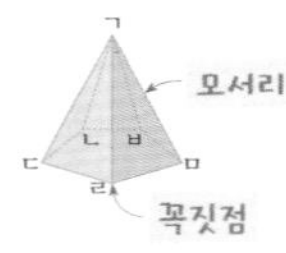

각뿔의 꼭짓점 ㄱ

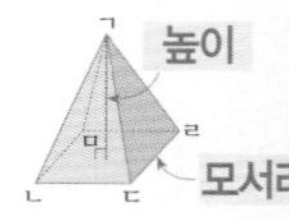

각뿔의 꼭짓점 ㄱ

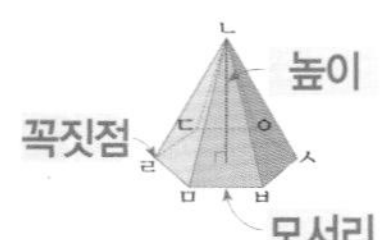

각뿔의 꼭짓점 ㄴ

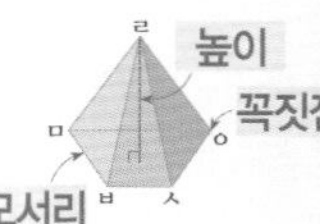

각뿔의 꼭짓점 ㄹ

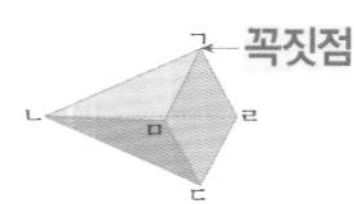

각뿔의 꼭짓점 ㄴ

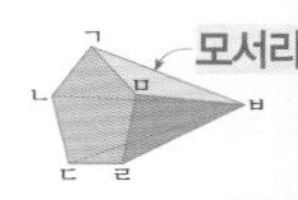

각뿔의 꼭짓점 ㅂ

4 각뿔을 보고 밑면의 변의 수, 면, 꼭짓점, 모서리의 수를 구하시오.

	밑면의 변의 수	면의 수	꼭짓점의 수	모서리의 수
삼각뿔	3 개 (삼각형)	4 개 (밑면+옆면)	4 개	6 개
사각뿔	4 개 (사각형)	5 개 (밑면+옆면)	5 개	8 개
오각뿔 	5 개	6 개	6 개	10 개
육각뿔 	6 개	7 개	7 개	12 개
칠각뿔 	7 개	8 개	8 개	14 개
★각뿔	★개	(★+1)개	(★+1)개	(★×2)개

도전! 응용문제

정답 13쪽

밑면과 옆면의 모양을 보고 입체도형의 이름 알아보기

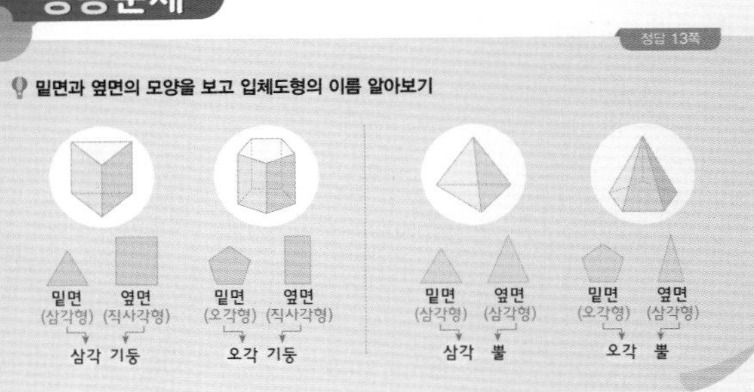

응용 ① 밑면과 옆면의 모양을 보고 각기둥 또는 각뿔의 이름을 쓰시오.

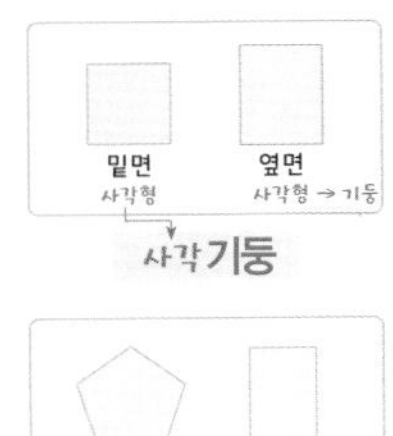

사각기둥

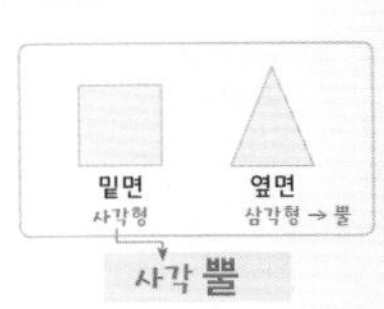

사각 뿔

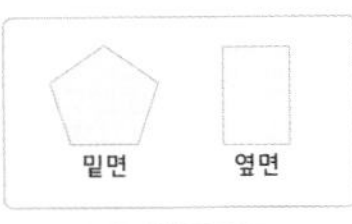

오각기둥

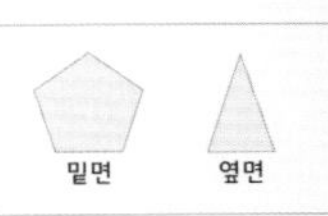

오각뿔

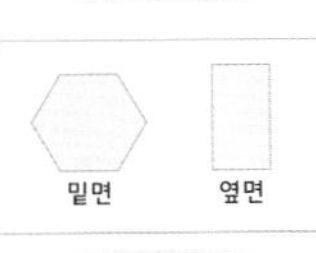

육각기둥

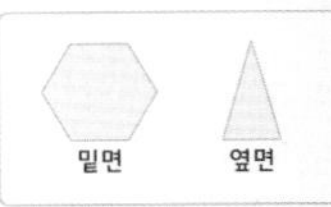

육각뿔

응용 ② 밑면의 모양이 다음과 같은 각기둥의 이름과 꼭짓점, 모서리, 면의 수를 구하시오.

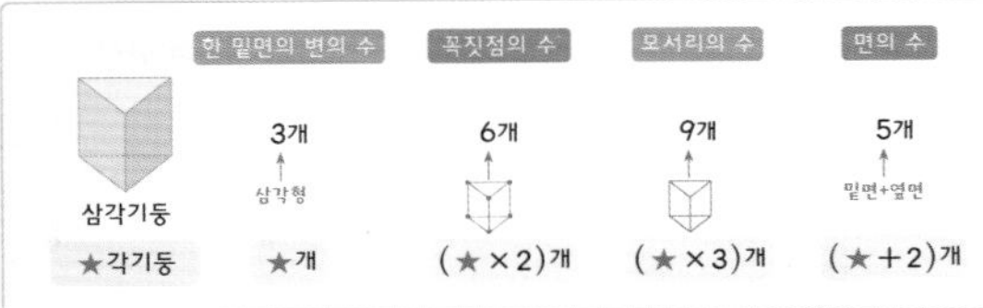

	한 밑면의 변의 수	꼭짓점의 수	모서리의 수	면의 수
삼각기둥	3개 (삼각형)	6개	9개	5개 (밑면+옆면)
★각기둥	★개	(★×2)개	(★×3)개	(★+2)개

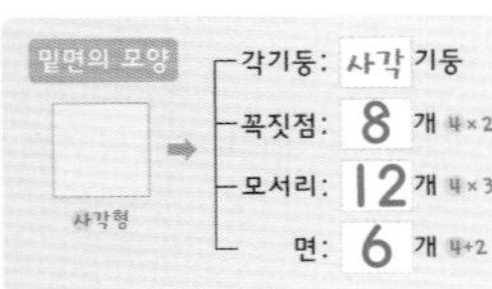

밑면의 모양: 사각형 → 각기둥: 사각 기둥, 꼭짓점: 8 개 (4×2), 모서리: 12 개 (4×3), 면: 6 개 (4+2)

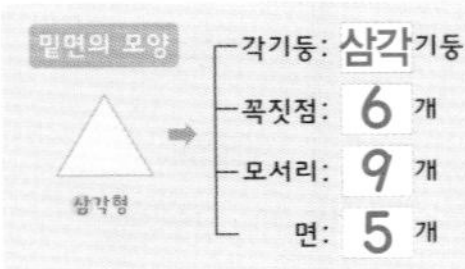

밑면의 모양: 삼각형 → 각기둥: 삼각기둥, 꼭짓점: 6 개, 모서리: 9 개, 면: 5 개

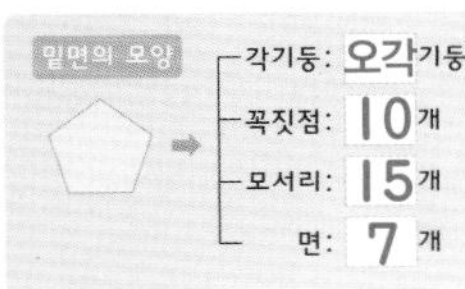

밑면의 모양 → 각기둥: 오각기둥, 꼭짓점: 10개, 모서리: 15개, 면: 7 개

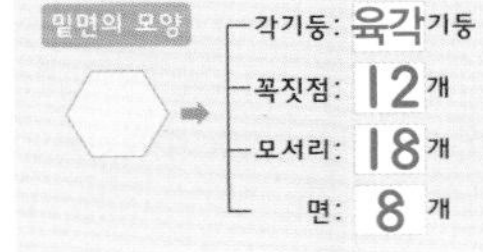

밑면의 모양 → 각기둥: 육각기둥, 꼭짓점: 12개, 모서리: 18개, 면: 8 개

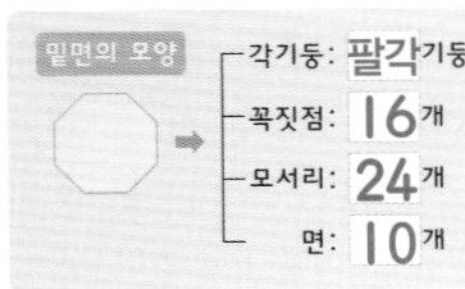

밑면의 모양 → 각기둥: 팔각기둥, 꼭짓점: 16개, 모서리: 24개, 면: 10개

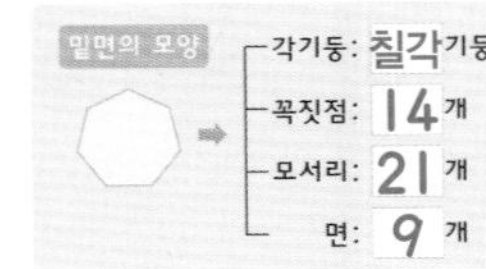

밑면의 모양 → 각기둥: 칠각기둥, 꼭짓점: 14개, 모서리: 21 개, 면: 9 개

응용 ③ 밑면의 모양이 다음과 같은 각뿔의 이름과 꼭짓점, 모서리, 면의 수를 구하시오.

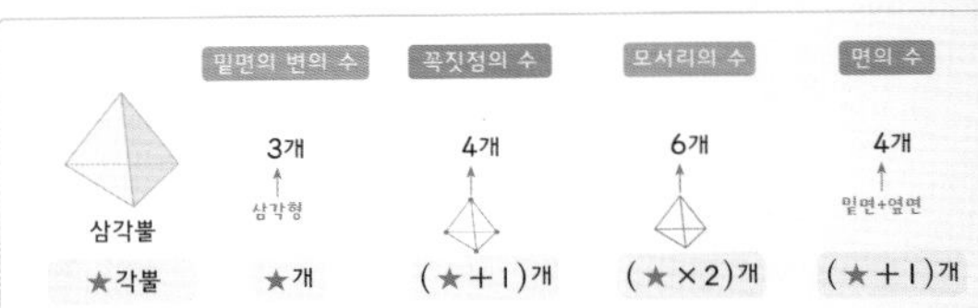

	밑면의 변의 수	꼭짓점의 수	모서리의 수	면의 수
삼각뿔	3개 (삼각형)	4개	6개	4개 (밑면+옆면)
★각뿔	★개	(★+1)개	(★×2)개	(★+1)개

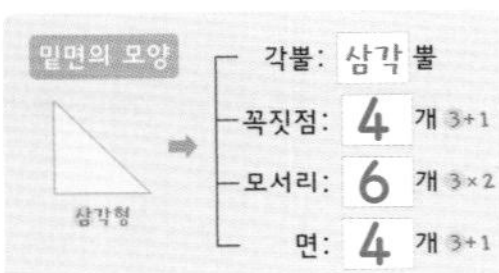

밑면의 모양: 삼각형 → 각뿔: 삼각 뿔, 꼭짓점: 4 개 (3+1), 모서리: 6 개 (3×2), 면: 4 개 (3+1)

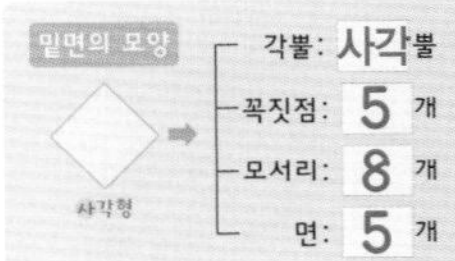

밑면의 모양: 사각형 → 각뿔: 사각뿔, 꼭짓점: 5 개, 모서리: 8 개, 면: 5 개

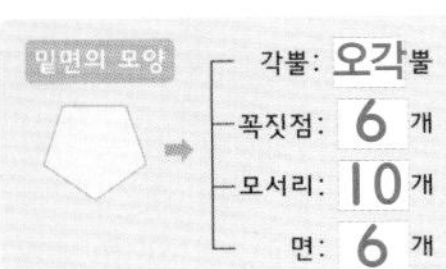

밑면의 모양 → 각뿔: 오각뿔, 꼭짓점: 6 개, 모서리: 10 개, 면: 6 개

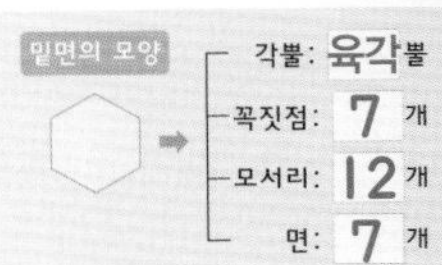

밑면의 모양 → 각뿔: 육각뿔, 꼭짓점: 7 개, 모서리: 12 개, 면: 7 개

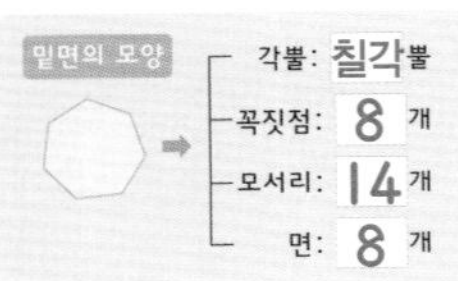

밑면의 모양 → 각뿔: 칠각뿔, 꼭짓점: 8 개, 모서리: 14 개, 면: 8 개

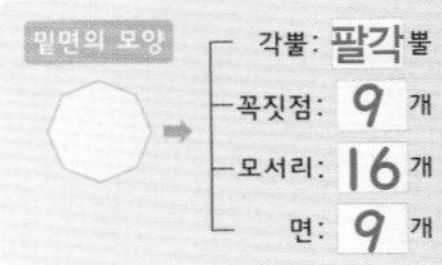

밑면의 모양 → 각뿔: 팔각뿔, 꼭짓점: 9 개, 모서리: 16 개, 면: 9 개

응용 ④ 다음에서 설명하는 입체도형의 이름을 쓰시오.

- 각기둥입니다.
- 꼭짓점은 8개입니다. ★×2
- 모서리는 12개입니다. ★×3

➡ 사각기둥

- 각뿔입니다.
- 꼭짓점은 5개입니다. ★+1
- 모서리는 8개입니다. ★×2

➡ 사각뿔

- 각뿔입니다.
- 꼭짓점은 6개입니다.
- 면은 6개입니다.

➡ 오각뿔

- 각기둥입니다.
- 꼭짓점은 6개입니다.
- 면은 5개입니다.

➡ 삼각기둥

- 밑면은 다각형입니다.
- 옆면은 직사각형입니다. → 각기둥
- 꼭짓점은 10개입니다.

➡ 오각기둥

- 밑면은 다각형입니다.
- 옆면은 삼각형입니다. → 각뿔
- 꼭짓점은 4개입니다.

➡ 삼각뿔

- 밑면은 다각형입니다.
- 옆면은 삼각형입니다.
- 모서리는 14개입니다.

➡ 칠각뿔

- 옆면은 직사각형입니다.
- 면은 8개입니다.
- 모서리는 18개입니다.

➡ 육각기둥

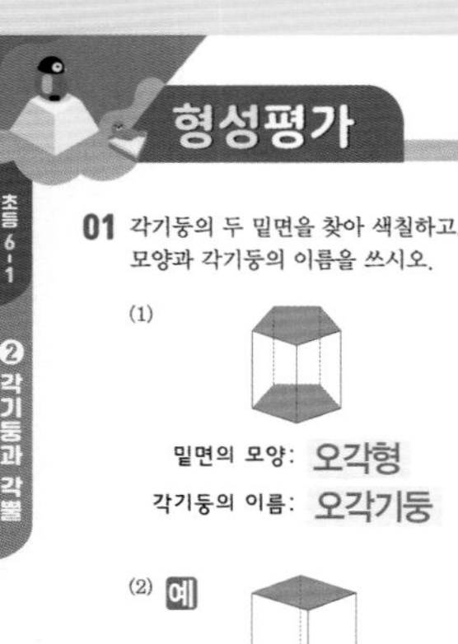

형성평가

정답 14쪽

01 각기둥의 두 밑면을 찾아 색칠하고, 밑면의 모양과 각기둥의 이름을 쓰시오.

(1)

밑면의 모양: 오각형
각기둥의 이름: 오각기둥

(2) 예

밑면의 모양: 사각형
각기둥의 이름: 사각기둥

02 각기둥인 것에 ○표, 각기둥이 아닌 것에 ×표 하시오.

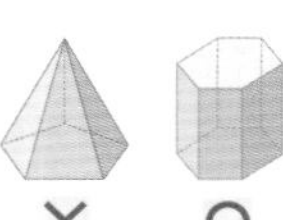
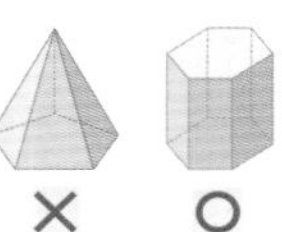

○ × ○

03 각기둥을 보고 ☐ 안에 알맞은 말을 써넣으시오.

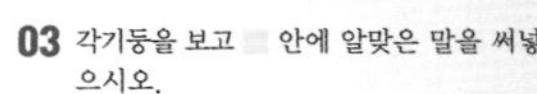
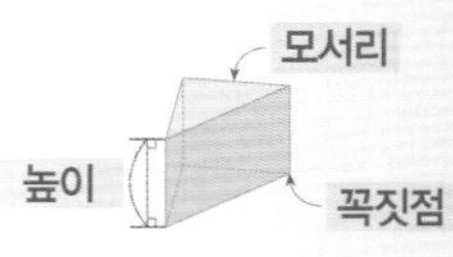

[04~05] 각기둥을 보고 표에 알맞은 수를 써넣으시오.

04

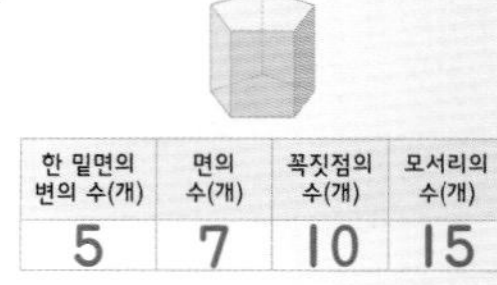

한 밑면의 변의 수(개)	면의 수(개)	꼭짓점의 수(개)	모서리의 수(개)
5	7	10	15

05

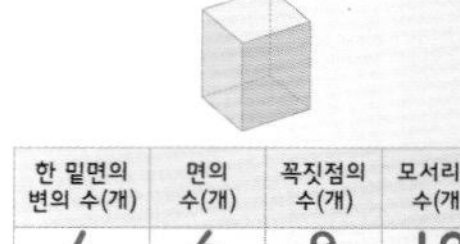

한 밑면의 변의 수(개)	면의 수(개)	꼭짓점의 수(개)	모서리의 수(개)
4	6	8	12

06 각기둥의 전개도를 찾아 기호를 쓰시오.

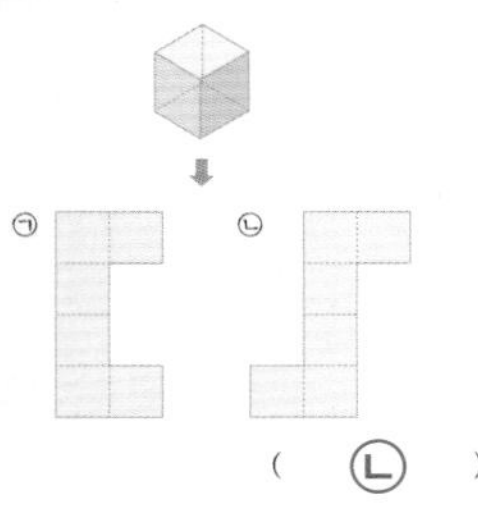

(ㄴ)

[07~08] 각기둥의 전개도를 보고 옆면을 모두 찾아 ○표 하시오.

07

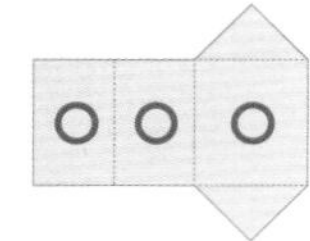

08

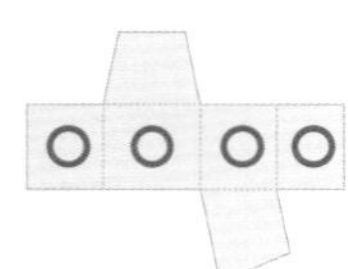

09 전개도로 만들 수 있는 각기둥의 이름을 쓰시오.

(1)

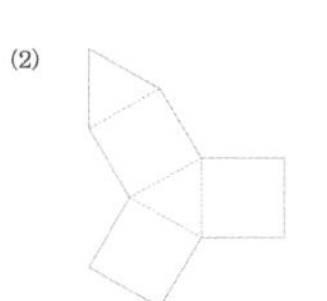

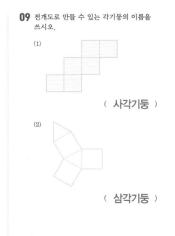

(사각기둥)

(2)

(삼각기둥)

10 전개도를 접었을 때 만나는 선분과 꼭짓점을 쓰시오.

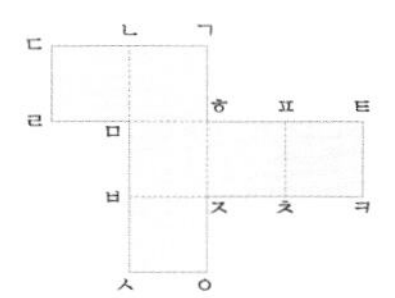

• 선분 ㄹㅁ과 만나는 선분: 선분 ㅂㅁ
• 점 ㅌ과 만나는 점: 점 ㄴ

11 전개도를 접어서 각기둥을 만들었습니다. ☐ 안에 알맞은 수를 써넣으시오.

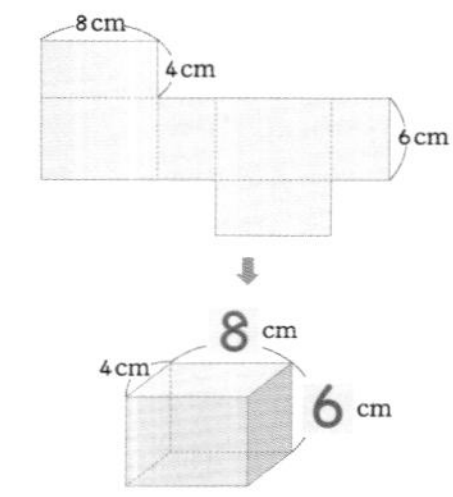

[12~13] 각기둥의 겨냥도를 완성하시오.

12

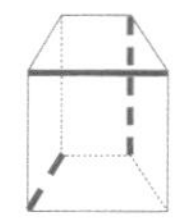

13

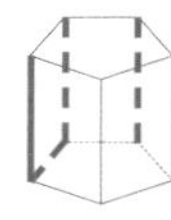

[14~15] 각기둥의 전개도를 그려 보시오.

14

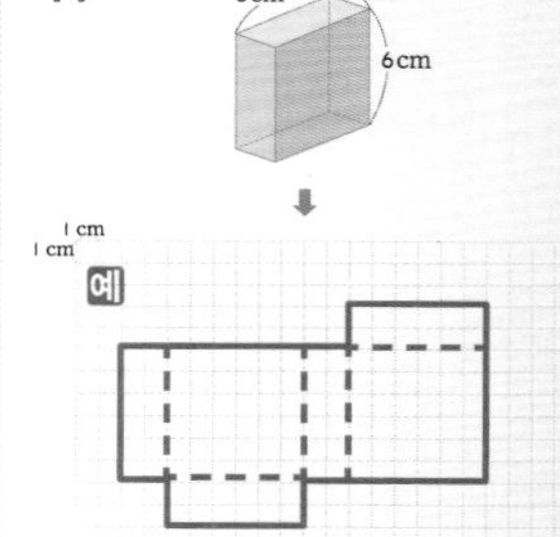

15

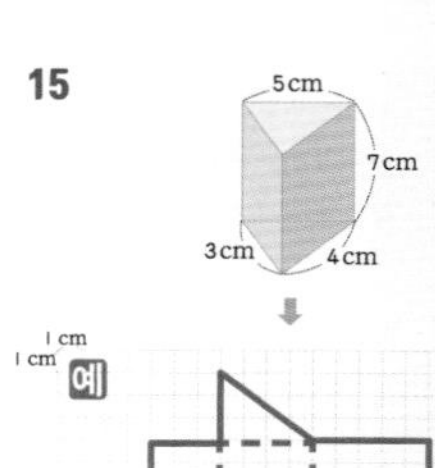

16 각뿔의 밑면을 찾아 색칠하고, 밑면의 모양과 각뿔의 이름을 쓰시오.

(1)

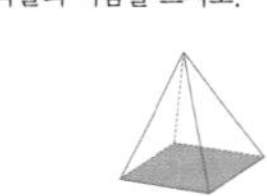

밑면의 모양: 사각형
각뿔의 이름: 사각뿔

(2)

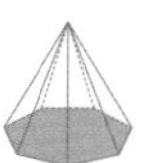

밑면의 모양: 칠각형
각뿔의 이름: 칠각뿔

17 각뿔인 것에 ○표, 각뿔이 아닌 것에 ×표 하시오.

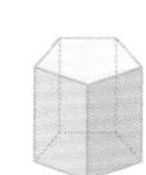

○ × ○

18 각뿔을 보고 ☐ 안에 알맞게 써넣으시오.

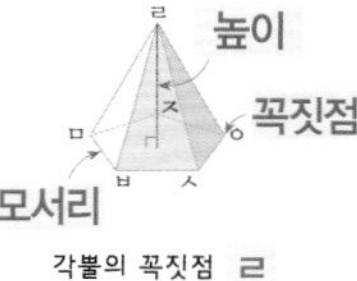

각뿔의 꼭짓점 ㄹ

[19~20] 각뿔을 보고 표에 알맞은 수를 써넣으시오.

19

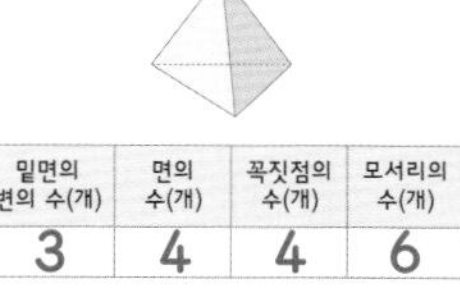

밑면의 변의 수(개)	면의 수(개)	꼭짓점의 수(개)	모서리의 수(개)
3	4	4	6

20

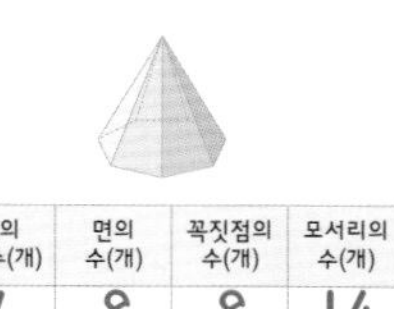

밑면의 변의 수(개)	면의 수(개)	꼭짓점의 수(개)	모서리의 수(개)
7	8	8	14

단원 평가 2. 각기둥과 각뿔 걸린 시간 분 점수 점

정답 15쪽

[1~3] 도형을 보고 물음에 답하시오.

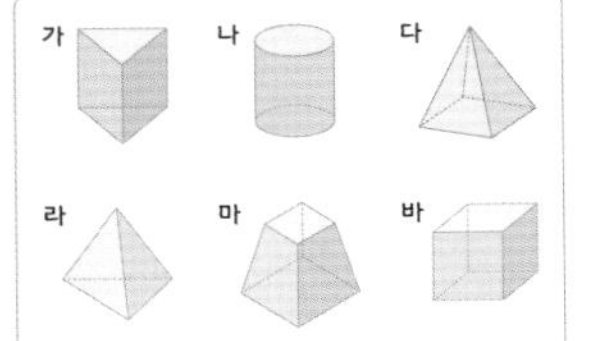

1 모든 면이 다각형인 입체도형을 모두 찾아 기호를 쓰시오.

가, 다, 라, 마, 바

2 각기둥을 모두 찾아 기호를 쓰시오.

(가, 바)

3 각뿔을 모두 찾아 기호를 쓰시오.

(다, 라)

4 각기둥의 이름을 쓰시오.

(1)

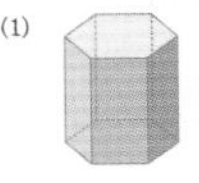

(육각기둥)

(2)

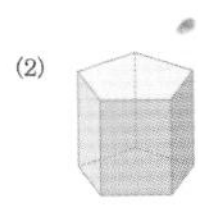

(오각기둥)

5 각기둥에서 밑면을 모두 찾아 쓰시오.

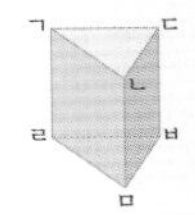

(면 ㄱㄴㄷ, 면 ㄹㅁㅂ)

6 한 밑면의 모양이 다음과 같은 각기둥의 이름을 쓰시오.

(1)

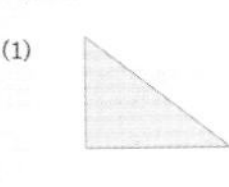

(삼각기둥)

(2)

(칠각기둥)

7 각기둥의 높이는 몇 cm입니까?

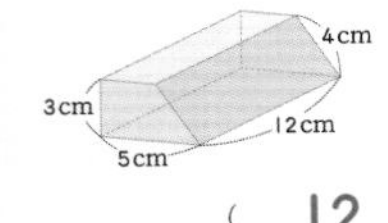

(12)cm

[8~9] 각기둥을 보고 빈칸에 알맞은 수를 써넣으시오.

8

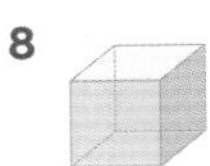

면의 수(개)	6
모서리의 수(개)	12
꼭짓점의 수(개)	8

9

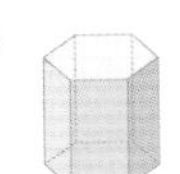

면의 수(개)	8
모서리의 수(개)	18
꼭짓점의 수(개)	12

10 각기둥에서 꼭짓점의 수와 모서리의 수의 합은 몇 개입니까?

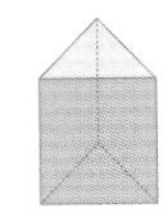

(15)개

11 각기둥의 전개도를 보고 밑면을 모두 찾아 ○표 하시오.

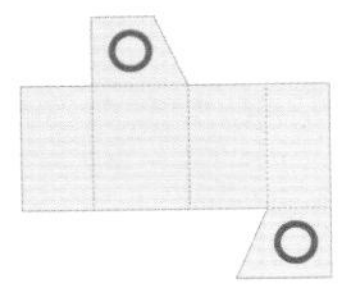

12 각기둥의 전개도가 아닌 것을 모두 찾아 기호를 쓰시오.

㉠ ㉡ ㉢ ㉣

(㉠, ㉡)

13 각기둥의 전개도를 그려 보시오.

3cm 6cm 4cm

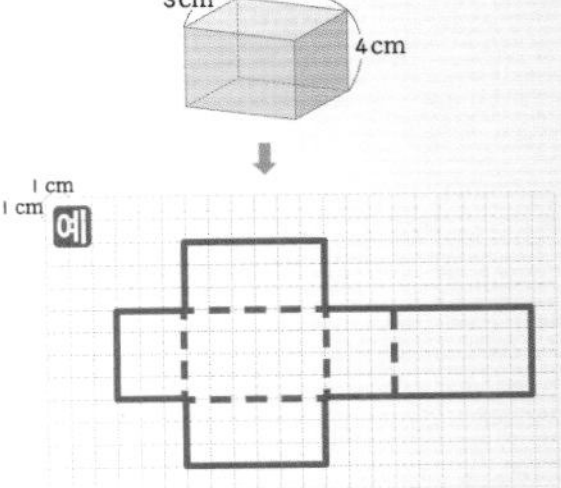

14 안에 알맞은 수를 써넣으시오.

5cm 5cm 8cm 4cm 4cm 3cm

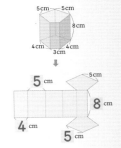

5 cm, 5cm, 8 cm, 4 cm, 5 cm

15 각뿔의 이름을 쓰시오.

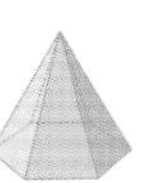

(육각뿔)

16 각뿔을 보고 물음에 답하시오.

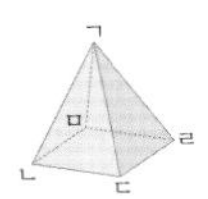

(1) 밑면을 찾아 쓰시오.

면 ㄴㄷㄹㅁ)

(2) 각뿔의 꼭짓점을 찾아 쓰시오.

(꼭짓점 ㄱ)

17 각뿔의 높이는 몇 cm입니까?

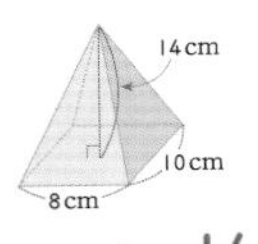

(14)cm

[18~19] 각뿔을 보고 빈칸에 알맞은 수를 써넣으시오.

18

면의 수(개)	6
모서리의 수(개)	10
꼭짓점의 수(개)	6

19

면의 수(개)	7
모서리의 수(개)	12
꼭짓점의 수(개)	7

20 밑면과 옆면의 모양을 보고 각기둥 또는 각뿔의 이름을 쓰시오.

(1)

밑면 옆면

사각기둥

(2)

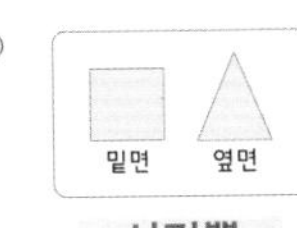

사각뿔

01 (소수)÷(자연수)를 자연수의 나눗셈으로 계산하기

정답 16쪽

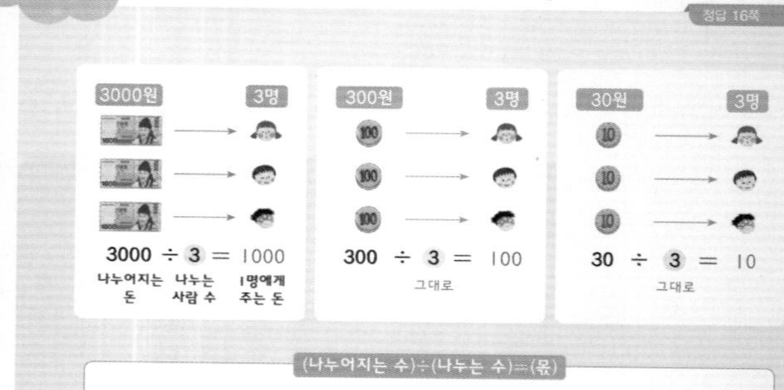

(나누어지는 수)÷(나누는 수)=(몫)

나누어지는 돈: $\frac{1}{10}$배, $\frac{1}{100}$배 …… 줄어듦
나누는 사람 수: 그대로
➡ 1명에게 나누어 주는 돈: $\frac{1}{10}$배, $\frac{1}{100}$배 …… 줄어듦

1 계산식을 보고 어떤 규칙이 있는지 찾아 □ 안에 알맞은 수를 써넣고, 알맞은 말에 ○표 하시오.

나누어지는 수		나누는 수		몫
288	÷	8	=	36
28.8	÷	8	=	3.6
2.88	÷	8	=	0.36

(↓ × $\frac{1}{10}$)

나누어지는 수		나누는 수		몫
258	÷	6	=	43
25.8	÷	6	=	4.3
2.58	÷	6	=	0.43

➡ 나누어지는 수가 $\frac{1}{10}$배씩 작아지면 몫도 $\frac{1}{10}$배씩 (커집니다, (작아집니다)).

2 □ 안에 알맞은 수를 써넣으시오.

4.8÷2
48 ÷ 2 = 24 (× $\frac{1}{10}$)
4.8 ÷ 2 = 2.4

12.6÷3
126 ÷ 3 = 42 (× $\frac{1}{10}$)
12.6 ÷ 3 = 4.2

93.6÷3
936 ÷ 3 = 312 (× $\frac{1}{10}$)
93.6 ÷ 3 = 31.2

48.4÷4
484 ÷ 4 = 121 (× $\frac{1}{10}$)
48.4 ÷ 4 = 12.1

8.44÷4
844 ÷ 4 = 211 (× $\frac{1}{100}$)
8.44 ÷ 4 = 2.11

3.69÷3
369 ÷ 3 = 123 (× $\frac{1}{100}$)
3.69 ÷ 3 = 1.23

18.93÷3
1893 ÷ 3 = 631 (× $\frac{1}{100}$)
18.93 ÷ 3 = 6.31

22.46÷2
2246 ÷ 2 = 1123 (× $\frac{1}{100}$)
22.46 ÷ 2 = 11.23

3 □ 안에 알맞은 수를 써넣으시오.

624 ÷ 2 = 312 (× $\frac{1}{10}$)
62.4 ÷ 2 = 31.2

663 ÷ 3 = 221 (× $\frac{1}{10}$)
66.3 ÷ 3 = 22.1

448 ÷ 4 = 112 (× $\frac{1}{10}$)
44.8 ÷ 4 = 11.2

555 ÷ 5 = 111 (× $\frac{1}{10}$)
55.5 ÷ 5 = 11.1

636 ÷ 3 = 212 (× $\frac{1}{10}$)
63.6 ÷ 3 = 21.2

888 ÷ 2 = 444 (× $\frac{1}{100}$)
8.88 ÷ 2 = 4.44

286 ÷ 2 = 143 (× $\frac{1}{100}$)
2.86 ÷ 2 = 1.43

848 ÷ 8 = 106 (× $\frac{1}{100}$)
8.48 ÷ 8 = 1.06

339 ÷ 3 = 113 (× $\frac{1}{100}$)
3.39 ÷ 3 = 1.13

482 ÷ 2 = 241 (× $\frac{1}{100}$)
4.82 ÷ 2 = 2.41

4 □ 안에 알맞은 수를 써넣으시오.

보기
15.69 ÷ 3 = □ ⟶ 1569 ÷ 3 = 523 ⟶ 15.69 ÷ 3 = 5.23

33.6 ÷ 3 = 11.2
336 ÷ 3 = 112 (1칸)

2.46 ÷ 2 = 1.23
246 ÷ 2 = 123 (2칸)

48.8 ÷ 4 = 12.2
488 ÷ 4 = 122 (1칸)

6.39 ÷ 3 = 2.13
639 ÷ 3 = 213 (2칸)

8.04 ÷ 4 = 2.01
804 ÷ 4 = 201

40.8 ÷ 4 = 10.2
408 ÷ 4 = 102

96.3 ÷ 3 = 32.1
963 ÷ 3 = 321

6.96 ÷ 3 = 2.32
696 ÷ 3 = 232

8.22 ÷ 2 = 4.11
822 ÷ 2 = 411

64.8 ÷ 2 = 32.4
648 ÷ 2 = 324

02 (소수)÷(자연수)를 분수로 고쳐서 계산하기

정답 17쪽

46.8÷3

$46.8 \div 3 = \frac{468}{10} \div 3 = \frac{468 \div 3}{10} = \frac{156}{10} = 15.6$

소수를 분수로 / 분수를 소수로

1 소수를 분수로 고쳐서 계산해 보시오.

$35.4 \div 3 = \frac{354}{10} \div 3 = \frac{354 \div 3}{10} = \frac{118}{10} = 11.8$

$31.6 \div 2 = \frac{316}{10} \div 2 = \frac{316 \div 2}{10} = \frac{158}{10} = 15.8$

$54.8 \div 4 = \frac{548}{10} \div 4 = \frac{548 \div 4}{10} = \frac{137}{10} = 13.7$

$73.5 \div 5 = \frac{735}{10} \div 5 = \frac{735 \div 5}{10} = \frac{147}{10} = 14.7$

$86.4 \div 6 = \frac{864}{10} \div 6 = \frac{864 \div 6}{10} = \frac{144}{10} = 14.4$

$95.9 \div 7 = \frac{959}{10} \div 7 = \frac{959 \div 7}{10} = \frac{137}{10} = 13.7$

2 소수를 분수로 고쳐서 계산해 보시오.

보기

$52.5 \div 3 = \frac{525}{10} \div 3 = \frac{525 \div 3}{10} = \frac{175}{10} = 17.5$ (소수를 분수로, 분수를 소수로)

21.6÷2 $= \frac{216}{10} \div 2 = \frac{216 \div 2}{10} = \frac{108}{10} = 10.8$ (소수를 분수로, 분수를 소수로)

50.4÷4 $= \frac{504}{10} \div 4 = \frac{504 \div 4}{10} = \frac{126}{10} = 12.6$

27.5÷5 $= \frac{275}{10} \div 5 = \frac{275 \div 5}{10} = \frac{55}{10} = 5.5$

75.6÷6 $= \frac{756}{10} \div 6 = \frac{756 \div 6}{10} = \frac{126}{10} = 12.6$

86.8÷7 $= \frac{868}{10} \div 7 = \frac{868 \div 7}{10} = \frac{124}{10} = 12.4$

61.5÷3 $= \frac{615}{10} \div 3 = \frac{615 \div 3}{10} = \frac{205}{10} = 20.5$

43.2÷8 $= \frac{432}{10} \div 8 = \frac{432 \div 8}{10} = \frac{54}{10} = 5.4$

56.7÷9 $= \frac{567}{10} \div 9 = \frac{567 \div 9}{10} = \frac{63}{10} = 6.3$

14.52÷4

$14.52 \div 4 = \frac{1452}{100} \div 4 = \frac{1452 \div 4}{100} = \frac{363}{100} = 3.63$

소수를 분수로 / 분수를 소수로

3 소수를 분수로 고쳐서 계산해 보시오.

$15.12 \div 4 = \frac{1512}{100} \div 4 = \frac{1512 \div 4}{100} = \frac{378}{100} = 3.78$

$17.52 \div 2 = \frac{1752}{100} \div 2 = \frac{1752 \div 2}{100} = \frac{876}{100} = 8.76$

$27.85 \div 5 = \frac{2785}{100} \div 5 = \frac{2785 \div 5}{100} = \frac{557}{100} = 5.57$

$38.94 \div 6 = \frac{3894}{100} \div 6 = \frac{3894 \div 6}{100} = \frac{649}{100} = 6.49$

$52.15 \div 7 = \frac{5215}{100} \div 7 = \frac{5215 \div 7}{100} = \frac{745}{100} = 7.45$

$43.71 \div 3 = \frac{4371}{100} \div 3 = \frac{4371 \div 3}{100} = \frac{1457}{100} = 14.57$

$67.32 \div 4 = \frac{6732}{100} \div 4 = \frac{6732 \div 4}{100} = \frac{1683}{100} = 16.83$

4 소수를 분수로 고쳐서 계산해 보시오.

보기

$19.62 \div 3 = \frac{1962}{100} \div 3 = \frac{1962 \div 3}{100} = \frac{654}{100} = 6.54$ (소수를 분수로, 분수를 소수로)

17.34÷2 $= \frac{1734}{100} \div 2 = \frac{1734 \div 2}{100} = \frac{867}{100} = 8.67$ (소수를 분수로, 분수를 소수로)

47.67÷3 $= \frac{4767}{100} \div 3 = \frac{4767 \div 3}{100} = \frac{1589}{100} = 15.89$

34.16÷4 $= \frac{3416}{100} \div 4 = \frac{3416 \div 4}{100} = \frac{854}{100} = 8.54$

23.55÷5 $= \frac{2355}{100} \div 5 = \frac{2355 \div 5}{100} = \frac{471}{100} = 4.71$

52.38÷6 $= \frac{5238}{100} \div 6 = \frac{5238 \div 6}{100} = \frac{873}{100} = 8.73$

65.24÷7 $= \frac{6524}{100} \div 7 = \frac{6524 \div 7}{100} = \frac{932}{100} = 9.32$

54.72÷8 $= \frac{5472}{100} \div 8 = \frac{5472 \div 8}{100} = \frac{684}{100} = 6.84$

29.43÷9 $= \frac{2943}{100} \div 9 = \frac{2943 \div 9}{100} = \frac{327}{100} = 3.27$

03 (소수)÷(자연수)를 분수의 곱셈으로 바꾸어 계산하기

정답 18쪽

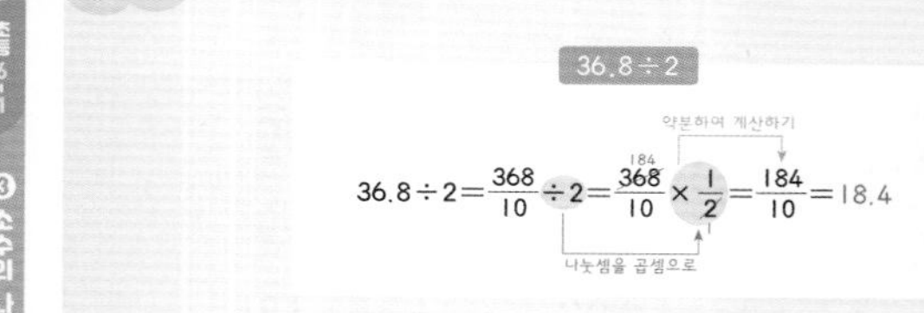

1 분수의 곱셈으로 바꾸어 계산해 보시오.

$49.5\div3=\frac{495}{10}\div3=\frac{495}{10}\times\frac{1}{3}=\frac{165}{10}=16.5$

$35.6\div4=\frac{356}{10}\div4=\frac{356}{10}\times\frac{1}{4}=\frac{89}{10}=8.9$

$49.5\div5=\frac{495}{10}\div5=\frac{495}{10}\times\frac{1}{5}=\frac{99}{10}=9.9$

$63.6\div6=\frac{636}{10}\div6=\frac{636}{10}\times\frac{1}{6}=\frac{106}{10}=10.6$

$85.4\div7=\frac{854}{10}\div7=\frac{854}{10}\times\frac{1}{7}=\frac{122}{10}=12.2$

$57.6\div8=\frac{576}{10}\div8=\frac{576}{10}\times\frac{1}{8}=\frac{72}{10}=7.2$

2 분수의 곱셈으로 바꾸어 계산해 보시오.

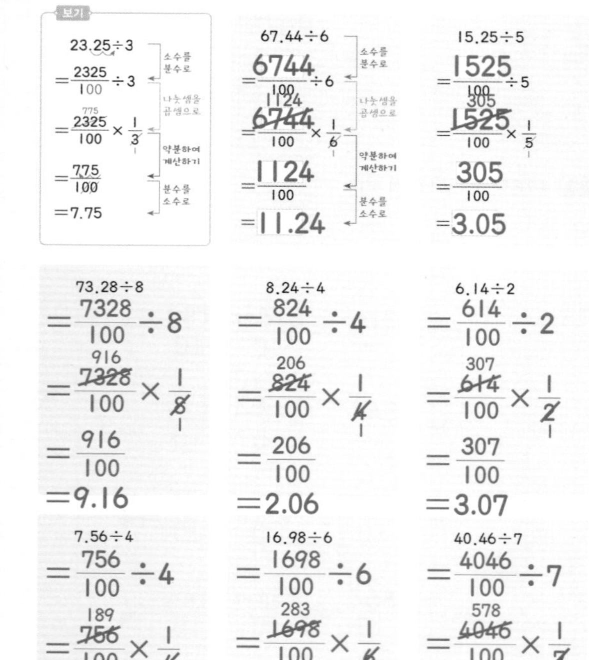

$73.28\div8=\frac{7328}{100}\div8=\frac{7328}{100}\times\frac{1}{8}=\frac{916}{100}=9.16$

$8.24\div4=\frac{824}{100}\div4=\frac{824}{100}\times\frac{1}{4}=\frac{206}{100}=2.06$

$6.14\div2=\frac{614}{100}\div2=\frac{614}{100}\times\frac{1}{2}=\frac{307}{100}=3.07$

$7.56\div4=\frac{756}{100}\div4=\frac{756}{100}\times\frac{1}{4}=\frac{189}{100}=1.89$

$16.98\div6=\frac{1698}{100}\div6=\frac{1698}{100}\times\frac{1}{6}=\frac{283}{100}=2.83$

$40.46\div7=\frac{4046}{100}\div7=\frac{4046}{100}\times\frac{1}{7}=\frac{578}{100}=5.78$

46.7÷2

$46.7\div2=\frac{467}{10}\div2=\frac{467}{10}\times\frac{1}{2}=\frac{467}{20}=\frac{2335}{100}=23.35$

나눗셈을 곱셈으로 / 분모를 100 만들기 (×5)

3 분수의 곱셈으로 바꾸어 계산해 보시오.

$18.7\div5=\frac{187}{10}\div5=\frac{187}{10}\times\frac{1}{5}=\frac{187}{50}=\frac{374}{100}=3.74$

$13.5\div6=\frac{135}{10}\div6=\frac{135}{10}\times\frac{1}{6}=\frac{45}{20}=\frac{225}{100}=2.25$

$23.4\div4=\frac{234}{10}\div4=\frac{234}{10}\times\frac{1}{4}=\frac{117}{20}=\frac{585}{100}=5.85$

$22.5\div2=\frac{225}{10}\div2=\frac{225}{10}\times\frac{1}{2}=\frac{225}{20}=\frac{1125}{100}=11.25$

$35.8\div4=\frac{358}{10}\div4=\frac{358}{10}\times\frac{1}{4}=\frac{179}{20}=\frac{895}{100}=8.95$

$20.4\div8=\frac{204}{10}\div8=\frac{204}{10}\times\frac{1}{8}=\frac{51}{20}=\frac{255}{100}=2.55$

$16.3\div5=\frac{163}{10}\div5=\frac{163}{10}\times\frac{1}{5}=\frac{163}{50}=\frac{326}{100}=3.26$

4 소수의 나눗셈 실력을 점검해 보시오.

실력평가

맞힌 개수 개 / 제한 시간 10 분

1. 11.4÷3 = 3.8
2. 27.2÷4 = 6.8
3. 36.5÷5 = 7.3
4. 28.2÷6 = 4.7
5. 7.5÷3 = 2.5
6. 6.36÷4 = 1.59
7. 22.4÷7 = 3.2
8. 8.5÷2 = 4.25
9. 12.6÷4 = 3.15
10. 46.8÷9 = 5.2
11. 6.1÷5 = 1.22
12. 13.2÷8 = 1.65
13. 11.32÷4 = 2.83
14. 19.56÷6 = 3.26
15. 34.15÷5 = 6.83
16. 19.5÷6 = 3.25
17. 12.96÷3 = 4.32
18. 26.11÷7 = 3.73
19. 12.48÷8 = 1.56
20. 38.25÷9 = 4.25

수고하셨습니다!

04 (소수)÷(자연수)를 세로로 계산하기

정답 19쪽

● 15.36÷2를 세로로 계산하고 소수점 찍기

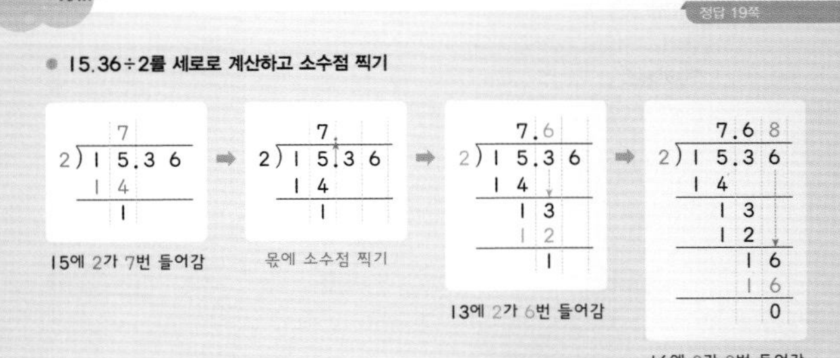

1 (소수)÷(자연수)의 몫에 소수점을 알맞게 찍어 보시오.

보기

16.9
3)50.7
3
20
18
27
27
0

13.5
5)67.5
5
17
15
25
25
0

23.4
4)93.6
8
13
12
16
16
0

9.5
7)66.5
63
35
35
0

12.53
6)75.18
6
15
12
31
30
18
18
0

2 나눗셈을 하고, 소수점을 알맞게 찍어 보시오.

보기

21.7
2)43.4 — 소수점 찍기
4
3
2
14
14
0

11.6
3)34.8
3
4
3
18
18
0

13.4
4)53.6
4
13
12
16
16
0

16.3
3)48.9
3
18
18
9
9
0

16.5
5)82.5
5
32
30
25
25
0

13.6
7)95.2
7
25
21
42
42
0

13.46
4)53.84
4
13
12
18
16
24
24
0

13.22
6)79.32
6
19
18
13
12
12
12
0

12.32
8)98.56
8
18
16
25
24
16
16
0

● 몫이 1보다 작은 (소수)÷(자연수) 계산하기

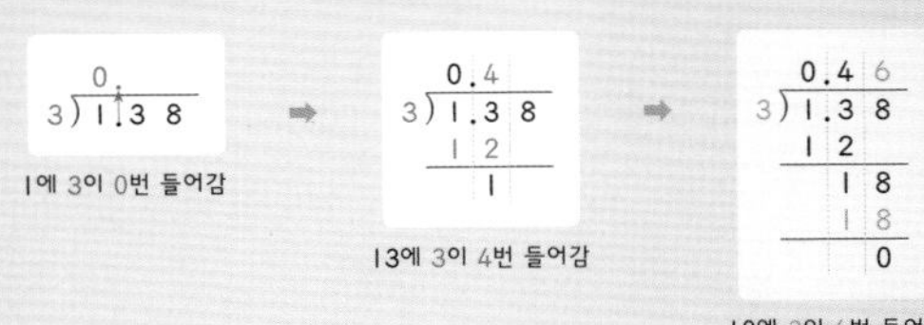

3 몫이 1보다 작은 (소수)÷(자연수)를 계산해 보시오.

0.74
4)2.96
28
16
16
0

0.89
2)1.78
16
18
18
0

0.97
3)2.91
27
21
21
0

0.65
5)3.25
30
25
25
0

0.14
6)0.84
6
24
24
0

0.46
4)1.84
16
24
24
0

0.27
7)1.89
14
49
49
0

0.54
8)4.32
40
32
32
0

0.89
9)8.01
72
81
81
0

4 소수의 나눗셈을 하시오.

0.87
2)1.74
16
14
14
0

0.77
3)2.31
21
21
21
0

0.94
4)3.76
36
16
16
0

0.43
3)1.29
12
9
9
0

0.13
4)0.52
4
12
12
0

0.75
5)3.75
35
25
25
0

0.12
6)0.72
6
12
12
0

0.64
7)4.48
42
28
28
0

0.76
8)6.08
56
48
48
0

0.92
7)6.44
63
14
14
0

0.67
8)5.36
48
56
56
0

0.83
9)7.47
72
27
27
0

05 (소수)÷(자연수)를 소수점 아래 0을 내려 계산하기

정답 20쪽

6)14.7 → 2 … 2 ➡ 6)14.7 → 2.4 … 3 ➡ 6)14.70 → 2.45 … 0

나머지가 0이 될 때까지 0을 내려 계산하기

1 소수점 아래 0을 내려 계산하기 (소수)÷(자연수)를 계산해 보시오.

보기: 5)8.40 → 1.68

- 4)9.80 → 2.45
- 2)5.70 → 2.85
- 2)17.90 → 8.95
- 6)27.90 → 4.65
- 8)35.60 → 4.45

2 소수점 아래 0을 내려 계산하기 (소수)÷(자연수)를 계산해 보시오.

보기: 2)3.70 → 1.85 (소수점 찍기, 0을 내려 계산하기)

- 4)7.80 → 1.95
- 5)8.70 → 1.74
- 6)14.1 → 2.35
- 8)27.6 → 3.45
- 5)13.4 → 2.68
- 2)19.5 → 9.75
- 4)21.8 → 5.45
- 8)53.2 → 6.65

5)4.6 → 0 (4에 5가 0번 들어감) ➡ 5)4.6 → 0.9 … 1 ➡ 5)4.60 → 0.92 … 0

나머지가 0이 될 때까지 0을 내려 계산하기

3 몫이 1보다 작고 소수점 아래 0을 내려 계산하는 (소수)÷(자연수)를 계산해 보시오.

- 6)5.1 → 0.85
- 8)3.6 → 0.45
- 2)0.5 → 0.25
- 4)0.6 → 0.15
- 5)4.2 → 0.84
- 6)4.5 → 0.75
- 2)1.7 → 0.85
- 4)3.4 → 0.85
- 8)7.6 → 0.95

4 소수의 나눗셈을 하시오.

- 2)4.3 → 2.15
- 4)6.2 → 1.55
- 6)8.7 → 1.45
- 2)15.7 → 7.85
- 5)13.4 → 2.68
- 4)22.6 → 5.65
- 8)6.8 → 0.85
- 5)3.8 → 0.76
- 6)2.7 → 0.45
- 2)1.9 → 0.95
- 4)3.4 → 0.85
- 8)59.6 → 7.45

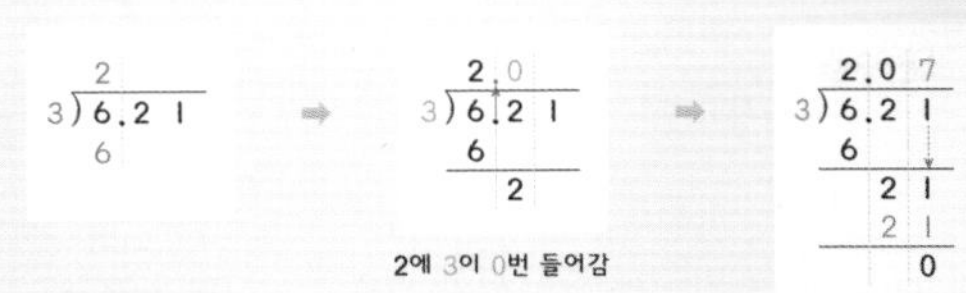

06 몫의 소수 첫째 자리에 0이 있는 (소수)÷(자연수) 계산하기

정답 21쪽

2 / 3)6.21 / 6 ➡ 2.0 / 3)6.21 / 6 / 2 ➡ 2.07 / 3)6.21 / 6 / 21 / 21 / 0

2에 3이 0번 들어감

1 몫의 소수 첫째 자리에 0이 있는 (소수)÷(자연수)를 계산해 보시오.

보기

3.0 / 2)6.12 / 6 / 1 (1에 2가 0번 들어감) ➡ 3.06 / 2)6.12 / 6 / 12 / 12 / 0

1.0 / 3)3.27 / 3 / 2 (2에 3이 0번 들어감) ➡ 1.09 / 3)3.27 / 3 / 27 / 27 / 0

2.0 / 4)8.28 / 8 / 2 ➡ 2.07 / 4)8.28 / 8 / 28 / 28 / 0

1.0 / 6)6.54 / 6 / 5 ➡ 1.09 / 6)6.54 / 6 / 54 / 54 / 0

2 몫의 소수 첫째 자리에 0이 있는 (소수)÷(자연수)를 계산해 보시오.

2.09 / 2)4.18 / 4 / 18 / 18 / 0

2.08 / 4)8.32 / 8 / 32 / 32 / 0

4.07 / 3)12.21 / 12 / 21 / 21 / 0

3.05 / 5)15.25 / 15 / 25 / 25 / 0

4.09 / 6)24.54 / 24 / 54 / 54 / 0

7.04 / 7)49.28 / 49 / 28 / 28 / 0

6.04 / 6)36.24 / 36 / 24 / 24 / 0

3.06 / 8)24.48 / 24 / 48 / 48 / 0

9.08 / 3)27.24 / 27 / 24 / 24 / 0

6.07 / 4)24.28 / 24 / 28 / 28 / 0

7.05 / 7)49.35 / 49 / 35 / 35 / 0

5.08 / 9)45.72 / 45 / 72 / 72 / 0

2 / 4)8.2 / 8 ➡ 2.0 / 4)8.2 / 8 / 2 ➡ 2.05 / 4)8.20 / 8 / 20 / 20 / 0

2에 4가 0번 들어감

나머지가 0이 될 때까지 0을 내려 계산하기

3 몫의 소수 첫째 자리에 0이 있고, 소수점 아래 0을 내려 계산하는 (소수)÷(자연수)를 계산해 보시오.

보기

1.08 / 5)5.40 / 5 / 40 / 40 / 0 (4에 5가 0번 들어감)

4.05 / 2)8.10 / 8 / 10 / 10 / 0

1.05 / 4)4.2 / 4 / 20 / 20 / 0

3.05 / 6)18.3 / 18 / 30 / 30 / 0

5.04 / 5)25.2 / 25 / 20 / 20 / 0

9.05 / 8)72.4 / 72 / 40 / 40 / 0

8.05 / 2)16.1 / 16 / 10 / 10 / 0

4.05 / 6)24.3 / 24 / 30 / 30 / 0

9.04 / 5)45.2 / 45 / 20 / 20 / 0

4 몫의 소수 첫째 자리에 0이 있는 소수의 나눗셈을 하시오.

1.08 / 2)2.16 / 2 / 16 / 16 / 0

3.09 / 3)9.27 / 9 / 27 / 27 / 0

1.09 / 4)4.36 / 4 / 36 / 36 / 0

2.09 / 5)10.45 / 10 / 45 / 45 / 0

2.03 / 6)12.18 / 12 / 18 / 18 / 0

4.03 / 7)28.21 / 28 / 21 / 21 / 0

1.06 / 5)5.3 / 5 / 30 / 30 / 0

3.05 / 4)12.2 / 12 / 20 / 20 / 0

2.05 / 8)16.4 / 16 / 40 / 40 / 0

7.05 / 6)42.3 / 42 / 30 / 30 / 0

42.05 / 2)84.1 / 8 / 4 / 4 / 10 / 10 / 0

11.08 / 5)55.4 / 5 / 5 / 5 / 40 / 40 / 0

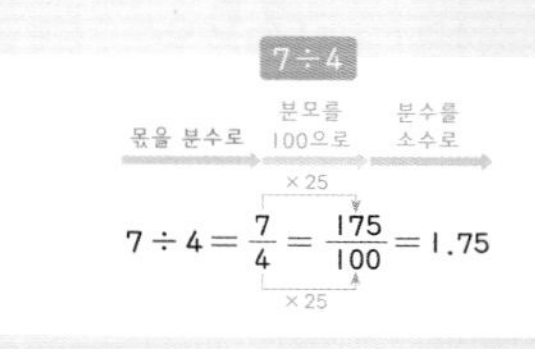

07 (자연수)÷(자연수)의 몫을 소수로 나타내기

정답 22쪽

7÷4

몫을 분수로 → 분모를 100으로 → 분수를 소수로

$7 \div 4 = \frac{7}{4} = \frac{175}{100} = 1.75$ (×25)

1 계산하여 몫을 소수로 나타내시오.

보기: $5 \div 2 = \frac{5}{2} = \frac{25}{10} = 2.5$ (×5)

9÷5= 1.8

9÷4=2.25 | 3÷4=0.75 | 7÷20=0.35

3÷25=0.12 | 15÷2= 7.5 | 13÷50=0.26

21÷20=1.05 | 6÷25=0.24 | 17÷2= 8.5

23÷50=0.46 | 56÷5=11.2 | 11÷4=2.75

2 계산하여 몫을 소수로 나타내시오.

보기: $6 \div 8 = \frac{6}{8} = \frac{3}{4} = \frac{75}{100} = 0.75$ (×25)

9÷6= 1.5

6÷4= 1.5 | 3÷12=0.25 | 15÷10= 1.5

5÷20=0.25 | 15÷6= 2.5 | 7÷28=0.25

9÷15= 0.6 | 12÷8= 1.5 | 12÷30= 0.4

15÷12=1.25 | 10÷4= 2.5 | 21÷35= 0.6

12÷16=0.75 | 6÷15= 0.4 | 18÷24=0.75

12÷20= 0.6 | 20÷25= 0.8 | 16÷50=0.32

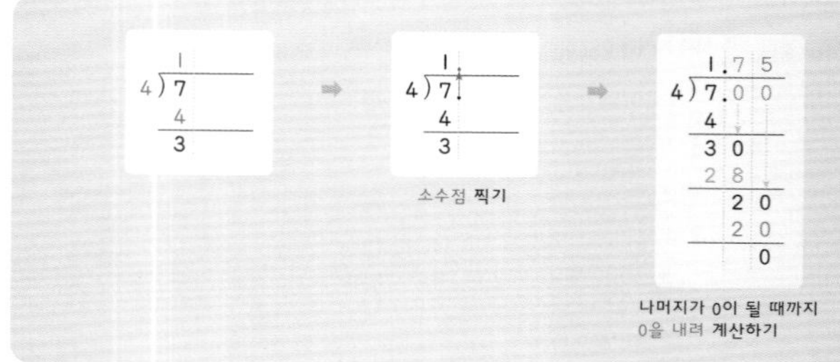

4)7 → 1, 4, 3
소수점 찍기
4)7.00 → 1.75, 4, 30, 28, 20, 20, 0
나머지가 0이 될 때까지 0을 내려 계산하기

3 (자연수)÷(자연수)를 계산해 보시오.

2)9 = 4.5 (8, 10, 10, 0)

4)15 = 3.75 (12, 30, 28, 20, 20, 0)

5)12 = 2.4 (10, 20, 20, 0)

20)25 = 1.25 (20, 50, 40, 100, 100, 0)

25)20 = 0.8 (200, 0)

50)36 = 0.72 (350, 100, 100, 0)

4 소수의 나눗셈 실력을 점검해 보시오.

실력평가 맞힌 개수 개 / 제한 시간 10 분

1. 2)8.36 = 4.18
2. 3)21.6 = 7.2
3. 5)17.25 = 3.45
4. 4)3.48 = 0.87
5. 7)8.4 = 1.2
6. 6)19.44 = 3.24
7. 5)5.25 = 1.05
8. 2)1.5 = 0.75
9. 3)1.77 = 0.59
10. 4)9.8 = 2.45
11. 6)6.3 = 1.05
12. 8)3.52 = 0.44
13. 8)1.92 = 0.24
14. 9)27.18 = 3.02
15. 2)7 = 3.5
16. 4)10 = 2.5
17. 5)4 = 0.8
18. 8)22 = 2.75
19. 6)21 = 3.5
20. 20)17 = 0.85

수고하셨습니다!

도전! 응용문제

정답 23쪽

초등 6-1 ③ 소수의 나눗셈

유형 1

물 36.9L를 물통 3개에 남김없이 똑같이 나누어 담으려고 합니다. 물통 한 개에 물을 몇 L씩 담을 수 있습니까?

- 주어진 수에 ○표 하고, 구하는 것에 밑줄 치기
  물의 양: 36.9 L, 물통의 수: 3 개
- 문제 해결하기
  소수를 분모가 (10, 100)인 분수로 바꾸어 계산합니다.
- 문제 풀기
  (물통 한 개에 담을 수 있는 물의 양)$=36.9\div3=\frac{369}{10}\div3=\frac{369\div3}{10}=12.3$(L)
- 답 쓰기
  물통 한 개에 물을 12.3 L씩 담을 수 있습니다.

유형 1+

굵기가 일정한 나무 막대 7m의 무게가 3.15kg입니다. 이 나무 막대 1m의 무게는 몇 kg입니까?

- 주어진 수에 ○표 하고, 구하는 것에 밑줄 치기
  나무 막대의 길이: 7 m, 나무 막대의 무게: 3.15 kg
- 문제 해결하기
  소수를 분모가 (10, 100)인 분수로 바꾸어 계산합니다.
- 문제 풀기
  (나무 막대 1m의 무게)$=3.15\div7=\frac{315}{100}\div7=\frac{315\div7}{100}=0.45$(kg)
- 답 쓰기
  나무 막대 1m의 무게는 0.45 kg입니다.

유형 2

슬기는 자전거를 타고 5분 동안 9.1km를 달렸습니다. 일정한 빠르기로 달렸다면 1분 동안 몇 km를 달렸습니까?

- 주어진 수에 ○표 하고, 구하는 것에 밑줄 치기
  자전거를 탄 시간: 5 분, 달린 거리: 9.1 km
- 문제 해결하기
  나누어떨어지지 않을 때에는 소수점 아래 0 을 내려 계산합니다.
- 문제 풀기
  (1분 동안 달린 거리)$=9.1\div5$ ➡ 1.82 (5)9.10: 5, 41, 40, 10, 10, 0)
- 답 쓰기
  1분 동안 1.82 km를 달렸습니다.

유형 2+

넓이가 16.32 m^2인 직사각형 모양의 꽃밭이 있습니다. 이 꽃밭의 가로가 4m라면 세로는 몇 m입니까?

- 주어진 수에 ○표 하고, 구하는 것에 밑줄 치기
  꽃밭의 넓이: 16.32 m^2, 꽃밭의 가로: 4 m
- 문제 해결하기
  세로 계산 중 나누어지는 수가 나누는 수보다 작을 때에는 몫에 0 을 쓰고 수를 하나 더 내려 계산합니다.
- 문제 풀기
  (꽃밭의 세로)$=16.32\div4$ ➡ 4.08 (4)16.32: 16, 32, 32, 0)
- 답 쓰기
  꽃밭의 세로는 4.08 m입니다.

● □ 안에 알맞은 수를 써넣고, 답을 구하시오.

1 Drill
색 테이프 21.6m를 6명에게 똑같이 나누어 주려고 합니다. 한 사람이 가질 수 있는 색 테이프는 몇 m입니까?

주어진 수에 ○표 하고, 구하는 것에 밑줄 쫙!

풀이 (한 사람이 가질 수 있는 색 테이프의 길이)
$=21.6\div6=\frac{216}{10}\times\frac{1}{6}=3.6$ (m)

답 3.6 m

2 Drill
집에서 학교까지의 거리는 5km이고, 집에서 도서관까지의 거리는 6.25km입니다. 집에서 도서관까지의 거리는 집에서 학교까지의 거리의 몇 배입니까?

풀이 (집에서 도서관까지의 거리)÷(집에서 학교까지의 거리)
$=6.25\div5$ ➡ 1.25 (5)6.25)

답 1.25 배

3 Drill
빵 7개를 만드는 데 밀가루 1.75kg을 사용했습니다. 빵 1개를 만드는 데 밀가루 몇 kg을 사용했습니까?

풀이 (빵 1개를 만드는 데 사용한 밀가루의 양)
$=1.75\div7$ ➡ 0.25 (7)1.75)

답 0.25 kg

4 Drill
우유 3L를 4명이 똑같이 나누어 마시려고 합니다. 한 명이 마실 수 있는 우유는 몇 L입니까?

풀이 (한 명이 마실 수 있는 우유의 양)
$=3\div4=\frac{3}{4}=\frac{75}{100}=0.75$(L)

답 0.75 L

● 서술형 문제를 읽고 풀이 과정과 답을 쓰시오.

도전 1
넓이가 6 m^2인 직사각형 모양의 벽을 모두 칠하는 데 페인트 7.2L를 사용했습니다. 벽 1 m^2를 칠하는 데 사용한 페인트는 몇 L입니까?

풀이 (벽 1 m^2를 색칠하는 데 사용한 페인트의 양)
$=7.2\div6=1.2$(L)

답 1.2L

도전 2
똑같은 컵 3개의 무게는 1.56kg이고, 똑같은 접시 4개의 무게는 2.2kg입니다. 컵 한 개와 접시 한 개 중 어느 것이 더 무겁습니까?

풀이 (컵 1개의 무게)$=1.56\div3=0.52$(kg)
(접시 1개의 무게)$=2.2\div4=0.55$(kg)

답 접시

도전 3
간장 7L를 병 20개에 똑같이 나누어 담았습니다. 병 한 개에 담은 간장은 몇 L입니까?

풀이 (병 한 개에 담은 간장의 양)
$=7\div20=0.35$(L)

답 0.35L

도전 4
둘레가 49.5m인 원 모양의 연못 둘레에 나무 9그루를 같은 간격으로 심으려고 합니다. 나무 사이의 간격은 몇 m로 해야 합니까? (단, 나무의 굵기는 생각하지 않습니다.)

풀이 (나무 사이의 간격)
$=49.5\div9=5.5$(m)

답 5.5m

형성평가

걸린 시간: 분 / 정답 24쪽 / 점수: 점

초등 6-1 ③ 소수의 나눗셈

01 ▢ 안에 알맞은 수를 써넣으시오.

(1) 15.6÷3

156 ÷ 3 = 52 (각각 $\times\frac{1}{10}$)

15.6 ÷ 3 = 5.2

(2) 4.88÷4

488 ÷ 4 = 122 (각각 $\times\frac{1}{100}$)

4.88 ÷ 4 = 1.22

02 ▢ 안에 알맞은 수를 써넣으시오.

(1) 3.96 ÷ 3 = 1.32
396 ÷ 3 = 132

(2) 28.6 ÷ 2 = 14.3
286 ÷ 2 = 143

03 소수를 분수로 고쳐서 계산해 보시오.

$2.58\div6=\frac{258}{100}\div6=\frac{258\div6}{100}=\frac{43}{100}=0.43$

[04~05] 소수를 분수로 고쳐서 계산해 보시오.

04 $42.5\div5=\frac{425}{10}\div5=\frac{425\div5}{10}=\frac{85}{10}=8.5$

05 $24.64\div7=\frac{2464}{100}\div7=\frac{2464\div7}{100}=\frac{352}{100}=3.52$

06 분수의 곱셈으로 바꾸어 계산해 보시오.

(1) $2.85\div3=\frac{285}{100}\div3=\frac{285}{100}\times\frac{1}{3}=\frac{95}{100}=0.95$

(2) $7.5\div2=\frac{75}{10}\div2=\frac{75}{10}\times\frac{1}{2}=\frac{75}{20}=\frac{375}{100}=3.75$

07 소수의 나눗셈을 하시오.

(1) 8.4÷3=2.8
(2) 21.6÷4=5.4
(3) 46.5÷5=9.3
(4) 18.9÷7=2.7
(5) 11.3÷2=5.65

08 나눗셈의 몫에 소수점을 알맞게 찍어 보시오.

```
      6.4
8 ) 5 1.2
    4 8
      3 2
      3 2
        0
```

[09~10] 몫이 1보다 작은 소수의 나눗셈을 하시오.

09
```
     0.64
3 ) 1.9 2
    1 8
      1 2
      1 2
        0
```

10
```
     0.36
7 ) 2.5 2
    2 1
      4 2
      4 2
        0
```


11 소수점 아래 0을 내려 계산하는 소수의 나눗셈을 하시오.

```
      6.7 5
2 ) 1 3.5
    1 2
      1 5
      1 4
        1 0
        1 0
          0
```

[12~13] 몫이 1보다 작고 소수점 아래 0을 내려 계산하는 소수의 나눗셈을 하시오.

12
```
     0.75
2 ) 1.5
    1 4
      1 0
      1 0
        0
```

13
```
     0.65
4 ) 2.6
    2 4
      2 0
      2 0
        0
```

14 몫의 소수 첫째 자리에 0이 있는 소수의 나눗셈을 하시오.

(1)
```
      7.08
4 ) 2 8.3 2
    2 8
        3 2
        3 2
          0
```

(2)
```
      2.05
7 ) 1 4.3 5
    1 4
        3 5
        3 5
          0
```

15 몫의 소수 첫째 자리에 0이 있고 소수점 아래 0을 내려 계산하는 소수의 나눗셈을 하시오.

(1)
```
      3.05
8 ) 2 4.4
    2 4
        4 0
        4 0
          0
```

(2)
```
      5.05
6 ) 3 0.3
    3 0
        3 0
        3 0
          0
```


16 (자연수)÷(자연수)를 계산해 보시오.

```
     4.8
5 ) 2 4
    2 0
      4 0
      4 0
        0
```

[17~18] (자연수)÷(자연수)의 몫을 소수로 나타내시오.

17

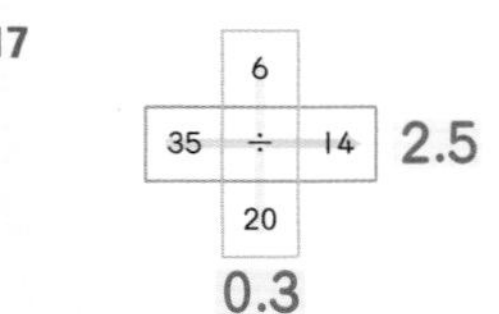

2.5
0.3

18

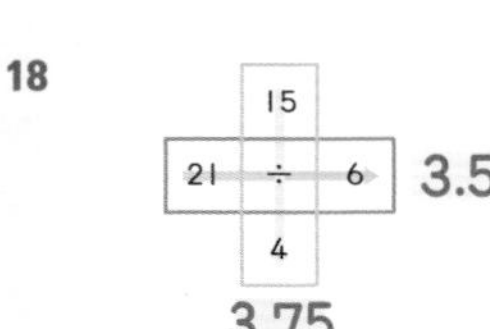

3.5
3.75

19 나눗셈을 하여 빈칸에 알맞은 몫을 써넣으시오.

÷8

25.6	3.2
3.6	0.45
8.48	1.06
41.04	5.13
12	1.5

20 소수의 나눗셈을 하시오.

(1) 4.16÷2=2.08
(2) 9.8÷7=1.4
(3) 1.86÷3=0.62
(4) 16.2÷5=3.24
(5) 15÷6=2.5

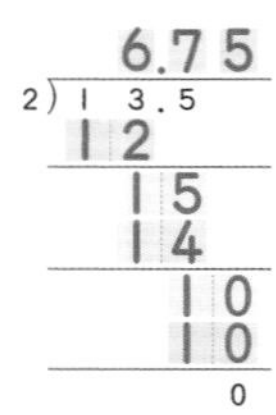

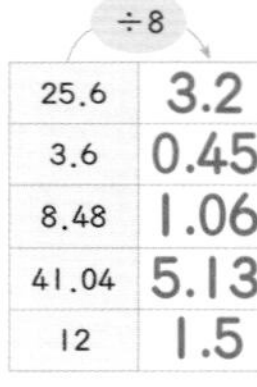

단원 평가 3. 소수의 나눗셈

걸린 시간 분 점수 점

정답 25쪽

1 256÷8=32를 이용하여 □ 안에 알맞은 수를 써넣으시오.

(1) 25.6÷8=3.2

(2) 2.56÷8=0.32

2 분수로 고쳐서 계산하시오.

(1) 16.8÷7

$=\frac{168}{10}\div7=\frac{168\div7}{10}$

$=\frac{24}{10}=2.4$

(2) 6.24÷6

$=\frac{624}{100}\div6=\frac{624\div6}{100}$

$=\frac{104}{100}=1.04$

3 나누어떨어지도록 세로로 계산하여 몫을 구하시오.

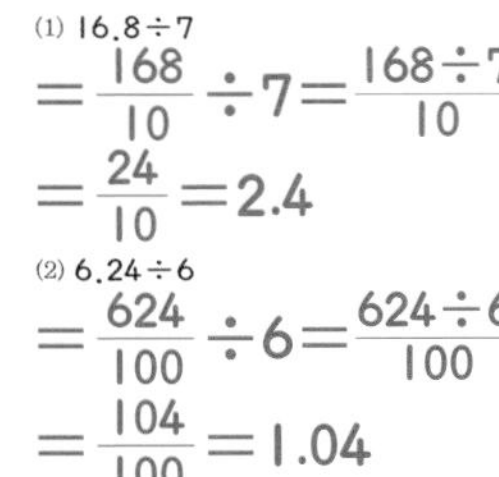

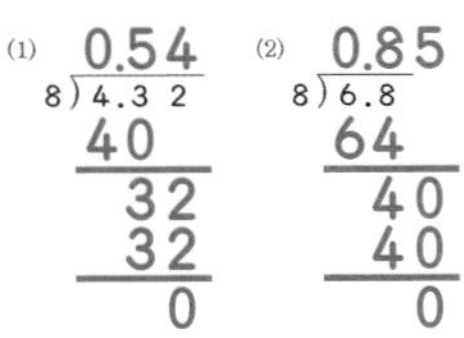

(1) 8)4.32 = 0.54

(2) 8)6.8 = 0.85

4 □ 안에 알맞은 수를 써넣으시오.

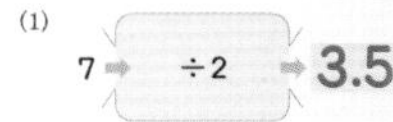

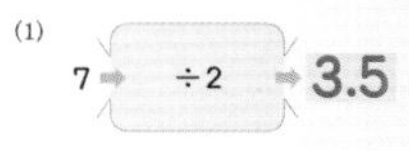

(1) 7 → ÷2 → 3.5

(2) 8 → ÷25 → 0.32

5 관계있는 것끼리 선으로 이어 보시오.

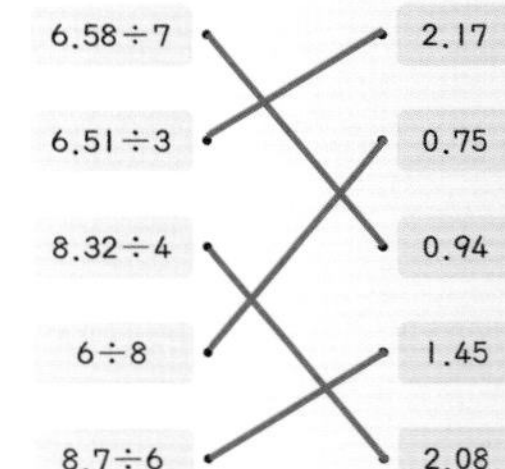

6 계산이 잘못된 곳을 찾아 바르게 계산하시오.

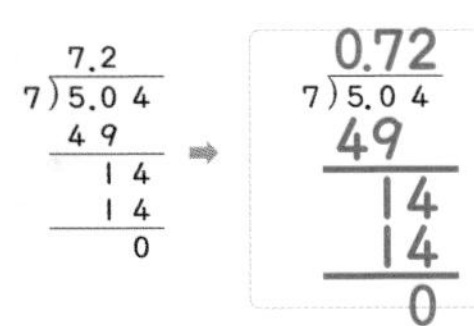

7 몫을 어림하여 소수점의 위치를 바르게 나타낸 식을 찾아 기호를 쓰시오.

㉠ 21.12÷8=264
㉡ 21.12÷8=26.4
㉢ 21.12÷8=2.64
㉣ 21.12÷8=0.264

(㉢)

어림하여 계산하면 20÷8=2.……입니다.

8 길이가 63.5cm인 색 테이프를 5등분 하였습니다. 한 도막의 길이는 몇 cm입니까?

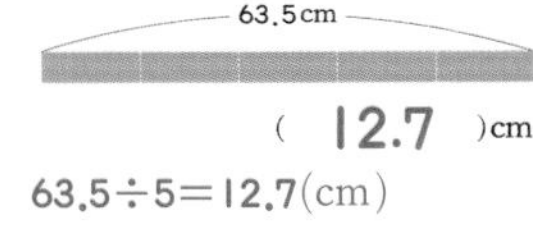

(12.7)cm

63.5÷5=12.7(cm)

9 몫의 크기를 비교하여 □ 안에 >, =, <를 알맞게 써넣으시오.

3.8÷5 > 3÷4

3.8÷5=0.76 3÷4=0.75

10 빈 곳에 알맞은 수를 써넣으시오.

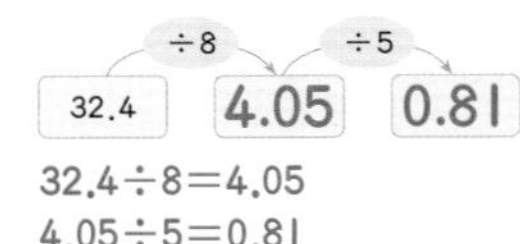

32.4÷8=4.05
4.05÷5=0.81

11 빈칸에 알맞은 수를 써넣으시오.

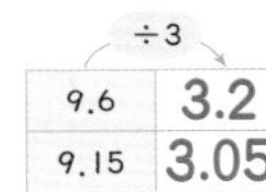

÷3	
9.6	3.2
9.15	3.05

12 둘레가 48.54cm인 정육각형입니다. 이 정육각형의 한 변의 길이를 구하시오.

(8.09)cm

48.54÷6=8.09(cm)

13 다음 중 몫이 1보다 작은 나눗셈식을 모두 고르시오. (②, ⑤)

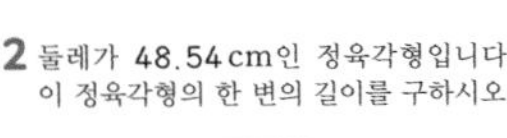

① 7.63÷7 ② 4.9÷5
③ 17.1÷15 ④ 14.28÷14
⑤ 19.2÷20

② 4.9÷5=0.98 (4<5)

⑤ 19.2÷20=0.96 (19<20)

14 수 카드 중 가장 큰 수를 가장 작은 수로 나눈 몫을 소수로 나타내시오.

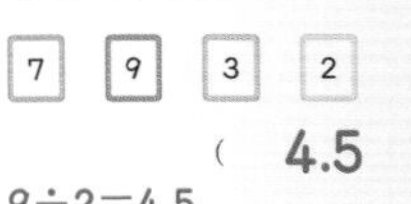

(4.5)

9÷2=4.5

15 몫의 크기 비교가 잘못된 것을 찾아 기호를 쓰시오.

㉠ 12÷8 < 10.2÷6
㉡ 6.5÷5 > 9.8÷7
㉢ 9.6÷4 < 7.5÷3

(㉡)

㉠ 1.5<1.7
㉡ 1.3<1.4
㉢ 2.4<2.5

16 똑같은 음료수 9개의 무게가 5.4kg입니다. 이 음료수 한 개의 무게는 몇 kg입니까?

(0.6)kg

5.4÷9=0.6(kg)

17 □ 안에 알맞은 수를 써넣으시오.

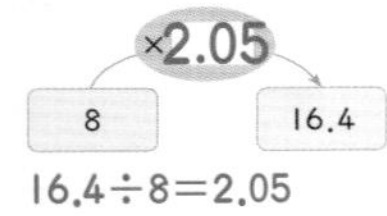

16.4÷8=2.05

18 몫이 큰 것부터 차례로 기호를 쓰시오.

㉠ 34.3÷7	㉡ 52÷8
㉢ 50.58÷9	㉣ 30.4÷5

(㉡, ㉣, ㉢, ㉠)

㉠ 4.9 ㉡ 6.5
㉢ 5.62 ㉣ 6.08

19 색 테이프 994cm를 7명에게 똑같이 나누어 주려고 합니다. 한 사람이 가지게 될 색 테이프는 몇 m인지 풀이 과정을 쓰고 답을 구하시오.

풀이 994cm=9.94m
9.94÷7=1.42(m)

답 1.42m

20 둘레가 75m인 원 모양의 연못 둘레에 같은 간격으로 나무 6그루를 심으려고 합니다. 나무와 나무 사이의 간격은 몇 m로 해야 하는지 풀이 과정을 쓰고 답을 구하시오. (단, 나무의 두께는 생각하지 않습니다.)

풀이 예 (나무 사이의 간격)
=75÷6=12.5(m)

답 12.5m

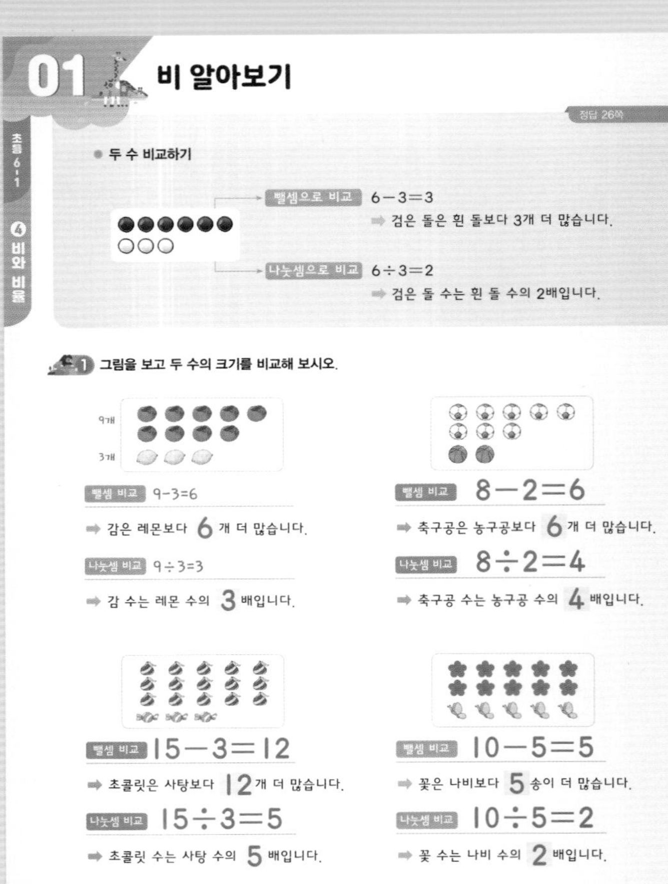

01 비 알아보기

정답 26쪽

● 두 수 비교하기

뺄셈으로 비교 6－3＝3
➡ 검은 돌은 흰 돌보다 3개 더 많습니다.

나눗셈으로 비교 6÷3＝2
➡ 검은 돌 수는 흰 돌 수의 2배입니다.

1 그림을 보고 두 수의 크기를 비교해 보시오.

9개 / 3개

뺄셈 비교 9-3=6
➡ 감은 레몬보다 6 개 더 많습니다.
나눗셈 비교 9÷3=3
➡ 감 수는 레몬 수의 3 배입니다.

뺄셈 비교 8－2＝6
➡ 축구공은 농구공보다 6 개 더 많습니다.
나눗셈 비교 8÷2＝4
➡ 축구공 수는 농구공 수의 4 배입니다.

뺄셈 비교 15－3＝12
➡ 초콜릿은 사탕보다 12 개 더 많습니다.
나눗셈 비교 15÷3＝5
➡ 초콜릿 수는 사탕 수의 5 배입니다.

뺄셈 비교 10－5＝5
➡ 꽃은 나비보다 5 송이 더 많습니다.
나눗셈 비교 10÷5＝2
➡ 꽃 수는 나비 수의 2 배입니다.

04

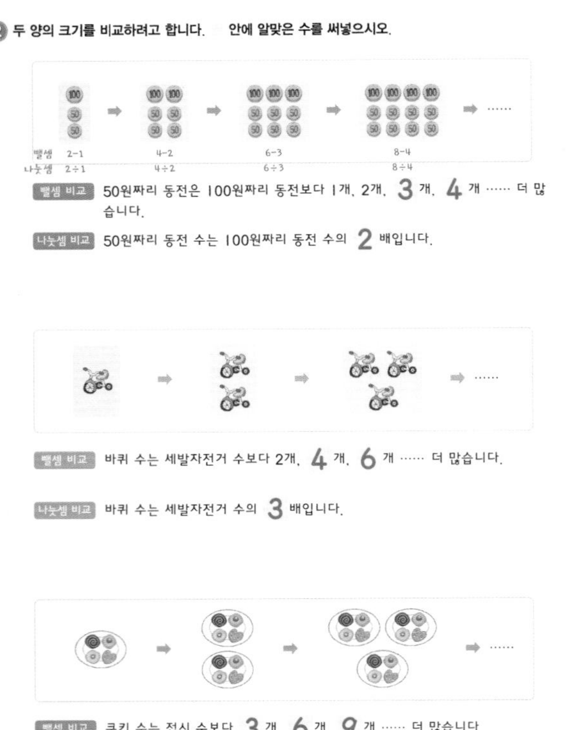

2 두 양의 크기를 비교하려고 합니다. □ 안에 알맞은 수를 써넣으시오.

뺄셈 2-1, 4-2, 6-3, 8-4
나눗셈 2÷1, 4÷2, 6÷3, 8÷4

뺄셈 비교 50원짜리 동전은 100원짜리 동전보다 1개, 2개, 3 개, 4 개 …… 더 많습니다.
나눗셈 비교 50원짜리 동전 수는 100원짜리 동전 수의 2 배입니다.

뺄셈 비교 바퀴 수는 세발자전거 수보다 2개, 4 개, 6 개 …… 더 많습니다.
나눗셈 비교 바퀴 수는 세발자전거 수의 3 배입니다.

뺄셈 비교 쿠키 수는 접시 수보다 3 개, 6 개, 9 개 …… 더 많습니다.
나눗셈 비교 쿠키 수는 접시 수의 4 배입니다.

05

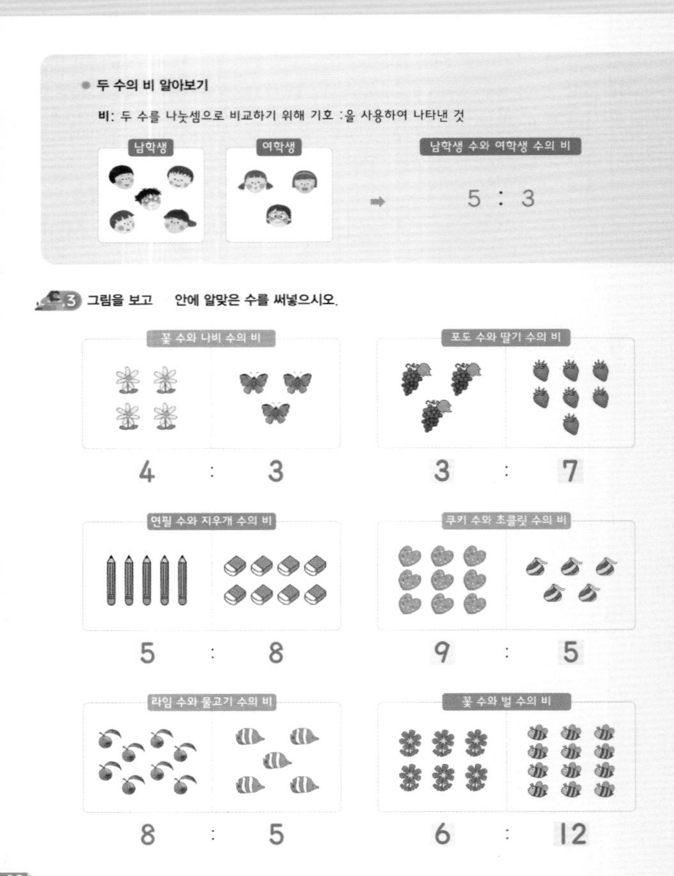

● 두 수의 비 알아보기

비: 두 수를 나눗셈으로 비교하기 위해 기호 :을 사용하여 나타낸 것

남학생 / 여학생 ➡ 남학생 수와 여학생 수의 비 5 : 3

3 그림을 보고 □ 안에 알맞은 수를 써넣으시오.

꽃 수와 나비 수의 비 4 : 3
포도 수와 딸기 수의 비 3 : 7
연필 수와 지우개 수의 비 5 : 8
쿠키 수와 초콜릿 수의 비 9 : 5
라임 수와 물고기 수의 비 8 : 5
꽃 수와 벌 수의 비 6 : 12

06

쓰기: 5 : 3 (비교하는 양) (기준량)

여러 가지 방법으로 읽기
- 5 대 3
- 5와 3의 비
- 5의 3에 대한 비
- 3에 대한 5의 비

4 □ 안에 알맞은 수를 써넣으시오.

2 대 9 (비교하는 양) (기준량)	➡ 2 : 9	5와 4의 비 (비교하는 양) (기준량)	➡ 5 : 4
6의 1에 대한 비 (비교하는 양) (기준량)	➡ 6 : 1	3에 대한 4의 비 (기준량) (비교하는 양)	➡ 4 : 3
7 대 9	➡ 7 : 9	9의 11에 대한 비	➡ 9 : 11
5와 7의 비	➡ 5 : 7	8에 대한 13의 비	➡ 13 : 8
3에 대한 2의 비	➡ 2 : 3	10과 3의 비	➡ 10 : 3
6과 5의 비	➡ 6 : 5	12 대 15	➡ 12 : 15
3 대 4	➡ 3 : 4	14의 9에 대한 비	➡ 14 : 9
7의 8에 대한 비	➡ 7 : 8	12에 대한 11의 비	➡ 11 : 12

07

02 비율 알아보기

정답 27쪽

● 비율 알아보기

3 : 5 (비교하는 양) (기준량) ➡ 비율: $\frac{3}{5}$ (비교하는 양)/(기준량) = 0.6 (분수) (소수)

1 비를 보고 기준량과 비교하는 양을 찾아 쓰시오.

2 : 3 (비교하는 양) (기준량)
기준량: 3
비교하는 양: 2

3 : 2 (비교하는 양) (기준량)
기준량: 2
비교하는 양: 3

6에 대한 5의 비 (기준량)
기준량: 6
비교하는 양: 5

3의 5에 대한 비
기준량: 5
비교하는 양: 3

5 대 7
기준량: 7
비교하는 양: 5

4와 5의 비
기준량: 5
비교하는 양: 4

7의 6에 대한 비
기준량: 6
비교하는 양: 7

8에 대한 9의 비
기준량: 8
비교하는 양: 9

2 비와 비율로 나타내시오.

보기
3에 대한 5의 비 (기준량) (비교하는 양) ➡ 5 : 3 (비교하는 양) (기준량) $\xrightarrow{5 \div 3}$ $\frac{5}{3}$ (비) (비율)

4 대 5
4 : 5 ➡ $\frac{4}{5}$

6의 5에 대한 비
6 : 5 ➡ $\frac{6}{5}$

3과 8의 비
3 : 8 ➡ $\frac{3}{8}$

9와 7의 비
9 : 7 ➡ $\frac{9}{7}$

7에 대한 4의 비
4 : 7 ➡ $\frac{4}{7}$

6에 대한 5의 비
5 : 6 ➡ $\frac{5}{6}$

5의 2에 대한 비
5 : 2 ➡ $\frac{5}{2}$

7 대 10
7 : 10 ➡ $\frac{7}{10}$

21에 대한 17의 비
17 : 21 ➡ $\frac{17}{21}$

8의 13에 대한 비
8 : 13 ➡ $\frac{8}{13}$

3 비를 쓰고 비율을 분수와 소수로 나타내시오.

2 대 5
(비) 2 : 5 ➡ (분수) $\frac{2}{5}$ = (소수) 0.4

3과 4의 비
3 : 4 ➡ $\frac{3}{4}$ = 0.75

3의 10에 대한 비
3 : 10 ➡ $\frac{3}{10}$ = 0.3

4에 대한 7의 비
7 : 4 ➡ $\frac{7}{4}$ = 1.75

8 대 5
8 : 5 ➡ $\frac{8}{5}$ = 1.6

6의 4에 대한 비
6 : 4 ➡ $\frac{6}{4}$ = 1.5

2에 대한 5의 비
5 : 2 ➡ $\frac{5}{2}$ = 2.5

14와 20의 비
14 : 20 ➡ $\frac{14}{20}$ = 0.7

15에 대한 9의 비
9 : 15 ➡ $\frac{9}{15}$ = 0.6

4의 8에 대한 비
4 : 8 ➡ $\frac{4}{8}$ = 0.5

● 비율의 크기

5 : 3
(비교하는 양) 5
(기준량) 3
비율: $\frac{5}{3}$
➡ 비율은 1보다 큽니다.

4 : 4
(비교하는 양) 4
(기준량) 4
비율: $\frac{4}{4}$
➡ 비율은 1과 같습니다.

3 : 5
(비교하는 양) 3
(기준량) 5
비율: $\frac{3}{5}$
➡ 비율은 1보다 작습니다.

4 알맞은 말에 ○표 하시오.

3 : 4
➡ 비율은 1보다 (큽니다 , (작습니다)).

10 : 5
➡ 비율은 1보다 ((큽니다) , 작습니다).

7 : 3
➡ 비율은 1보다 ((큽니다) , 작습니다).

6 : 13
➡ 비율은 1보다 (큽니다 , (작습니다)).

9 : 21
➡ 비율은 1보다 (큽니다 , (작습니다)).

19 : 17
➡ 비율은 1보다 ((큽니다) , 작습니다).

23 : 15
➡ 비율은 1보다 ((큽니다) , 작습니다).

7 : 12
➡ 비율은 1보다 (큽니다 , (작습니다)).

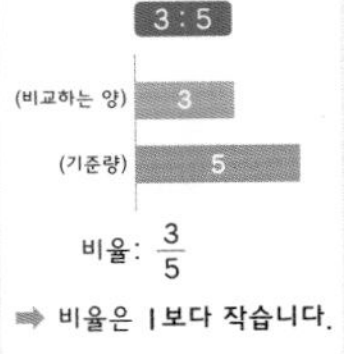

03 비율의 활용

정답 28쪽

초등 6-1 4 비와 비율

● 걸린 시간에 대한 간 거리의 비율 알아보기 (→ 속력)

(속력)=$\frac{\text{(간 거리)}}{\text{(걸린 시간)}}$

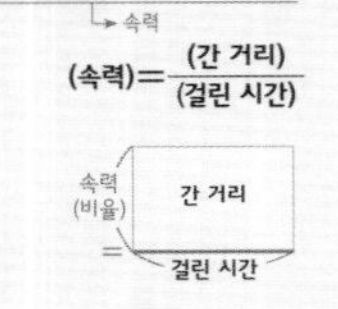

(간 거리)=(걸린 시간)×(속력)
(넓이)= (가로) ×(세로)

속력 (세로) 간 거리 (넓이) 걸린 시간 (가로)

1 걸린 시간에 대한 간 거리의 비율(속력)을 구해 보시오.

3시간 동안 240 km를 달리는 자동차가 있습니다.

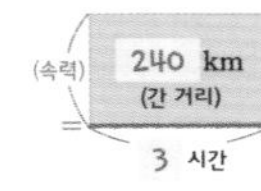

(속력)=$\frac{240}{3}$=80 ((간 거리)/(걸린 시간))

4시간 동안 300 km를 달리는 자동차가 있습니다.

(속력) 300 km (간 거리) 4 시간

(속력)=$\frac{300}{4}$=75

5시간 동안 410 km를 달리는 자동차가 있습니다.

(속력) 410 km (간 거리) 5 시간

(속력)=$\frac{410}{5}$=82

2 걸린 시간에 대한 간 거리의 비율(속력)을 구하고, 비교해 보시오.

• 지아는 300 m를 50초에 달렸습니다. ➡ (속력)=$\frac{300}{50}$=6 ((간 거리)/(걸린 시간))

• 경수는 455 m를 70초에 달렸습니다. ➡ (속력)=$\frac{455}{70}$=6.5

➡ 더 빨리 달린 사람: 경수

• 가 기차는 270 km를 3시간에 달렸습니다. ➡ (속력)=$\frac{270}{3}$=90

• 나 기차는 340 km를 4시간에 달렸습니다. ➡ (속력)=$\frac{340}{4}$=85

➡ 더 빨리 달린 기차: 가 기차

• A 버스는 135 km를 90분에 달렸습니다. ➡ (속력)=$\frac{135}{90}$=1.5

• B 버스는 60 km를 50분에 달렸습니다. ➡ (속력)=$\frac{60}{50}$=1.2

➡ 더 빨리 달린 버스: A 버스

● 넓이에 대한 인구의 비율 알아보기 (→ 인구 밀도)

(인구 밀도)=$\frac{\text{(인구)}}{\text{(넓이)}}$

인구 밀도 (비율) 인구 넓이

(인구)=(넓이)×(인구 밀도)
(넓이)=(가로)× (세로)

인구 밀도 (세로) 인구 (넓이) 넓이 (가로)

3 넓이에 대한 인구의 비율(인구 밀도)을 구해 보시오.

모소 마을의 인구는 2400명이고 땅 넓이는 4 km²입니다.

(인구 밀도) 2400 명 (인구) 4 km²

(인구 밀도)=$\frac{2400}{4}$=600 ((인구)/(넓이))

유자 마을의 인구는 1530명이고 땅 넓이는 3 km²입니다.

(인구 밀도) 1530명 (인구) 3 km²

(인구 밀도)=$\frac{1530}{3}$=510

솔잎 마을의 인구는 2050명이고 땅 넓이는 5 km²입니다.

(인구 밀도) 2050명 (인구) 5 km²

(인구 밀도)=$\frac{2050}{5}$=410

4 넓이에 대한 인구의 비율(인구 밀도)을 구하고, 비교해 보시오.

• 가 마을의 인구는 8100명이고 넓이는 60 km²입니다.
➡ (인구 밀도)=$\frac{8100}{60}$=135 ((인구)/(넓이))

• 나 마을의 인구는 11520명이고 넓이는 90 km²입니다.
➡ (인구 밀도)=$\frac{11520}{90}$=128

➡ 더 밀집한 곳: 가 마을

• 산 마을의 인구는 2600명이고 넓이는 20 km²입니다.
➡ (인구 밀도)=$\frac{2600}{20}$=130

• 들 마을의 인구는 4900명이고 넓이는 35 km²입니다.
➡ (인구 밀도)=$\frac{4900}{35}$=140

➡ 더 밀집한 곳: 들 마을

• A 도시의 인구는 22500명이고 넓이는 450 km²입니다.
➡ (인구 밀도)=$\frac{22500}{450}$=50

• B 도시의 인구는 9200명이고 넓이는 230 km²입니다.
➡ (인구 밀도)=$\frac{9200}{230}$=40

➡ 더 밀집한 곳: A 도시

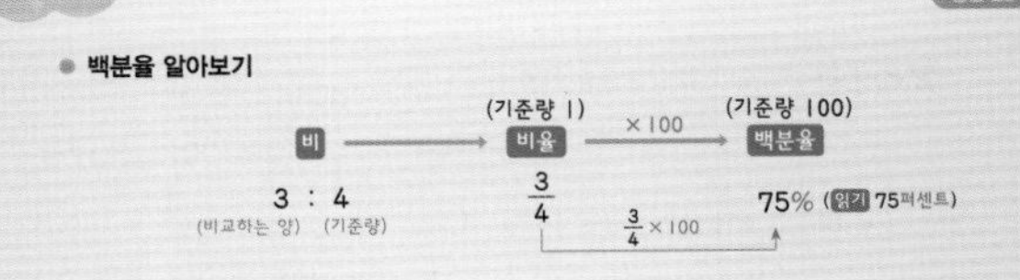

04 백분율 알아보기

정답 29%

초등 6-1 4 비와 비율

- 백분율 알아보기

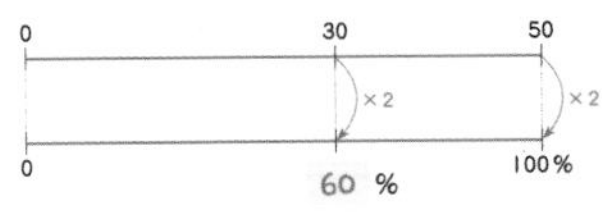

1 수직선을 보고 기준량을 100으로 했을 때 □ 안에 알맞은 수를 써넣으시오.

0, 30, 50 / 0, 60 %, 100 % (×2, ×2)
비율 $\frac{30}{50}=\frac{60}{100}$
백분율 60 %

0, 5, 20 / 0, 25 %, 100 %
비율 $\frac{5}{20}=\frac{25}{100}$
백분율 25 %

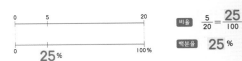

0, 40, 200 / 0, 20 %, 100 % (÷2, ÷2)
비율 $\frac{40}{200}=\frac{20}{100}$
백분율 20 %

0, 320, 400 / 0, 80 %, 100 %
비율 $\frac{320}{400}=\frac{80}{100}$
백분율 80 %

2 비율을 백분율로 나타내시오.

보기
비율 → ×100 → 백분율
분수 $\frac{2}{5}$ → $\frac{2}{5}\times 100$ → 40 %
소수 0.3 → 0.3×100 → 30 %

$\frac{3}{5}$ → 60 % ($\frac{3}{5}\times 100$)	$\frac{9}{50}$ → 18 %	$\frac{3}{20}$ → 15 %
$\frac{1}{2}$ → 50 %	$\frac{3}{10}$ → 30 %	$\frac{1}{5}$ → 20 %
$\frac{13}{50}$ → 26 %	$\frac{7}{20}$ → 35 %	$\frac{11}{25}$ → 44 %
0.4 → 40 % (0.4×100)	0.6 → 60 %	0.9 → 90 %
0.12 → 12 %	0.15 → 15 %	0.21 → 21 %
0.25 → 25 %	0.29 → 29 %	0.32 → 32 %

3 백분율을 기약분수로 나타내시오.

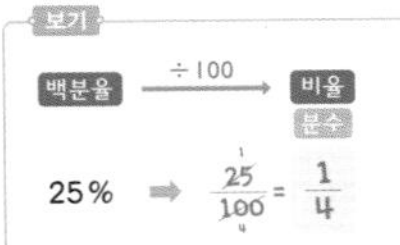

	35% → $\frac{7}{20}$	11% → $\frac{11}{100}$
28% → $\frac{7}{25}$	45% → $\frac{9}{20}$	85% → $\frac{17}{20}$
95% → $\frac{19}{20}$	15% → $\frac{3}{20}$	30% → $\frac{3}{10}$
27% → $\frac{27}{100}$	14% → $\frac{7}{50}$	22% → $\frac{11}{50}$
33% → $\frac{33}{100}$	17% → $\frac{17}{100}$	80% → $\frac{4}{5}$
75% → $\frac{3}{4}$	50% → $\frac{1}{2}$	12% → $\frac{3}{25}$
8% → $\frac{2}{25}$	4% → $\frac{1}{25}$	3% → $\frac{3}{100}$

4 백분율을 소수로 나타내시오.

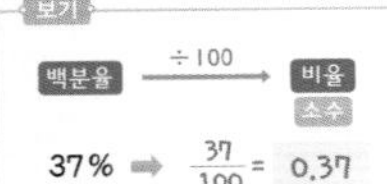

	16% → 0.16	21% → 0.21
32% → 0.32	43% → 0.43	55% → 0.55
61% → 0.61	73% → 0.73	88% → 0.88
93% → 0.93	19% → 0.19	7% → 0.07
36% → 0.36	48% → 0.48	63% → 0.63
7% → 0.7	2% → 0.02	26% → 0.26
90% → 0.9	53% → 0.53	9% → 0.09

05 백분율의 활용

정답 30쪽

● 소금물의 양에 대한 소금의 양의 비율을 백분율로 나타내기

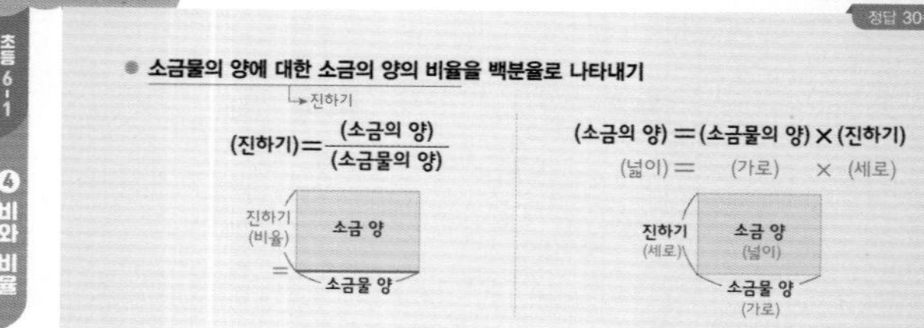

1 소금물의 양에 대한 소금의 양의 비율(진하기)을 백분율로 구해 보시오.

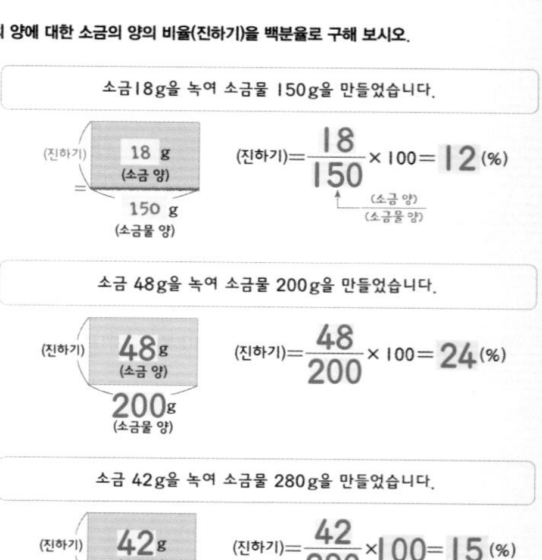

소금18g을 녹여 소금물 150g을 만들었습니다.
(진하기)=18/150×100=12(%)
소금 48g을 녹여 소금물 200g을 만들었습니다.
(진하기)=48/200×100=24(%)
소금 42g을 녹여 소금물 280g을 만들었습니다.
(진하기)=42/280×100=15(%)

2 소금물의 진하기를 백분율로 구하고, 비교해 보시오.

• 가: 소금 24g이 녹아 있는 소금물 120g

➡ $(진하기)=\frac{24}{120}\times 100=20(\%)$

• 나: 소금 56g이 녹아 있는 소금물 160g

➡ $(진하기)=\frac{56}{160}\times 100=35(\%)$

➡ 더 진한 소금물: 나

• ㉠: 소금 30g이 녹아 있는 소금물 200g

➡ $(진하기)=\frac{30}{200}\times 100=15(\%)$

• ㉡: 소금 90g이 녹아 있는 소금물 225g

➡ $(진하기)=\frac{90}{225}\times 100=40(\%)$

➡ 더 진한 소금물: ㉡

• A: 소금 135g이 녹아 있는 소금물 450g

➡ $(진하기)=\frac{135}{450}\times 100=30(\%)$

• B: 소금 60g이 녹아 있는 소금물 240g

➡ $(진하기)=\frac{60}{240}\times 100=25(\%)$

➡ 더 진한 소금물: A

3 수직선을 보고 ☐ 안에 알맞은 수를 써넣으시오.

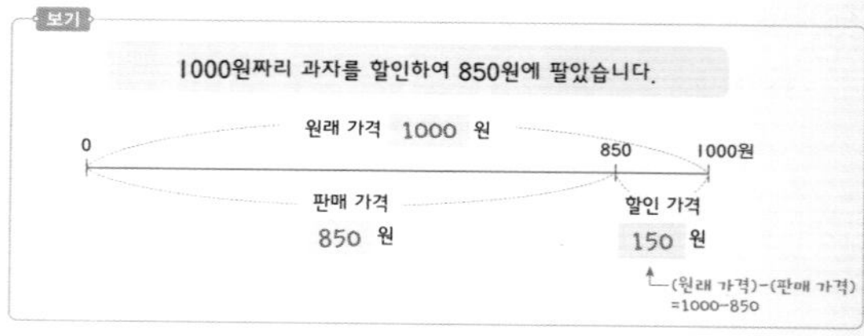

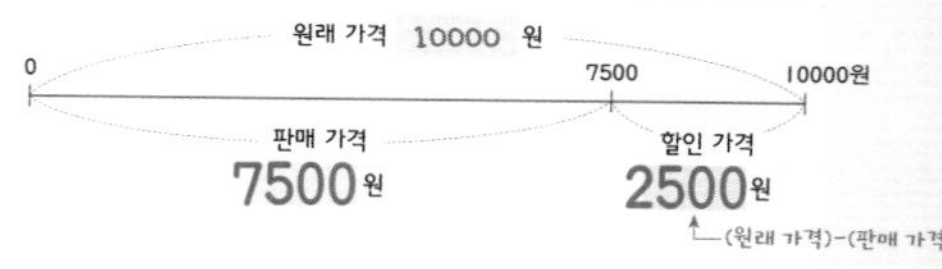

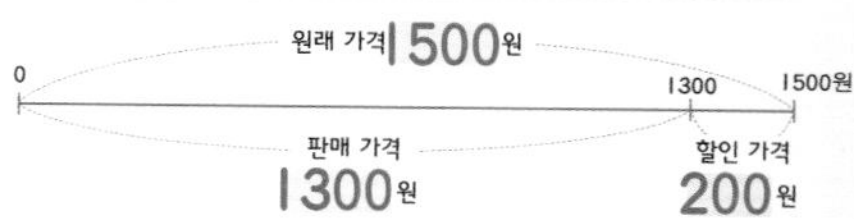

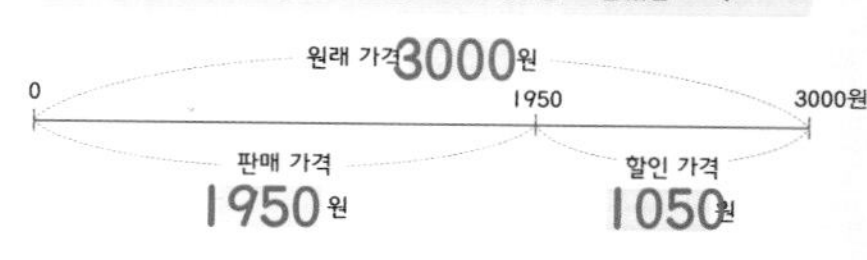

4 수직선을 보고 할인율을 구해 보시오.

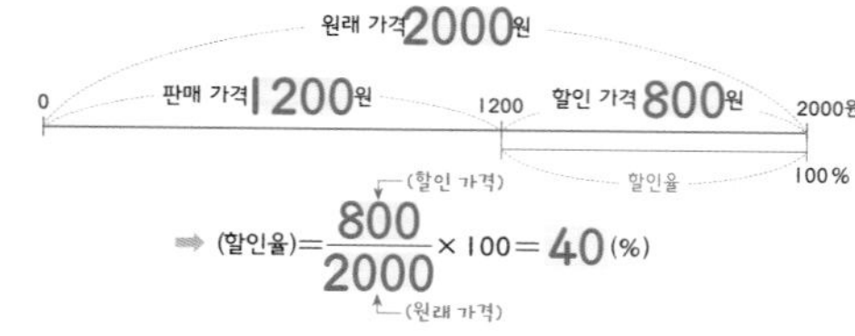

➡ $(할인율)=\frac{800}{2000}\times 100=40(\%)$

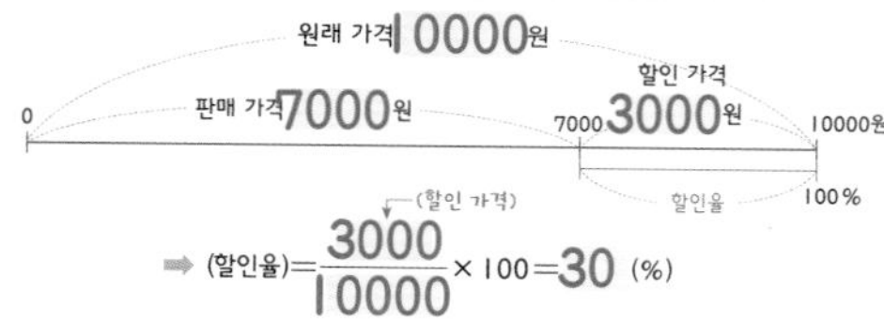

➡ $(할인율)=\frac{3000}{10000}\times 100=30(\%)$

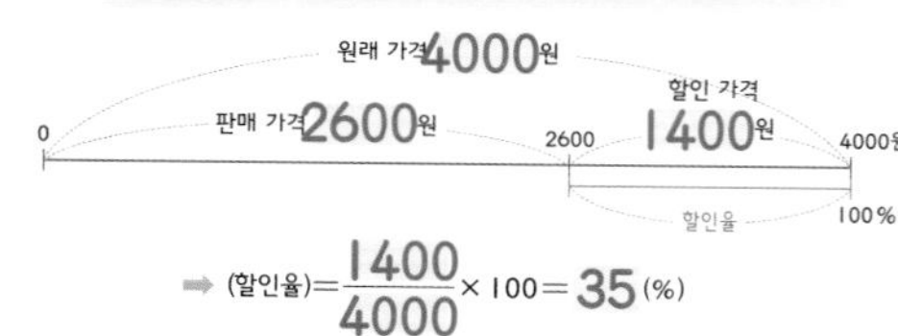

➡ $(할인율)=\frac{1400}{4000}\times 100=35(\%)$

도전! 응용문제

정답 31쪽

유형 1

실제 거리가 40000 cm인 거리를 지도에서는 8 cm로 그렸습니다. 실제 거리에 대한 지도에서의 거리의 비율을 분수로 나타내시오.

주어진 수에 ○표 하고, 구하는 것에 밑줄 치기

실제 거리: 40000 cm, 지도에서의 거리 : 8 cm

문제 해결하기

실제 거리는 (비교하는 양 , 기준량)이고, 지도에서의 거리는 (비교하는 양, 기준량)입니다.

문제 풀기

$(비율)=\frac{(지도에서의 거리)}{(실제 거리)}=\frac{8}{40000}=\frac{1}{5000}$

답 쓰기

실제 거리에 대한 지도에서의 거리의 비율은 $\frac{1}{5000}$입니다.

유형+ 1

재진이는 150 m를 달리는 데 30초가 걸렸습니다. 재진이가 달리는 데 걸린 시간에 대한 달린 거리의 비율을 구해 보시오.

주어진 수에 ○표 하고, 구하는 것에 밑줄 치기

달린 거리: 150 m, 걸린 시간: 30 초

문제 해결하기

달린 거리는 (비교하는 양, 기준량)이고, 걸린 시간은 (비교하는 양 , 기준량)입니다.

문제 풀기

$(비율)=\frac{(달린 거리)}{(걸린 시간)}=\frac{150}{30}=5$

답 쓰기

달리는 데 걸린 시간에 대한 달린 거리의 비율은 5 입니다.

유형 2

미소 마을의 인구는 모두 4500명이고, 미소 마을의 넓이는 30 km²입니다. 미소 마을의 넓이에 대한 인구의 비율을 구해 보시오.

주어진 수에 ○표 하고, 구하는 것에 밑줄 치기

인구: 4500명, 넓이: 30 km²

문제 해결하기

인구는 (비교하는 양, 기준량)이고, 마을의 넓이는 (비교하는 양 , 기준량)입니다.

문제 풀기

$(비율)=\frac{(인구)}{(넓이)}=\frac{4500}{30}=150$

답 쓰기

넓이에 대한 인구의 비율은 150 입니다.

유형+ 2

A 팀은 전체 80타수 중에서 안타를 16개 쳤습니다. A 팀의 전체 타수에 대한 안타 수의 비율을 소수로 나타내시오.

주어진 수에 ○표 하고, 구하는 것에 밑줄 치기

전체 타수: 80 타수, 안타 수: 16 개

문제 해결하기

전체 타수는 (비교하는 양 , 기준량)이고, 안타 수는 (비교하는 양, 기준량) 입니다.

문제 풀기

$(비율)=\frac{(안타 수)}{(전체 타수)}=\frac{16}{80}=0.2$

답 쓰기

전체 타수에 대한 안타 수의 비율은 0.2입니다.

● 안에 알맞은 수를 써넣고, 답을 구하시오.

1 Drill

착한 마트에서는 30000원짜리 과자를 할인해서 22500원에 판매하고 있습니다. 할인율은 몇 %입니까?

풀이 $(할인율)=\frac{(할인 가격)}{(원래 가격)}\times 100=\frac{7500}{30000}\times 100=25(\%)$

답 25 %

2 Drill

재호네 반 회장 선거에서 재호는 25표 중 14표를 얻어 회장에 당선 되었습니다. 재호의 득표율은 몇 %입니까?

풀이 $(득표율)=\frac{(득표 수)}{(전체 표 수)}\times 100=\frac{14}{25}\times 100=56(\%)$

답 56 %

3 Drill

공장에서 장난감을 만드는 데 250개를 만들면 불량품이 3개 나온다고 합니다. 만든 장난감 수에 대한 불량품 수의 비율은 몇 %입니까?

풀이 $(불량률)=\frac{(불량품 수)}{(만든 장난감 수)}\times 100=\frac{3}{250}\times 100=1.2(\%)$

답 1.2 %

4 Drill

현정이는 물 120 g에 설탕 40 g을 넣어 설탕물을 만들었습니다. 설탕물의 진하기를 백분율로 구하시오.

풀이 (설탕물 양)=(설탕 양)+(물의 양)= 40+120=160(g)

$(진하기)=\frac{(설탕 양)}{(설탕물 양)}\times 100=\frac{40}{160}\times 100=25(\%)$

답 25 %

● 서술형 문제를 읽고 풀이 과정과 답을 쓰시오.

도전 1

선호가 농구 연습을 했습니다. 선호는 20번의 슛을 시도해서 14번 성공했습니다. 성공률은 몇 %입니까?

풀이 $(성공률)=\frac{(성공한 횟수)}{(시도한 횟수)}\times 100$

$=\frac{14}{20}\times 100=70(\%)$

답 70 %

도전 2

유라네 학교에서는 통학 버스 운영에 대한 투표를 실시한 결과 전체 380명 중에서 247명이 찬성하였습니다. 찬성률은 몇 %입니까?

풀이 $(찬성률)=\frac{(찬성한 학생 수)}{(전체 학생 수)}\times 100$

$=\frac{247}{380}\times 100=65(\%)$

답 65 %

도전 3

A 마트에서는 25000원짜리 수박을 할인해서 18750원에 판매합니다. A 마트의 할인율은 몇 %입니까?

풀이 $(A 마트 할인율)=\frac{6250}{25000}\times 100=25(\%)$

답 25 %

도전 4

포도 원액 80 g에 물 170 g을 넣어 포도주스를 만들었습니다. 포도주스의 진하기를 백분율로 구하시오.

풀이 $(포도주스의 진하기)=\frac{80}{80+170}\times 100$

$=\frac{80}{250}\times 100=32(\%)$

답 32 %

형성평가

걸린 시간: 분
정답 32쪽 점 수: 점

01 두 수의 크기를 비교해 보시오.

뺄셈 비교 10−2=8

➡ 벌은 나비보다 8 마리 더 많습니다.

나눗셈 비교 10÷2=5

➡ 벌 수는 나비 수의 5 배입니다.

02 두 양의 크기를 비교하려고 합니다. □ 안에 알맞은 수를 써넣으시오.

뺄셈 비교 바퀴 수는 자동차 수보다 3 개, 6 개, 9 개 …… 더 많습니다.

나눗셈 비교 바퀴 수는 자동차 수의 4 배입니다.

03 그림을 보고 □ 안에 알맞은 수를 써넣으시오.

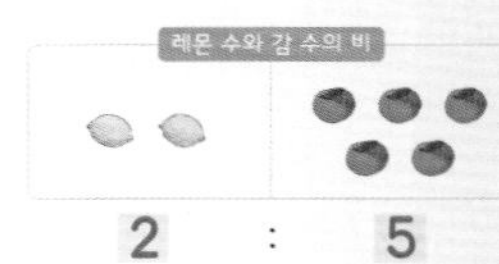

2 : 5

04 □ 안에 알맞은 수를 써넣으시오.

(1) 3 대 5 ➡ 3 : 5
(2) 7과 5의 비 ➡ 7 : 5
(3) 4의 1에 대한 비 ➡ 4 : 1
(4) 3에 대한 2의 비 ➡ 2 : 3
(5) 3의 7에 대한 비 ➡ 3 : 7

05 비를 보고 기준량과 비교하는 양을 찾아 쓰시오.

(1) 5의 9에 대한 비 기준량: 9 비교하는 양: 5

(2) 7에 대한 4의 비 기준량: 7 비교하는 양: 4

06 비와 비율로 나타내시오.

(1) 2 대 7 비 2 : 7 ➡ 비율 $\frac{2}{7}$

(2) 5와 9의 비 비 5 : 9 ➡ 비율 $\frac{5}{9}$

07 비를 쓰고 비율을 분수와 소수로 나타내시오.

(1) 5에 대한 2의 비 비 2 : 5 ➡ 분수 $\frac{2}{5}$ = 소수 0.4

(2) 7의 5에 대한 비 비 7 : 5 ➡ 분수 $\frac{7}{5}$ = 소수 1.4

08 알맞은 말에 ○표 하시오.

9 : 7

➡ 비율은 1보다 (크니다(○), 작습니다).

09 걸린 시간에 대한 간 거리의 비율(속력)을 구해 보시오.

4시간 동안 320 km를 달리는 자동차가 있습니다.

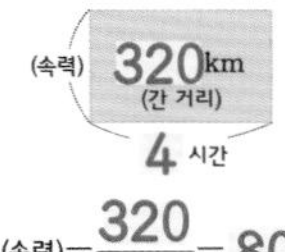

$(속력)=\frac{320}{4}=80$

10 걸린 시간에 대한 간 거리의 비율(속력)을 구하고, 비교해 보시오.

• 가 기차는 180 km를 2시간에 달렸습니다.

➡ $(속력)=\frac{180}{2}=90$

• 나 기차는 240 km를 3시간에 달렸습니다.

➡ $(속력)=\frac{240}{3}=80$

➡ 더 빨리 달린 기차: 가 기차

11 넓이에 대한 인구의 비율(인구 밀도)을 구해 보시오.

유자 마을의 인구는 1350명이고 땅 넓이는 3 km²입니다.

(인구 밀도) 1350명 (인구) / 3 km²

$(인구 밀도)=\frac{1350}{3}=450$

12 넓이에 대한 인구의 비율(인구 밀도)을 구하고, 비교해 보시오.

• A 마을의 인구는 4500명이고 넓이는 30 km²입니다.

➡ $(인구 밀도)=\frac{4500}{30}=150$

• B 마을의 인구는 7200명이고 넓이는 40 km²입니다.

➡ $(인구 밀도)=\frac{7200}{40}=180$

➡ 더 밀집한 곳: B 마을

13 수직선을 보고 기준량을 100으로 했을 때 □ 안에 알맞은 수를 써넣으시오.

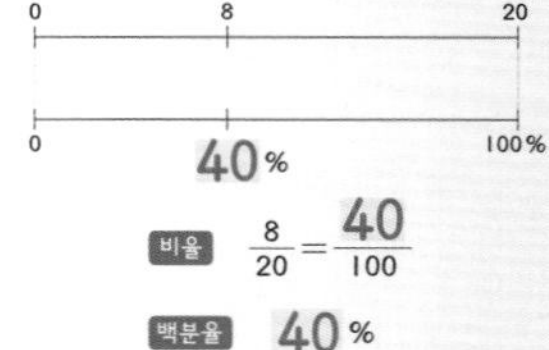

비율 $\frac{8}{20}=\frac{40}{100}$

백분율 40 %

14 비율을 백분율로 나타내시오.

(1) $\frac{4}{5}$ ➡ 80 %

(2) $\frac{13}{25}$ ➡ 52 %

15 백분율을 기약분수로 나타내시오.

(1) 32 % ➡ $\frac{8}{25}$

(2) 19 % ➡ $\frac{19}{100}$

16 백분율을 소수로 나타내시오.

23 % ➡ 0.23

17 소금물 양에 대한 소금 양의 비율(진하기)을 구해 보시오.

소금 32 g을 녹여 소금물 200 g을 만들었습니다.

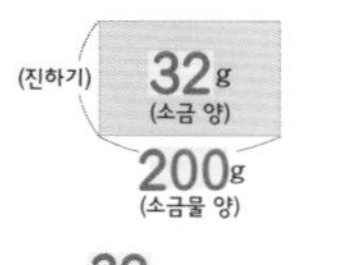

$(진하기)=\frac{32}{200}\times100=16\ (\%)$

18 소금물의 진하기를 백분율로 구하고, 비교해 보시오.

• 가: 소금 45 g이 녹아 있는 소금물 150 g

➡ $(진하기)=\frac{45}{150}\times100=30\ (\%)$

• 나: 소금 30 g이 녹아 있는 소금물 120 g

➡ $(진하기)=\frac{30}{120}\times100=25\ (\%)$

➡ 더 진한 소금물: 가

19 수직선을 보고 □ 안에 알맞은 수를 써넣으시오.

20000원짜리 공책을 할인하여 15000원에 팔았습니다.

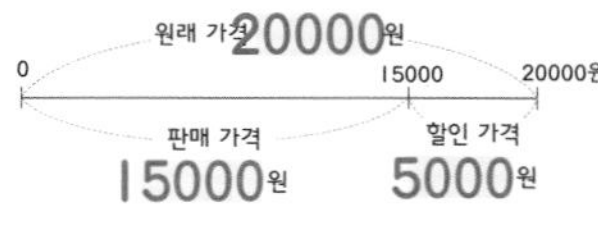

20 수직선을 보고 할인율을 구해 보시오.

5000원짜리 스케치북을 할인하여 3200원에 팔았습니다.

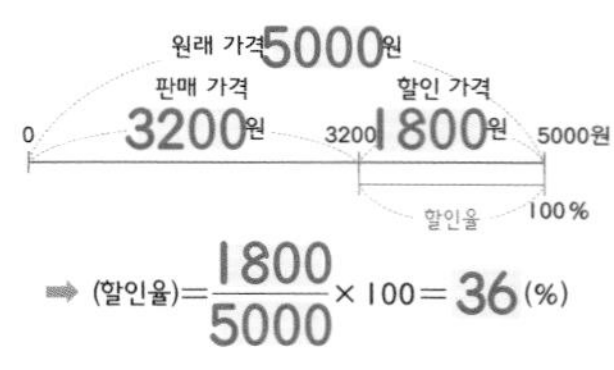

➡ $(할인율)=\frac{1800}{5000}\times100=36\ (\%)$

단원 평가 4. 비와 비율

걸린 시간 분 점수 점

정답 33쪽

[1~2] 그림을 보고 물음에 답하시오.

1 빵의 수와 우유의 수를 뺄셈으로 비교하시오.

⇒ 12− 3 = 9
빵이 우유보다 9 개 더 많습니다.

2 빵의 수와 우유의 수를 나눗셈으로 비교하시오.

⇒ 12 ÷3= 4
빵의 수는 우유의 수의 4 배입니다.

3 기준량과 비교하는 양을 각각 구하시오.

25 : 37

기준량 (37)

비교하는 양 (25)

4 다음 중 비를 잘못 읽은 것은 어느 것입니까? (④)

① 5 : 7 ⇒ 5 대 7
② 6 : 11 ⇒ 6과 11의 비
③ 2 : 5 ⇒ 2의 5에 대한 비
④ 3 : 2 ⇒ 3에 대한 2의 비
⑤ 9 : 7 ⇒ 7에 대한 9의 비

5 그림을 보고 전체에 대한 색칠한 부분의 비를 구하시오.

(1)

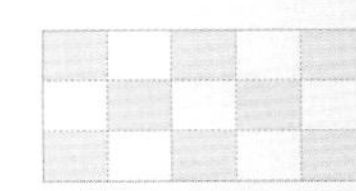

8 : 15

(2)

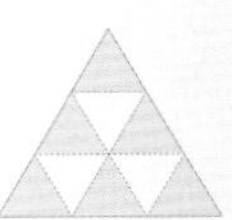

6 : 9

6 정환이네 반 학생 24명 중 11명이 남학생입니다. 정환이네 반 남학생 수와 전체 학생 수의 비를 구하시오.

(11:24)

7 다음 중 기준량을 나타내는 수가 다른 것을 찾아 기호를 쓰시오.

㉠ 6 대 7 → 6:7
㉡ 6과 7의 비 → 6:7
㉢ 6에 대한 7의 비 → 7:6
㉣ 7에 대한 6의 비 → 6:7

(㉢)

8 비율이 더 큰 것을 찾아 기호를 쓰시오.

㉠ 11과 25의 비
㉡ 20에 대한 11의 비

(㉡)

㉠ 11:25 ⇒ $\frac{11}{25}$=0.44

㉡ 11:20 ⇒ $\frac{11}{20}$=0.55

9 빈칸에 알맞은 수를 써넣으시오.

비 \ 비율	분수	소수	백분율
7 : 10	$\frac{7}{10}$	0.7	70%
5에 대한 4의 비	$\frac{4}{5}$	0.8	80%

10 비율을 백분율로 잘못 나타낸 것은 어느 것입니까? (③)

① 0.47 ⇒ 47%
② 0.7 ⇒ 70%
③ 0.215 ⇒ 215%
④ $\frac{17}{100}$ ⇒ 17%
⑤ $\frac{17}{20}$ ⇒ 85%

③ 0.215 ⇒ 21.5%

11 그림을 보고 전체에 대한 색칠한 부분의 비율을 백분율로 나타내시오.

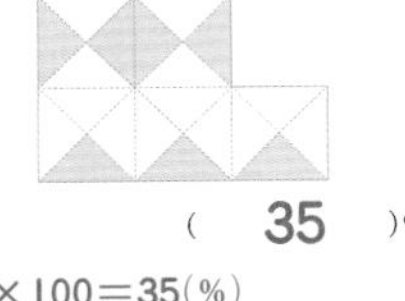

(35)%

$\frac{7}{20}$ × 100=35(%)

12 주어진 백분율만큼 색칠하시오.

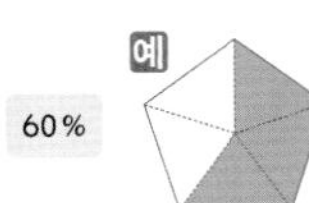

예

60%

13 동진이는 빵을 만들려고 밀가루 4컵과 우유 3컵을 사용했습니다. 밀가루의 양에 대한 우유의 양의 비율을 백분율로 나타내시오.

(75)%

$\frac{3}{4}$ × 100=75(%)

14 두 비율의 크기를 비교하여 ○ 안에 >, =, <를 알맞게 써넣으시오.

(1) $\frac{7}{20}$ < 37%

(2) 150% > 1.2

15 어느 자동차가 340km를 달리는 데 4시간 걸렸습니다. 이 자동차의 걸린 시간에 대한 간 거리의 비율을 구하려고 합니다. 풀이 과정을 쓰고 답을 구하시오.

풀이 예 걸린 시간에 대한 간 거리의 비율은 $\frac{340}{4}$=85입니다.

답 85

16 재국이네 학교 야구부의 어느 선수는 올해 50타수 중에서 안타를 17개 쳤습니다. 이 선수의 타율을 소수로 나타내시오.

(0.34)

$\frac{17}{50}$=0.34

17 두 마을의 인구와 넓이를 조사하여 나타낸 표입니다. 인구가 더 밀집한 곳은 어느 마을입니까?

마을	전원 마을	풍경 마을
인구(명)	5760	5075
넓이(km^2)	8	7

(풍경) 마을

전원 마을: $\frac{5760}{8}$=720

풍경 마을: $\frac{5075}{7}$=725

18 한 변의 길이가 10cm인 정사각형 모양의 사진을 한 변의 길이가 12cm인 정사각형 모양이 되도록 확대하려고 합니다. 확대 비율은 몇 %로 해야 합니까?

(120)%

(확대 비율)=$\frac{(확대한 길이)}{(실제 길이)}$ × 100

=$\frac{12}{10}$ × 100=120(%)

19 소금 150g을 물 850g에 섞어 소금물을 만들었습니다. 만든 소금물의 진하기는 몇 %인지 풀이 과정을 쓰고 답을 구하시오.

풀이 예 $\frac{150}{(150+850)}$ × 100

=$\frac{150}{1000}$ × 100=15(%)

답 15%

20 참 마트에서 오늘 하루 전품목을 30% 할인하여 판매한다고 합니다. 2만 원짜리 수박은 얼마에 살 수 있습니까?

(14000)원

20000 × $\frac{30}{100}$=6000(원)

20000−6000=14000(원)

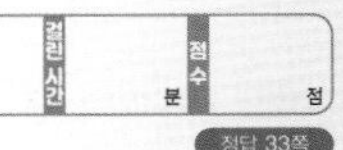

01 그림그래프 알아보기

정답 34쪽

- 그림그래프: 조사한 수량을 그림이나 기호를 사용하여 나타낸 그래프

지역별 감자 생산량

가	나
다	라

100톤 10톤

➡ 특징: 지역별로 조사한 자료 수의 많고 적음을 한눈에 알 수 있습니다.

1 농장별 키우는 돼지 수를 조사하여 나타낸 그림그래프입니다. 안에 알맞게 써넣으시오.

농장별 돼지 수

농장	돼지 수(마리)
가	
나	
다	
라	
마	

10마리 1마리

- 가 나타내는 돼지 수: 10 마리
- 가 나타내는 돼지 수: 1 마리
- 나 농장의 돼지 수: 42 마리 (10+10+10+10+1+1)
- 다 농장의 돼지 수: 34 마리
- 마 농장의 돼지 수: 25 마리
- 다 농장과 마 농장의 돼지 수의 차: 9 마리 (34, 25)
- 돼지가 가장 많은 농장: 라 농장
- 돼지가 가장 적은 농장: 가 농장

2 그림그래프를 보고 안에 알맞게 써넣으시오.

지역별 쌀 생산량

- 각 그림이 나타내는 쌀 생산량: 10 만 톤, 1 만 톤
- 경기 지역의 쌀 생산량: 35 만 톤
- 쌀 생산량이 가장 많은 지역: 전남
- 쌀 생산량이 가장 적은 지역의 쌀 생산량: 13 만 톤
- 경북과 경남 지역의 쌀 생산량의 차: 19 만 톤

지역별 월평균 사교육비

- 각 그림이 나타내는 금액: 10 만 원, 1 만 원
- 제주 지역의 월평균 사교육비: 23 만 원
- 월평균 사교육비가 가장 많은 지역: 경기
- 월평균 사교육비가 가장 적은 지역: 전라
- 강원 지역과 경상 지역의 월평균 사교육비의 차: 3 만 원

- 표를 보고 그림그래프 그리기

지역별 초등학생 수

지역	가	나	다	라
학생 수(명)	349	513	437	324

STEP1 학생 수를 일의 자리에서 반올림하여 나타내기

어림값(명)	350	510	440	320

STEP2 그림이 나타내는 학생 수의 크기 정하기

➡ : 100명, : 10명

STEP3 그림그래프 그리기

지역별 초등학생 수

가	나
다	라

100명 10명

3 표를 보고 자료 값을 어림하여 나타내고 그림그래프를 그려 보시오.

마을별 자전거 수

마을	가	나	다	라
자전거 수(대)	138	207	221	152
어림값(대)	140	210	220	150

일의 자리에서 반올림

지역별 편의점 수

지역	A	B	C	D
편의점 수(개)	2322	1683	2037	1358
어림값(개)	2300	1700	2000	1400

십의 자리에서 반올림

마을별 자전거 수

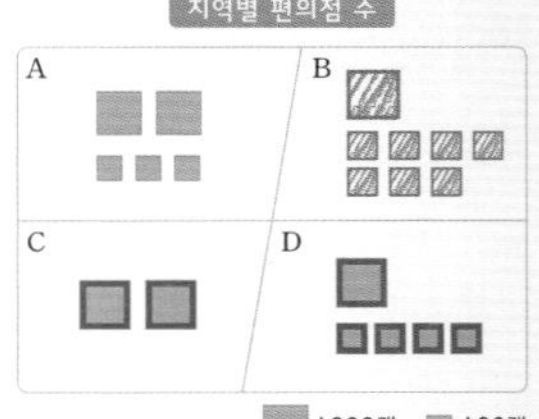

100대 10대

지역별 편의점 수

A	B
C	D

1000개 100개

4 표를 보고 그림그래프로 나타내시오.

마을별 반려견 수

마을	가	나	다	라
반려견 수(마리)	253	291	314	326
어림값(마리)	250	290	310	330

농장별 닭 수

농장	마	바	사	아
닭 수(마리)	1192	2143	1285	1641
어림값(마리)	1200	2100	1300	1600

마을별 반려견 수

마을	반려견 수(마리)
가	
나	
다	
라	

100마리 10마리

농장별 닭 수

농장	닭 수(마리)
마	
바	
사	
아	

1000마리 100마리

지역별 아동복지시설 수

지역	시설 수(개)	어림값(개)
경기	715	720
강원	119	120
충청	294	290
전라	434	430
경상	391	390
제주	80	80

지역별 아동복지시설 수

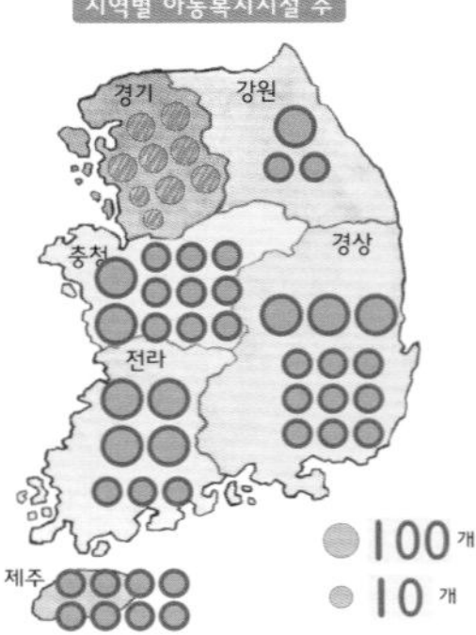

02 띠그래프 알아보기

정답 35쪽

● **띠그래프:** 전체에 대한 각 부분의 비율을 띠 모양에 나타낸 그래프

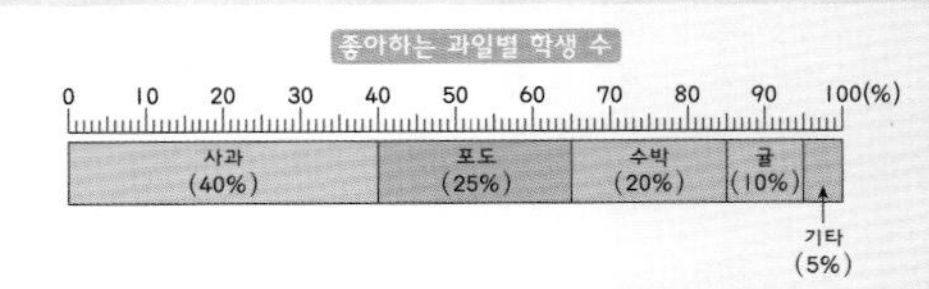

➡ 특징: ① 각 항목이 차지하는 비율을 한눈에 알 수 있습니다.
② 각 항목끼리의 비율을 쉽게 비교할 수 있습니다.

1 띠그래프를 보고 알맞게 답하시오.

좋아하는 과목별 학생 수

0 10 20 30 40 50 60 70 80 90 100(%)

체육 (35%) | 국어 (30%) | 과학 (25%) | 사회 (10%)

• 가장 많은 학생이 좋아하는 과목은 체육 입니다.

• 가장 적은 학생이 좋아하는 과목은 사회 입니다.

• 많은 학생이 좋아하는 과목부터 차례로 쓰면
체육 , 국어 , 과학 , 사회 입니다.

• 길이가 가장 긴 항목의 비율이 가장 (높고 , 낮고),
길이가 가장 짧은 항목의 비율이 가장 (높습니다 , 낮습니다).

2 표와 띠그래프를 보고 알맞게 답하시오.

학급 문고에 있는 종류별 책 수

종류	소설책	과학책	위인전	시집	만화책	합계
책 수(권)	75	65	50	35	25	250
백분율(%)	30	26	20	14	10	100

학급 문고에 있는 종류별 책 수

0 10 20 30 40 50 60 70 80 90 100(%)

소설책 (30%) | 과학책 (26%) | 위인전 (20%) | 시집 (14%) | 만화책 (10%)

• 학급 문고의 책은 모두 250권입니다.

• 가장 많은 책은 전체의 30 %입니다.

• 가장 적은 책은 만화책 이고 25 권입니다.

용돈 쓰임새별 금액

용돈 쓰임새	학용품	군것질	저금	오락	기타	합계
금액(원)	7500	12000	6000	3000	1500	30000
백분율(%)	25	40	20	10	5	100

용돈 쓰임새별 금액

0 10 20 30 40 50 60 70 80 90 100(%)

학용품 (25%) | 군것질 (40%) | 저금 (20%) | 오락 (10%) | 기타 (5%)

• 오락을 하는 데에 용돈의 10 %를 씁니다.

• 전체에 대한 각 부분의 비율을 쉽게 비교할 수 있는 것은 (표 , 띠그래프)입니다.

• 용돈을 많이 쓰는 항목부터 차례로 쓰면
군것질, 학용품, 저금 , 오락 , 기타 입니다.

● **띠그래프 그리기**

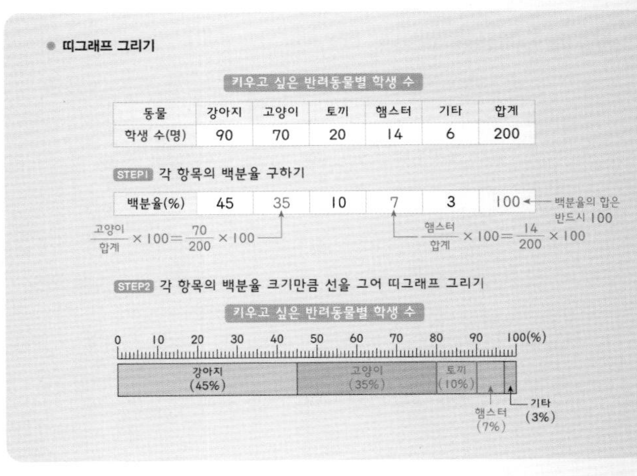

키우고 싶은 반려동물별 학생 수

동물	강아지	고양이	토끼	햄스터	기타	합계
학생 수(명)	90	70	20	14	6	200

STEP1 각 항목의 백분율 구하기

백분율(%)	45	35	10	7	3	100

← 백분율의 합은 반드시 100

$\frac{고양이}{합계} \times 100 = \frac{70}{200} \times 100$

$\frac{햄스터}{합계} \times 100 = \frac{14}{200} \times 100$

STEP2 각 항목의 백분율 크기만큼 선을 그어 띠그래프 그리기

3 표를 보고 각 항목의 백분율을 구해 보시오.

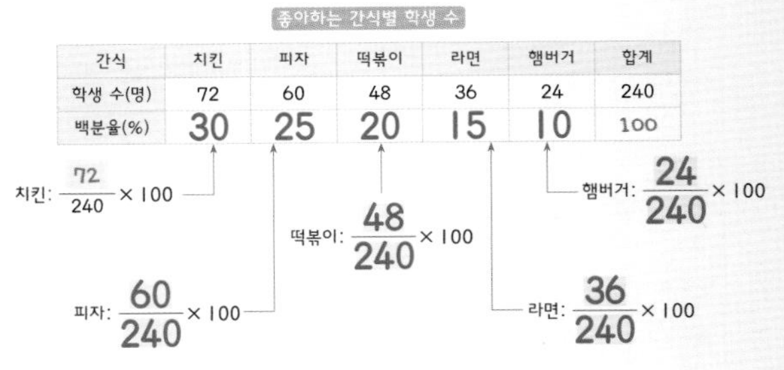

좋아하는 간식별 학생 수

간식	치킨	피자	떡볶이	라면	햄버거	합계
학생 수(명)	72	60	48	36	24	240
백분율(%)	30	25	20	15	10	100

치킨: $\frac{72}{240} \times 100$

피자: $\frac{60}{240} \times 100$

떡볶이: $\frac{48}{240} \times 100$

라면: $\frac{36}{240} \times 100$

햄버거: $\frac{24}{240} \times 100$

4 표를 보고 띠그래프를 그려 보시오.

장래 희망별 학생 수

장래 희망	연예인	운동선수	선생님	의사	합계
학생 수(명)	21	18	12	9	60
백분율(%)	35	30	20	15	100

$\frac{18}{60} \times 100$

예

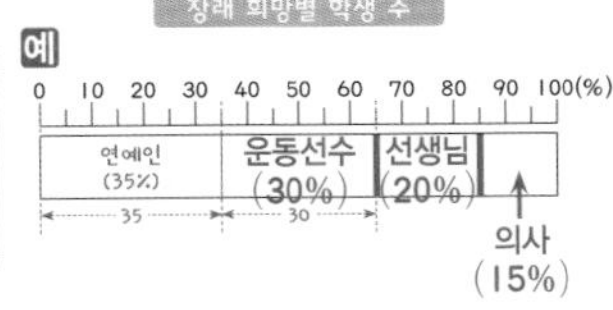

좋아하는 운동별 학생 수

운동	수영	축구	야구	농구	합계
학생 수(명)	48	42	18	12	120
백분율(%)	40	35	15	10	100

예

좋아하는 운동별 학생 수

0 10 20 30 40 50 60 70 80 90 100(%)

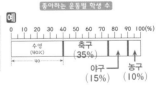

수영 (40%) | 축구 (35%) | 야구 (15%) | 농구 (10%)

40

좋아하는 계절별 학생 수

계절	봄	여름	가을	겨울	합계
학생 수(명)	36	96	24	84	240
백분율(%)	15	40	10	35	100

예

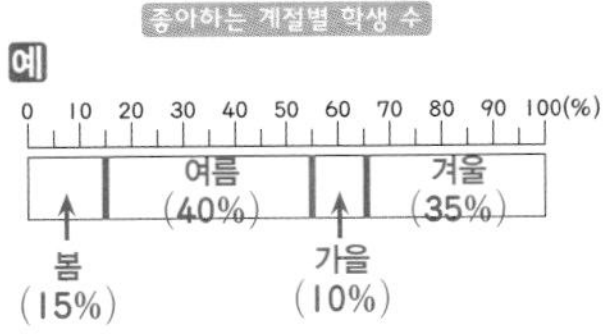

하고 싶은 일별 학생 수

하고 싶은 일	놀이공원	영화 관람	캠핑	자전거 타기	합계
학생 수(명)	12	9	6	3	30
백분율(%)	40	30	20	10	100

예

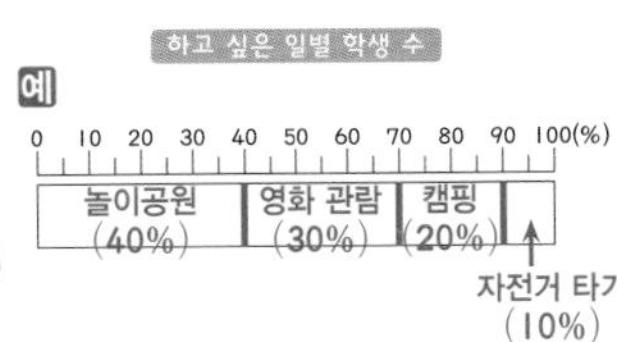

03 원그래프 알아보기

정답 36쪽

● 원그래프: 전체에 대한 각 부분의 비율을 원 모양에 나타낸 그래프

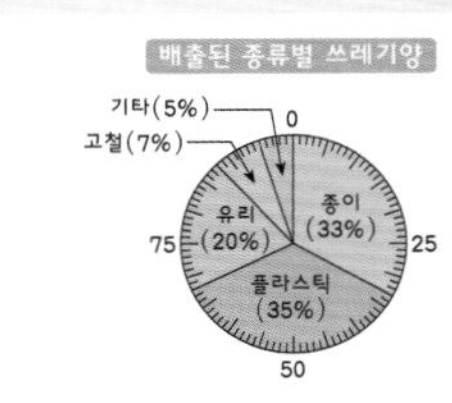

➡ 특징: ① 각 항목이 차지하는 비율을 한눈에 알 수 있습니다.
② 각 항목끼리의 비율을 쉽게 비교할 수 있습니다.

1 원그래프를 보고 안에 알맞게 써넣으시오.

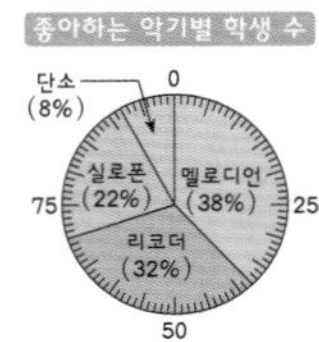

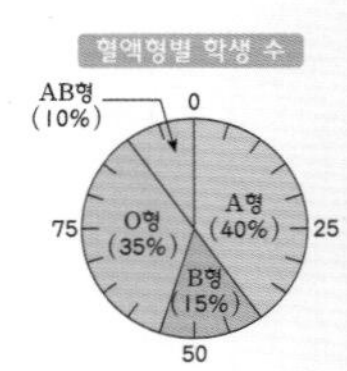

• 가장 많은 학생이 좋아하는 악기는 멜로디언입니다.

• 가장 적은 학생이 좋아하는 악기는 단소 입니다.

• 학생 수가 가장 적은 혈액형은 AB 형입니다.

• B형과 O형인 학생 수의 합은 전체의 50 %입니다.

2 표와 원그래프를 보고 알맞게 답하시오.

받고 싶은 선물별 학생 수

선물	핸드폰	게임기	학용품	책	기타	합계
학생 수(명)	108	90	57	36	9	300
백분율(%)	36	30	19	12	3	100

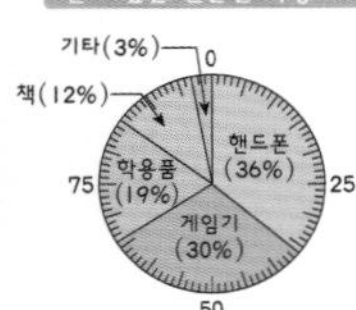

• 조사한 학생 수는 모두 300명입니다.

• 가장 많은 학생이 받고 싶은 선물은 핸드폰입니다.

• 조사한 학생의 12%가 받고 싶은 선물은 책 입니다.

여름 방학에 가고 싶은 장소별 학생 수

장소	바다	휴양림	계곡	수영장	기타	합계
학생 수(명)	175	125	100	75	25	500
백분율(%)	35	25	20	15	5	100

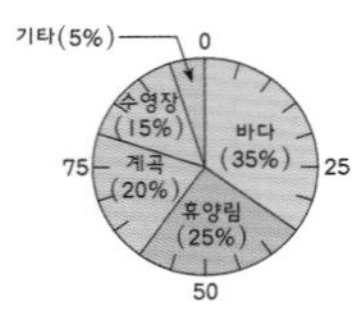

• 가장 많은 학생이 가고 싶은 곳은 바다 입니다.

• 많은 학생이 가고 싶은 장소부터 차례로 쓰면 바다 , 휴양림, 계곡 , 수영장, 기타 입니다.

• 전체에 대한 각 부분의 비율을 쉽게 비교할 수 있는 것은 (표 , 원그래프)입니다.

● 원그래프 그리기

가고 싶은 수학여행 장소별 학생 수

장소	제주	부산	경주	설악	합계
학생 수(명)	81	54	27	18	180

STEP1 각 항목의 백분율 구하기

백분율(%)	45	30	15	10	100

부산/합계 × 100 = $\frac{54}{180}$ × 100
설악/합계 × 100 = $\frac{18}{180}$ × 100
백분율의 합은 반드시 100

STEP2 각 항목의 백분율 크기만큼 선을 그어 원그래프 그리기

가고 싶은 수학여행 장소별 학생 수
설악 (10%), 경주 (15%), 제주 (45%), 부산 (30%)

3 표를 보고 각 항목의 백분율을 구해 보시오.

좋아하는 채소별 학생 수

채소	오이	파프리카	당근	가지	기타	합계
학생 수(명)	18	15	12	12	3	60
백분율(%)	30	25	20	20	5	100

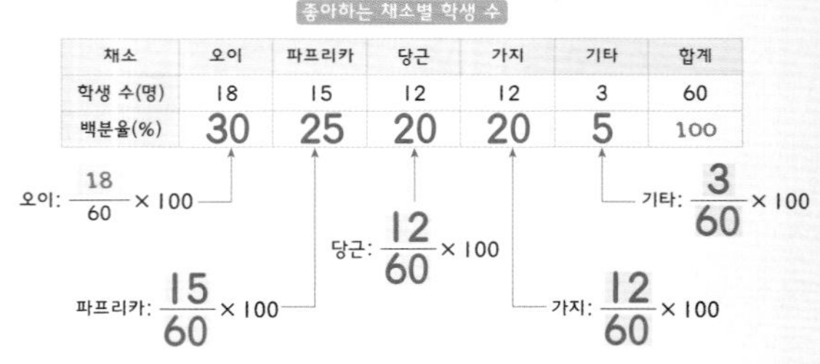

오이: $\frac{18}{60}$ × 100
파프리카: $\frac{15}{60}$ × 100
당근: $\frac{12}{60}$ × 100
가지: $\frac{12}{60}$ × 100
기타: $\frac{3}{60}$ × 100

4 표를 보고 원그래프를 그려 보시오.

좋아하는 프로그램별 학생 수

프로그램	만화	예능	교육	기타	합계
학생 수(명)	16	14	8	2	40
백분율(%)	40	35	20	5	100

$\frac{8}{40}$ × 100

예) 좋아하는 프로그램별 학생 수: 기타 (5%), 교육 (20%), 만화 (40%), 예능 (35%)

가고 싶은 체험학습 장소별 학생 수

장소	민속촌	수족관	박물관	미술관	합계
학생 수(명)	20	15	10	5	50
백분율(%)	40	30	20	10	100

존경하는 위인별 학생 수

위인	세종대왕	이순신	유관순	안중근	합계
학생 수(명)	56	49	28	7	140
백분율(%)	40	35	20	5	100

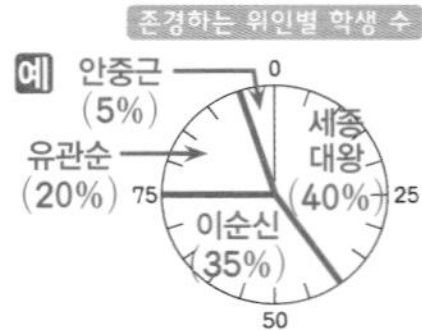

취미 활동별 학생 수

취미	노래	춤	운동	독서	합계
학생 수(명)	70	60	50	20	200
백분율(%)	35	30	25	10	100

04 그래프 해석하기

정답 37쪽

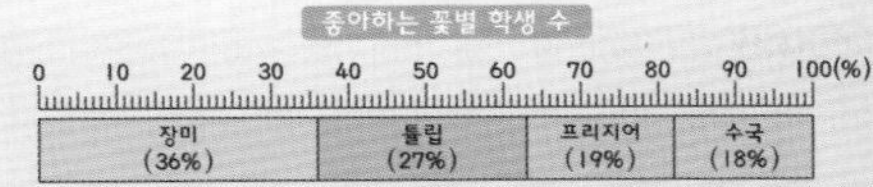

• 장미를 좋아하는 학생 수는 수국을 좋아하는 학생 수의 2배입니다.
(비교하는 양) (기준량)

(비교하는 양)÷(기준량)=(장미)÷(수국)=(36%)÷(18%)=2(배)

1 그래프를 보고 물음에 답하시오.

가로수별 나무 수

은행나무	벚나무	이팝나무	느티나무
40%	30%	20%	10%

• 은행나무 수는 이팝나무 수의 몇 배입니까? $40 \div 20 = 2$ (배)
(비교하는 양) (기준량) (비교하는 양)÷(기준량)

• 벚나무 수는 느티나무 수의 몇 배입니까? $30 \div 10 = 3$ (배)
(비교하는 양) (기준량) (비교하는 양)÷(기준량)

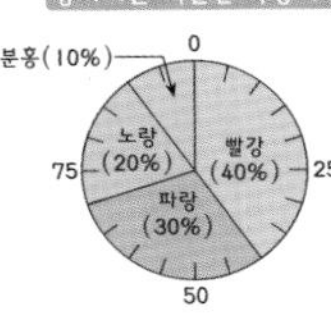

• 빨강을 좋아하는 학생 수는 분홍을 좋아하는 학생 수의 몇 배입니까?
(비교하는 양) (기준량)

$40 \div 10 = 4$ (배)

• 파랑을 좋아하는 학생 수는 노랑을 좋아하는 학생 수의 몇 배입니까?

$30 \div 20 = 1.5$ (배)

2 그래프를 보고 안에 알맞은 수를 써넣으시오.

우리 동네 종류별 의원 수

가정의학과	피부과	치과	이비인후과	안과
30%	25%	20%	15%	10%

• 가정의학과 수는 이비인후과 수의 2 배입니다.
(비교하는 양) (기준량) (비교하는 양)÷(기준량)

• 피부과 수는 안과 수의 2.5배입니다. =(30%)÷(15%)

고민별 학생 수

성적	친구	외모	가정불화
45%	30%	20%	5%

• 성적이 고민인 학생 수는 친구가 고민인 학생 수의 1.5배입니다.

• 외모가 고민인 학생 수는 가정불화가 고민인 학생 수의 4 배입니다.

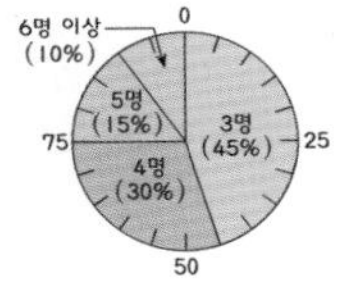

• 가족이 3명인 학생 수는 가족이 5명인 학생 수의 3 배입니다.

• 가족이 4명인 학생 수는 가족이 6명 이상인 학생 수의 3 배입니다.

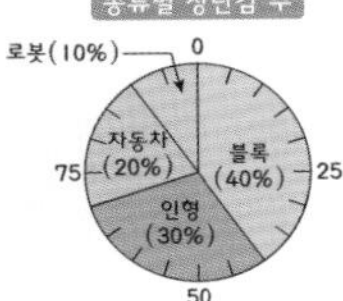

• 블록 수는 자동차 수의 2 배입니다.

• 인형 수는 로봇 수의 3 배입니다.

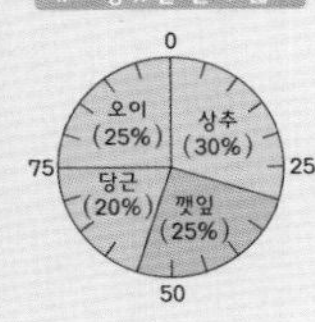

전체 밭의 넓이가 800 km²일 때

• 상추 밭의 넓이: $800 \times \frac{30}{100} = 240(km^2)$

$30\% = \frac{30}{100}$ (전체 밭의 넓이)×(비율)

• 오이 밭의 넓이: $800 \times \frac{25}{100} = 200(km^2)$

$25\% = \frac{25}{100}$

3 그래프를 보고 물음에 답하시오.

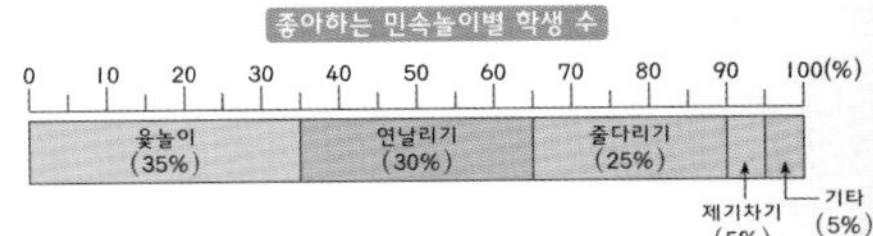

• 조사한 학생이 500명이라면 윷놀이를 좋아하는 학생은 몇 명입니까?

$500 \times \frac{35}{100} = 175$ (명)

전체 학생 수 윷놀이의 비율

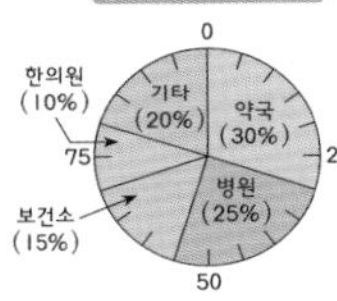

• 의료시설이 모두 180개일 때 약국은 몇 개입니까?

$180 \times \frac{30}{100} = 54$ (개)

약국의 비율

• 의료시설이 모두 180개일 때 보건소는 몇 개입니까?

$180 \times \frac{15}{100} = 27$ (개)

4 그래프를 보고 안에 알맞은 수를 써넣으시오.

좋아하는 음식별 학생 수

자장면	피자	치킨	파스타
36%	27%	19%	18%

• 조사한 학생이 500명일 때 피자를 좋아하는 학생은 135명입니다.
전체 비율 (전체)×(비율)=$500 \times \frac{27}{100}$

취미별 학생 수

피아노	태권도	미술	바이올린
34%	29%	20%	17%

• 조사한 학생 수가 300명일 때 바이올린 연주가 취미인 학생은 51 명입니다.

$300 \times \frac{17}{100} = 51$(명)

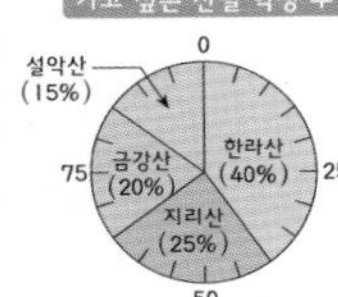

• 조사한 학생이 모두 120명이라면 지리산을 가고 싶은 학생은 30 명입니다. $120 \times \frac{25}{100} = 30$(명)

• 조사한 학생이 모두 240명이라면 설악산을 가고 싶은 학생은 36 명입니다. $240 \times \frac{15}{100} = 36$(명)

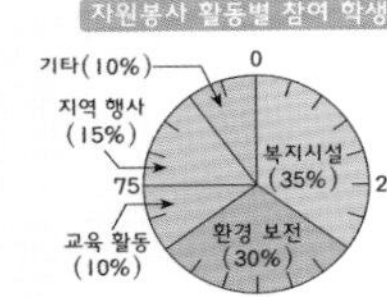

• 조사한 학생이 모두 220명이라면 교육 활동에 참여한 학생은 22 명입니다. $220 \times \frac{10}{100} = 22$(명)

• 조사한 학생이 모두 350명이라면 환경 보전 활동에 참여한 학생은 105 명입니다. $350 \times \frac{30}{100} = 105$(명)

도전! 응용문제

정답 38쪽

초등 6-1 5 여러 가지 그래프

응용 1 두 띠그래프를 비교해 보고 알맞게 답하시오.

연령별 인구 구성

	15세 미만	15~64세	65세 이상
2015년	14%	73%	13%
2019년	12%	73%	15%

- 2019년 15세 미만 인구와 65세 이상 인구의 비율의 차는 3 %입니다.
- 65세 이상 인구의 비율은 2015년에 비해 2019년에 (감소 , (증가))했습니다. (기준량(13%) 비교하는 양(15%))
- 15세 미만 인구의 비율은 2015년에 비해 2019년에 ((감소), 증가)했습니다. (기준량(14%) 비교하는 양(12%))

초중고별 사교육비

	초등학생	중학생	고등학생
2017년	43%	27%	30%
2019년	48%	22%	30%

- 2017년 초등학생과 중학생의 사교육비 비율의 차는 16 %입니다.
- 2019년 초등학생과 중학생의 사교육비 비율의 차는 26 %입니다.
- 초등학생의 사교육비는 2017년에 비해 2019년에 (감소 , (증가))했습니다.
- 중학생의 사교육비는 2017년에 비해 2019년에 ((감소), 증가)했습니다.

응용 2 띠그래프를 비교해 보고 알맞게 답하시오.

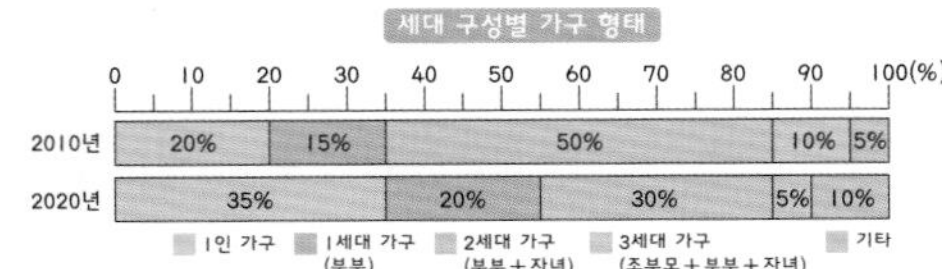

세대 구성별 가구 형태

	1인 가구	1세대 가구 (부부)	2세대 가구 (부부+자녀)	3세대 가구 (조부모+부부+자녀)	기타
2010년	20%	15%	50%	10%	5%
2020년	35%	20%	30%	5%	10%

- 1인 가구의 비율은 2010년에 비해 2020년에 1.75배 증가했습니다. (기준량, 비교하는 양, (비교하는 양)÷(기준량))
- 2세대 가구의 비율은 2010년에 비해 2020년에 0.6배 감소했습니다. (기준량, 비교하는 양)
- 3세대 가구의 비율은 2010년에 비해 2020년에 0.5배 감소했습니다.

곡식별 생산량

	쌀	보리	밀
2015년	55%	30%	15%
2017년	50%	28%	22%
2019년	45%	25%	30%

- 2017년 보리와 밀의 생산량의 합은 곡식 전체 생산량의 50 %를 차지합니다.
- 밀 생산량의 비율은 2015년에 비해 2019년에 2 배 증가했습니다.
- 쌀 생산량의 비율은 점점 ((감소), 증가)할 것으로 예상됩니다.
- 밀 생산량의 비율은 점점 (감소 , (증가))할 것으로 예상됩니다.

응용 3 두 원그래프를 비교해 보고 ☐ 안에 알맞은 수를 써넣으시오.

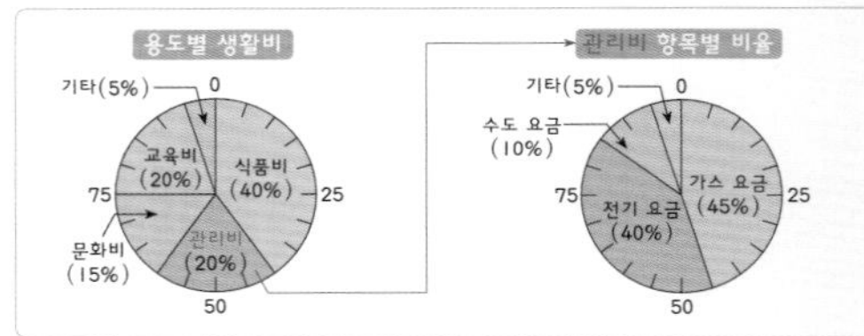

- 생활비가 300만 원일 때 가스 요금

① 관리비: $300 \times \frac{20}{100} = 60$ (만 원) (관리비 비율)

② 가스 요금: $60 \times \frac{45}{100} = 27$ (만 원) (관리비, 가스 요금 비율)

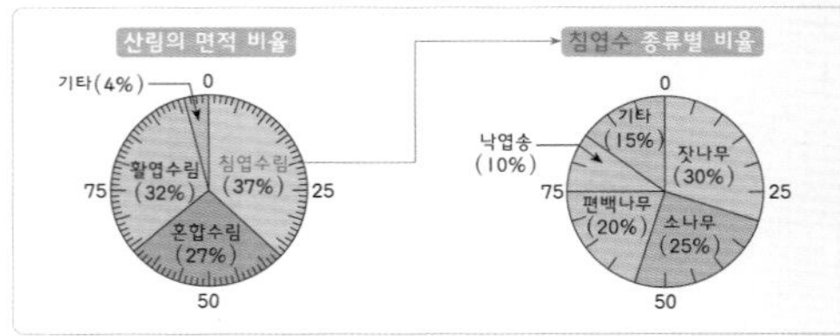

- 산림의 면적이 500 km²일 때 잣나무 면적

① 침엽수림 면적: $500 \times \frac{37}{100} = 185$ (km²)

② 잣나무 면적: $185 \times \frac{30}{100} = 55.5$ (km²) (침엽수림, 잣나무 비율)

응용 4 두 원그래프를 비교해 보고 ☐ 안에 알맞은 수를 써넣으시오.

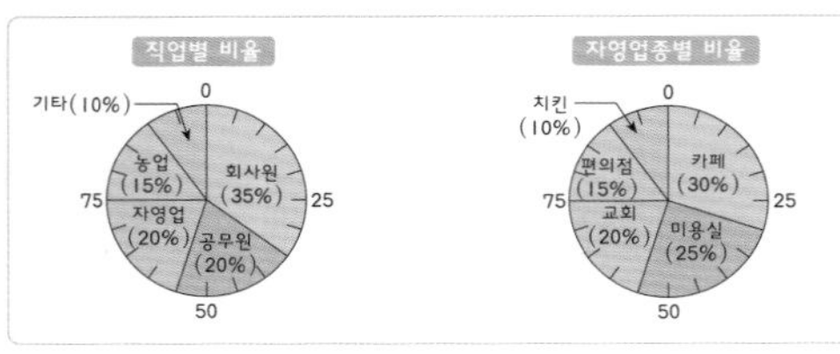

- 조사한 인원이 600명일 때 편의점을 하는 사람 수

① 자영업: $600 \times \frac{20}{100} = 120$ (명)

② 편의점: $120 \times \frac{15}{100} = 18$ (명) (자영업, 편의점 비율)

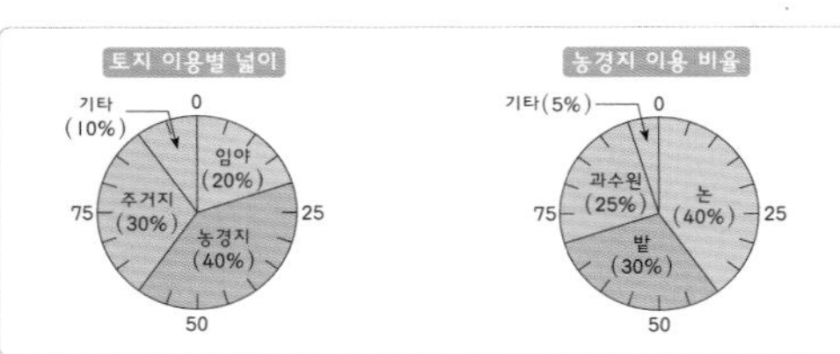

- 토지 넓이가 800 km²일 때 밭의 넓이

① 농경지의 넓이: $800 \times \frac{40}{100} = 320$ (km²)

② 밭의 넓이: $320 \times \frac{30}{100} = 96$ (km²)

형성평가

걸린 시간: 분 / 정답 39쪽 / 점 수: 점

초등 6-1 ⑤ 여러 가지 그래프

[01~03] 농장별 키우는 토끼 수를 조사하여 나타낸 그림그래프입니다. 물음에 답하시오.

농장별 토끼 수

농장	토끼 수(마리)
가	
나	
다	
라	

10마리 1마리

01 각 그림이 나타내는 토끼 수를 쓰시오.

: 10마리, : 1 마리

02 나 농장과 라 농장의 토끼 수의 차는 몇 마리입니까?

(3)마리

03 토끼 수가 가장 많은 농장과 가장 적은 농장을 각각 쓰시오.

가장 많은 농장: 다 농장

가장 적은 농장: 가 농장

[04~05] 지역별 유치원 수를 조사하여 나타낸 표입니다. 물음에 답하시오.

지역별 유치원 수

지역	가	나	다	라
유치원 수(개)	232	295	307	313

04 유치원 수를 일의 자리에서 반올림하여 어림값으로 나타내시오.

지역별 유치원 수

지역	가	나	다	라
어림값(개)	230	300	310	310

05 위 04의 표를 보고 그림그래프로 나타내시오.

지역별 유치원 수

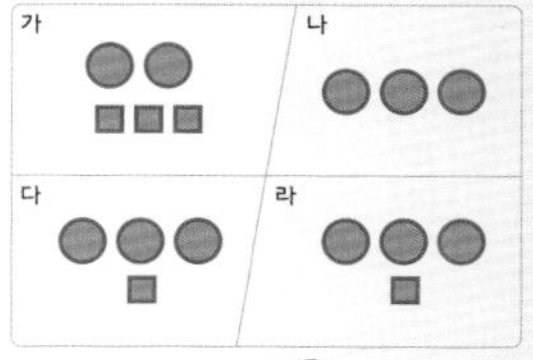

100개 10개

06 학생들이 좋아하는 간식을 조사하여 나타낸 띠그래프입니다. □ 안에 알맞게 답하시오.

좋아하는 간식별 학생 수

0 10 20 30 40 50 60 70 80 90 100(%)

떡볶이 (35%) | 치킨 (30%) | 피자 (25%) | 햄버거 (10%)

(1) 가장 많은 학생이 좋아하는 간식은 떡볶이 입니다.

(2) 가장 적은 학생이 좋아하는 간식은 햄버거 입니다.

07 학급 문고에 있는 책의 종류를 조사하여 나타낸 띠그래프입니다. □ 안에 알맞게 답하시오.

학급 문고에 있는 종류별 책 수

0 10 20 30 40 50 60 70 80 90 100(%)

위인전 (30%) | 과학책 (20%) | 소설책 (35%) | 만화책 (15%)

(1) 가장 많은 책은 전체의 35 %입니다.

(2) 가장 적은 책은 만화책 입니다.

08 표를 보고 각 항목의 백분율을 구해 보시오.

좋아하는 계절별 학생 수

계절	봄	여름	가을	겨울	합계
학생 수(명)	48	84	36	72	240
백분율(%)	20	35	15	30	100

[09~10] 학생들이 좋아하는 운동을 조사하여 나타낸 표입니다. 물음에 답하시오.

좋아하는 운동별 학생 수

운동	수영	축구	야구	농구	합계
학생 수(명)	36	42	18	24	120

09 표를 보고 띠그래프를 그리려고 합니다. 백분율을 구해 보시오.

좋아하는 운동별 학생 수

운동	수영	축구	야구	농구	합계
백분율(%)	30	35	15	20	100

10 위 09의 백분율을 보고 띠그래프를 그려 보시오.

예 좋아하는 운동별 학생 수

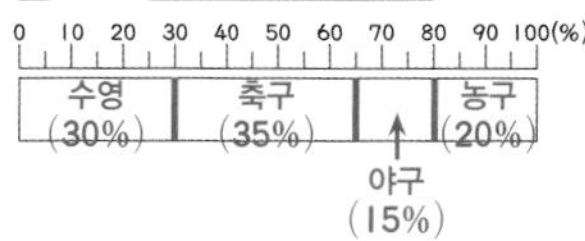

11 원그래프를 보고 □ 안에 알맞게 써넣으시오.

혈액형별 학생 수

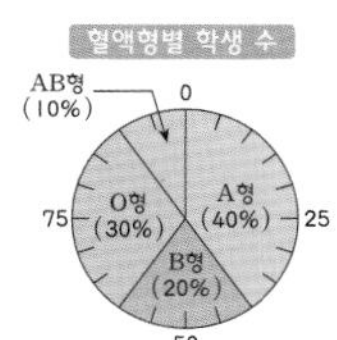

학생 수가 가장 많은 혈액형은 A 형입니다.

12 원그래프를 보고 □ 안에 알맞게 써넣으시오.

겨울 방학에 가고 싶은 장소별 학생 수

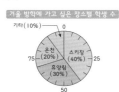

기타(10%) 0

온천 (20%) | 스키장 (40%) | 휴양림 (30%)

75 25 50

많은 학생이 가고 싶어 하는 장소부터 차례로 쓰면

스키장, 휴양림, 온천, 기타

입니다.

13 표를 보고 각 항목의 백분율을 구해 보시오.

좋아하는 채소별 학생 수

채소	파프리카	오이	당근	가지	합계
학생 수(명)	20	28	24	8	80
백분율(%)	25	35	30	10	100

[14~15] 학생들이 존경하는 위인을 조사하여 나타낸 표입니다. 물음에 답하시오.

존경하는 위인별 학생 수

위인	유관순	이순신	김구	안중근	합계
학생 수(명)	45	60	15	30	150
백분율(%)	30	40	10	20	100

14 표를 보고 원그래프를 그리려고 합니다. 백분율을 구해 보시오.

15 위 14의 백분율을 보고 원그래프를 그려 보시오.

존경하는 위인별 학생 수

예

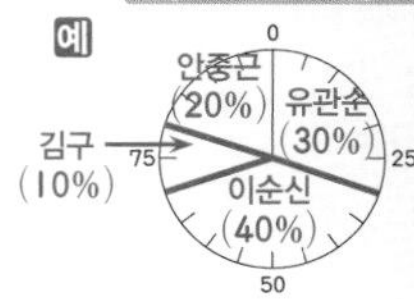

16 원그래프를 보고 물음에 답하시오.

좋아하는 색깔별 학생 수

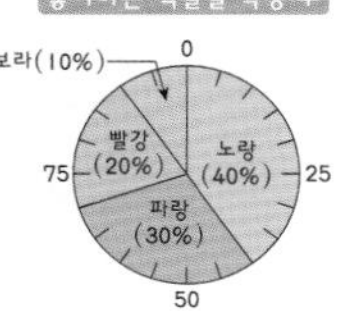

파랑을 좋아하는 학생 수는 보라를 좋아하는 학생 수의 몇 배입니까?

30 ÷ 10 = 3 (배)

17 원그래프를 보고 □ 안에 알맞은 수를 써넣으시오.

가족수별 학생 수

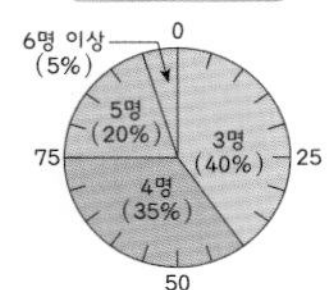

(1) 가족이 3명인 학생 수는 가족이 5명인 학생 수의 2 배입니다.

(2) 가족이 4명인 학생 수는 가족이 6명 이상인 학생 수의 7 배입니다.

18 학생들이 좋아하는 민속놀이를 조사하여 나타낸 띠그래프입니다. 조사한 학생이 300명일 때, 연날리기를 좋아하는 학생 수를 구하시오.

좋아하는 민속놀이별 학생 수

0 10 20 30 40 50 60 70 80 90 100(%)

윷놀이 (40%) | 연날리기 (30%) | 제기차기 (25%) | 기타 (5%)

$300 \times \frac{30}{100} = 90$ (명)

[19~20] 원그래프를 보고 물음에 답하시오.

가고 싶은 산별 학생 수

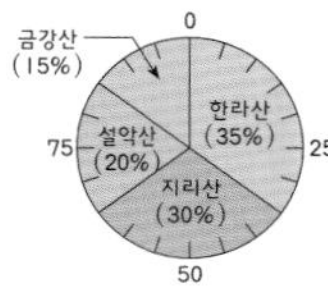

19 조사한 학생이 모두 150명이라면 지리산을 가고 싶은 학생은 몇 명입니까?

(45)명

$150 \times \frac{30}{100} = 45$(명)

20 조사한 학생이 모두 260명이라면 한라산을 가고 싶은 학생은 몇 명입니까?

(91)명

$260 \times \frac{35}{100} = 91$(명)

단원 평가 5. 여러 가지 그래프

걸린 시간 분 점수 점

정답 40쪽

[1~2] 지역별 감자 생산량을 조사하여 나타낸 표입니다. 물음에 답하시오.

지역별 감자 생산량

지역	경기	충청	전라	강원
생산량(톤)	13572	8675	14498	50287

1 감자 생산량을 반올림하여 천의 자리까지 나타내시오.

지역별 감자 생산량

지역	경기	충청	전라	강원
어림값(톤)	14000	9000	14000	50000

2 위 **1**의 표를 보고 그림그래프로 나타내시오.

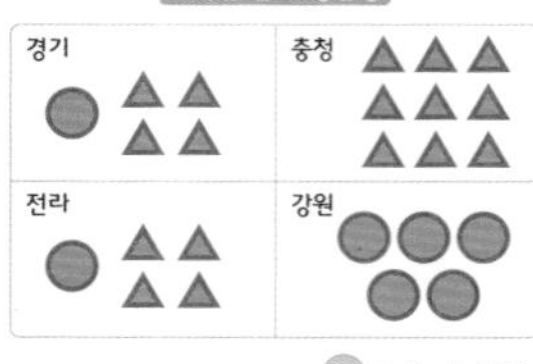

[3~5] 지숙이네 반 학생들이 좋아하는 과목을 조사하여 나타낸 띠그래프입니다. 물음에 답하시오.

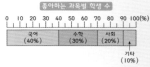

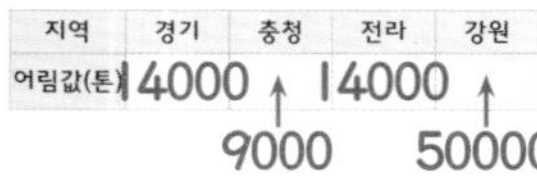

3 작은 눈금 한 칸의 크기는 몇 %를 나타냅니까?

(5)%

4 가장 많은 학생이 좋아하는 과목은 무엇입니까?

(국어)

5 국어를 좋아하는 학생 수는 사회를 좋아하는 학생 수의 몇 배입니까?

(2)배

(40%)÷(20%)=2(배)

[6~7] 6학년 학생 200명의 혈액형을 조사하여 나타낸 표입니다. 물음에 답하시오.

혈액형별 학생 수

혈액형	A형	B형	O형	AB형	합계
학생 수(명)	70	40	60	30	200

6 혈액형별 학생 수의 백분율을 구하여 표를 완성하시오.

혈액형별 학생 수

혈액형	A형	B형	O형	AB형	합계
백분율(%)	35	20	30	15	100

7 위 **6**의 백분율을 보고 띠그래프로 나타내시오.

예

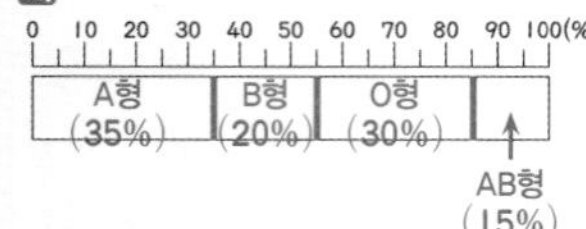

[8~10] 영철이네 집의 지난달 생활비를 조사하여 나타낸 띠그래프입니다. 생활비가 300만 원일 때, 물음에 답하시오.

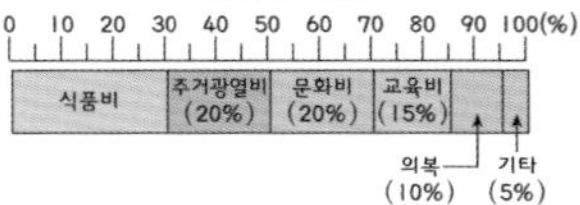

8 식품비의 비율은 전체의 몇 %입니까?

(30)%

100−(20+20+15+10+5)=30(%)

9 문화비로 지출한 금액은 얼마입니까?

(60)만 원

$300\times\frac{20}{100}=60$(만 원)

10 지난달 생활비 중에서 30만 원을 지출한 항목은 무엇입니까?

(의복)

[11~13] 어느 마을의 종류별 농작물 생산량을 조사하여 나타낸 원그래프입니다. 물음에 답하시오.

11 가장 많은 비율을 차지하는 농작물은 무엇입니까?

(쌀)

12 채소의 비율은 몇 %입니까?

(30)%

100−(45+15+10)=30(%)

13 쌀 생산량은 과일 생산량의 몇 배입니까?

(3)배

(45%)÷(15%)=3(배)

[14~15] 성수네 반 학급 문고의 종류를 조사하여 나타낸 표입니다. 물음에 답하시오.

종류별 학급 문고 수

종류	동화책	위인전	소설책	기타	합계
책 수(권)	42	54	18	6	120

14 종류별 학급 문고 수의 백분율을 구하여 표를 완성하시오.

종류별 학급 문고 수

종류	동화책	위인전	소설책	기타	합계
백분율(%)	35	45	15	5	100

15 종류별 학급 문고 수를 원그래프로 나타내시오.

예

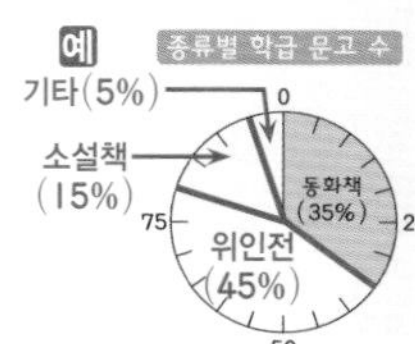

[16~18] 우리나라 산림의 면적 비율을 조사하여 나타낸 원그래프입니다. 물음에 답하시오.

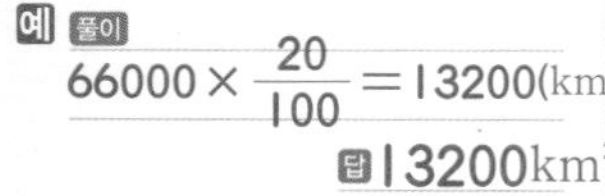

16 혼합수림은 우리나라 산림 면적의 몇 %를 차지합니까?

(22)%

100−(48+20+10)=22(%)

17 두 번째로 많은 비율을 차지하는 것은 무엇입니까?

(혼합수림)

18 우리나라 산림 면적이 66000 km²라면, 활엽수림이 차지하는 면적은 몇 km²인지 풀이 과정을 쓰고 답을 구하시오.

예 풀이 $66000\times\frac{20}{100}=13200(\text{km}^2)$

답 13200 km²

[19~20] 성미네 아파트에서 일주일 동안 나온 쓰레기 종류를 나타낸 띠그래프와 재활용품의 종류를 나타낸 원그래프입니다. 일주일 동안 나온 쓰레기양이 500 kg일 때, 물음에 답하시오.

쓰레기의 종류
0 10 20 30 40 50 60 70 80 90 100(%)

일반 쓰레기 (32%)	재활용품 (42%)	음식물 쓰레기 (26%)

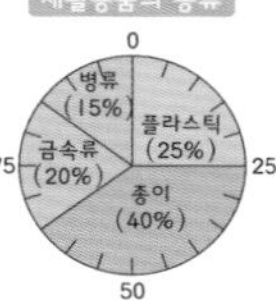

19 일주일 동안 나온 재활용품의 양은 몇 kg입니까?

(210)kg

$500\times\frac{42}{100}=210$(kg)

20 일주일 동안 나온 쓰레기 중 금속류의 양은 몇 kg인지 풀이 과정을 쓰고 답을 구하시오.

풀이 예 $210\times\frac{20}{100}=42$(kg)

답 42 kg

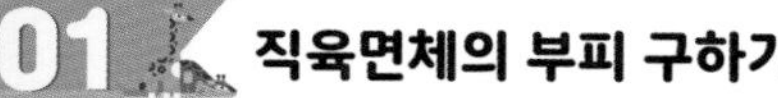

01 직육면체의 부피 구하기

정답 41쪽

● 부피의 단위 1 cm^3 알아보기

한 모서리의 길이가 1 cm인 정육면체의 부피를 1 cm^3라고 합니다.

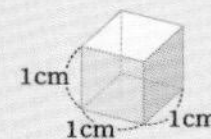

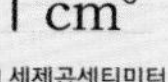
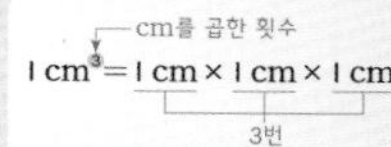

쓰기 1 cm^3 읽기 1 세제곱센티미터

$1\,cm^3 = 1\,cm \times 1\,cm \times 1\,cm$ (cm를 곱한 횟수 3번)

1 부피가 1 cm^3인 쌓기나무를 쌓아 직육면체를 만들었습니다. □ 안에 알맞은 수를 써넣어 쌓기나무의 수를 구하시오.

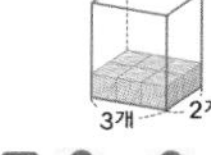

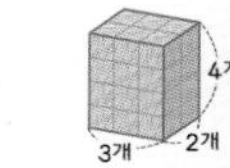

3 개 → 예 3 × 2 (개) → 예 3 × 2 × 4 (개)

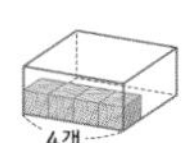

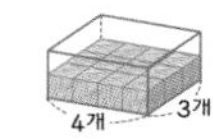
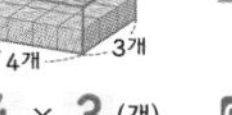
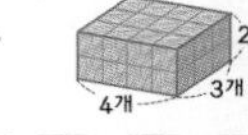

4 개 → 예 4 × 3 (개) → 예 4 × 3 × 2 (개)

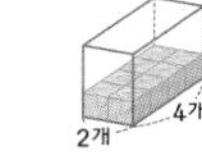
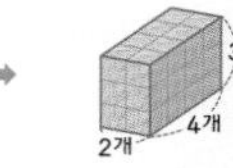

2 개 → 예 2 × 4 (개) → 예 2 × 4 × 3 (개)

2 부피가 1 cm^3인 쌓기나무를 쌓아 만든 직육면체의 부피를 구하시오.

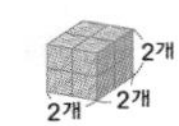
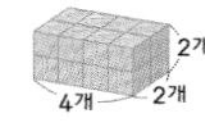
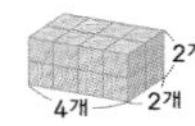
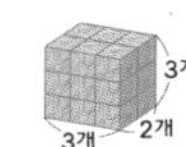

1 cm^3가 8 개 ➡ 8 cm^3 | 1 cm^3가 16 개 ➡ 16 cm^3 | 1 cm^3가 18 개 ➡ 18 cm^3

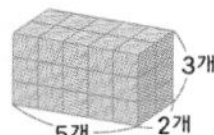
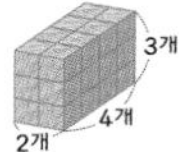
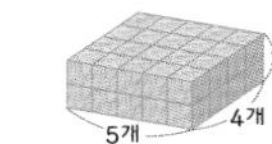

1 cm^3가 30 개 ➡ 30 cm^3 | 1 cm^3가 24 개 ➡ 24 cm^3 | 1 cm^3가 40 개 ➡ 40 cm^3

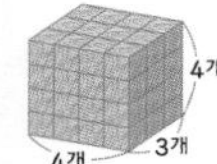
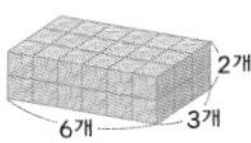
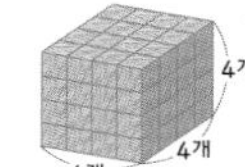

1 cm^3가 48 개 ➡ 48 cm^3 | 1 cm^3가 36 개 ➡ 36 cm^3 | 1 cm^3가 64 개 ➡ 64 cm^3

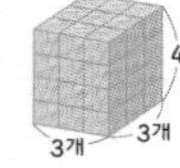
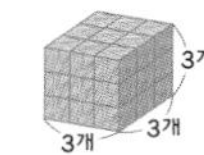
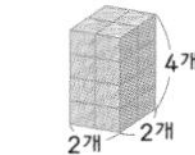

1 cm^3가 36 개 ➡ 36 cm^3 | 1 cm^3가 27 개 ➡ 27 cm^3 | 1 cm^3가 16 개 ➡ 16 cm^3

● 직육면체의 부피 구하기

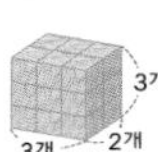
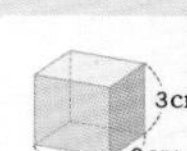

(쌓기나무 수) = 3×2×3 = 18(개) → (직육면체의 부피) = 3×2×3 = 18(cm^3)

3 □ 안에 알맞은 수를 써넣어 직육면체의 부피를 구하시오.

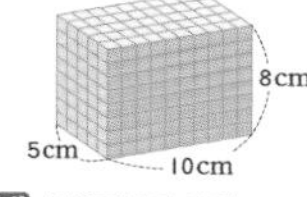

예 (직육면체의 부피) = 5 × 10 × 8 = 400 (cm^3)

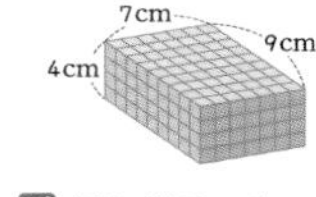

예 (직육면체의 부피) = 9 × 7 × 4 = 252 (cm^3)

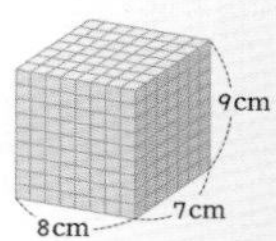

예 (직육면체의 부피) = 8 × 7 × 9 = 504 (cm^3)

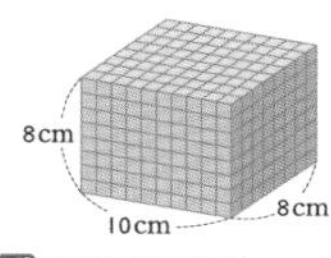

예 (직육면체의 부피) = 10 × 8 × 8 = 640 (cm^3)

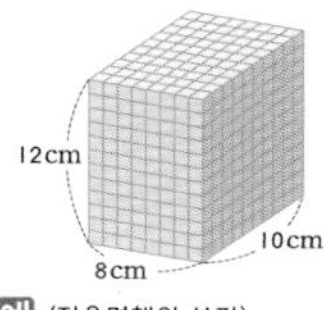

예 (직육면체의 부피) = 8 × 10 × 12 = 960 (cm^3)

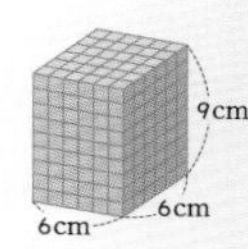

예 (직육면체의 부피) = 6 × 6 × 9 = 324 (cm^3)

4 직육면체의 부피를 구하시오.

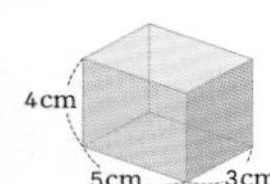

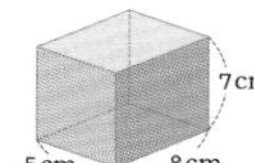
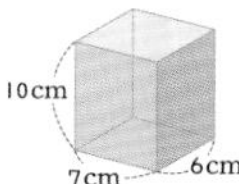

60 cm^3 | 280 cm^3 | 420 cm^3

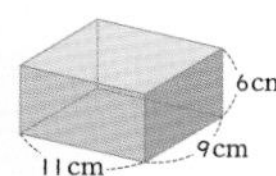
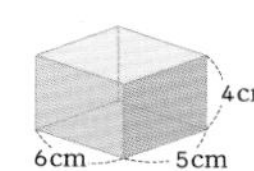
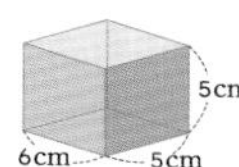

594 cm^3 | 120 cm^3 | 150 cm^3

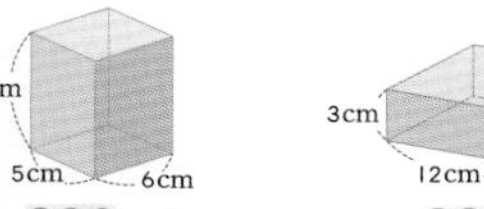

300 cm^3 | 288 cm^3 | 330 cm^3

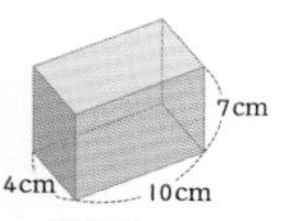

280 cm^3 | 360 cm^3 | 1200 cm^3

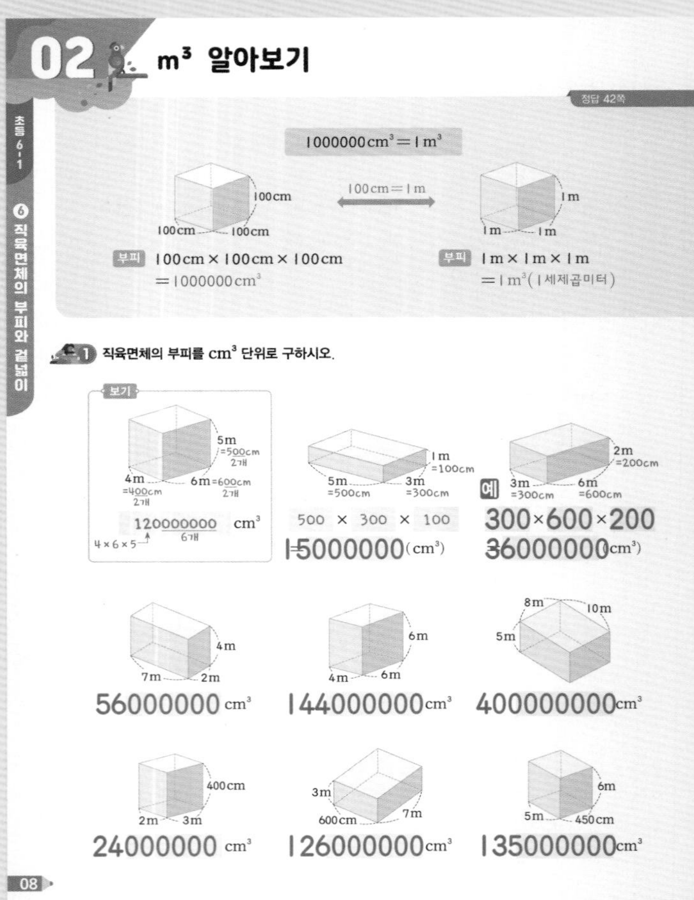

02 m³ 알아보기

정답 42쪽

$1000000 cm^3 = 1 m^3$

100cm = 1m

부피 100cm × 100cm × 100cm = 1000000 cm^3

부피 1m × 1m × 1m = 1 m^3 (1세제곱미터)

1 직육면체의 부피를 cm^3 단위로 구하시오.

보기 4m=400cm, 6m=600cm, 5m=500cm; 120000000 cm^3 (4×6×5, 6개)

500 × 300 × 100 = 15000000 (cm^3)

예 300×600×200 = 36000000 (cm^3)

56000000 cm^3 / 144000000 cm^3 / 400000000 cm^3

24000000 cm^3 / 126000000 cm^3 / 135000000 cm^3

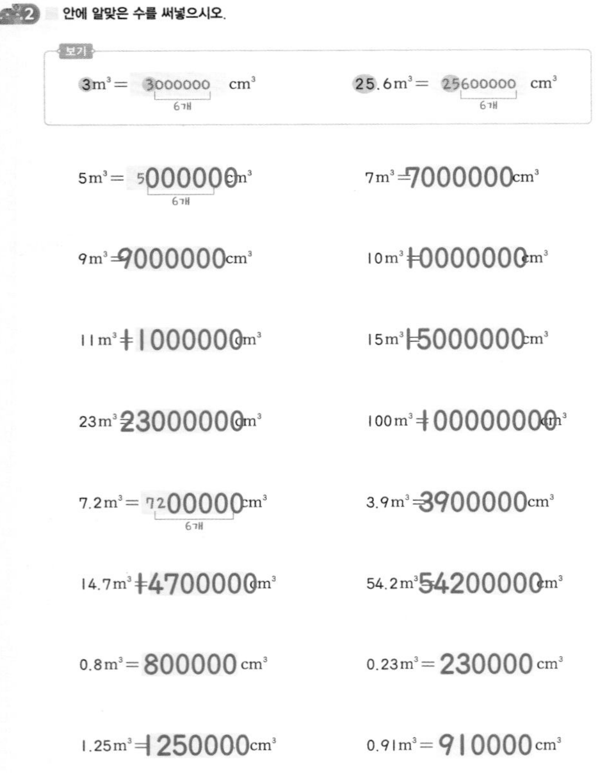

2 □ 안에 알맞은 수를 써넣으시오.

보기 $3m^3$ = 3000000 cm^3 (6개) / $25.6m^3$ = 25600000 cm^3 (6개)

$5m^3$ = 5000000 cm^3	$7m^3$ = 7000000 cm^3
$9m^3$ = 9000000 cm^3	$10m^3$ = 10000000 cm^3
$11m^3$ = 11000000 cm^3	$15m^3$ = 15000000 cm^3
$23m^3$ = 23000000 cm^3	$100m^3$ = 100000000 cm^3
$7.2m^3$ = 7200000 cm^3	$3.9m^3$ = 3900000 cm^3
$14.7m^3$ = 14700000 cm^3	$54.2m^3$ = 54200000 cm^3
$0.8m^3$ = 800000 cm^3	$0.23m^3$ = 230000 cm^3
$1.25m^3$ = 1250000 cm^3	$0.91m^3$ = 910000 cm^3

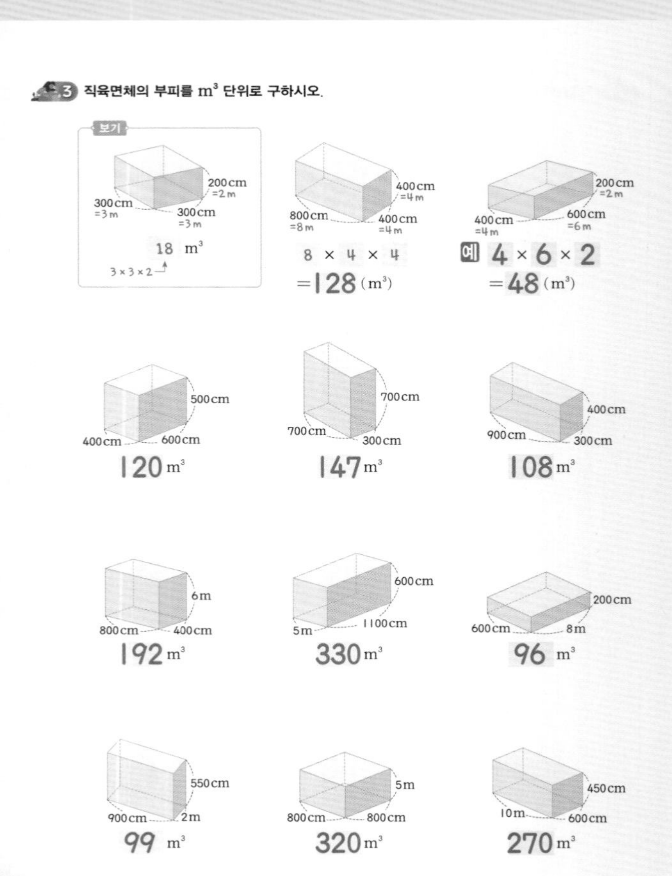

3 직육면체의 부피를 m^3 단위로 구하시오.

보기 300cm=3m, 300cm=3m, 200cm=2m; 18 m^3 (3×3×2)

8 × 4 × 4 = 128 (m^3)

예 4 × 6 × 2 = 48 (m^3)

120 m^3 / 147 m^3 / 108 m^3

192 m^3 / 330 m^3 / 96 m^3

99 m^3 / 320 m^3 / 270 m^3

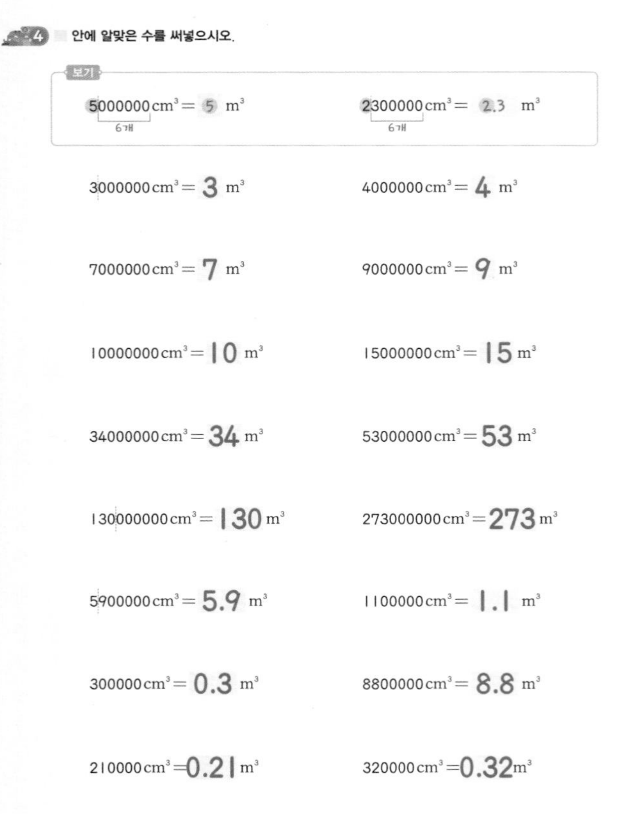

4 □ 안에 알맞은 수를 써넣으시오.

보기 5000000 cm^3 = 5 m^3 (6개) / 2300000 cm^3 = 2.3 m^3 (6개)

3000000 cm^3 = 3 m^3	4000000 cm^3 = 4 m^3
7000000 cm^3 = 7 m^3	9000000 cm^3 = 9 m^3
10000000 cm^3 = 10 m^3	15000000 cm^3 = 15 m^3
34000000 cm^3 = 34 m^3	53000000 cm^3 = 53 m^3
130000000 cm^3 = 130 m^3	273000000 cm^3 = 273 m^3
5900000 cm^3 = 5.9 m^3	1100000 cm^3 = 1.1 m^3
300000 cm^3 = 0.3 m^3	8800000 cm^3 = 8.8 m^3
210000 cm^3 = 0.21 m^3	320000 cm^3 = 0.32 m^3

03 직육면체의 겉넓이 구하기

정답 43쪽

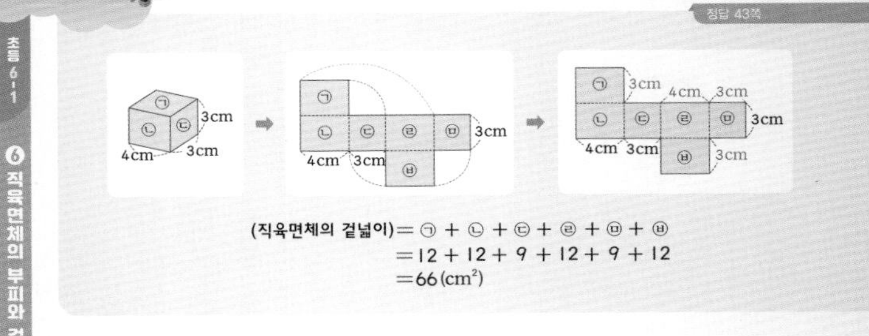

(직육면체의 겉넓이)=㉠+㉡+㉢+㉣+㉤+㉥
=12+12+9+12+9+12
=66(cm²)

1 직육면체의 전개도를 보고 □ 안에 알맞은 수를 써넣으시오.

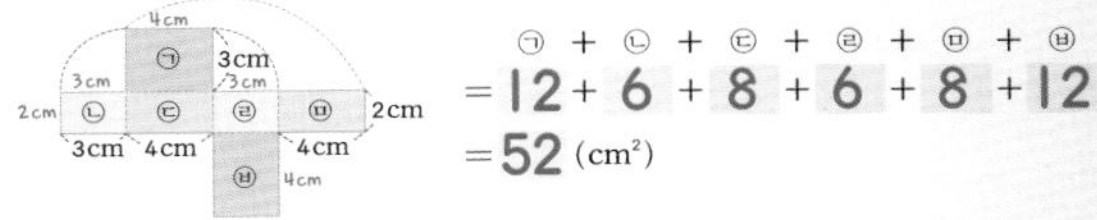

㉠+㉡+㉢+㉣+㉤+㉥
=12+6+8+6+8+12
=52(cm²)

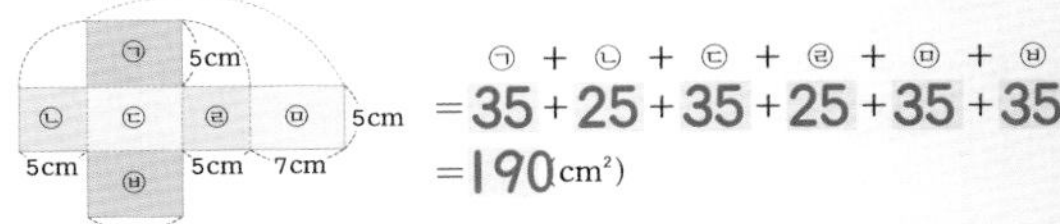

㉠+㉡+㉢+㉣+㉤+㉥
=35+25+35+25+35+35
=190(cm²)

㉠+㉡+㉢+㉣+㉤+㉥
=24+20+30+20+30+24
=148(cm²)

2 직육면체의 전개도를 보고 □ 안에 알맞은 수를 써넣으시오.

보기

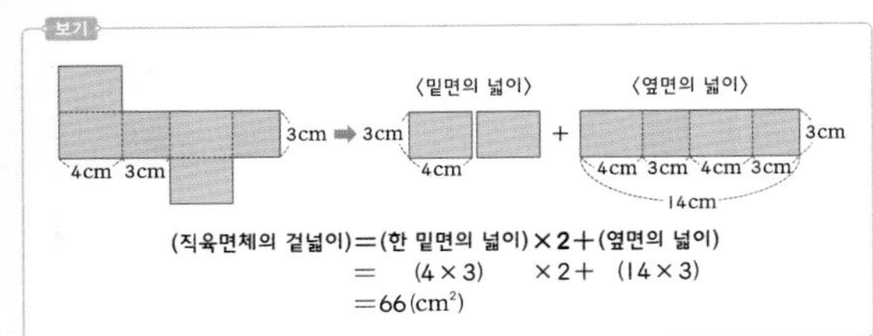

(직육면체의 겉넓이)=(한 밑면의 넓이)×2+(옆면의 넓이)
=(4×3)×2+(14×3)
=66(cm²)

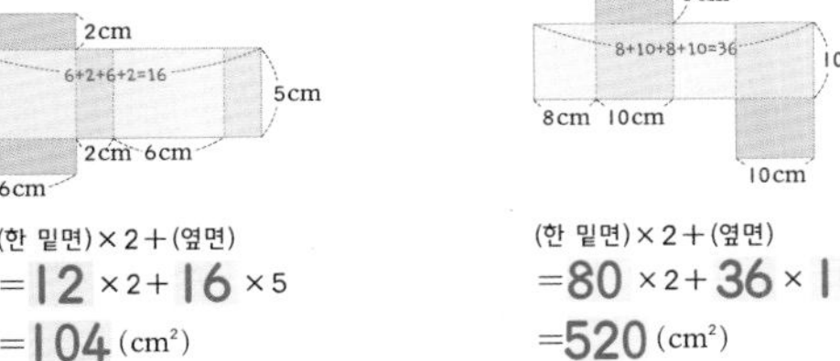

(한 밑면)×2+(옆면)
=12×2+16×5
=104(cm²)

(한 밑면)×2+(옆면)
=80×2+36×10
=520(cm²)

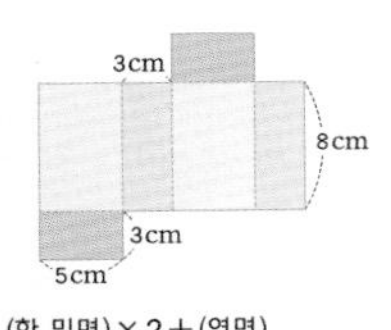

(한 밑면)×2+(옆면)
=15×2+16×8
=158(cm²)

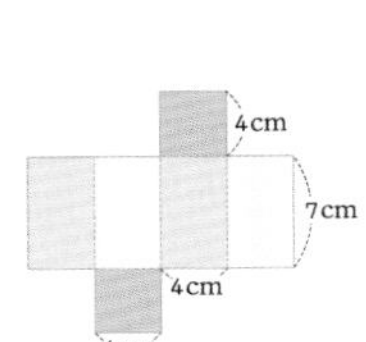

(한 밑면)×2+(옆면)
=16×2+16×7
=144(cm²)

3 직육면체를 보고 □ 안에 알맞은 수를 써넣어 직육면체의 겉넓이를 구하시오.

보기

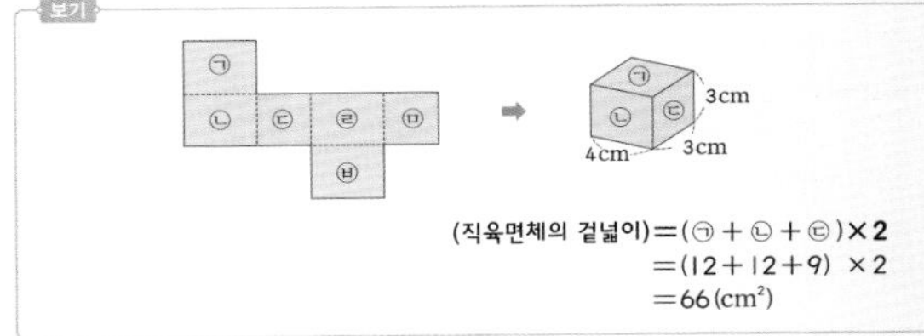

(직육면체의 겉넓이)=(㉠+㉡+㉢)×2
=(12+12+9)×2
=66(cm²)

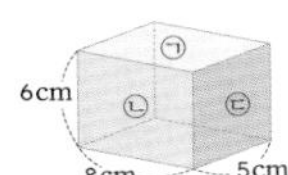

(㉠+㉡+㉢)×2
=(40+48+30)×2
=236(cm²)

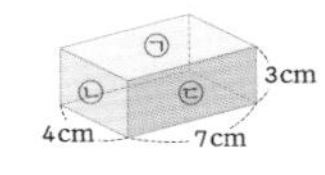

(㉠+㉡+㉢)×2
=(28+12+21)×2
=122(cm²)

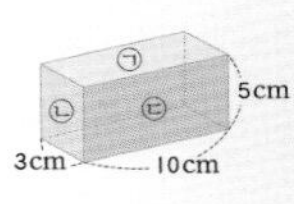

(㉠+㉡+㉢)×2
=(30+15+50)×2
=190(cm²)

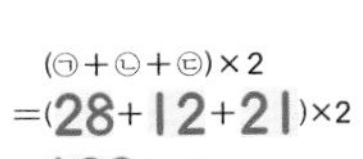

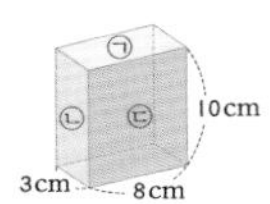

(㉠+㉡+㉢)×2
=(24+30+80)×2
=268(cm²)

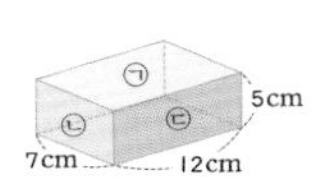

(㉠+㉡+㉢)×2
=(84+35+60)×2
=358(cm²)

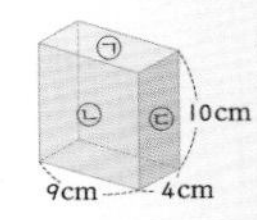

(㉠+㉡+㉢)×2
=(36+90+40)×2
=332(cm²)

4 직육면체의 겉넓이를 구하시오.

94 cm²

104 cm²

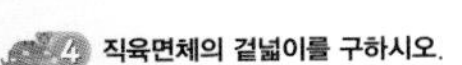

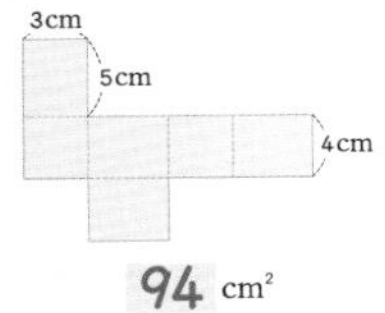

142 cm²

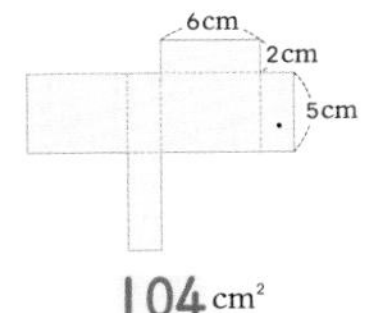

108 cm²

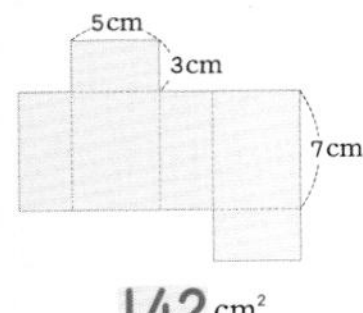

130 cm²

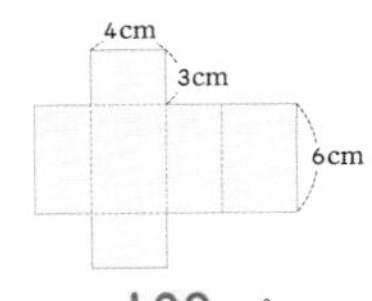

122 cm²

188 cm²

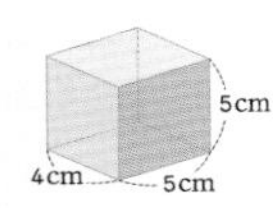

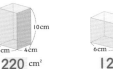

220 cm²

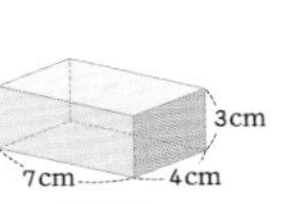

126 cm²

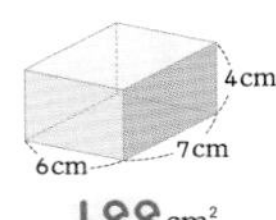

210 cm²

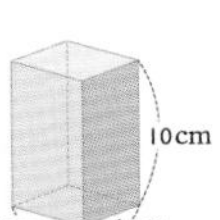

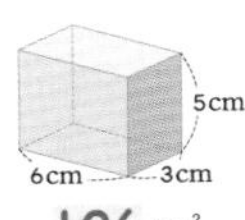

04 정육면체의 부피와 겉넓이

정답 44쪽

● 정육면체의 부피 구하기

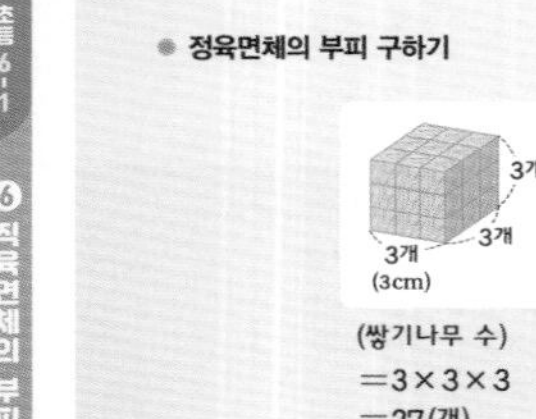

(쌓기나무 수)
=3×3×3
=27(개)

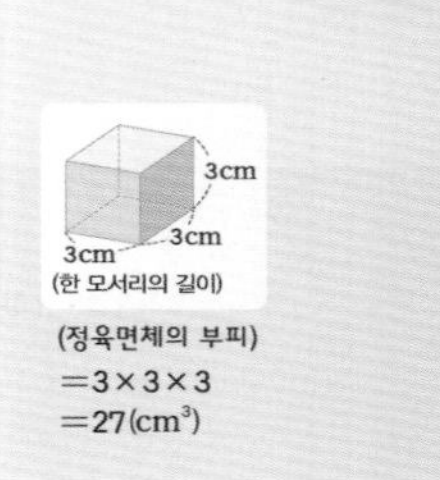

(정육면체의 부피)
=3×3×3
=27(cm^3)

 1 □ 안에 알맞은 수를 써넣어 정육면체의 부피를 구하시오.

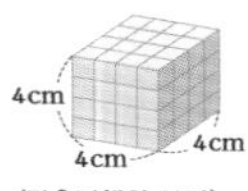

(정육면체의 부피)
=4×4×4
=64 (cm^3)

(정육면체의 부피)
=2×2×2
=8 (cm^3)

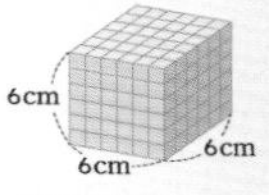

(정육면체의 부피)
=6×6×6
=216(cm^3)

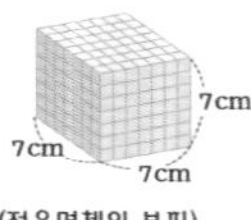

(정육면체의 부피)
=7×7×7
=343(cm^3)

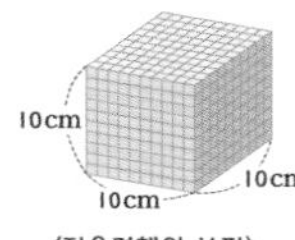

(정육면체의 부피)
=10×10×10
=1000(cm^3)

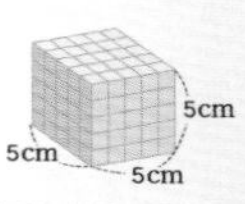

(정육면체의 부피)
=5×5×5
=125(cm^3)

2 정육면체의 부피를 구하시오.

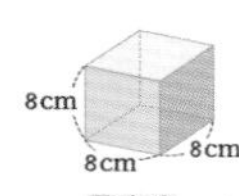

512cm^3

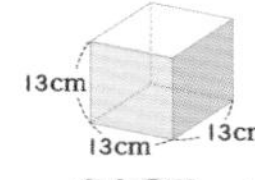

2197cm^3

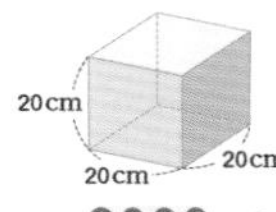

8000cm^3

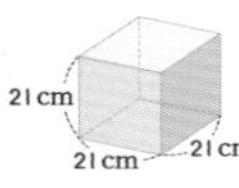

9261cm^3

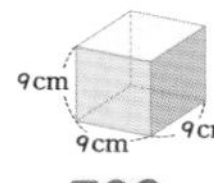

729cm^3

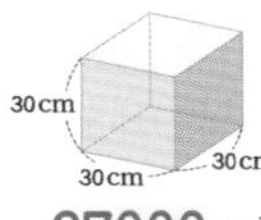

27000cm^3

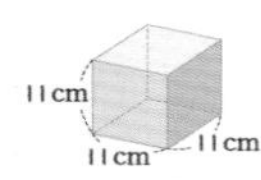

1331cm^3

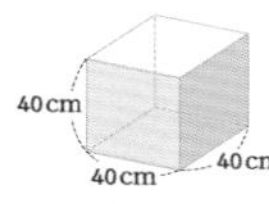

64000cm^3

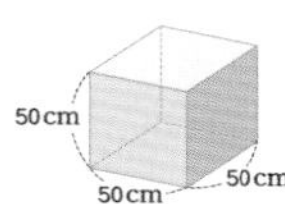

125000cm^3

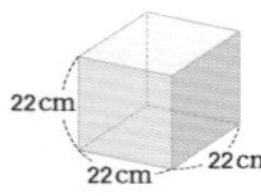

10648cm^3

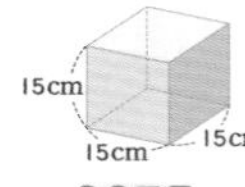

3375cm^3

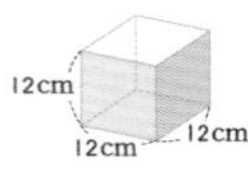

1728cm^3

● 정육면체의 겉넓이 구하기

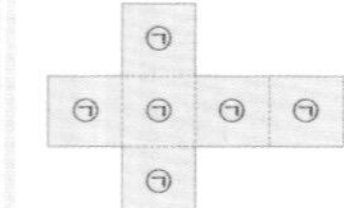

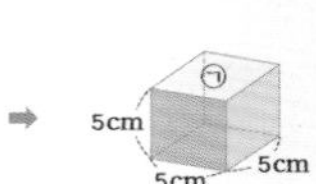

(정육면체의 겉넓이)=(한 면의 넓이)×6
= (5×5) ×6
=150(cm^2)

 3 □ 안에 알맞은 수를 써넣어 정육면체의 겉넓이를 구하시오.

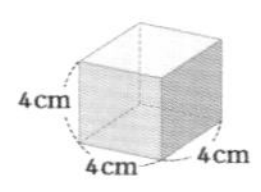

(정육면체의 겉넓이)
=16×6
=96 (cm^2)

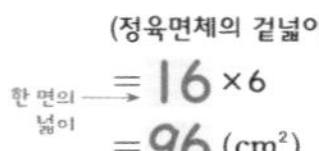

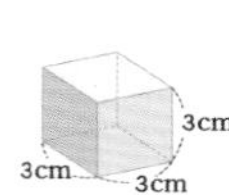

(정육면체의 겉넓이)
=9×6
=54(cm^2)

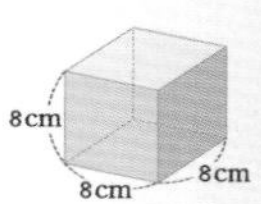

(정육면체의 겉넓이)
=64×6
=384(cm^2)

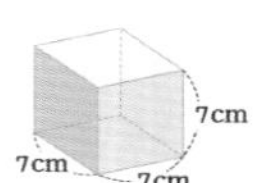

(정육면체의 겉넓이)
=49×6
=294(cm^2)

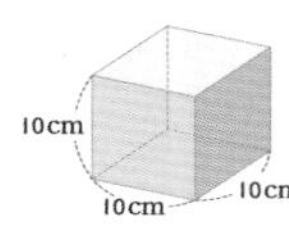

(정육면체의 겉넓이)
=100×6
=600(cm^2)

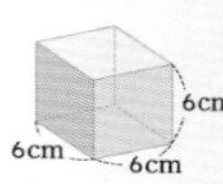

(정육면체의 겉넓이)
=36×6
=216(cm^2)

4 정육면체의 겉넓이를 구하시오.

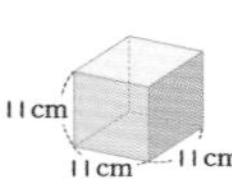

726cm^2

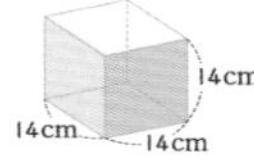

1176cm^2

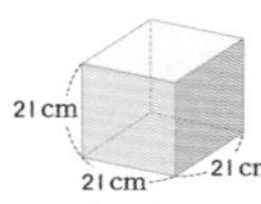

2646cm^2

15cm 15cm 15cm

1350cm^2

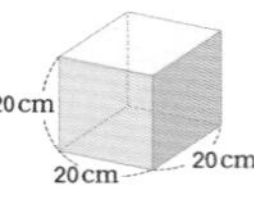

2400cm^2

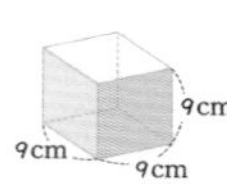

486cm^2

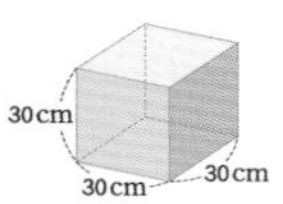

5400cm^2

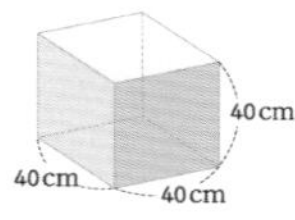

9600cm^2

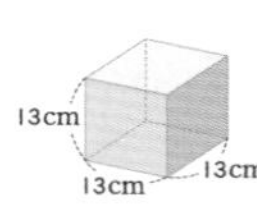

1014cm^2

864cm^2

2904cm^2

50cm 50cm 50cm

15000cm^2

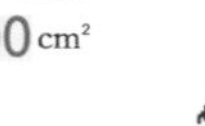

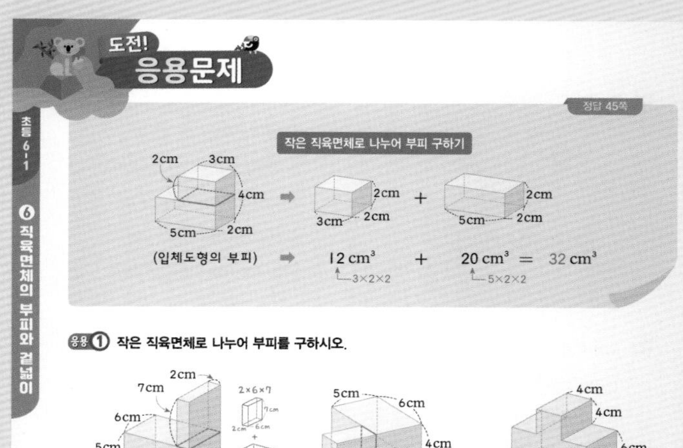

응용 ① 작은 직육면체로 나누어 부피를 구하시오.

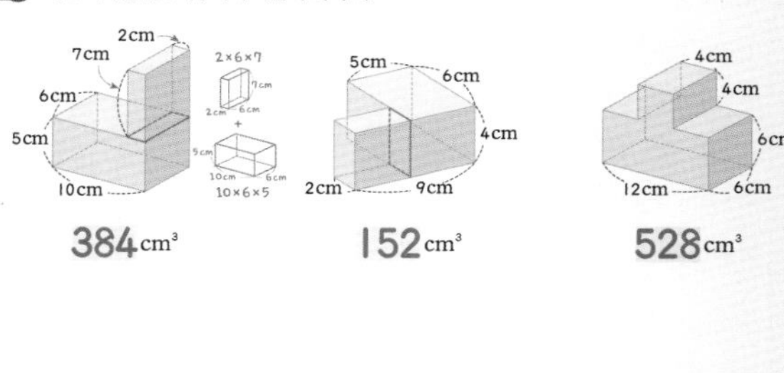

384 cm³ 152 cm³ 528 cm³

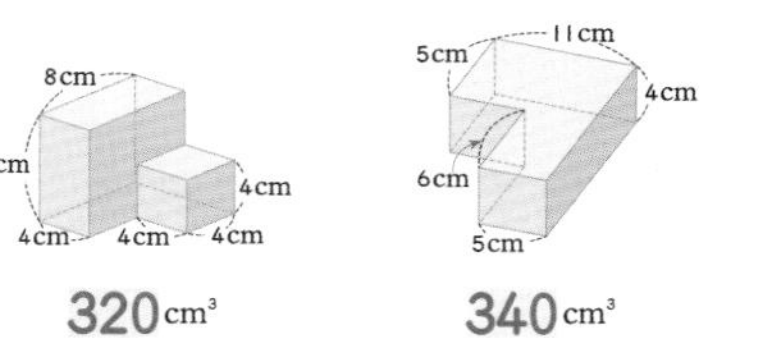
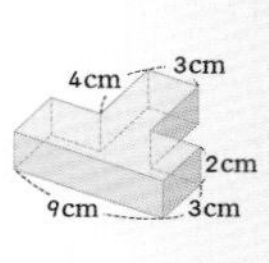

320 cm³ 340 cm³ 78 cm³

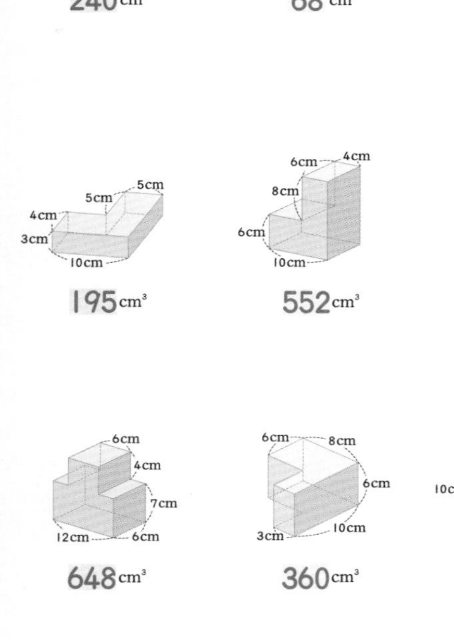

240 cm³ 68 cm³ 126 cm³

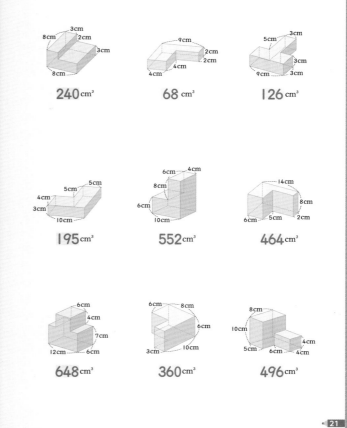

195 cm³ 552 cm³ 464 cm³

648 cm³ 360 cm³ 496 cm³

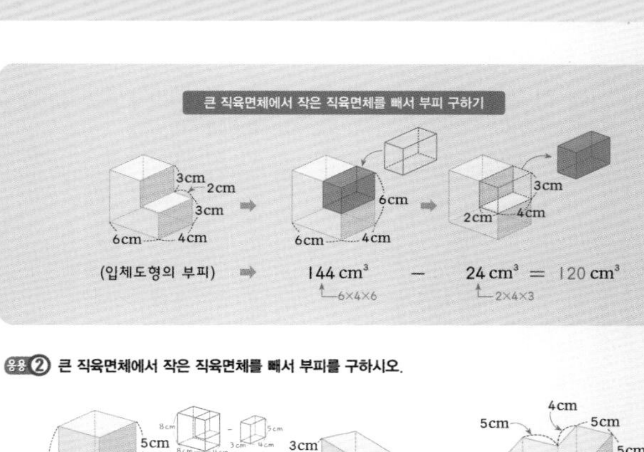

응용 ② 큰 직육면체에서 작은 직육면체를 빼서 부피를 구하시오.

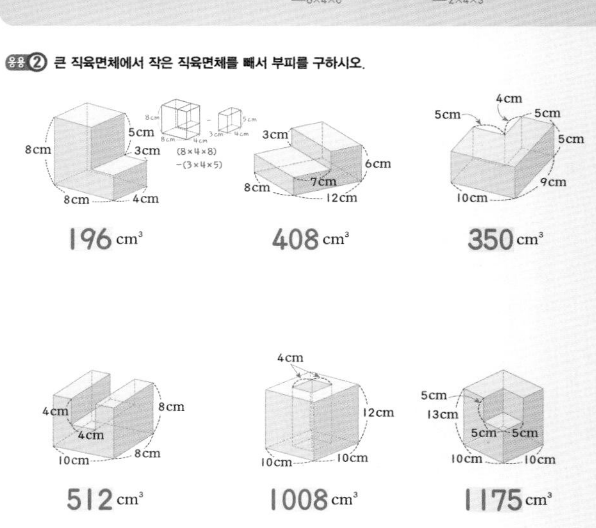

196 cm³ 408 cm³ 350 cm³

512 cm³ 1008 cm³ 1175 cm³

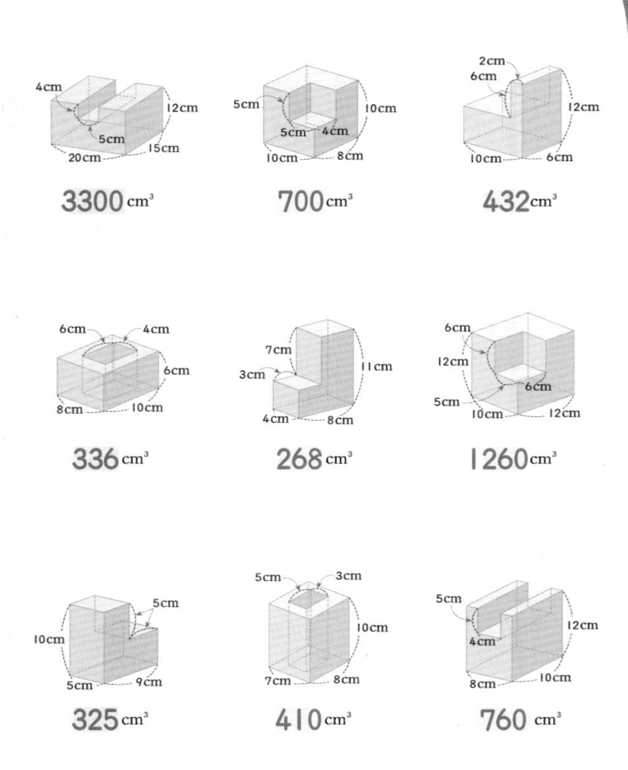

3300 cm³ 700 cm³ 432 cm³

336 cm³ 268 cm³ 1260 cm³

325 cm³ 410 cm³ 760 cm³

형성평가

걸린 시간: 분 정답 46쪽 점 수: 점

01 부피가 $1\,cm^3$인 쌓기나무를 쌓아 직육면체를 만들었습니다. □ 안에 알맞은 수를 써넣어 쌓기나무의 수를 구하시오.

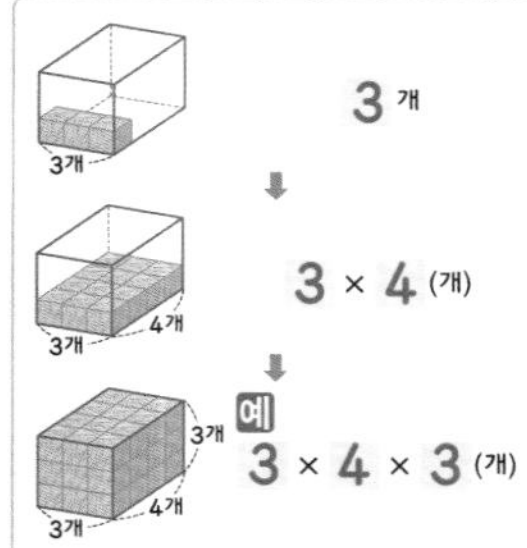

3 개

3 × 4 (개)

예 3 × 4 × 3 (개)

02 부피가 $1\,cm^3$인 쌓기나무를 쌓아 만든 직육면체의 부피를 구하시오.

(1)

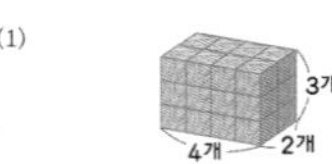

$1\,cm^3$가 24 개 ➡ 24 cm^3

(2)

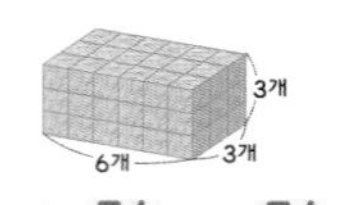

$1\,cm^3$가 54 개 ➡ 54 cm^3

03 □ 안에 알맞은 수를 써넣어 직육면체의 부피를 구하시오.

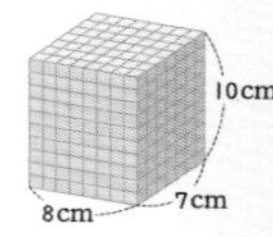

예 (직육면체의 부피)
= 8 × 7 × 10
= 560 (cm^3)

[04~05] 직육면체의 부피를 구하시오.

04

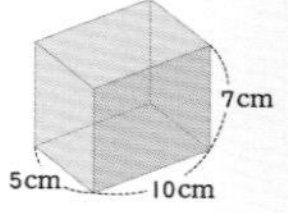

350 cm^3

05

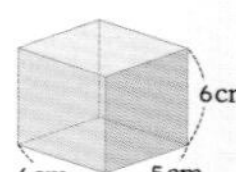

180 cm^3

06 직육면체의 부피를 cm^3 단위로 구하시오.

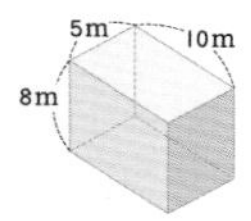

400000000 cm^3

07 □ 안에 알맞은 수를 써넣으시오.

(1) $3\,m^3$ = 3000000 cm^3

(2) $8\,m^3$ = 8000000 cm^3

(3) $20\,m^3$ = 20000000 cm^3

(4) $5.6\,m^3$ = 5600000 cm^3

(5) $0.15\,m^3$ = 150000 cm^3

08 직육면체의 부피를 m^3 단위로 구하시오.

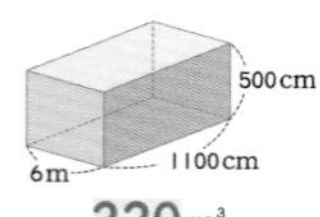

330 m^3

09 □ 안에 알맞은 수를 써넣으시오.

(1) $5000000\,cm^3$ = 5 m^3

(2) $30000000\,cm^3$ = 30 m^3

(3) $4700000\,cm^3$ = 4.7 m^3

(4) $600000\,cm^3$ = 0.6 m^3

(5) $270000\,cm^3$ = 0.27 m^3

10 직육면체의 전개도를 보고 □ 안에 알맞은 수를 써넣으시오.

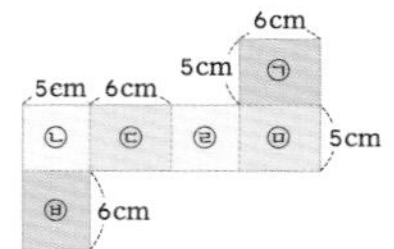

㉠ + ㉡ + ㉢ + ㉣ + ㉤ + ㉥
= 30 + 25 + 30 + 25 + 30 + 30
= 170 (cm^2)

[11~12] 직육면체의 전개도를 보고 □ 안에 알맞은 수를 써넣으시오.

11

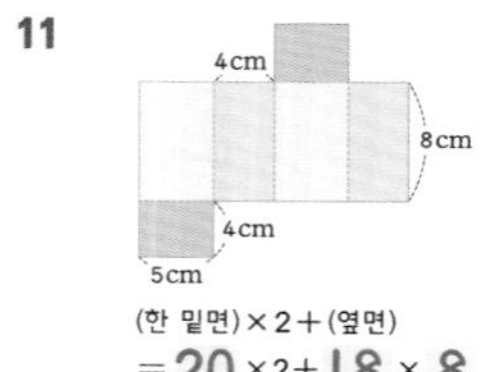

(한 밑면) × 2 + (옆면)
= 20 × 2 + 18 × 8
= 184 (cm^2)

12

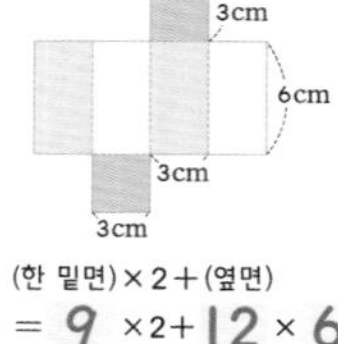

(한 밑면) × 2 + (옆면)
= 9 × 2 + 12 × 6
= 90 (cm^2)

[13~14] 직육면체를 보고 □ 안에 알맞은 수를 써넣어 직육면체의 겉넓이를 구하시오.

13

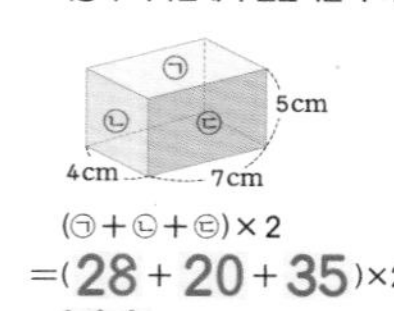

(㉠ + ㉡ + ㉢) × 2
= (28 + 20 + 35) × 2
= 166 (cm^2)

14

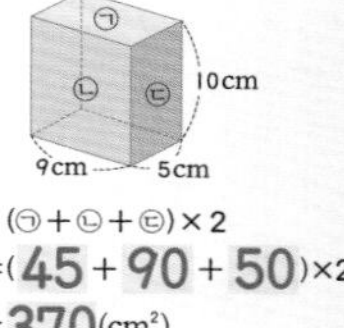

(㉠ + ㉡ + ㉢) × 2
= (45 + 90 + 50) × 2
= 370 (cm^2)

[15~16] 직육면체의 겉넓이를 구하시오.

15

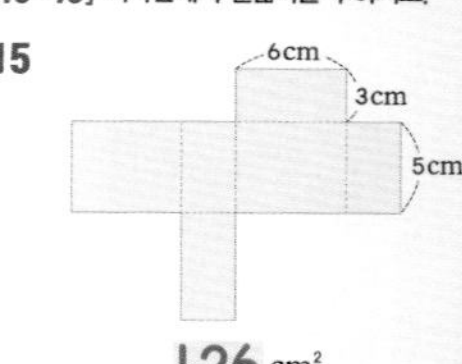

126 cm^2

16

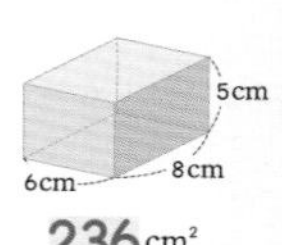

236 cm^2

17 □ 안에 알맞은 수를 써넣어 정육면체의 부피를 구하시오.

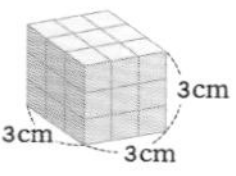

(정육면체의 부피)
= 3 × 3 × 3
= 27 (cm^3)

18 정육면체의 부피를 구하시오.

(1)

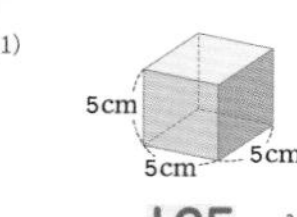

125 cm^3

(2)

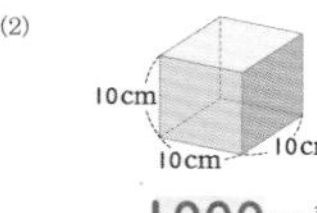

1000 cm^3

19 □ 안에 알맞은 수를 써넣어 정육면체의 겉넓이를 구하시오.

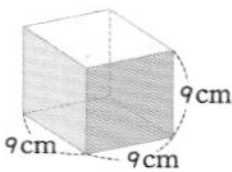

(정육면체의 겉넓이)
= 81 × 6
= 486 (cm^2)

20 정육면체의 겉넓이를 구하시오.

(1)

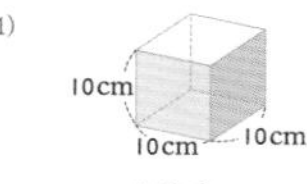

600 cm^2

(2)

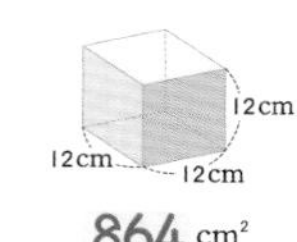

864 cm^2

6. 직육면체의 부피와 겉넓이

정답 47쪽

1 부피가 $1\,cm^3$인 쌓기나무를 쌓아 만든 모양입니다. 부피가 가장 큰 것은 어느 것입니까?

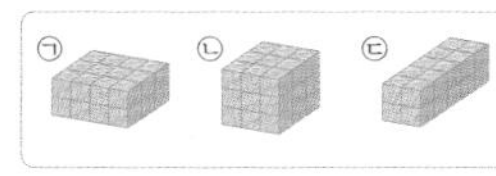

(㉡)

㉠ 24개 ㉡ 27개 ㉢ 20개

2 직육면체의 부피를 구하시오.

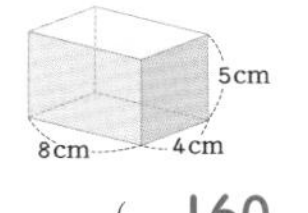

(160) cm^3

3 □ 안에 알맞은 수를 써넣으시오.

(1) $8\,m^3$ = 8000000 cm^3

(2) $50\,m^3$ = 50000000 cm^3

(3) $38000000\,cm^3$ = 38 m^3

(4) $430000000\,cm^3$ = 430 m^3

(5) $2500000\,cm^3$ = 2.5 m^3

4 크기를 비교하여 ○ 안에 >, =, <를 알맞게 써넣으시오.

(1) $4900000\,cm^3$ (4.9 m^3) < $49\,m^3$

(2) $12000000\,cm^3$ (12 m^3) > $2.4\,m^3$

5 직육면체의 부피를 주어진 단위에 맞게 구하시오.

(1)

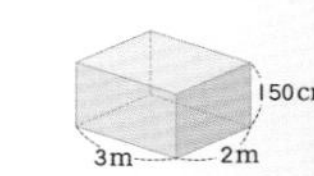

(9000000) cm^3

(2)

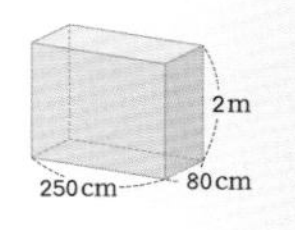

(4) m^3

6 부피가 큰 것부터 차례로 기호를 쓰시오.

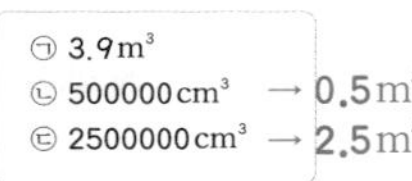

(㉠, ㉢, ㉡)

7 부피가 더 큰 도형의 기호를 쓰시오.

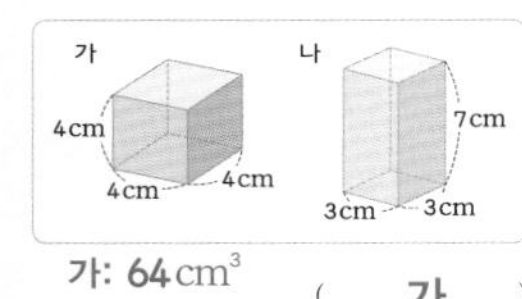

가: 64 cm^3
나: 63 cm^3

(가)

8 정육면체의 부피와 겉넓이를 구하시오.

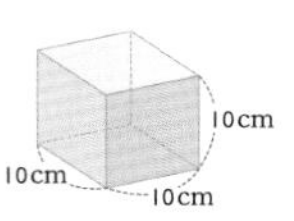

부피 (1000) cm^3

겉넓이 (600) cm^2

9 직육면체의 겉넓이를 구하시오.

(1)

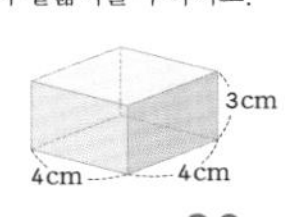

(80) cm^2

(2)

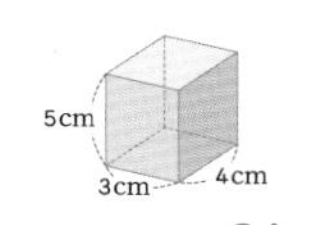

(94) cm^2

10 다음 전개도로 만들 수 있는 직육면체의 겉넓이를 구하시오.

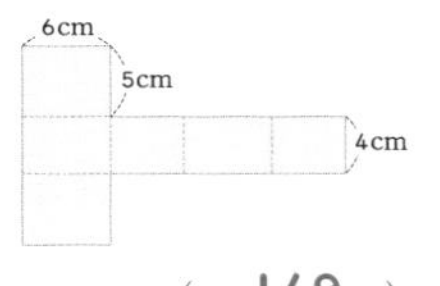

(148) cm^2

11 다음 전개도를 이용하여 만든 정육면체의 부피를 구하시오.

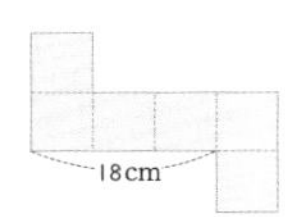

(216) cm^3

$18 \div 3 = 6$(cm)이므로
$6 \times 6 \times 6 = 216(cm^3)$

12 겉넓이가 더 큰 도형의 기호를 쓰시오.

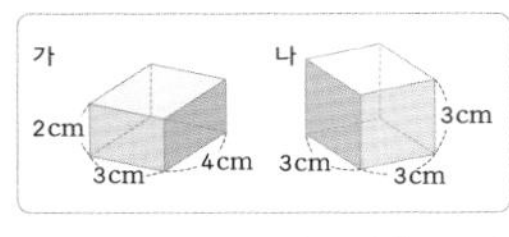

(나)

가: 52 cm^2 나: 54 cm^2

13 가로가 4 cm, 세로가 3 cm, 높이가 5 cm인 직육면체의 부피를 구하시오.

(60) cm^3

$4 \times 3 \times 5 = 60(cm^3)$

14 작은 직육면체로 나누어 부피를 구하시오.

(1)

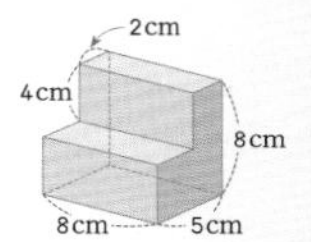

(224) cm^3

(2)

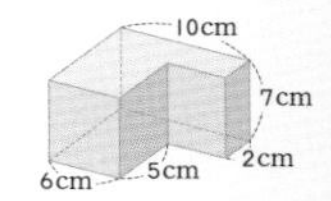

(350) cm^3

15 큰 직육면체에서 작은 직육면체를 빼서 부피를 구하시오.

(1)

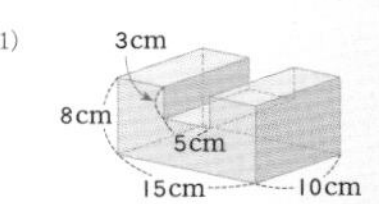

(1050) cm^3

(2)

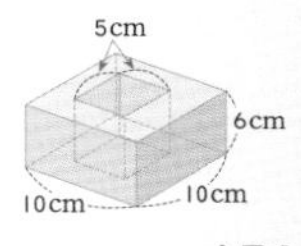

(450) cm^3

16 다음 직육면체의 부피는 $140\,cm^3$입니다. 가로가 5 cm, 세로가 7 cm일 때, 높이는 몇 cm입니까?

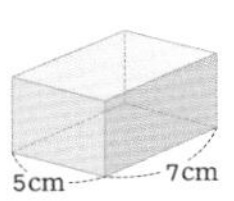

(4) cm

$140 \div 5 \div 7 = 4$(cm)

17 두 도형의 부피가 같을 때 □ 안에 알맞은 수를 구하시오.

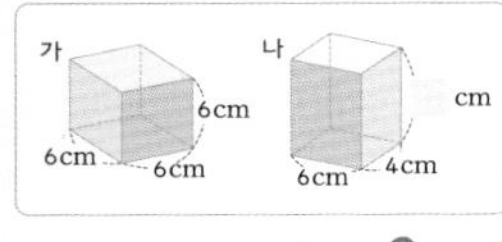

(9)

$6 \times 4 \times □ = 216$, □ = 9

18 다음과 같은 직육면체를 잘라서 정육면체를 만들려고 합니다. 만들 수 있는 가장 큰 정육면체의 부피를 구하시오.

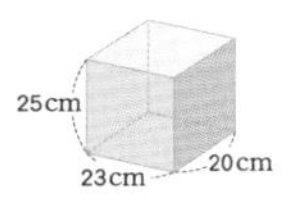

(8000) cm^3

$20 \times 20 \times 20 = 8000(cm^3)$

19 다음 전개도를 접어서 만들 수 있는 직육면체의 겉넓이가 $242\,cm^2$일 때, □ 안에 알맞은 수를 구하시오.

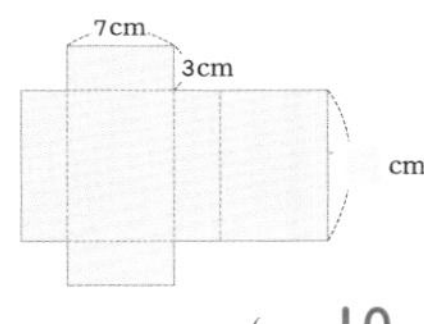

(10)

$21 \times 2 + 20 \times □ = 242$
$242 - 42 = 200$이므로
$200 \div 20 = 10$, □ = 10

20 겉넓이가 $150\,cm^2$인 정육면체의 부피를 구하려고 합니다. 풀이 과정을 쓰고 답을 구하시오.

풀이 (한 면의 넓이)
$= 150 \div 6 = 25(cm)$
한 모서리의 길이는 5 cm입니다.
(부피) $= 5 \times 5 \times 5$
$= 125(cm^3)$

답 $125\,cm^3$

memo